10 ans
L'ABC
des filles
2018
CATHERINE GIRARD-AU

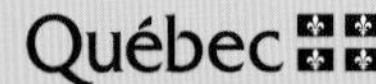

Crédit d'impôt livres
Gestion SODEC

Gouvernement du Québec – Programme de crédit d'impôt pour l'édition de livres – Gestion Sodec



info@lesmalins.ca

Auteure : Catherine Girard-Audet
Éditeur : Marc-André Audet
Éditrices au contenu : Katherine Mossalim, Margot Cittone
Correcteurs : Dörte Ufkes, Jean Boilard et Corinne de Vailly

Conception de la couverture : Shirley de Susini
Conception graphique : Shirley de Susini
Montage : Shirley de Susini, Diane Marquette

Dessins de Léa Olivier : Veronic Ly
Crédits photos : shutterstock.com

Dépôt légal – Bibliothèque et Archives nationales du Québec, 2017
Dépôt légal – Bibliothèque et Archives Canada, 2017

ISBN : 978-2-89657-567-1

Imprimé en Chine



Financé par le gouvernement du Canada | Canada

Les éditions les Malins inc.
Montréal (Québec)

# Un GROS MERCI

Cette dixième édition est encore plus spéciale à mes yeux puisqu'elle marque aussi le dixième anniversaire des Éditions les Malins et de mes débuts en tant qu'auteure! Je remercie donc du fond du cœur toutes ces personnes pour la création de *l'ABC* le plus beau et le plus extraordinaire qui soit!

À mon éditeur et frère, Marc-André Audet.

À Katherine Mossalim, Margot Cittone, Shirley de Susini, Diane Marquette et toute l'équipe des Éditions les Malins. Merci d'avoir travaillé si fort pour célébrer l'anniversaire de notre *ABC* en grand!

À Prologue pour son soutien et aux acolytes des Malins: Éric, Daniel et Alain.

À mes correcteurs: Jean Boilard, Dörte Ufkes et Corinne De Vailly.

Et à toutes celles qui attendent toujours impatiemment la sortie du nouvel *ABC* et qui m'encouragent à continuer d'année en année.

Merci de m'avoir permis d'en faire un outil indispensable et d'être ma principale source d'inspiration!

C'est un M, un E, un R, c'est un C avec un I,
rassemblez toutes ces lettres, vous y trouverez MERCI!

## ÇA L'ÉTAIT IL Y A 10 ANS, ET ÇA L'EST ENCORE…

- De faire le ménage de sa chambre en cachant tout ce qui traîne dans sa garde-robe.
- De nier qu'on tripe sur un gars à ses amies, mais de rêver de lui en cachette.
- D'avoir des journées où on n'a envie de voir personne.
- De porter des chemises à carreaux, même si on n'est pas une *fan* du country.
- De se réjouir en apercevant un bouton sur le nez de la nunuche numéro un de son école. Enfin, un peu de justice!

# C'EST TOUT À FAIT ACCEPTABLE

- De s'imaginer dans la peau de son personnage préféré de série télé (salut, Sarah dans *Le chalet*).
- De s'inventer des scénarios super romantiques avec son *kick* lorsqu'on ferme les yeux. (Mais de paralyser lorsqu'on le croise dans le corridor !)
- D'espionner le profil Facebook de son *kick* tous les soirs.
- De porter des bottes sans bas collants.
- De pleurer un bon coup quand on regarde un film quétaine.
- De prendre 56 photos de soi pour réussir à en avoir une qu'on juge assez bonne pour mettre sur Instagram.
- D'effacer une photo dans laquelle on a été identifiée parce qu'on n'aime pas la face qu'on fait.
- De faire semblant de texter, de consulter un courriel ou un article passionnant sur son cellulaire pour éviter de parler avec la personne assise à côté de nous dans l'autobus.
- De se réjouir que ses parents n'aient pas encore de compte Facebook.
- De lire quatre romans différents en même temps.
- De raconter à ses amies qu'on a eu une fin de semaine super excitante, même si ça se résume à un marathon de *Jérémie*.
- De consulter toutes les cinq minutes les comptes Instagram et Facebook de son ex ou de la personne qui nous a brisé le cœur pour s'assurer que sa vie n'est pas plus excitante que la nôtre.

Les myopes et astigmates me comprendront quand je dis que le port de lunettes m'a déjà causé des ennuis. Je possède aussi des verres de contact, mais j'aime bien alterner entre les deux et laisser mes yeux se reposer quelques jours par semaine. Je n'ai rien contre les lunettes, à part qu'elles sont trop souvent chères, qu'elles ne s'agencent pas toujours avec ce qu'on porte et que c'est énervant d'avoir des gouttes d'eau ou de la buée qui nous bloque la vue quand le temps est maussade et pluvieux.

Avant, je choisissais toujours une monture classique et je passais des années avec la même paire de lunettes, même si j'étais souvent tannée de la voir. Mais l'année dernière, ma vie a changé quand j'ai découvert l'entreprise québécoise Bonlook. J'exagère à peine! Ce qu'elle offre, ce sont des montures originales et à la mode qui coûtent le quart du prix de celles offertes chez la plupart des optométristes. Il ne suffit que d'avoir une prescription à jour pour faire préparer ses lunettes de rêve.

Il est même possible de commander des lunettes directement sur le web en envoyant une photo de sa prescription et en se basant sur l'essayage en ligne avec la caméra de son ordinateur. J'avoue que je n'ai pas été assez courageuse pour le faire. Lors de mon premier achat avec eux, je me suis donc rendue en boutique pour essayer différents styles. Comme j'ai un petit visage, je voulais m'assurer que la monture que j'avais repérée en ligne m'irait bien.

J'ai eu le coup de foudre pour la monture Nadine, imaginée par Maripier Morin. Tellement que je l'ai commandée par la suite en différentes couleurs sur internet. C'est comme ça que j'ai appris à m'amuser avec mes lunettes et à changer de style selon mon humeur et mon habillement.

2

1

3

1 J'aime la monture rose pour les journées où je *feele* plus romantique. Elle s'agence avec presque toute ma garde-robe. J'aime bien la porter avec les cheveux détachés ou avec une couette basse.

2 J'opte pour la transparente quand je porte quelque chose de plus original et coloré et que je veux que mes lunettes passent inaperçues. C'est vraiment le top de la discrétion, et je peux porter mes cheveux de n'importe quelle façon.

3 **J'aime la tachetée rose et noire quand je porte une tenue plus sobre et que je veux mettre l'accent sur mon regard. Cette monture est de celle qui attire le plus l'attention, et je préfère la mettre lorsque mes cheveux sont attachés.**

4 La noire me donne quant à elle un air un peu plus studieux et classique. C'est comme une robe noire : ça se porte dans toutes les occasions ! En plus, je peux l'agencer avec mes tenues plus colorées sans donner le tournis aux gens qui me regardent.

J'ai aussi eu envie d'essayer la monture Subrosa, imaginée par Sarah-Jeanne Labrosse, parce que je suis une grande adepte de son look. J'ai opté pour la monture rose plus romantique parce que je savais que cette couleur allait bien avec mon teint. Ce que j'aime par-dessus tout avec cette monture, c'est son petit look vintage et le fait qu'elle soit super discrète.

Bref, au lieu de capoter parce que ma vue baisse un peu plus chaque année, j'ai appris à m'amuser avec mes problèmes de vision depuis que j'ai réalisé que les lunettes pouvaient devenir un accessoire de mode incontournable pour compléter mon look.

# Mon *voyage* humanitaire

En février 2000, j'avoue que je me sentais un peu perdue. J'achevais mon cégep sans trop savoir vers quoi m'orienter à l'université ; je me remettais d'une peine d'amour et c'est un peu comme si je traversais une crise d'adolescence à retardement. Quand deux de mes meilleures amies ont décidé de se joindre à un projet d'aide humanitaire au Honduras, j'ai donc saisi l'occasion pour y participer aussi, pour soutenir leurs efforts afin de financer le voyage et pour me concentrer sur quelque chose qui m'inspirait sincèrement.

En plus de vendre des t-shirts, des suçons, des biscuits et d'avoir fait du porte-à-porte pour ramasser des sous, nous avons en plus de assisté à plusieurs réunions avec des gens qui avaient eux-mêmes participé au projet les années précédentes. Tous nous répétaient la même chose : « Il s'agit d'une expérience révélatrice et enrichissante qui pourrait changer votre vie. » On nous prévenait aussi du choc culturel que nous nous apprêtions à vivre. L'ouragan Mitch avait ravagé le Honduras deux ans auparavant, et la population avait de la difficulté à reprendre le dessus. À l'époque, le Honduras n'était pas aussi dangereux qu'il l'est aujourd'hui, mais il comptait déjà parmi les pays les plus pauvres de toute l'Amérique latine.

À l'été 2000, mes amies et moi avons finalement pris l'avion pour fouler le sol hondurien. Du haut de mes 19 ans, j'espérais secrètement changer le pays et revenir en sachant clairement ce que je voulais faire dans la vie. La réalité m'a toutefois rattrapée et j'ai vite compris qu'il me fallait revoir mes attentes.

La première chose qui m'a marquée en arrivant là-bas, c'est la chaleur. Et je ne parle pas juste du climat, mais surtout des gens. Malgré la pauvreté criante, ils semblaient toujours souriants. Ç'a d'ailleurs

beaucoup facilité mon adaptation dans la famille qui m'a accueillie et chez qui j'ai séjourné pendant quatre mois. On m'y a reçue à bras ouverts et j'ai tout de suite senti que je faisais partie d'un clan, et que même si j'avais physiquement l'air d'une étrangère, à leurs yeux, j'étais un membre de la famille.

Après quelques jours à visiter les principaux attraits de Tegucigalpa, la capitale, nous nous sommes réunies avec les dirigeants de l'organisation humanitaire qui allait nous encadrer au cours des prochains mois. Leur bureau était situé dans l'un des plus grands bidonvilles de la capitale. Nous avions bien sûr été prévenues que lors de nos journées dans les quartiers plus dangereux, nous ne devions traîner aucun objet de valeur. Il fallait aussi s'habiller de façon à ne pas trop attirer les regards. Mais dans mon cas, le simple fait d'être blonde aux yeux bleus me faisait détonner du reste de la population.

Mon choc n'avait rien à voir avec le danger ni la peur. Il était plutôt lié au fait que les gens du bidonville n'avaient pratiquement rien pour vivre. Ça semble cliché, mais ç'a tout de suite remis mes problèmes en perspective. Ça me semblait si anodin de ne pas savoir en quoi étudier ! Au moins, moi, j'avais la chance de fréquenter l'université. Et ma peine d'amour ? On ne peut pas en mourir, contrairement à tous ces gens qui manquent de nourriture, de soins médicaux et d'eau potable.

Mes amies et moi avons finalement décidé d'entreprendre un projet de pièce de théâtre écrite et jouée par des élèves d'une école du *barrio* (quartier, en espagnol). Heureusement pour moi, comme je parlais déjà assez couramment espagnol, la barrière de la langue n'a jamais été un problème. Je dirais plutôt que c'est la lenteur des choses qui m'a parfois semblé difficile à gérer. Mes amies et moi devions accepter qu'au Honduras, les choses n'évoluaient pas à la même vitesse que chez nous, et que parfois, les gens ne se présentaient pas aux rencontres. Les expressions « *no hay hoy* » (il n'y en a pas aujourd'hui) et « *hoy, no es posible* » (aujourd'hui, ce n'est pas possible) faisaient dorénavant partie de notre quotidien.

Les mois qui ont suivi se sont révélés extrêmement riches en expériences, mais contrairement à ce que j'espérais au départ, ce n'est pas mon apport à leur vie qui a changé les choses, mais plutôt ma rencontre avec tous ces jeunes qui m'a transformée.

Parmi mes moments marquants : la journée où l'un d'eux nous a invitées chez lui pour nous présenter sa famille. C'était l'une des maisons les plus pauvres des environs, et ce n'est pas peu dire ... Environ dix personnes vivaient entassées dans une grande pièce, et on pouvait voir la lueur du jour entre les planches du plafond. Pas besoin de vous dire que les journées pluvieuses devaient être difficiles.

Je me souviens aussi très bien de ces trois amies qui semblaient inséparables et qui s'étaient vraiment attachées à nous. Quand on y pense, nous n'étions pas vraiment plus vieilles que les adolescents que nous dirigions tous les jours, mais nous nous sommes toujours senties respectées.

Je me souviendrai toujours de la journée de la représentation, où toutes les familles s'étaient réunies dans le gymnase de l'école pour assister à notre pièce de théâtre montée sans aucun budget.

Je me rappelle aussi des moments plus difficiles, comme les jours où je m'ennuyais de la maison et que j'avais envie de rentrer chez moi. Ou celui où un chien du bidonville s'est attaqué à moi sans raison et que j'ai dû passer plusieurs heures à l'hôpital pour recevoir un vaccin contre la rage, même s'il ne m'avait pas mordue au sang.

Il y a aussi cette longue nuit passée à l'hôpital où on m'a finalement appris que j'avais des parasites et que je devais prendre des antibiotiques ; ou cette journée où je me suis rendue d'urgence à la clinique, car je ne supportais plus mon mal de tête. Normal, puisque j'avais la dengue (une maladie transmise par les moustiques) !

Après nos mois passés au Honduras, mes amies et moi en avons profité pour remonter jusqu'au Mexique en autobus. Je répète qu'à l'époque, ce n'était pas aussi dangereux de le faire qu'aujourd'hui. Mais avec le recul, je réalise que c'est ironiquement ma naïveté, mon innocence et mon manque d'expérience qui m'ont parfois permis de foncer sans avoir peur des conséquences. Est-ce qu'il m'est arrivé de prendre des risques un peu stupides que je regrette aujourd'hui ? Oui. Mais heureusement pour moi, on apprend de nos erreurs et il ne m'est rien arrivé de grave.

Quand je suis finalement rentrée chez moi, j'étais amaigrie, encore un peu malade, mais beaucoup plus riche intérieurement. Contrairement à ce que je m'imaginais au départ, je ne revenais pas au Québec avec des réponses à mes questions, mais plutôt avec des expériences qui m'avaient fait grandir et devenir une meilleure personne. Mon voyage humanitaire m'aura avant tout transmis un peu plus d'humilité, de générosité et d'empathie. Et il m'aura aussi fait prendre conscience de ma chance de vivre dans un pays riche où tout est possible.

Mon amie Anne-Marie et moi devant le seul restaurant chinois de la ville !

# Vous voulez aider, VOUS AUSSI ?

Plusieurs organismes humanitaires proposent des voyages d'entraide à l'étranger, mais ceux-ci s'adressent généralement aux personnes majeures.

En attendant, il existe plein de gestes que vous pouvez faire pour aider ceux qui en ont besoin. En voici d'ailleurs quelques exemples :

### 1) BÉNÉVOLAT DANS LES CENTRES DE PERSONNES ÂGÉES

Nombreuses sont les personnes âgées qui vivent dans des centres et qui se sentent seules. Votre présence et votre aide peuvent faire toute la différence. Le simple fait de s'asseoir auprès d'une dame pour l'écouter, ou alors de vous joindre à une partie de cartes ou de bingo peut illuminer la journée d'une de ces personnes.

### 2) AIDE AUX DEVOIRS

Il y a plein de gens autour de vous qui ont des difficultés d'apprentissage ou qui ont simplement besoin d'un coup de main dans certaines matières, et votre aide peut les aider à persévérer et à réussir.

### 3) TUTORAT

Vous pouvez vous informer auprès de votre école sur le service de tutorat afin d'être jumelées à un élève en difficulté généralement plus jeune que vous.

### 4) BÉNÉVOLAT DANS LES BIBLIOTHÈQUES

Les bibliothèques ont souvent besoin de bénévoles pour classer et trier les livres, ou même pour accompagner les auteurs lors des conférences.

## 5) BÉNÉVOLAT DANS LES CENTRES POUR DÉMUNIS

**Pas besoin de vous dire que les centres pour démunis sont toujours à la recherche de bénévoles pour les aider dans leurs activités.**

## D'autres petits gestes qui comptent :

- Visiter vos grands-parents plus souvent.
- Aider les personnes âgées ou handicapées à ouvrir une porte ou traverser la rue.
- Céder votre siège dans les transports en commun.
- Offrir votre aide à une amie qui a de la difficulté dans une matière.
- Offrir vos vieux livres à une œuvre de bienfaisance.
- Offrir vos vêtements qui ne vous vont plus à une œuvre de bienfaisance.

Sondage

# Vos chansons préférées !

## La laideur, de Safia Nolin

© Safia Nolin/Bonsound

J'ai pris la poudre d'escampette

J'ai jamais dit où j'allais

J'ai pris goût à disparaître

Je sais même pas où j'm'en vais

Ça peut pas être pire qu'ici

Ici je meurs à petits cris

Ça peut pas être plus mauvais

J'irai là ou il fait moins laid

J'approuve votre choix ! Safia Nolin est vraiment une artiste talentueuse et j'aime vraiment tout ce qu'elle fait !

## Stitches, de Shawn Mendes

I thought that I've been hurt before

But no one's ever left me quite this sore

Your words cut deeper than a knife

Now I need someone to breathe me back to life

Je croyais avoir été blessé dans le passé

Mais personne ne m'a fait autant de mal

Tes mots sont plus tranchants qu'un couteau

Maintenant, j'ai besoin de quelqu'un pour me ramener à la vie

© Island Records

Venant de son premier album *Handwritten*, *Stitches* a rapidement atteint la première place au Billboard américain !

## Heathens, de Twenty One Pilots

© Fueled by Ramen

Le dynamique duo de Twenty Pilots a assurément su me charmer avec cette chanson!

We don't deal with outsiders very well

They say newcomers have a certain smell

Yeah, you have trust issues, not to mention

They say they can smell your intentions

Nous ne nous mélangeons pas très bien avec les étrangers

Ils disent que les nouveaux venus ont une certaine odeur

Oui, tu as des problèmes de confiance, sans mentionner

Qu'ils disent pouvoir sentir tes intentions

Saviez-vous que la vidéo accompagnant *Lost on You* a eu plus de 117 millions de vues sur Youtube?

When you get older, plainer, saner

When you remember all the danger we came from

Burning like embers, falling, tender

Lorsque tu deviens plus vieux, plus conventionnel, plus sain

Lorsque tu te souviens du danger d'où on vient

Brûlant comme des braises, tombantes, tendres

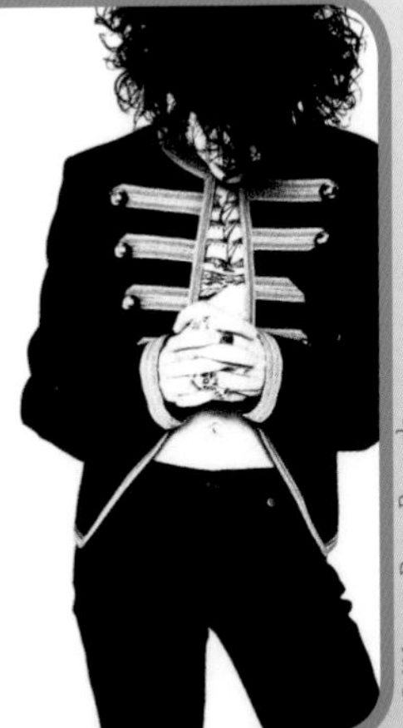


© Warner Bros. Records

## Lost on you, de LP

## Cheap Thrills, de Sia

© Inertia

Come on, come on, turn the radio on

It's friday night and I won't be long

Gotta do my hair, I put my make up on

It's friday night and I won't be long

Allez, Allez, allume la radio

C'est vendredi, je ne serai pas longue

Je dois coiffer mes cheveux et me maquiller

C'est vendredi et je ne serai pas longue

Je suis complètement d'accord avec votre choix ! Avec ses paroles envoûtantes et sa musique rythmée, *Cheap Thrills* est également un de mes coups de coeur, surtout quand je fais du jogging !

## 24K Magic, de Bruno Mars

*Throw your hands up in the sky*

*Let's set this party off right*

Levez vos mains dans les airs

Commençons cette fête de la bonne façon

© Atlantic

Cette populaire chanson de Bruno Mars vous donnera instantanément l'envie de fêter !

## Rockabye, de Clean Bandit

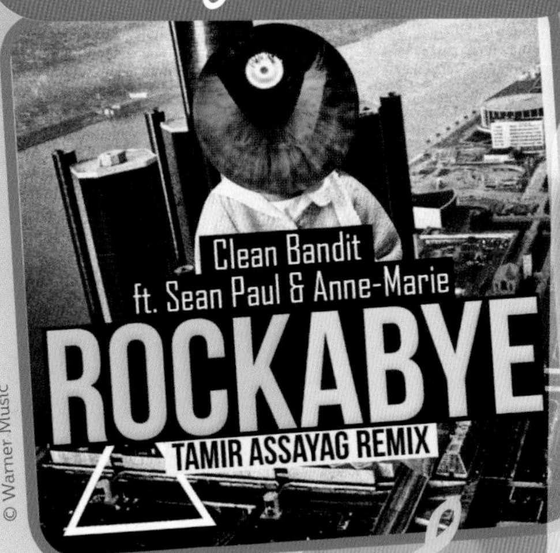

Clean Bandit
ft. Sean Paul & Anne-Marie
ROCKABYE
TAMIR ASSAYAG REMIX




*Call it love and devotion*

*Call it the mom's adoration (foundation)*

*A special bond of creation, hah*

Appelle ça de l'amour et de la dévotion

Appelle ça l'amour d'une mère

Un lien unique provenant d'une création

Cette chanson transmet à travers ses paroles un message d'encouragement très touchant envers les mères monoparentales. Bravo aux artistes !

Puisque cette chanson est interprétée en coréen, je ne peux pas vous assurer que ma traduction de l'extrait soit parfaite ! ☺

© Big Hit

Nae pi ttam nunmul nae majimak chumeul

Da gajyeoga ga

Nae pi ttam nunmul nae chagaun sumeul

Da gajyeoga ga

Mon sang, ma sueur. Ma dernière danse, mes larmes

Prends-moi tout, disparaîs

Mon sang, ma sueur. Mon souffle glacé, mes larmes

Prends-moi tout, disparaîs

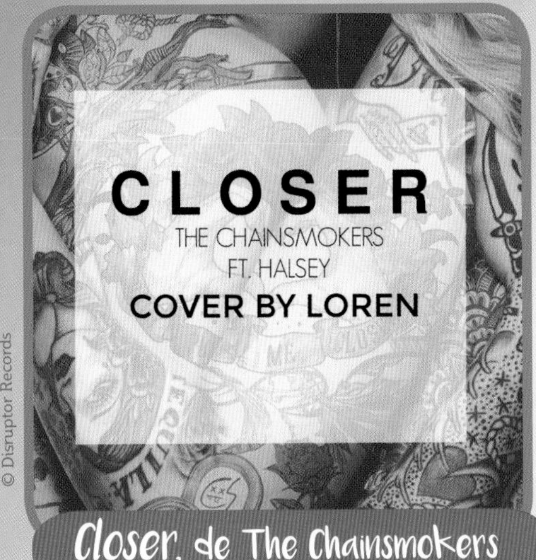

CLOSER
THE CHAINSMOKERS
FT. HALSEY
COVER BY LOREN




## Closer, de The Chainsmokers

I know it breaks your heart

Moved to the city in a broke down car

And four years no call

Now you're looking pretty in a hotel bar

Je sais que ça te brise le cœur

D'avoir déménagé en ville dans une voiture déglinguée

Et en quatre ans, aucun appel

Maintenant tu es jolie au bar d'un hôtel

*Closer* est définitivement le *hit* de la dernière année !

## Million Eyes, de Loïc Nottet

Away, get away

You're such a freak

It's what people say to me

Va-t'en, allez va-t'en

Tu es tellement étrange

C'est ce que les gens me disent

Cette charmante chanson du compositeur et chanteur belge Loïc Nottet a été certifiée disque d'or en France!

# ILS SONT JEUNES et ils changent le monde

Qui n'a jamais entendu des commentaires comme « vous, les jeunes, vous passez votre temps sur Facebook, vous ne faites plus rien » et d'autres remarques de ce genre ? C'est très frustrant et surtout, absolument faux !

Cet article vous présente des jeunes de moins de 25 ans qui, à leur manière, changent le monde, et dont les actions et les engagements bénéficient à tous. Leurs parcours sont impressionnants ! Je vous laisse les découvrir. Et rappelez-vous qu'il n'y a pas d'âge pour accomplir des choses extraordinaires !

© Simon Davis/DFID

**MALALA YOUSAFZAI**, 20 ans, est une militante pakistanaise des droits des femmes. Fille d'un enseignant, elle s'est fait connaître en 2009, grâce à son blogue pour la BBC de son pays dans lequel elle racontait son quotidien de jeune fille sous le régime des talibans (des extrémistes musulmans qui contrôlaient la région et avaient interdit aux filles de fréquenter l'école). Sa notoriété grandit peu à peu et devient dérangeante pour le régime taliban qui tente de l'assassiner en 2012 pendant qu'elle se rend à l'école. Elle est alors envoyée en Angleterre pour y être soignée et protégée, car les talibans promettent de la tuer à la moindre occasion. Depuis, elle milite sans relâche pour la scolarisation des enfants et contre l'extrémisme religieux. Elle s'est vu décerner de très nombreux prix, dont le prix Nobel de la paix en 2014. Elle a alors 17 ans et devient la plus jeune lauréate de ce prestigieux prix. Son courage et sa détermination suscitent l'admiration de tous. Son ambition ? Devenir première ministre du Pakistan. On n'a sûrement pas fini d'entendre parler d'elle !

© The Ocean Cleanup

Le Néerlandais **BOYAN SLAT**, 23 ans, travaille quant à lui depuis ses 16 ans sur un système visant à débarrasser les océans de leurs déchets plastiques. Son idée est de mettre en place des barrières flottantes à une profondeur de 3 mètres pour retenir les déchets, puis les évacuer afin de les recycler. La plateforme devrait fonctionner à l'énergie solaire. Pour mener à bien son plan, il a créé la *Ocean Cleanup Foundation* et a déjà recueilli les 2 millions de dollars nécessaires pour réaliser cet ambitieux projet. En 2014, il s'est vu décerner le prix « Champion de la terre », la plus haute distinction environnementale remise par les Nations unies qui récompense les visionnaires. Espérons que son invention sera mise en place prochainement !

© Youtube

**ZURIEL ODUWOLE**, 14 ans, est une réalisatrice américaine. Elle s'est fait connaître à 10 ans en réalisant son premier documentaire sur la révolution au Ghana pour un concours organisé par son école. Pour ce film, elle a réalisé des entrevues avec deux anciens présidents du Ghana. Depuis, elle a rencontré 24 hommes et femmes d'État, réalisé deux autres documentaires, en plus de tenir une chronique pour le journal britannique *The Guardian*. Se servant de sa notoriété grandissante pour promouvoir l'importance de l'éducation des jeunes et notamment des filles, elle parcourt actuellement le monde pour donner des conférences sur le sujet et prépare également un nouveau documentaire sur l'influence des changements climatiques sur le développement et l'éducation des jeunes. Impressionnant !

© dr

**SABRINA GONZALEZ PASTERSKI**, 23 ans, semble de son côté bien partie pour révolutionner le domaine de la physique et donc, par là même, notre compréhension de l'univers. À l'âge de 16 ans, cette Américaine avait construit et volé dans son propre avion et entrait au prestigieux MIT (Massachussetts Institute of Technology). Elle achève actuellement son doctorat à l'université Harvard. Elle a déjà publié plusieurs articles dans les revues scientifiques les plus prestigieuses et se fait régulièrement appeler la nouvelle Albert Einstein ! Ses recherches portent notamment sur la théorie des cordes et la physique des hautes énergies, deux domaines de la physique quantique particulièrement complexes. Ses théories sont considérées comme de grandes avancées dans le domaine ! À suivre !

LA VIE PAS TOUJOURS
glamour DE
CATHERINE GIRARD-AUDET


**On me demande souvent durant mes conférences si j'ai toujours voulu être auteure, et comment j'ai fait pour en arriver là. Comme la réponse n'est pas simple, j'en profite alors pour raconter mon parcours. Dans le cadre du 10e anniversaire de *L'ABC des filles*, je me suis dit que ce serait une belle occasion de vous parler aussi de mon cheminement pour devenir écrivaine.**

Quand j'étais en sixième année, notre professeure nous avait proposé de faire un petit exercice pour l'album des finissants. On devait remplir un questionnaire pour accompagner notre photo. Il fallait entre autres dire quel métier on voulait faire plus tard. J'avais répondu trois choses : hôtesse de l'air, vétérinaire ou comédienne.

Vingt ans plus tard, je peux vous confirmer que la vie m'a complètement menée ailleurs. Je n'aurais jamais pu être hôtesse de l'air puisque j'ai un peu peur de l'avion et qu'avec une famille, ce n'est pas l'idéal d'être toujours partie. Il m'aurait aussi été impossible de devenir vétérinaire, puisque j'ai une phobie du sang et que je suis allergique à certains animaux. Pour ce qui est du métier de comédienne, j'ai effectivement fait du théâtre pendant toute ma scolarité, mais après avoir échoué aux auditions d'entrée au Conservatoire à dix-huit ans, j'ai réalisé que ce n'était pas ma voie. J'ai donc décidé de prendre un peu de recul et de refaire l'exercice que ma prof nous avait suggéré plusieurs années plus tôt.

La vérité, c'est que j'ai toujours trouvé difficile de prendre des décisions sans appel quant à mon avenir, car une tonne de choses m'intéressaient. C'est d'ailleurs ce qui explique que j'avais donné trois choix plutôt qu'un seul à la fin de mon primaire. Je trouve aussi qu'on met parfois un peu trop de pression sur les jeunes pour qu'ils trouvent leur niche alors qu'ils ne sont pas encore prêts à le faire.

Je sais que certaines personnes savent dès l'âge de huit ans qu'elles deviendront médecin, pompier ou mécanicien, mais pour d'autres, c'est un peu plus compliqué. Si vous avez un rêve très précis, alors je vous encourage évidemment à tout faire pour le réaliser, mais si vous faites partie des filles qui se questionnent sur leur avenir, je tiens vraiment à vous dire que je vous comprends et je vous invite à prendre une grande respiration, car tout ira bien.

Je suis passée par là. Lorsque j'ai terminé mon cégep et que j'ai compris que le théâtre n'était finalement plus la voie que je voulais suivre, j'étais perdue. C'est là que j'ai décidé de partir six mois en Amérique latine pour participer à un voyage humanitaire (vous trouverez les détails aux pages 8 à 11). J'espérais que mon expérience m'aide à prendre du recul et à avoir les idées plus claires. J'ai appris beaucoup de choses au cours de mon séjour à l'étranger, mais quand je suis revenue, j'avoue que je n'avais pas trouvé de réponses à mes questions. Plutôt que de me mettre de la pression pour trouver le métier que je voulais exercer, j'ai décidé de m'y prendre autrement et de songer à mes champs d'intérêt pour orienter mes études. J'adorais l'école et je savais que je voulais poursuivre mes études à l'université. Je me suis donc demandé quel domaine m'intéresserait pendant les trois ou quatre années à venir. Quels cours me motiveraient à me lever le matin ?

La réponse est apparue automatiquement dans ma tête : la littérature. J'ai toujours aimé lire et écrire, et des études en lettres ne constituaient pas un effort, mais plutôt un plaisir.

Je ne savais toujours pas où ça me mènerait, et plusieurs personnes dans mon entourage mettaient mon choix en doute.

*Eux : Qu'est-ce que tu penses faire avec un baccalauréat en littérature ?*

*Moi : Euh, je ne sais pas.*

*Eux : Tu n'as pas peur que ça te ferme des portes, ou de te retrouver sans emploi ?*

*Moi : Euh, oui, mais au moins, j'étudie ce que j'aime.*

*Et voilà ma recette secrète. Mon ingrédient miracle. Mon plus grand conseil.*

**L'important, c'est que vous choisissiez un domaine qui vous passionne. Sinon, la vie va être longue.**

Pour en revenir à mon histoire, je me suis donc lancée dans des études en littérature sans savoir ce que ça allait me donner au final. J'ai aussi décidé de faire une session à Vancouver pour parfaire mon anglais, qui était aussi poche que celui de Léa Olivier ... **#çavafaire** !

Ironiquement, c'est mon échange étudiant dans l'Ouest canadien qui a orienté ma carrière. Mon baccalauréat tirait à sa fin et je ne savais toujours pas trop vers quoi me lancer. Un stage ? Une maîtrise ?

Puis mon grand frère m'a appelée. Celui qui est aujourd'hui mon éditeur et qui se croit aussi irrésistible que Félix Olivier ! Il travaillait alors pour une maison d'édition et recherchait un traducteur pour traduire les livres d'une nouvelle collection dont ils avaient obtenu les droits.

*Mon frère : Cath, tu es rendue bonne en anglais, non ?*

*Moi : Pas pire.*

*Mon frère : Et tu achèves ton bac sans savoir ce que tu vas faire après ?*

*Moi : Euh, ouin.*

*Mon frère : As-tu pensé à la traduction ?*

*Non, je n'y avais pas pensé. Parce qu'avant ce séjour d'immersion, je n'avais pas les compétences linguistiques pour le faire. Mais là, les choses avaient changé.*

*Moi : Euh, tu voudrais vraiment que je traduise des livres ? Mais je n'ai aucune expérience là-dedans !*

*Mon frère : Il faut bien commencer quelque part !*

*Moi : C'est quoi, la collection ?*

*Mon frère : Ça s'appelle* Bob l'éponge. *C'est basé sur une émission de télé pour jeunes super populaire aux États-Unis. On a besoin de quelqu'un de jeune, drôle avec une bonne plume. J'ai tout de suite pensé à toi.*

Et voilà. Je dois ma carrière à *Bob l'éponge*. En effet, c'est vraiment grâce à lui que j'ai fait mes premiers pas dans l'univers de la littérature jeunesse en acceptant ce contrat.

Au début, j'étais poche. Genre vraiment poche. C'est normal, car je commençais. La maison d'édition pour laquelle je travaillais (Presses Aventure) a toutefois été patiente avec moi, même si ça leur coûtait plus cher de correction que de traduction. Puis, avec les mois, je me suis améliorée. Je suis même devenue assez bonne pour travailler sur de nouvelles collections et pour me donner envie de poursuivre mes études en parallèle en faisant une maîtrise en traduction littéraire.

Au fil des années, j'ai traduit des centaines d'albums jeunesse. De *Dora l'exploratrice* en passant par *Fraisinette*, *Spider Man*, les *Câlinours*, les *Tortues Ninja*, et j'en passe. Mon projet final de maîtrise reposait même sur la traduction d'un gros album de Garfield.

Pour arrondir mes fins de mois et m'aider à payer mon loyer, je participais aux salons du livre aux quatre coins du Québec comme caissière, et j'enfilais le costume de mascotte de Bob l'éponge, de Fraisinette ou de Dora l'exploratrice pour faire des câlins aux jeunes, qui me frappaient parfois parce qu'ils avaient peur de moi. On peut donc dire que j'ai littéralement commencé en bas de l'échelle !

Malgré tout, j'adorais mon travail et je croyais sincèrement avoir trouvé ma niche quand la vie m'a une fois de plus menée ailleurs.

Il y a dix ans exactement, mon frère a décidé de quitter son emploi pour lancer sa propre maison d'édition. En pleine crise économique, en plus. Il faut le faire ! Lorsqu'il a fait le saut, il m'a proposé de me lancer avec lui. Pas comme actionnaire, mais comme auteure. Et traductrice à mes heures.

Son projet ? Écrire un genre de gros guide québécois pour les adolescentes. Rien de local n'avait été fait jusque-là, et la demande se faisait sentir. Après tout, les filles d'ici avaient besoin qu'on les éclaire sur les sujets qui les intéressaient, et la rédaction d'un guide pratique basé sur les valeurs d'ici se révélait judicieuse.

J'ai accepté sans trop réaliser la quantité de travail que ça impliquait. Je partais de zéro, et je devais écrire une centaine d'articles et faire des tonnes de recherches sur des sujets que je ne connaissais pas bien. Je devais trouver les statistiques les plus à jour possible à propos du mariage, du décrochage scolaire, du suicide et du divorce, tout en parlant d'environnement, de poutine et d'intimidation. Au fil des années, j'ai réécrit les articles en y ajoutant de plus en plus mon grain de sel. Car je réalisais qu'au fond, j'étais encore une adolescente dans mon cœur, et que je pouvais m'identifier à votre quête d'identité, à vos doutes, à vos peurs et à vos questionnements.

On a aussi mis sur pied un petit blogue, qui s'appelait le *Courrier de Catherine*, où les filles m'écrivaient et me posaient des questions auxquelles je répondais en me basant sur mon vécu et sur mon expérience.

C'était le début de mon courrier du cœur, que j'ai poursuivi pendant cinq belles années sur le site de *Vrak*, et depuis six ans dans la revue *COOL*.

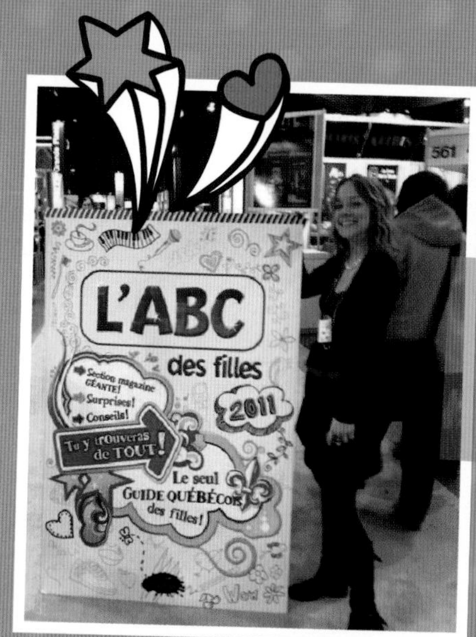


Au fil des années, j'ai réussi à me tailler une petite place dans vos vies et à devenir une sorte de grande sœur. Comme je suis la plus jeune chez moi, ça comblait aussi un vide pour moi, et je me trouvais extrêmement chanceuse de pouvoir vous éclairer sur certains sujets.

Puis, en 2011-2012, mon frère et ma directrice littéraire m'ont convaincue de me lancer dans la fiction et d'écrire une série pour les adolescentes.

J'ai hésité un peu. Pas parce que ça ne me tentait pas, mais plutôt parce que j'avais peur de me planter. Peur d'être poche. Peur de faire rire de moi comme quand j'étais en secondaire deux et que des nunuches s'acharnaient sur mon absence de style vestimentaire.

Puis j'ai réalisé que ce qu'on m'offrait, c'était de réaliser un rêve. Quand j'étais enfant, j'inventais des histoires et je les faisais même plastifier pour qu'elles soient « publiées » à la bibliothèque de mon école. Au fond, j'avais toujours nourri l'espoir de devenir une artiste et une auteure. Je croyais juste que ce n'était pas réaliste. Pas possible. Même en étudiant en littérature, je refoulais un peu cet espoir de devenir une écrivaine en me disant que les chances que ça arrive étaient minimes.

Mais voilà qu'on me donnait carte blanche pour écrire la série de mon choix et pour réaliser ce rêve « impossible ». Est-ce que j'allais vraiment refuser parce que j'avais peur ? *Pff ! No way !*

Dans ta face, la peur ! Dans vos faces, les nunuches !

J'ai donc décidé de plonger et de m'inspirer de ce que j'avais vécu quand j'étais adolescente (mon déménagement à Montréal, ma quête d'identité, les nunuches, mes peines d'amour) pour écrire une série sans savoir si ça allait fonctionner.

J'ai eu un coup de cœur pour le style de Veronic, la fille qui faisait alors les avatars sur le site de Vrak, et je lui ai demandé si elle voulait illustrer mes romans. Elle a dit oui. Mon frère a quant à lui hypothéqué sa maison d'édition et ses deux reins (j'exagère à peine !) pour promouvoir *La vie compliquée de Léa Olivier* et la faire connaître aux jeunes.

On s'est croisé les doigts et on a retenu notre souffle. Et en l'espace de quelques mois, Léa est devenue un phénomène.

On me demande souvent ce qui explique ce succès. Je pense qu'il repose entre autres sur mon héroïne, qui est inspirée de moi, mais qui ressemble à tellement d'adolescentes. Il y a aussi le talent de Vero qui est pour quelque chose. Et la machine qui est derrière moi et qui s'assure qu'on voit Léa partout.

Pour vous dire la vérité, j'ai longtemps mis le succès de Léa sur le dos des autres. Ce n'était pas juste par humilité, c'était aussi une sorte de syndrome de l'imposteur. J'étais incapable d'admettre que ça pouvait m'arriver à moi. Que même si je n'y croyais pas tout à fait au départ, les rêves peuvent parfois se réaliser, et que si on travaille très fort, tout est possible.

Aujourd'hui, je suis enfin capable de dire que c'est aussi le fruit de mes efforts. En effet, India Desjardins m'a déjà dit qu'elle avait conquis ses lectrices à coup de signets, et c'est pareil pour moi.

À mes débuts, je faisais la mascotte pour gagner ma vie. Puis je me suis assise à une table pour signer des livres, mais il n'y avait personne qui m'attendait. Ce fut le plus gros exercice d'humilité de toute ma vie. Je me suis donc levée de ma chaise et j'ai offert des signets aux filles qui passaient pour faire connaître mon *ABC des filles*. Quelques années plus tard, j'ai fait la même chose avec les macarons de Léa Olivier. J'ai aussi fait le tour du Québec, puis de l'Europe pour la faire connaître. Cinq belles années et près d'un million d'exemplaires vendus plus tard, je me pince encore pour savoir si je rêve.

Avec mon grand frère et éditeur !

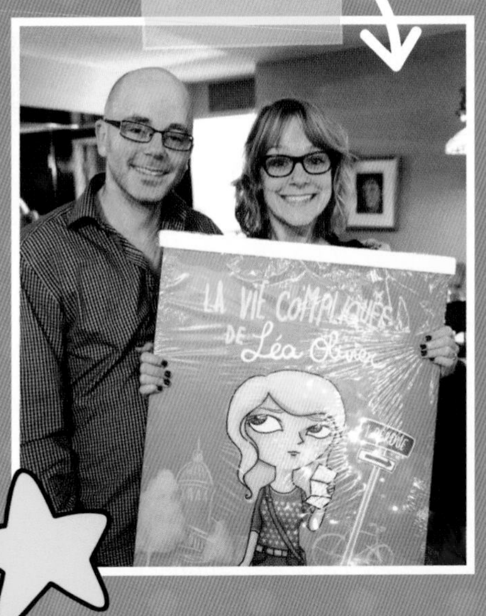


Je suis aussi très consciente que rien n'est acquis, et que je dois encore travailler d'arrache-pied pour que mes romans vous plaisent autant qu'au début. Et qu'après Léa, tout sera à recommencer, et que je devrai reconquérir les jeunes avec des signets et des macarons pour leur faire découvrir ma nouvelle série sans savoir si elle leur plaira.

La vérité, c'est que même si ça me fait parfois un peu peur, j'ai fini par accepter que je ne peux pas tout contrôler, et que je dois simplement faire confiance en ce que l'avenir me réserve, car toutes les surprises du passé m'ont menée jusqu'à vous.

Et l'important dans tout ça, c'est que j'aime ce que je fais. Même s'il faut incarner la mascotte de Dora !

Catherine

Moi, en grande forme lors d'une émission de radio trop matinale, en Belgique.

# Femmes ENGAGÉES, femmes INSPIRANTES

Cette année encore, j'ai voulu vous présenter quatre femmes québécoises inspirantes qui sont des modèles d'engagement et de persévérance. Je tiens particulièrement à remercier M^me^ Pauline Marois, qui, malgré son emploi du temps très chargé, a pris le temps de répondre avec beaucoup de franchise à mes questions!

Je vous invite à en apprendre un peu plus sur ces femmes et sur leurs parcours respectifs à travers les entrevues que nous avons réalisées avec elles.

# ENTREVUE avec Pauline Marois

Née à Québec en 1949, **Pauline Marois** est présente sur la scène politique québécoise depuis plus de 30 ans. En 2008, à la tête du Parti québécois, elle devient la chef de l'opposition officielle et, en 2012, elle est élue 30e première ministre du Québec, fonction qu'elle occupera jusqu'en 2014. C'est la première femme à occuper ce rôle dans toute l'histoire du Québec ! Pauline Marois a fait des études en service social ; elle est titulaire d'une maîtrise dans ce domaine ainsi que d'une maîtrise en administration des affaires.

Pauline Marois a occupé plusieurs postes de ministre avant de devenir chef du Parti québécois et première ministre : ministre d'État à la Condition féminine (1981-1983), ministre de la Main d'œuvre et de la Sécurité du revenu (1983-1985), ministre des Finances (1995-1996), ministre de l'Éducation, du Loisir et du Sport (1996-1998), ministre de la Santé et des Services sociaux (1998-2001), et vice-première ministre (2001-2003).

En 2004, elle reçoit le titre honorifique de Commandeur de l'Ordre de la Pléiade. En 2015, la même organisation lui décerne le prix de la Grand-Croix. L'Ordre de la Pléiade reconnaît ceux et celles qui ont contribué de façon exceptionnelle aux idéaux de coopération entre les nations francophones. Elle reçoit aussi, en 2014, le prix Louis-Joseph Papineau qui reconnaît le travail fait par un chef de parti politique afin de promouvoir la souveraineté du Québec.

## QUELLES SONT LES RAISONS QUI VOUS ONT POUSSÉE À VOUS LANCER EN POLITIQUE À L'ÂGE DE 27 ANS?

Le goût du Québec, le goût de bâtir un Québec d'égalité des chances, un Québec libre et indépendant où le français occuperait toute la place qui lui appartient. En fait, bien humblement, je voulais changer le monde!

## QUELLES SONT LES PLUS GRANDES DIFFICULTÉS QUE VOUS AVEZ RENCONTRÉES LORS DE VOTRE LONG PARCOURS POLITIQUE?

Le conservatisme, la résistance au changement, l'immensité des besoins et les ressources limitées et, je dois le dire, un certain dogmatisme au sein de mon parti. Les changements font souvent peur, je pense en particulier à la souveraineté. Il n'est pas facile de rassurer, même quand on explique et que l'on donne des informations. Enfin, évidemment, le fait d'être une femme. Nous devons toujours faire doublement nos preuves. C'est la loi du double standard, quoi.

## QUELS SONT LES ÉVÉNEMENTS LES PLUS MARQUANTS DE VOTRE CARRIÈRE?

Dans ma carrière de mère, c'est la naissance de mes quatre enfants... Dans ma vie politique, c'est d'avoir dirigé le ministère le plus important du Québec: le ministère de l'Éducation. Parmi les autres moments particulièrement marquants pour moi, il y a eu l'élection à la présidence de mon parti. Être chef du Parti québécois, ce n'est pas rien, je peux vous l'assurer. Et, évidemment, l'élection comme première femme première ministre du Québec. Enfin, il y a eu la tragédie de Lac-Mégantic, un drame terrible qui m'a beaucoup marquée.

## QUELS SONT LES ACCOMPLISSEMENTS DONT VOUS ÊTES LA PLUS FIÈRE?

Avec le soutien d'un conjoint exceptionnel, dans ma vie privée, une chose dont je suis très fière est d'avoir réussi à concilier famille et travail en ayant quatre enfants.

Dans mon engagement politique, je suis heureuse d'avoir mis en œuvre une réforme majeure de l'éducation dont les points forts demeurent inchangés: maternelle plein temps à 5 ans, plus de pouvoirs aux parents dans les conseils d'établissement (sorte de conseil d'administration de l'école), retour aux matières de base (français, mathématiques, histoire). Il y a eu aussi le début de la déconfessionnalisation de notre système d'éducation avec la transformation des commissions scolaires catholiques et protestantes en commissions scolaires francophones et anglophones. Enfin, je ne peux passer sous silence l'adoption d'une grande politique familiale et la réconciliation avec les étudiants lors du Sommet sur l'éducation à la suite de la crise étudiante de 2012. Il y a eu beaucoup d'autres réalisations, je pense notamment à la conception de la politique d'électrification des transports et à l'adoption de la Loi sur l'économie sociale...

### VOUS ÊTES L'INSTIGATRICE DU PROGRAMME QUÉBÉCOIS DES CENTRES DE LA PETITE ENFANCE (CPE); POUVEZ-VOUS NOUS DIRE EN QUOI CE PROGRAMME PEUT ÊTRE CONSIDÉRÉ COMME UN AVANCEMENT POUR LES FEMMES ET POURQUOI IL DEVRAIT ÊTRE PRÉSERVÉ ?

Ce programme a fait reculer la pauvreté chez les familles. Il a permis à beaucoup de femmes de retourner sur le marché du travail ou aux études. Le coût d'accès aux places de garde étant très bas, les femmes chefs de famille monoparentale en ont été les grandes bénéficiaires. Les CPE favorisent le développement des enfants, ce qui est très rassurant pour les parents. Ce programme doit non seulement être préservé, mais constamment bonifié, parce qu'il permet d'améliorer les conditions de vie des enfants et qu'il est porteur d'égalité des chances pour tous.

### AVEZ-VOUS PARFOIS TROUVÉ QU'IL EST PLUS DIFFICILE D'ÊTRE UNE FEMME QU'UN HOMME EN POLITIQUE ?

Oui, fréquemment. On nous juge souvent sur ce qui est véhiculé par les préjugés. Est-elle assez forte ? Est-ce qu'elle peut supporter le stress ? Comment réussira-t-elle à s'imposer dans un monde d'hommes ? Aura-t-elle l'autorité qu'il faut ? Toujours le double standard. Un homme a l'air épuisé : il a travaillé trop fort. Une femme a l'air fatiguée : la tâche est trop lourde, etc.

### AVEZ-VOUS PARFOIS EU ENVIE DE BAISSER LES BRAS ? POURQUOI ?

Jamais, même dans les pires moments. Mes convictions et mon idéal me portaient. Et, bien sûr, j'ai pu m'appuyer sur le soutien indéfectible de ma famille et de mes collaboratrices et collaborateurs.

### COMMENT AVEZ-VOUS FAIT POUR GARDER EN TÊTE VOS OBJECTIFS ?

Toujours me rappeler que j'étais au service des Québécoises et des Québécois, et que ce n'était pas pour moi que je m'étais engagée en politique. Toujours être fidèle à mes valeurs pour rendre le monde meilleur.

### ON A BEAUCOUP PARLÉ DU « PLAFOND DE VERRE[1] » AU-DESSUS DES FEMMES DURANT LES ÉLECTIONS AMÉRICAINES DE 2016. AVEZ-VOUS EU L'IMPRESSION DE BRISER CE PLAFOND LORS DE VOTRE ACCESSION AU POSTE DE PREMIÈRE MINISTRE?

Oui, certainement et, malheureusement, pour une courte période. J'ai été profondément triste pour Hillary Clinton qui n'a pas eu cette chance. C'est tellement injuste pour elle…

### QUELS CONSEILS DONNERIEZ-VOUS AUX JEUNES FILLES QUI SOUHAITENT SE LANCER EN POLITIQUE?

D'abord, savoir pourquoi on veut faire de la politique et surtout: qu'elles se fassent confiance! Elles sont talentueuses, ont de l'imagination, des compétences sûrement autant que leurs collègues masculins. Elles ne doivent pas priver la société de leur intelligence et de leurs talents.

© Denis Beaumont

1- Le « plafond de verre » est une expression créée par des sociologues dans les années 1970 pour désigner une sorte de plafond invisible auquel les femmes se heurtent durant l'avancée de leur carrière, notamment pour l'accession à des postes de haute responsabilité.

# ENTREVUE avec Judith Lussier et Lili Boisvert

© Daphné Caron

Journaliste, écrivaine, chroniqueuse et cocréatrice de la websérie *Les Brutes*, **Judith Lussier** est titulaire d'un baccalauréat en communication et science politique.

Elle a écrit pendant de nombreuses années dans *Urbania* et dans le Journal *Métro*. En 2010, elle publie *Sacré dépanneur!* chez Héliotrope en collaboration avec la photographe Dominique Lafond et, en 2013, elle publie le *Petit manuel du travail autonome* aux Éditions La Presse. En plus d'avoir réalisé un grand nombre de chroniques à la radio et pour l'émission *C'est juste du web*, elle anime, depuis 2016, la websérie journalistique à saveur féministe *Les Brutes* avec Lili Boisvert.

Ayant étudié en histoire et en science politique et titulaire d'un baccalauréat en sciences politiques, **Lili Boisvert** est cocréatrice des *Brutes*, journaliste, animatrice et chroniqueuse. Elle écrit notamment dans *Urbania* et sur le blogue *Originel* de Radio-Canada. Elle est aussi animatrice de *Sexplora*, une émission d'Ici Explora qui s'intéresse aux mythes et tendances ayant rapport à la sexualité. En avril 2017, elle a publié son premier livre aux Éditions VLB.

## POUVEZ-VOUS NOUS PRÉSENTER VOS PARCOURS RESPECTIFS ET CE QUI VOUS A AMENÉES À FAIRE DU JOURNALISME ET DE LA TÉLÉVISION?

Nos parcours respectifs se ressemblent. Lili a fait un baccalauréat en science politique, et moi en science politique et communication. Nous sommes toutes les deux devenues journalistes à l'écrit avant d'aborder les enjeux sociaux dans d'autres médias comme le web et la télévision. Lili tenait une chronique au sujet de la sexualité sur le site de Radio-Canada, et j'écrivais pour le journal *Métro*. Nous étions mutuellement admiratives du travail de l'autre quand nous nous sommes rencontrées dans les couloirs de Radio-Canada, et nous avons décidé de collaborer sur un projet commun, *Les Brutes*.

## D'OÙ VOUS EST VENUE L'IDÉE DE VOTRE SÉRIE *LES BRUTES*?

Nous trouvions qu'il manquait de contenu intéressant pour les gens de notre génération et, surtout, nous trouvions qu'il manquait d'émissions abordant les enjeux sociaux animées par des femmes. Le format des capsules web s'est imposé parce que c'est ce que nous consommons nous-mêmes, et que ça permet de vulgariser rapidement les sujets dont nous voulions traiter, comme le sexisme, le racisme, l'hétéronormativité[1], etc.

## VOUS EN PARLIEZ DANS UNE DE VOS CAPSULES, POUVEZ-VOUS NOUS EXPLIQUER CE QU'EST LE *GIRL-ON-GIRL-HATE*?

On entend souvent dire que les pires ennemies des femmes sont les femmes elles-mêmes. Et c'est vrai qu'on peut observer à l'occasion des femmes porter des jugements très sévères sur d'autres femmes ou sur le mouvement féministe.

Il y a le *slutshaming* entre femmes, il y a la misogynie intériorisée, etc.

Les gens appellent ça le *girl-on-girl hate*, mais il n'y a pas à notre connaissance d'évidences que les femmes se détestent plus entre elles. Les hommes aussi peuvent être hostiles les uns envers les autres. C'est tellement commun qu'on ne ressent pas de besoin de donner un nom au phénomène! Nous croyons qu'on remarque peut-être simplement davantage la haine lorsqu'elle est portée par une femme, et qui plus est, à l'endroit d'une autre femme. Peut-être est-ce parce que ça nous semble plus étonnant étant donné que les filles sont socialisées pour être douces et gentilles? Au fond, le *girl-on-girl hate*, c'est comme le *boy-on-boy hate*, ou le *boy-on-girl hate*, ou le *girl-on-whatever hate*. La haine, ce n'est pas vraiment genré. ☺

Il se peut aussi que la haine entre femmes soit plus décourageante pour les féministes qui l'observent parce que cela «nuit à la cause». On voudrait que les femmes soient toujours solidaires les unes des autres. Or, les femmes se retrouvent souvent en situation de compétition entre elles à cause des règles du jeu qui sont pipées à la base par le patriarcat[2]. D'un point de vue féministe, les femmes ne devraient pas se voir spécifiquement en compétition entre elles, mais plutôt en compétition avec tout le monde. Il faut tenter de dépasser la vision patriarcale du monde qui veut mettre les femmes en rivalité entre elles pendant que les hommes se partagent entre eux la plus grosse part du gâteau.

1- L'hétéronormativité est un concept qui révèle les attentes, les exigences et les contraintes qui apparaissent lorsque l'hétérosexualité est considérée comme une norme dans la société.

2- Le patriarcat désigne en sociologie une forme d'organisation sociale et juridique fondée sur la détention de l'autorité par les hommes. Le terme est également utilisé pour définir la domination exercée par les hommes sur toutes les sphères de notre société au détriment des femmes.

### QU'EST-CE QU'ÊTRE FÉMINISTE POUR VOUS?

C'est complexe, mais on peut résumer ça en quelques points. D'abord, c'est le fait de s'opposer aux inégalités entre les hommes et les femmes, de reconnaître qu'il existe encore de telles inégalités, et de poser des gestes concrets pour lutter contre ces inégalités. C'est aussi ne pas tenir pour acquis qu'il est normal qu'une femme ne puisse pas faire les mêmes choses qu'un homme sans qu'il y ait de conséquences négatives, et de considérer qu'une femme est maître de son corps. C'est reconnaître qu'il existe toujours dans notre société des coutumes qui discriminent les femmes.

Finalement, nous tendons à nous inscrire dans une démarche intersectionnelle, c'est-à-dire qui tient compte des différentes formes d'oppression qui peuvent s'entrecroiser. Dans le passé, il est arrivé que des positions racistes ou transphobes aient été défendues au nom du féminisme, et c'est un peu, pour résumer, ce que l'approche intersectionnelle tente d'éviter.

### POURQUOI ÊTRE FÉMINISTE AU QUÉBEC EN 2017 EST-IL ENCORE PERTINENT SELON VOUS?

Parce que, bien que plusieurs gains aient été faits sur le plan légal (par exemple le droit de vote, la décriminalisation de l'avortement, l'égalité devant la justice) et structurel (par exemple les garderies abordables, les congés parentaux), plusieurs inégalités persistent dans les faits. Les Québécoises demeurent moins payées que les Québécois pour des emplois équivalents, elles continuent de s'occuper de la majorité des tâches domestiques tout en occupant un emploi, elles sont moins bien représentées dans les sphères de pouvoir comme la politique, les médias, les sciences ou le milieu des affaires, et elles sont davantage victimes de violence conjugale et d'agressions à caractère sexuel. D'ailleurs, à ce sujet, le combat contre la culture du viol est primordial, notamment sur le plan légal, où l'on remarque qu'il reste beaucoup à faire pour que les victimes d'agressions sexuelles soient entendues, crues et défendues.

### POUVEZ-VOUS NOUS PARLER DES DIFFICULTÉS QUE VOUS AVEZ RENCONTRÉES EN PRENANT LA PAROLE PUBLIQUEMENT SUR DES ENJEUX DE SOCIÉTÉ?

L'une des grandes difficultés que nous avons en tant que journalistes féministes est qu'on nous traite à l'occasion de militantes, ce qui, pour plusieurs, est incompatible avec la fonction de journaliste, qui devrait être le plus neutre possible. Pourtant, on pourrait considérer que les journalistes qui ne sont pas féministes militent, au fond, pour que les choses demeurent telles qu'elles sont, ce qui n'est pas beaucoup mieux! On a souvent l'impression que ceux qui s'approchent de la pensée dominante sont plus près de l'objectivité. À l'époque où des femmes se battaient pour obtenir le droit de vote, les exigences de la neutralité journalistique auraient été de peser le pour et le contre, mais dans le contexte d'aujourd'hui, un tel exercice n'aurait aucun sens. Le prix Nobel de la paix Desmond Tutu a déjà dit: «Si vous êtes neutre dans une situation d'injustice, vous avez choisi le camp de l'oppresseur.»

Bien sûr, nous recevons aussi énormément de commentaires haineux, méprisants, harcelants et sexuellement objectifiants, ce qui est épuisant et difficile à gérer.

### PEUT-ON PARLER D'UNE FORME DE CYBERINTIMIDATION ENVERS LES FEMMES QUI PRENNENT LA PAROLE PUBLIQUEMENT SUR LES RÉSEAUX SOCIAUX ?

Absolument. En 2016, *The Guardian* a mené une étude au sujet des commentaires reçus par ses chroniqueurs[3]. Alors que le journal britannique admet avoir une majorité de chroniqueurs masculins blancs, les dix chroniqueurs ayant reçu le plus de commentaires abusifs étaient huit femmes (dont quatre femmes racisées) et deux hommes racisés. Les dix chroniqueurs ayant reçu le moins de commentaires haineux étaient… des hommes. Ça ne touche pas que les chroniqueurs. L'ONU estime que « près des trois quarts des femmes qui utilisent l'internet ont déjà été confrontées d'une manière ou d'une autre à des violences en ligne »[4]. Tout ça finit par avoir des conséquences sur la prise de parole des femmes, puisque le coût de la liberté d'expression semble plus élevé pour elles.

### JUDITH, VOUS AVEZ ANNONCÉ AU DÉBUT DE L'ANNÉE 2017 QUE VOUS ABANDONNIEZ VOTRE CHRONIQUE POUR LE JOURNAL *MÉTRO* À CAUSE DE L'ÉPUISEMENT SUSCITÉ PAR LES « TROLLS » ; POUVEZ-VOUS NOUS EN DIRE PLUS ?

En fait, le phénomène expliqué plus haut a eu raison de moi. ☺

### QUELS CONSEILS DONNERIEZ-VOUS À NOS LECTRICES QUI AIMERAIENT SE LANCER DANS UNE CARRIÈRE EN JOURNALISME ?

Lisez beaucoup, informez-vous, soyez curieuses, doutez (mais pas trop de vous) et remettez tout en question, même ce qui vous semble aller de soi. N'hésitez pas à emprunter des chemins différents de ceux qu'on vous indique comme étant les seuls possibles !

3- (en anglais) Becky Gardiner, Mahana Mansfield et al., « The dark side of Guardian comments », *The Guardian*, 12 avril 2016, repéré à <theguardian.com/technology/2016/apr/12/the-dark-side-of-guardian-comments>.

4- ONU femmes, « Selon un nouveau rapport de l'ONU, il est urgent d'agir pour lutter contre la violence en ligne à l'égard des femmes et des jeunes filles », 15 septembre 2015, repéré à <unwomen.org/fr/news/stories/2015/9/cyber-violence-report-press-release>.

# ENTREVUE avec Élise Desaulniers

© Michel Paquet

Titulaire d'un baccalauréat en science politique, **Élise Desaulniers** est écrivaine, journaliste et militante pour les droits des animaux. Auteure du blogue d'éthique végane *Penser avant d'ouvrir la bouche*, elle a aussi publié trois livres : *Je mange avec ma tête : Les conséquences de nos choix alimentaires* (2011), *Vache à Lait : Dix mythes de l'industrie laitière* (2013) et *Le défi végane 21 jours* (2017). Elle a également collaboré au développement et à la rédaction de l'*Encyclopedia of Food and Agricultural Ethics* (2014). Élise Desaulniers agit régulièrement en tant qu'intervenante et donne des conférences afin d'éduquer la population sur l'éthique alimentaire et le véganisme.

En 2015, elle reçoit le Grand prix du journalisme indépendant au Québec dans la catégorie « opinion » pour l'un de ses textes traitant de féminisme et d'antispécisme.

## POUVEZ-VOUS NOUS PRÉSENTER VOTRE PARCOURS?

J'ai fait un bac en science politique, travaillé en pub, puis pour un transporteur aérien. Je vivais une vie bien normale jusqu'à ce que je tombe sur un essai traitant des questions d'éthique animale. En lisant les descriptions des conditions d'élevage des animaux qu'on mange, je suis devenue végétarienne. J'ai continué à lire sur la question et, rapidement, à écrire aussi. Puis tout s'est enchaîné! J'ai depuis écrit trois livres, donné plein de conférences, et la question animale est devenue le centre de ma vie.

## POURQUOI ET COMMENT ÊTES-VOUS DEVENUE VÉGANE?

J'ai été végétarienne pendant quelques mois jusqu'à ce que je constate que si je voulais être cohérente, c'est tous les produits d'origine animale que je devais éviter de consommer. Lorsque j'ai appris que pour produire du lait, les vaches devaient donner naissance à un veau qui leur était enlevé dès la naissance, et qu'elles étaient toutes abattues après quelques années pour faire de la viande hachée, j'ai compris qu'il n'y avait pas de distinction entre la viande, le lait et les œufs. Le changement s'est fait graduellement. J'ai découvert de nouvelles recettes, de nouveaux restos. Ç'a surtout été difficile d'arrêter de manger du fromage! Ensuite, j'ai remplacé mes cosmétiques par des produits non testés sur des animaux et graduellement arrêté d'acheter du cuir, de la laine, etc. Plus je lisais, plus j'apprenais, plus c'était facile de changer mes habitudes.

## POUVEZ-VOUS NOUS EXPLIQUER CE QU'EST LE DÉFI VÉGANE 21 JOURS?

C'est un peu comme un voyage d'immersion pour découvrir le véganisme. Trois fois par année, des milliers de personnes s'inscrivent pour faire ensemble le défi. Chaque jour, elles reçoivent gratuitement une infolettre remplie de conseils, d'information et de recettes. Elles reçoivent aussi un menu complet chaque semaine et ont accès à un groupe de soutien exclusif. Devenir végane peut faire peur, mais essayer pendant trois semaines, c'est à la portée de beaucoup de monde!

Le défi est aussi un guide pratique que j'ai publié en 2016 pour accompagner celles et ceux qui veulent s'initier au véganisme et répondre à toutes leurs questions sur le pourquoi et le comment[1].

1- Élise Desaulniers, *Le défi végane 21 jours*, 2016, éditions du Trécarré. Ce livre a remporté le prix du *Best Vegan Cookbook* au Canada dans le cadre des Gourmet Awards. Il est maintenant finaliste aux *Best of World*.

## PEUT-ON ÊTRE VÉGANE ET AVOIR UNE ALIMENTATION QUI COMBLE TOUS NOS BESOINS?

Absolument. L'Academy of Nutrition and Dietetic est claire. Les régimes végétariens et végétaliens, lorsqu'ils sont bien planifiés, sont bons pour la santé et adéquats à tous les stades de la vie. Les végétaliens ont tendance à vivre plus longtemps et en meilleure santé que les omnivores.

La seule vitamine qu'on ne retrouve pas naturellement dans les végétaux est la B12 et elle est très facile à prendre en supplément. On recommande aussi généralement la vitamine D l'hiver, alors que le soleil se fait rare au Québec!

## ON FAIT SOUVENT LE LIEN ENTRE VÉGANISME ET FÉMINISME; POURQUOI?

Dans nos sociétés, la symbolique de la viande résonne avec des qualités typiquement masculines: le courage, la puissance sexuelle, la richesse et le prestige. Les vrais hommes mangent de la viande! En fait, les dominants mangent de la viande. Puisque toutes les inégalités sociales sont liées, les mécanismes qui permettent d'opprimer les minorités raciales ou sexuelles rendent aussi possible l'exploitation des animaux.

De la même façon que les discriminations basées sur le sexe ou le genre sont arbitraires, exploiter des vaches et des cochons parce qu'ils n'appartiennent pas à l'espèce homo sapiens est aussi arbitraire.

Les féministes rejettent la domination des hommes sur les femmes, les véganes rejettent la domination des humains sur les animaux. Les véganes comme les féministes aspirent à une société plus juste.

## QUELS CONSEILS DONNERIEZ-VOUS AUX PERSONNES QUI SOUHAITENT DEVENIR VÉGANES?

Le conseil le plus précieux qu'on m'a donné est de ne pas essayer d'être parfaite. Changer ses habitudes est difficile, mais on y arrive si on va à son rythme. En plus, l'exploitation animale est partout et on est attachés aux protéines animales. Le véganisme n'est pas une question de pureté personnelle. On ne devient pas végane pour soi, on le devient pour les autres. Pour les animaux, pour la planète.

Vous aussi vous
pouvez accomplir
de grandes choses,
alors foncez!

Sondage

# VOS SÉRIES TÉLÉ préférées

1

© CW

## JOURNAL D'UN VAMPIRE

Une bonne série de vampires mêlant drame, histoire d'amour et suspense. Avec la dernière saison qui vient d'être diffusée, il faudra dire au revoir à Damon, Stefan et Elena !

© Outerbanks Entertainment

2

## LE CHALET

C'est clairement une de vos émissions préférées et je dois vous dire que moi aussi j'attends impatiemment chaque nouvelle saison !

3

## TEEN WOLF

En voici une qui revient très souvent ! De mon côté, je suis encore en train de regarder la troisième saison ! Il m'en reste encore beaucoup !

4

## JÉRÉMIE

J'adore aussi cette série et les acteurs qui jouent dedans ! L'intrigue est vraiment bien cousue et réaliste !

5

## CODE F

Il n'y a pas à dire, vous adorez les filles de *Code F* qui vous font vraiment rire !

## L'ÉCHAPPÉE

J'ai regardé tous les épisodes de la saison 1 en trois jours !

## UNITÉ 9

Un classique ! Les actrices sont tellement bonnes !

## DISTRICT 31

Quelle bonne série policière ! C'est vraiment intéressant de suivre le quotidien d'enquêteurs du poste de quartier et je me suis vraiment attachée aux personnages. Au moment où j'écris ces lignes, j'ai fini la saison 1 et j'attends plus qu'impatiemment la saison 2 (vous savez pourquoi !).

9

## LOURD

Un de vos coups de cœur parmi les comédies cette année !

## JANE L'IMMACULÉE

*Jane l'immaculée*, quel bon choix ! Je ne savais pas trop à quoi m'attendre quand j'ai commencé cette série et finalement je n'ai jamais pu m'arrêter ! Je ris, je pleure, c'est super pour se détendre et se changer les idées !

10

## RIVERDALE

La série est basée sur les *Archie Comics* et le récit commence alors qu'un meurtre vient d'être commis dans la petite communauté de *Riverdale*. On suivra alors les aventures d'Archie, Betty, Veronica et Jughead !

# LES GARS

Sondage

## LES PLUS BEAUX, LES PLUS TALENTUEUX ET LES PLUS MERVEILLEUX

© Jaguar PS

**SHAWN MENDES**

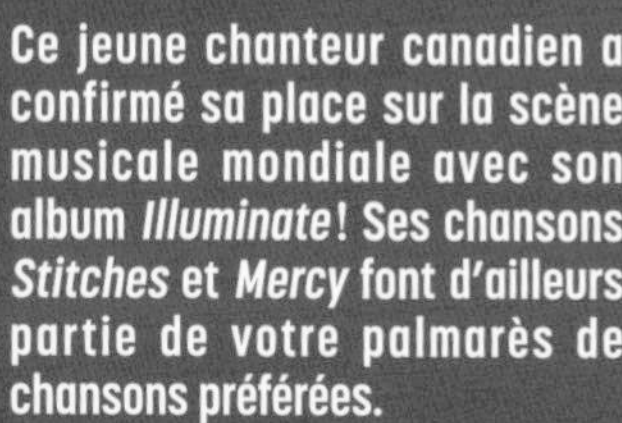

Ce jeune chanteur canadien a confirmé sa place sur la scène musicale mondiale avec son album *Illuminate* ! Ses chansons *Stitches* et *Mercy* font d'ailleurs partie de votre palmarès de chansons préférées.

© Andréanne Gauthier photographie

**LOU-PASCAL TREMBLAY**

Vous êtes tellement nombreuses à avoir nommé Lou-Pascal ! Il a parcouru beaucoup de chemin depuis son rôle de Tommy dans *Le journal d'Aurélie Laflamme.* J'ai personnellement trouvé sa performance époustouflante dans le film *1:54*. Un acteur à suivre !

## CAMERON DALLAS

© Featureflash

Cameron fait une fois de plus partie de vos personnalités masculines préférées ! Celui qui a débuté sa carrière sur Vine et sur YouTube a maintenant sa propre émission de téléréalité sur Netflix : *Chasing Cameron.*

© Gage Skidmore

## DYLAN O'BRIEN

Vous avez encore été nombreuses à nommer cet acteur américain ! On connaît surtout Dylan pour son rôle dans *Teen Wolf*, mais vous pourrez aussi le voir cette année dans le dernier épisode de *Maze Runner*.

Pier-Luc est sans contexte un de vos coups de cœur de l'année ! Que ce soit dans *Mémoires vives, Le chalet* ou encore dans *MED*, sa réputation d'acteur aux multiples talents n'est plus à faire ! Savez-vous qu'il a déjà derrière lui plus de 10 ans de carrière ? Très impressionnant quand on sait qu'il a seulement 23 ans !

© Mari photographe - mariphotographie.com

## PIERRE-LUC FUNK

Je suis bien d'accord avec vous, le gardien étoile des Canadiens est un bon modèle de persévérance et de détermination ! On espère admirer ses prouesses devant la cage du tricolore pendant encore longtemps ! Go Habs Go !

## CAREY PRICE

## ED SHEERAN

© Twocoms

Cet auteur-compositeur-interprète britannique fait définitivement partie de vos artistes préférés ! Même si sa carrière musicale a débuté en 2004, c'est sa chanson *The A Team* qui l'a propulsé au sommet des palmarès.

## VOS CHUMS (BEN LÀ !)

Très mignon ! Plusieurs d'entre vous ont donné le nom de votre amoureux pour cette catégorie !

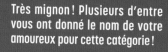

© Ludovic Rolland-Marcotte

## ANTOINE-OLIVIER PILON

Antoine-Olivier Pilon est un acteur montréalais qui a débuté sa carrière en 2010. J'ai été émue par sa performance dans le film *Mommy* de Xavier Dolan, où il donnait la réplique à Anne Dorval !

Zac est un acteur américain qui s'est surtout fait connaître grâce à son rôle de Troy Bolton dans *High School Musical*. Plus récemment, on a pu le voir dans *Baywatch*. Aux dernières nouvelles, il était célibataire !

© DFree

## ZAC EFRON

**(MENTION SPÉCIALE POUR VOS PAPAS, QUI SONT AUSSI TRÈS POPULAIRES DANS CETTE CATÉGORIE !)**

# Vos personnalités féminines de l'année!

© Ovidiu Hrubaru

## Emma Watson

Je suis bien d'accord! On ne peut qu'admirer son féminisme et son travail pour l'égalité des sexes. En plus c'est vraiment une bonne actrice!

Vos
mamans
(c'est trop cool comme réponse !)
© Marï photographe - mariphotographie.com
Sarah-Jeanne
Labrosse


Ce qui ressort en général de vos commentaires : en plus d'être une excellente actrice, elle a l'air fine et a un super style vestimentaire ! Je seconde !

# Mélanie Martinez

Cette chanteuse a vraiment un univers bien à elle! Je ne la connaissais pas et je vais aller écouter ses chansons!

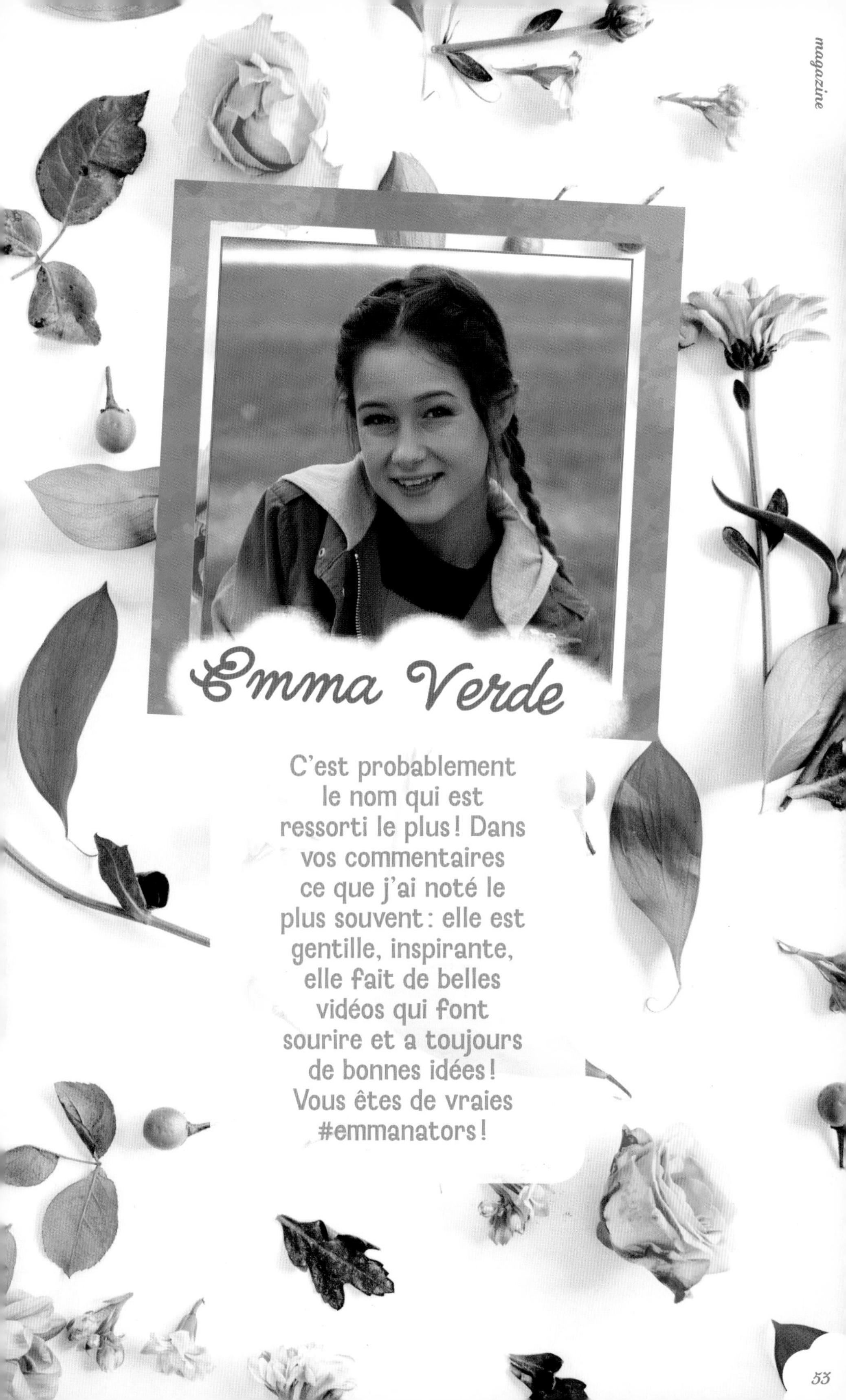

# Emma Verde

C'est probablement le nom qui est ressorti le plus! Dans vos commentaires ce que j'ai noté le plus souvent: elle est gentille, inspirante, elle fait de belles vidéos qui font sourire et a toujours de bonnes idées! Vous êtes de vraies #emmanators!

## Marie-Mai

Encore cette année, Marie-Mai se retrouve dans votre palmarès et c'est vrai qu'elle est une source d'inspiration ! En plus, elle a l'air vraiment sympathique !

## Maripier Morin

Maripier est apparue de nombreuses fois dans vos commentaires ! Elle a parcouru beaucoup de chemin depuis sa participation à l'émission *Occupation Double* ! On salue son travail !

© Franca Perrotto
Mariana Mazza
Cette humoriste me fait beaucoup rire et on aime qu'elle n'ait pas la langue dans sa poche ! Go Mariana !
© Everett Collection
Michelle Obama
Vous êtes nombreuses à l'avoir nommée ! Elle est un modèle d'engagement et on ne peut qu'admirer la façon dont elle s'est servie de sa tribune comme première dame des États-Unis pour faire une réelle différence dans des domaines aussi variés que l'éducation, la lutte contre l'obésité ou encore l'appui aux vétérans ! Une grande femme !

# VOS FILMS

# PRÉFÉRÉS

## LES ANIMAUX FANTASTIQUES

Cette série de films, dérivée de la saga *Harry Potter*, comptera quatre autres épisodes et en plus, Eddie Redmayne y joue le rôle principal !

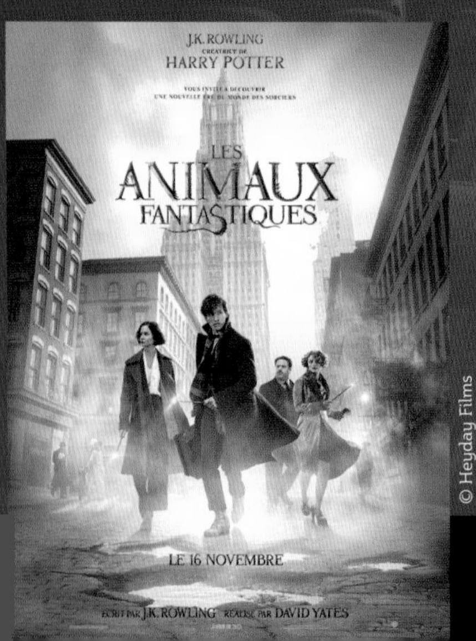


© Heyday Films

## L'ESPACE QUI NOUS SÉPARE

Vous avez beaucoup aimé ce film de science-fiction qui raconte la relation entre un martien et une terrienne !

© Huayi Brothers Pictures

## 1:54

Je suis bien d'accord avec votre choix! *1:54* est un film dramatique qui traite de sujets sérieux comme l'intimidation et le suicide, et c'est très réussi!

## LA BELLE ET LA BÊTE

La nouvelle adaptation de ce classique, qui met en vedette Emma Watson, est le film parfait pour une soirée entre filles!

© ARP Sélection

© Walt Disney Pictures

© Chernin Entertainment

## MISS PEREGRINE

C'est vrai que l'adaptation cinématographique du livre qui porte le même nom est vraiment bonne! Encore un très grand succès pour Tim Burton.

© Village Roadshow Pictures

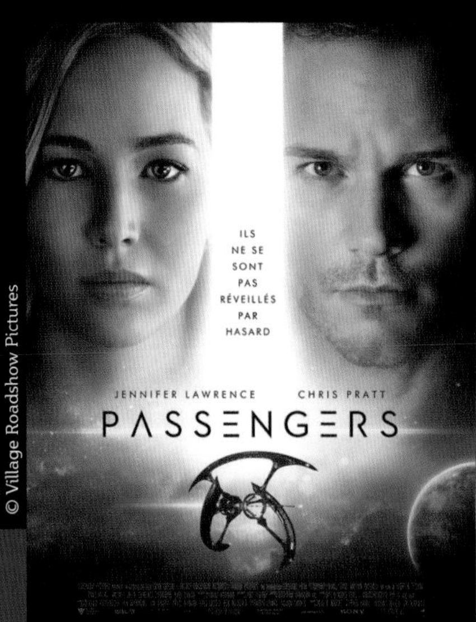

ILS NE SE SONT PAS RÉVEILLÉS PAR HASARD
JENNIFER LAWRENCE
CHRIS PRATT
PASSENGERS


© Allison Shearmur Productions

EMMA ROBERTS
DAVE FRANCO
ÊTES-VOUS
VOYEUR OU JOUEUR
NERVE
AU CINÉMA LE 24 AOÛT
OSEREZ-VOUS RELEVER LE DÉFI?


## *PASSAGERS*

Il n'y a pas de doute : vous aimez la science-fiction ! Ce film qui se déroule en espace et qui met en vedette Jennifer Lawrence et Chris Pratt est fort en suspense !

## *NERVE*

Ce film qui met en vedette Emma Roberts et Dave Franco est très original !

© Illumination Entertainment

## *DÉTESTABLE MOI 3*

Ils sont toujours aussi drôles les minions !

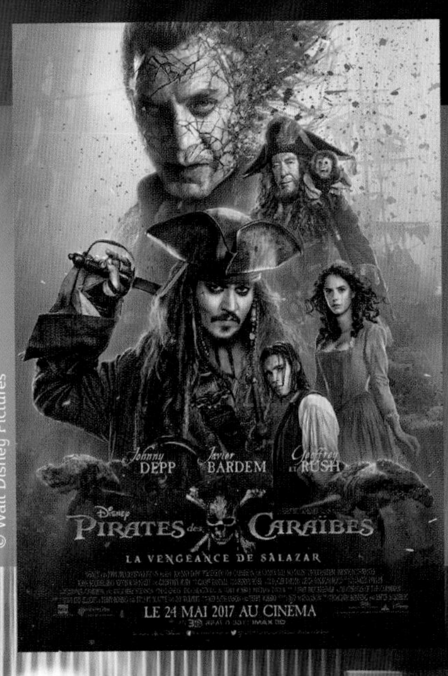




## PIRATES DES CARAÏBES : LES MORTS NE RACONTENT PAS D'HISTOIRES

Le cinquième volet de cette série de films d'aventures est encore plus palpitant que les autres ! Et de toute façon, comment ne pas aimer Johnny Depp et Orlando Bloom ?

## LE MONDE SECRET DES EMOJIS

Un film très comique et en plein dans l'ère du temps !

# LES FAVORIS DE Sophie Lit

J'ai rencontré Sophie Gagnon (alias Sophie Lit) par l'intermédiaire de son blogue et de ses critiques de livres. Son nom est très connu dans le domaine de la littérature jeunesse, et son appréciation de mes romans comptait beaucoup pour moi ! Ironiquement, j'ai commencé à la connaître personnellement en Belgique, puisqu'elle habite là-bas depuis quelques années déjà et que j'ai la chance de m'y rendre deux fois par année pour des tournées promotionnelles. C'est vraiment une personne avec qui j'ai beaucoup d'atomes crochus, et j'admire énormément ce qu'elle fait pour la promotion de la littérature jeunesse. Bref, elle m'apparaissait comme la personne tout indiquée pour faire la chronique lecture du 10e anniversaire de *L'ABC des filles* !

## QUATRE CONTRE LES LOUPS,

**de Sonia Sarfati et Lou Victor Karnas, éditions de L'Homme**

Ce roman est un mélange entre récit d'action et bande dessinée. Les scènes d'action sont entre autres représentées sous forme de BD pour le plus grand bonheur des lecteurs.

À Eastwood, depuis qu'un premier couple d'amoureux s'y est embrassé, la maison hantée du parc d'attractions est devenue mythique : c'est l'endroit où officialiser une relation. Mais le futur maire souhaite détruire ce parc laissé à l'abandon au fil des ans et profite de l'arrivée du Wolfgang pour démontrer à ses concitoyens la dangerosité de l'endroit. Pour des raisons diverses, Félix, Miguel, Zack et Léonie souhaitent toutefois que l'endroit demeure tel quel. Ils uniront les forces pour que cela se produise, devenant Rey, Pep, Babe et Effie une fois la nuit tombée : un quatuor de superhéros sans pouvoirs spéciaux, mais aux ressources multiples !

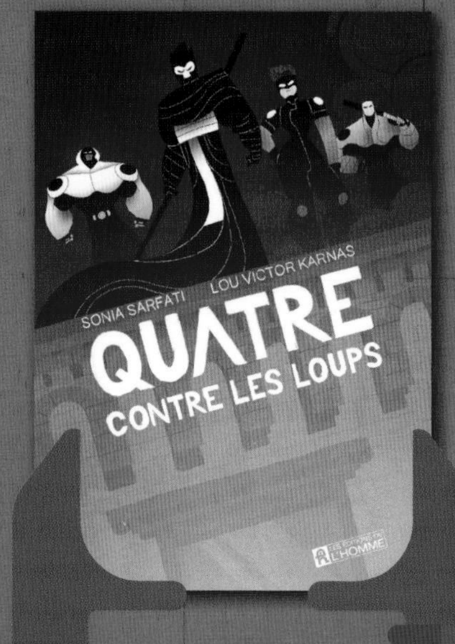


Cette œuvre hybride écrite par Sonia Sarfati et son fils, l'illustrateur Lou Victor Karnas, est un véritable bijou. Alliant action, suspens et psychologie, le duo d'auteurs vise dans le mille !

## LES TIGRES BLEUS,

**d'Yves Trottier, éditions les Malins**

La nouvelle collection des Malins nous propose une aventure palpitante et met en scène un duo de jumeaux différents, mais complémentaires, qui sauront s'aider quand leur royaume sera menacé.

Le royaume de Hudor vit dans un climat de paix après de nombreuses guerres menées pour l'accès à l'eau potable. Mais l'équilibre établi entre les chefs de clan est fragile. Lorsque Morfydd le Brutal réveille les Mandrills, des singes soldats aux fabuleuses capacités guerrières, ainsi que les Rokhs, des oiseaux terribles qui se nourrissent de chair humaine, le roi de la cité de Bravor n'est pas en mesure de l'affronter. C'est au Tournoi annuel des Guerriers que Morfydd souhaite prendre le pouvoir, prévoyant épouser la princesse, de force s'il le faut, le dernier jour. Mais il y rencontrera une résistance inattendue. En effet, Lia et Zaki, enfants du chef d'Angle-sur-Lac, n'ont peut-être pas encore le titre officiel de guerriers, mais ils possèdent de nombreuses ressources…

Yves Trottier s'adresse autant aux filles qu'aux garçons avec ce roman qui se passe dans un futur post-apocalyptique qui rappelle un peu le Japon ancestral. J'aime particulièrement le personnage de Lia, parfois énervante tant elle ne veut faire qu'à sa tête, mais inspirante aussi par sa créativité et son désir de réussir, tout en restant qui elle est en toute circonstance.

## LE SEXY DÉFI DE LOU LAFLEUR,

**de Sarah Lalonde, éditions Bayard Canada**

S'adressant aux filles de 14 ans et plus, ce roman est un incontournable puisqu'il aborde la sexualité de façon percutante et tout à fait pertinente !

Quand Lou apprend que l'âge moyen d'une première relation sexuelle est 15 ans, elle est sous le choc. Lorsque ses 16 ans arriveront, dans quelques semaines, elle fera partie des « attardés sexuels » ? Hors de question que cela se produise ! Lou a donc environ quarante jours pour vivre cette première fois si importante. Fidèle à ses habitudes (elle est passionnée de journalisme), elle va aborder la question sous tous les angles, n'hésitant pas à créer des malaises avec son meilleur ami, puis se met à la recherche de celui qui pourra lui faire vivre ce moment bien spécial… très rapidement ! Mais est-ce vraiment une bonne idée ?

Ce qui plaît d'abord, c'est le ton juste du récit : on croit complètement en Lou, cette ado qui se pose les mêmes questions que la plupart des filles de son âge et qui, au cours de sa quête, nous permet de découvrir beaucoup de choses, sans jamais tomber dans les images racoleuses. En 2017, la sexualité n'est plus taboue et on aime ça !

## PHOBOS, DE VICTOR DIXEN,

**éditions Robert Laffont, collection R**

Victor Dixen est un auteur français qui aime changer de style au fil de ses romans. Avec cette série qui compte déjà trois tomes, il nous entraîne dans un récit de science-fiction qui mêle habilement découverte de Mars et... téléréalité!

Sans famille, ballotée entre divers foyers d'hébergement dans l'enfance, gagnant durement sa vie dans une usine, Léonor n'a pas hésité longtemps à s'inscrire quand le programme Genesis, mis en place par l'entreprise qui vient de racheter la NASA, a lancé les inscriptions pour une téléréalité nouveau genre. En effet, les six garçons et les six filles qui embarquent dans le vaisseau spatial devront d'abord trouver l'âme sœur lors de séances de speed-dating organisées chaque jour, puis coloniser Mars, le tout sous le regard du monde entier. Mais Léonor se rend rapidement compte que tous les jeunes qui sont montés à bord sont sans attaches, comme elle, sans famille pour les défendre s'il arrive quoi que ce soit. Après tout, le but du programme Genesis est de générer le plus d'argent possible et sa directrice, Serena McBee, manipulatrice hors pair, compte bien y arriver, même si cela implique de laisser les couples s'installer sur Mars... où les chances de survie sont quasi inexistantes!

Dès le premier roman, les jalons sont posés et le lecteur est prisonnier de cette série hyper addictive. Il y a d'abord l'attrait de l'histoire sur Mars, mais aussi celle entourant Serena McBee et sa fille prisonnière d'une tour dorée, et les péripéties d'un jeune homme qui a compris dans quelle galère les douze jeunes adultes étaient embarqués, et qui veut les sauver. Après les tomes 1 et 2, Origines permet aux lecteurs de découvrir la vie des personnages principaux avant le décollage et met la table pour un tome 3 qui ne peut qu'être explosif!

## JE SUIS TON SOLEIL,

**de Marion Pavlenko, éditions Flammarion**

Vous cherchez un roman réaliste, qui vous fera à la fois rire et pleurer et dont l'héroïne possède un don fabuleux pour les répliques punchées? Voici la perle rare!

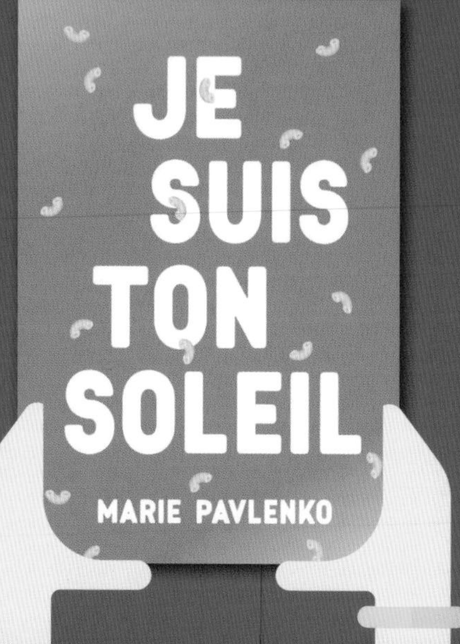

La vie semble s'acharner sur Déborah. Elle est d'abord séparée de sa meilleure amie lors de la formation des groupes en début d'année. Puis, cette dernière tombe amoureuse et la délaisse, alors que Déborah doit lutter contre les attaques de Tania, pétasse en chef, et n'a comme potentiel ami dans son groupe que Mygale-man, le passionné d'araignées, et le timide petit nouveau. Pire, Déborah voit son père embrasser une inconnue à pleine bouche alors qu'il dit à sa mère qu'il est débordé de boulot et que cette dernière sombre peu à peu dans la folie (ou la dépression), passant des heures à découper des revues dans le salon. Tout se déroule alors que Déborah entame sa dernière année d'études, avec l'ombre du bac qui se profile ; les difficiles choix pour l'avenir et ce chien terriblement laid que sa mère a voulu sauver et qu'elle doit maintenant promener tous les soirs (alors qu'il dévore toutes ses chaussures, la forçant à se rendre à l'école en bottes de pluie). Et elle n'est pas au bout de ses peines…

C'est un peu franchouillard comme titre et il faut s'habituer à entendre Déborah parler de ses notes (toujours sur 20) et du bac qui approche (l'épreuve finale du secondaire), mais sinon c'est un roman vraiment génial. Déborah a une dégaine, une façon de voir la vie pleine d'humour malgré le « théorème de la scoumoune », façon sympathique d'appeler la malchance qui semble s'accrocher à elle. Celle-ci crée d'ailleurs de nombreuses situations absolument loufoques (mention spéciale à la fuite de la mygale et au smoothie vert renversé).

C'est un roman qui déborde de vitalité malgré les thèmes plus sombres qui sont abordés. On croit aux adolescents qui sont présentés tant Déborah que Victor, le barbu-si-beau-mais-déjà-pris, et Jamal, Mygale-man, l'ado étrange qui se révèle être un meilleur ami particulièrement attentionné, mais aussi aux adultes, nuancés. C'est d'ailleurs ce mot qui fait la force du roman. On est dans les zones de gris, dans la réalité, et c'est ce qui le rend aussi touchant, et qui fait qu'on s'y reconnaît.

**Pour d'autres idées de lectures, rendez-vous sur <sophielit.ca>.**

## PAX ET LE PETIT SOLDAT,

**de Sarah Pennypacker et Jon Klassen, éditions Gallimard**

C'est une histoire hors du temps parfaite pour lire sous la couette, un jour où l'on n'a pas envie d'affronter l'extérieur, un récit qui touche profondément.

La guerre approche et le père de Peter s'enrôle, laissant celui-ci aux soins de son grand-père, à cinq cents kilomètres de leur demeure. Il le force à d'abord à abandonner son renard dans la forêt, prétextant que le vieil homme est trop fragile pour avoir un tel animal dans les jambes. Mais sitôt arrivé, Peter réalise qu'il n'aurait jamais dû abandonner Pax, celui qu'il a apprivoisé alors qu'il était tout petit et qui est devenu comme sa moitié. Il décide donc de retourner le chercher, peu importe la distance, peu importe s'il n'a que douze ans, peu importe si le chemin est dangereux parce que la guerre est imminente.

Dès les premières lignes, quand le renard raconte « son » garçon comme le garçon évoque son renard, on comprend qu'on est dans un récit bien particulier. Et l'émotion reste présente tout au long de cette histoire qui parle de famille, de celle que l'on a et de celle qu'on se crée, du monde des hommes comparé à celui des animaux, de la guerre aussi. C'est un roman d'une rare puissance, grâce au récit rythmé par les nombreuses péripéties, à la beauté des quelques illustrations qui le parsèment et à la réflexion nécessaire qu'il engendre. Bonheur !

# De Kangirsuk à Montréal,

## par Olivia Thomassie

*Vous êtes plusieurs à savoir que, comme Léa, j'ai déménagé et changé de ville au secondaire et, comme pour elle, mon adaptation ne s'est pas faite sans heurts et mon intégration ne s'est pas faite en un jour ! Mais, contrairement à Olivia, dont vous allez lire le témoignage, ce n'était pas un changement si radical et je n'avais pas la barrière de la langue pour me poser un obstacle supplémentaire. Je la remercie encore une fois d'avoir accepté de nous livrer cette touchante tranche de vie ! -* ***Catherine***

Quand je suis arrivée à Montréal, j'allais avoir 8 ans. En grandissant, j'ai appris qu'ici, les gens étaient peu au courant de la réalité que je vivais en tant qu'Inuk[1]. Ce n'était évidemment pas de leur faute, parce qu'il n'y a pas beaucoup d'Inuit et il manque d'information parlant de nous dans les livres. Je l'ai réalisé lorsque plusieurs personnes de mon entourage m'ont dit qu'ils ne sauraient rien de la réalité des Inuit s'ils ne m'avaient pas connue.

Je retourne deux à trois fois par année dans ma communauté. Il y a une grosse différence entre être à Montréal ou à Kangirsuk: là-bas, nous sommes environ 650 dans un petit village. Tout le monde se connaît, ce qui fait que lorsque j'y vais, dès que je sors de l'avion, je rencontre des connaissances proches. J'ai de la famille et des amis d'enfance qui travaillent un peu partout où je vais. Souvent, même après 10 ans, dès mon arrivée, on me dit « Bienvenue chez toi! »

Je me suis fait beaucoup moins imposer qui je suis et qui je voulais devenir par les personnes de ma communauté, contrairement à celles de Montréal, où il y a beaucoup de pression sur le statut social; alors il a été beaucoup plus facile pour moi de développer un sentiment d'appartenance aux Inuit plutôt qu'aux Québécois. Je trouve que les institutions québécoises oublient qu'elles n'existeraient pas sans les Autochtones. On parle beaucoup du Québec comme si nous n'avions jamais existé ou que nous ne faisions pas partie du peuple québécois.

1- Il est important de noter qu'« Inuit » ne prend pas de « s » au pluriel, car le mot est déjà le pluriel du mot « Inuk ».

Je crois que c'est un des facteurs qui fait que les Inuit ne s'identifient pas aux Canadiens français. Personnellement, après avoir vécu des épisodes de racisme et de discrimination, il m'est souvent arrivé de me faire dire que je me « victimisais ». Ces personnes ne savent pas comment cela pouvait m'affecter.

Je suis née à Kujjuaq, mais j'ai vécu à Kangirsuk, qui est situé au Nunavik, au nord du Québec. Ce n'est pas si loin, mais assez pour qu'on puisse faire de la pêche sur glace en mai. L'hiver, dans un paysage tellement glacial, les aurores boréales sont magnifiques. Il fait nuit tôt au solstice de l'hiver et, au contraire, le soleil se couche tard et se lève tôt au solstice d'été.

L'atmosphère est aussi un des facteurs qui fait que nos modes de vie sont différents de la ville. Ici, nous chassons pour nous nourrir. Certains pensent peut-être que c'est cruel, mais il y a en fait plus d'avantages pour nous, Inuit. Faire venir de la nourriture du sud coûte très cher et nous préférons avantager la chasse lorsque nous savons que l'animal a eu une vie heureuse. Nous l'abattons en faisant en sorte que sa souffrance soit la plus courte possible. La chasse se fait dans le respect. Ce n'est pas le cas pour les viandes dans les épiceries : nous ne sommes jamais exactement au courant de ce qui se passe avec les animaux et comment ils sont nourris. Ce n'est pas seulement pour la nourriture qu'on chasse, mais aussi pour s'habiller. L'hiver, il faut mettre deux manteaux de type « Kanuk » avec plusieurs épaisseurs de gilets de camping. Mon entourage aime bien rigoler du fait que je rouspète souvent contre la température de l'hiver montréalais, mais c'est parce que ce n'est pas pareil : au nord, l'hiver est plus sec et donc, si on est bien habillé, on peut faire des activités extérieures pendant un bon nombre d'heures. Beaucoup pensent que la température peut être déprimante, mais ils seraient surpris de la lumière qu'il y a en hiver. Sans arbres, la toundra est blanche partout et la lumière nous aveugle par sa réflexion sur la neige.

Contrairement à l'été, où malgré les longues journées, il y a légèrement moins de lumière, vu que la toundra est foncée.

Je ne parlais pas français et je me sentais très isolée dans mes débuts à Montréal. Ça a été dur, mais l'avantage, c'est que je suis arrivée à l'âge où, peu importe d'où ils viennent et la langue qu'ils parlent, les enfants s'amusent ensemble. J'ai appris le français en classe d'accueil avec des camarades de partout à travers le monde qui venaient tout juste d'immigrer comme moi. J'ai eu des cours de capoeira, de swing, de Roller Derby. J'ai suivi des ateliers d'Amnistie internationale, d'Exeko, d'Équitas et d'autres organismes, entre autres dans le but de m'impliquer dans la campagne pour le droit de vivre sans discrimination des jeunes du Centre Montréal Autochtone, mais aussi par pur plaisir. J'ai pu apprendre des mots dans des langues variées. Bref, je n'aurais pas eu facilement accès à tout ça si j'étais restée dans ma communauté. C'est un avantage pour moi d'être à Montréal, contrairement à mes amis restés dans la communauté, qui n'ont pas accès à des activités diversifiées. Ce n'est pas un manque d'intérêt de leur part, mais un manque d'opportunité.

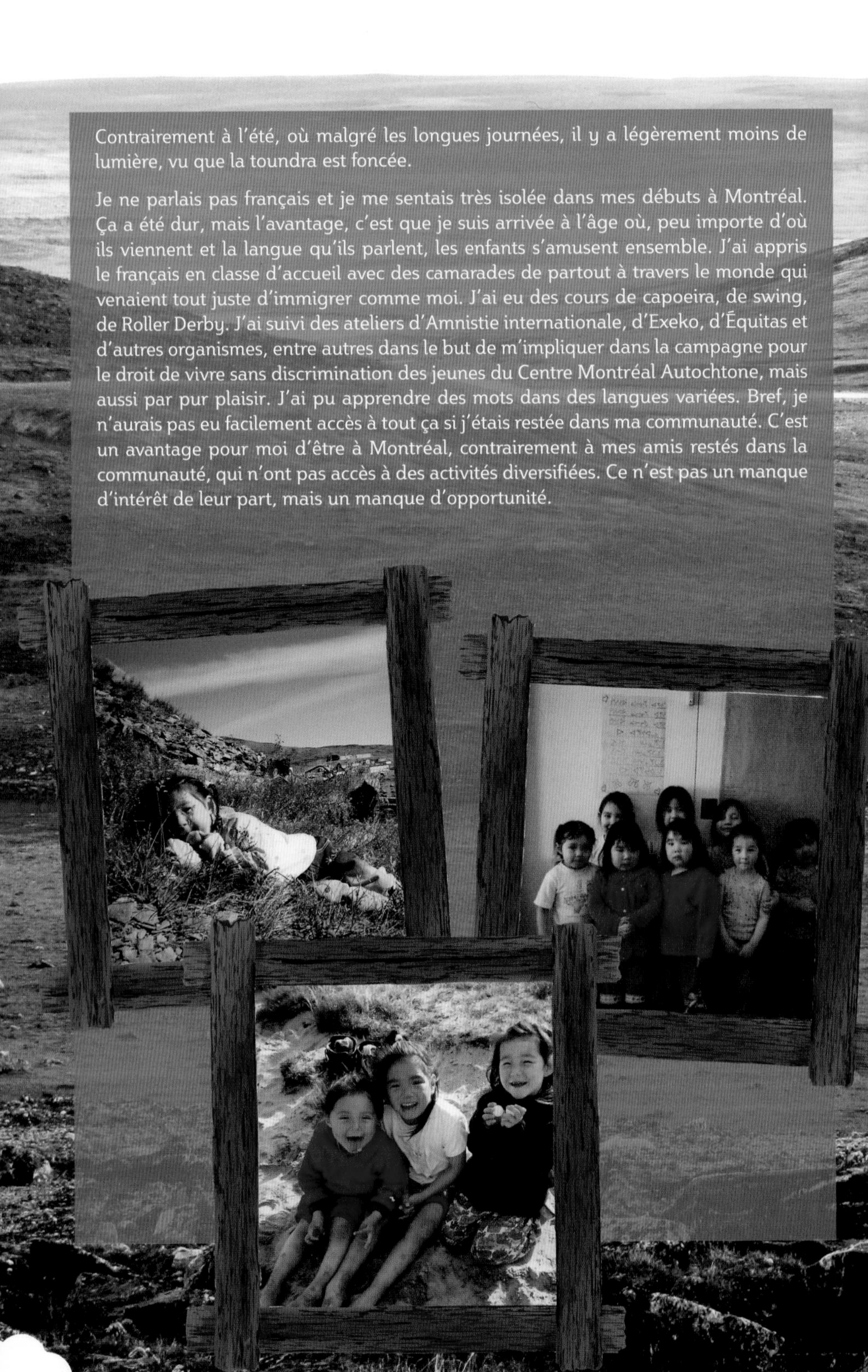

Vos trucs ultimes
pour vous remonter le moral

Écouter de la musique

LIRE

Regarder un film ou une série télé

Pleurer un bon coup

PARLER À SES AMIS

Danser ou bouger

Écrire

JOUER D'UN INSTRUMENT DE MUSIQUE

Manger des trucs réconfortants

Passer du temps en famille

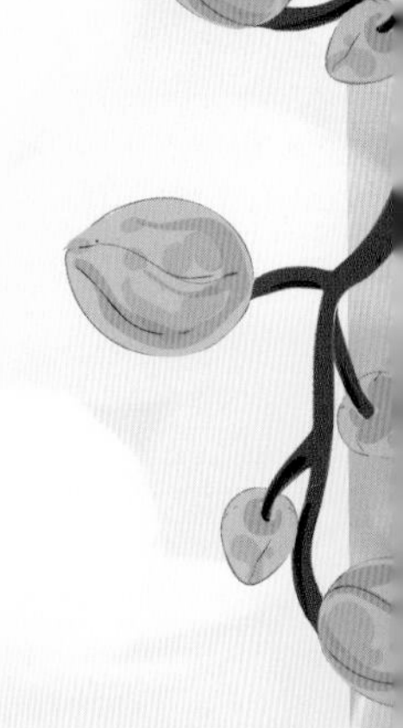

# 10 MYTHES sur la sexualité

## 1 LE PORT DU TAMPON PEUT FAIRE PERDRE LA VIRGINITÉ.

Je reçois souvent des questions de filles qui s'inquiètent à propos du port du tampon. Comme on doit l'insérer dans le vagin, elles me demandent s'il est possible de perdre accidentellement sa virginité et de déchirer l'hymen lors des règles. Laissez-moi vous rassurer : seul un rapport sexuel avec pénétration peut vous faire perdre votre virginité. Pour ce qui est de l'hymen, soit la membrane très mince située près de l'entrée du vagin, son centre est déjà percé afin de permettre aux pertes sanguines de s'écouler du vagin lors des menstruations. Cette petite ouverture est normalement assez grande pour laisser entrer un tampon. Si c'est très douloureux, je vous suggère d'utiliser des serviettes hygiéniques et d'en parler à votre médecin au besoin.

## 2 ON PEUT TOMBER ENCEINTE EN SE FROTTANT CONTRE SON PARTENAIRE.

Pour qu'un spermatozoïde féconde un ovule, il faut vraiment que le liquide pré-éjaculatoire ou le sperme pénètre dans le vagin. Les spermatozoïdes meurent lorsqu'ils se retrouvent à l'air libre. Il est toutefois important de vous protéger en tout temps lorsque vous vous engagez dans une activité sexuelle, puisque les infections transmissibles sexuellement peuvent, quant à elles, se contracter beaucoup plus facilement.

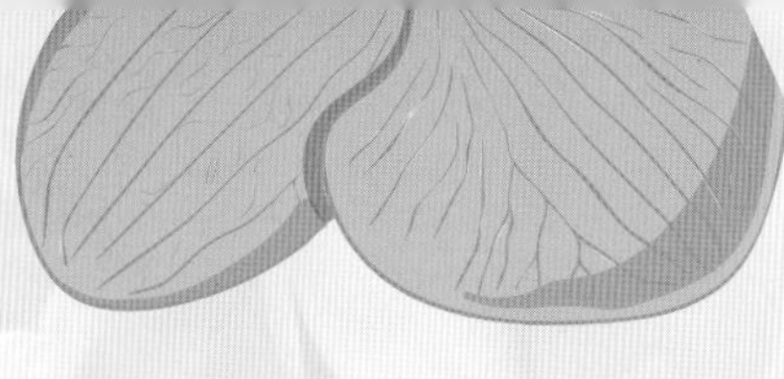

## 3 SI JE FAIS UN RÊVE ÉROTIQUE À PROPOS D'UNE FILLE, ÇA VEUT DIRE QUE JE SUIS LESBIENNE.

Les rêves surviennent sans qu'on ait aucun contrôle. Lorsqu'on dort, notre cerveau et notre inconscient en profitent pour analyser certains moments de la journée et pour libérer un stress, formant ainsi des images ou des associations dans notre tête. Les rêves ne sont toutefois pas un reflet de la réalité. Je sais qu'ils peuvent parfois se révéler troublants, mais il faut essayer de ne pas accorder trop d'importance à leur représentation. Il est préférable d'être connectée à ce que vous ressentez dans la vraie vie et de voir si vous êtes oui ou non attirée par les autres filles.

## 4 LA MASTURBATION EST HONTEUSE.

La masturbation est au contraire une façon saine et naturelle d'apprivoiser votre sexualité et d'apprendre à mieux connaître votre corps. Au cours de la puberté, c'est tout à fait normal d'éprouver du désir sexuel et d'avoir envie de le satisfaire vous-même. Il s'agit d'un geste intime dont peu de gens se vantent, mais que pratiquement tout le monde fait!

## 5 IL EST ANORMAL DE NE PAS AVOIR D'ORGASME.

Il arrive parfois (voire souvent) que l'orgasme soit impossible à atteindre lorsqu'on se masturbe ou lors d'une relation sexuelle. Plusieurs facteurs peuvent expliquer cela, dont la pression, le stress et la tension ressentie. Il ne faut surtout pas vous en faire si ça arrive ni vous imaginer que vous êtes frigides ou que vous n'avez aucune libido. Essayez simplement de vous détendre et de vous laisser aller sur le moment. Lors des relations sexuelles, il se peut très bien que vous ayez aussi besoin de stimulation extérieure (directement sur le clitoris) pour avoir un orgasme, comme c'est le cas pour beaucoup de filles.

## 6 LA PILULE CONTRACEPTIVE PROTÈGE DES INFECTIONS TRANSMISSIBLES SEXUELLEMENT.

Faux. Seul le condom peut empêcher la transmission d'infections transmissibles sexuellement.

## 7 SI JE VEUX PRENDRE LA PILULE CONTRACEPTIVE, JE DOIS OBLIGATOIREMENT EN PARLER À MES PARENTS.

À partir de 14 ans, il est possible de consulter un médecin sans que vos parents soient au courant, et le rendez-vous restera confidentiel. Il est évidemment préférable d'en parler à vos parents pour éviter de leur mentir et préserver une relation honnête et ouverte.

## 8 JE NE PEUX PAS PRATIQUER DE SPORT SI J'AI MES RÈGLES.

Il ne faut surtout pas vous priver de pratiquer vos activités sportives préférées lorsque vous avez vos règle! Le port du tampon ou de la coupe menstruelle permet même de faire de la natation sans vous en soucier. Si vous avez mal au ventre, les comprimés d'ibuprofène sont assez efficaces pour faire disparaître la douleur. Vous pouvez aussi en parler à votre médecin.

## 9 LES PERTES BLANCHES SONT ANORMALES.

Les pertes blanchâtres ou transparentes, aussi appelées leucorrhées, se présentent naturellement tout au long de notre cycle, bien que leur quantité varie d'un jour à l'autre. Elles sont sécrétées par le vagin, qui évacue ainsi les cellules mortes, la sueur, le liquide de lubrification et la glaire cervicale. Si elles vous gênent, vous pouvez mettre un protège-dessous sur votre culotte pour vous sentir plus au sec. Si l'apparence, l'odeur ou la texture des pertes vous inquiètent, je vous invite à consulter un/e gynécologue pour vous assurer qu'il ne s'agit pas d'une vaginite.

## 10 JE SUIS ANORMALE PUISQUE JE N'AI PAS ENCORE MES RÈGLES À 15 ANS.

Je ne le répèterai jamais assez : toutes les filles évoluent à un rythme différent, et certaines d'entre elles connaissent une puberté plus tardive. Il n'y a rien d'anormal à cela, et je vous assure que vos règles finiront par arriver !

# LES 10 QUESTIONS LES PLUS POSÉES!

Pour rester sur le thème des 10 ans de *L'ABC des filles*, j'ai décidé d'aller fouiller dans les milliers de questions que vous m'avez envoyées au fil des années (ç'a été long!) pour trouver les 10 thèmes qui reviennent le plus souvent. J'ai finalement choisi ces 10 questions qui selon moi sont représentatives des sujets qui vous préoccupent beaucoup. J'espère que mes réponses pourront vous être utiles!

## À L'AIDE ! J'AI DES CRISES DE PANIQUE !

Chère Catherine,
Il m'arrive parfois de me sentir tellement stressée que je ne sais plus quoi faire pour reprendre le contrôle. J'ai des sueurs froides et des palpitations, je n'arrive plus à me concentrer et j'ai de la misère à dormir la nuit. Je ne sais pas ce qui m'arrive. Est-ce que je suis malade ? Peux-tu m'aider ?

Allô! Ce que tu décris s'apparente vraiment à une crise de panique. Comme je suis déjà passée par là, je comprends très bien ce que tu vis, et je sais à quel point ça fait peur de sentir qu'on n'a plus le contrôle de son corps. Je pense que ça pourrait vraiment t'aider d'en parler à une personne de confiance, de consulter ton médecin ou le psychologue de l'école pour essayer de comprendre ce qui provoque ces crises. Il se peut qu'un événement t'ait troublée, que tu te sentes dépassée par ce que tu as à faire, ou alors que ton corps soit aux prises avec un petit déséquilibre hormonal.

Ce que tu dois comprendre, c'est qu'il n'y a absolument aucune honte à avoir des crises d'anxiété. Ça montre simplement qu'il faut que tu sois un peu plus à l'écoute de ton corps et de tes émotions pour mieux comprendre ce qui les provoque. Personnellement, le fait de consulter un psychologue m'a grandement aidée à gérer mon stress et à cibler les situations qui sont plus propices à me rendre anxieuse, et je me sens aujourd'hui beaucoup plus apte à faire face aux situations stressantes. Je crois vraiment que si tu en parles et que tu cherches de l'aide, tu arriveras non seulement à démystifier ce qui se passe en toi, mais aussi à trouver des solutions toutes simples pour t'aider à mieux évacuer ton surplus de stress.

CATHERINE

# EST-CE QUE JE SUIS EN DÉPRESSION ?

Salut Catherine !
L'an dernier, je me tenais avec une gang de filles, qui ont finalement décidé de me rejeter. L'une d'elles s'amuse même souvent à me niaiser et à me traiter de tous les noms dès qu'elle en a la chance, et j'avoue que ça m'atteint beaucoup. Je pleure tout le temps et je n'ai pas envie de sortir de ma chambre ni d'aller à l'école. Je me demande si je ne suis pas en train de faire une dépression. Peux-tu m'aider ?

Salut ! Il arrive en effet qu'un événement comme celui que tu as vécu avec ton ancienne gang puisse être un déclencheur de dépression. Quoi qu'il en soit, sache d'abord que tu n'as pas à endurer ce comportement de la part de ces filles. Tu mérites d'être traitée avec respect, et c'est essentiel que tu dénonces leur comportement pour que ça cesse au plus vite. Tu dois aussi comprendre que tu n'as rien à te reprocher et que tu es une fille géniale qui se doit d'être entourée de personnes aimantes et respectueuses.

Pour ce qui est de ton état, c'est vraiment important que tu en parles à quelqu'un de ton entourage et que tu consultes un médecin pour savoir ce qui t'arrive. Il pourra aussi évaluer ton état et déterminer quelle est la meilleure démarche à suivre pour aller mieux. La dépression n'est pas une maladie qui doit être prise à la légère, et je crois que tu as besoin d'encadrement et de parler de ce que tu vis et de ce que tu ressens pour t'en sortir. Sache qu'il y a des gens autour de toi qui t'aiment et qui ne demandent pas mieux que de te tendre la main, alors n'hésite pas à leur confier ce que tu traverses pour qu'ils te viennent en aide.

CATHERINE

# JE M'AUTOMUTILE

Besoin de ton aide...
J'ai honte de l'avouer, mais il m'arrive de me faire des coupures sur les bras quand je ne me sens pas bien. C'est comme si je me sentais tellement poche que j'avais envie de me faire du mal. Je sais que ce n'est pas bien, mais je n'arrive pas à me contrôler, car ça me soulage sur le coup. Peux-tu m'aider ?

Salut ! Je suis contente que tu te confies à moi à propos de ce que tu traverses : je crois sincèrement que c'est un pas dans la bonne direction. Sache tout d'abord que tu n'as pas à avoir honte de ce que tu vis. Je crois au contraire que c'est tout à ton honneur d'en parler et de vouloir trouver une façon de t'en sortir. L'automutilation est une façon de contrer physiquement la douleur émotive que tu ressens à l'intérieur. En d'autres mots, comme tu te sens submergée par les émotions, tu t'infliges des blessures corporelles pour te soulager temporairement.

Tu dois toutefois comprendre que l'automutilation peut avoir de graves conséquences à long terme, et je crois qu'il est impératif que tu consultes pour t'aider à comprendre ce qui te pousse à te faire du mal et pour trouver des moyens moins destructeurs d'exprimer la douleur que tu ressens à l'intérieur. N'hésite pas non plus à te confier à un proche de confiance ou à un parent pour avoir du soutien.

CATHERINE

## JE N'ARRIVE PAS À ME LE SORTIR DE LA TÊTE

Au secours Catherine !
Je t'écris parce que je suis amoureuse d'un gars de mon école, mais ce n'est pas réciproque. Je l'ai appris de son meilleur ami. Je sais même qu'il a un *kick* sur une autre fille. Le problème, c'est que je n'arrive pas à l'oublier. J'ai de la peine de l'imaginer avec une autre, et c'est comme si j'étais en peine d'amour même si on n'est jamais sortis ensemble. Est-ce que ça se peut ? Comment je peux faire pour l'oublier ?

Salut ! Premièrement, sache que tu es complètement normale, et que tu n'es pas la seule à vivre une déception amoureuse sans avoir officiellement fréquenté le gars qui t'intéresse. Après tout, tu vis une forme de rejet et une blessure liée au fait que tu dois faire le deuil d'un gars qui te plaît. J'ai personnellement vécu la même chose que toi quand j'étais en secondaire 1 et que le gars dont j'étais amoureuse s'est mis à fréquenter une autre fille.

Ce que tu dois réaliser, c'est qu'en le portant dans ton cœur, tu as peut-être eu tendance à le mettre sur un piédestal, ce qui rend maintenant la tâche de l'oublier encore plus ardue. Je sais que ce garçon te semble extraordinaire, mais essaie de le percevoir comme il est réellement et de te répéter qu'il n'est pas parfait, et que s'il laisse filer sa chance d'être avec toi, c'est qu'il ne te mérite pas !

Efforce-toi aussi de te changer les idées et de l'éviter le plus possible. On a souvent besoin de temps et d'un peu de distance pour se remettre d'une peine d'amour. N'hésite pas non plus à t'ouvrir un peu plus aux autres gars qui t'entourent et qui ne demandent pas mieux que d'apprendre à te connaître davantage !

CATHERINE

## UNE AMITIÉ TOXIQUE

Allô Catherine !
J'ai un problème avec ma meilleure amie. Depuis un certain temps, c'est comme si je ne pouvais pas être naturelle avec elle. Je me sens souvent jugée si je la contredis ou si elle n'est pas d'accord avec moi. Les autres filles de la gang la suivent comme des petits chiens, mais moi, ça m'énerve de sentir que je ne peux pas être naturelle devant elle. Ça fait longtemps qu'on se connaît, et d'un autre côté, je n'ai pas envie de la perdre ni de me ramasser toute seule dans mon coin. Qu'est-ce que tu me suggères ?

Salut ! Je crois sincèrement que pour qu'une amitié fonctionne, il faut être capable d'être soi-même avec l'autre. Ce genre de relation est basé sur la confiance et le respect, et ton amie doit comprendre que tu as droit à tes opinions et que tu n'aimes pas te sentir jugée lorsque tu ne penses pas comme elle. Mon premier conseil serait donc d'avoir une discussion honnête avec elle pour qu'elle prenne conscience de la situation et qu'elle change son attitude. Après tout, si tu ne dis rien, elle ne peut pas deviner que ça te dérange lorsqu'elle agit comme ça.

Explique-lui calmement que tu n'aimes pas te sentir jugée, car ça t'empêche d'être naturelle, et que tu aimerais qu'elle t'accepte comme tu es même si vous ne partagez pas toujours les mêmes opinions. J'ai confiance que ça lui permettra de s'ajuster et d'être plus à l'écoute de tes points de vue. Si tu sens toutefois qu'elle se braque et qu'elle refuse de changer son attitude, je te suggère de prendre un peu tes distances et de te rapprocher davantage de gens qui t'accueillent ouvertement, qui t'écoutent, qui te respectent et qui t'apprécient comme tu es.

CATHERINE

# COMMENT ÊTRE MOINS NERVEUSE ?

Salut, Catherine !
J'ai un gros *kick* sur un gars depuis plusieurs mois, et je deviens vraiment nerveuse dès qu'il est dans les alentours. Je bégaie et je dis n'importe quoi, ou alors je le fuis parce que je ne sais pas comment réagir. J'aimerais avoir des trucs pour être moins stressée et plus naturelle avec lui. Merci !

Coucou ! Je pense qu'à la base, c'est tout à fait normal d'éprouver un peu de nervosité quand le gars que tu aimes est dans les parages, mais je crois que ça t'aiderait si tu essayais de faire le vide et de simplement t'adresser à lui sans te mettre de pression. Rappelle-toi qu'il gagne lui aussi à te connaître et que ça ne sert à rien de le mettre sur un piédestal. Après tout, tu as des tonnes de choses intéressantes à dire, et c'est essentiel de lui dévoiler ta vraie personnalité. Je crois sincèrement que c'est la meilleure façon de faire bouger les choses !

Pour ce faire, tu peux commencer par briser la glace en le saluant et en lui souriant lorsque tu le croises. Efforce-toi aussi de l'aborder quand la situation se présente, de l'inclure dans des discussions et d'échanger avec lui sur les points que vous avez en commun, ou alors de lui poser des questions et de t'intéresser à lui pour apprendre à mieux le connaître. Plus tu passeras de temps avec lui, et plus tu te sentiras à l'aise et naturelle quand tu es en sa présence. L'important, c'est vraiment de rester toi-même et de te rappeler que tu as aussi plein de choses à lui faire découvrir !

CATHERINE

# EST-CE QUE JE SUIS LESBIENNE ?

Bonjour Catherine !
Dernièrement, je me questionne beaucoup à propos de mon orientation sexuelle. Je ne sais plus si c'est les gars ou les filles qui m'attirent. Il m'arrive parfois de faire des rêves avec des filles ou de trouver que certaines sont belles dans mon entourage, mais j'ai aussi déjà eu un chum avec qui ça cliquait. Comment y voir plus clair ? Est-ce que tu crois que je suis lesbienne ?

Allo ! Il se peut que ce ne soit pas noir ou blanc et que ça te prenne un peu de temps avant de déterminer ton orientation sexuelle. En d'autres mots, il est possible que tu vives un moment de confusion parce que tu es sincèrement attirée par les deux sexes, ou alors que ton rêve avec une fille t'ait amenée à te questionner sur tes préférences alors qu'il ne s'agissait que d'un simple fantasme. Il se peut aussi qu'au fil du temps, tu réalises que ce sont vraiment les filles qui t'attirent. Je crois sincèrement que seul le temps te le dira. Mon conseil serait de ne pas trop te fier aux rêves que tu fais, mais plutôt à ce que tu ressens dans la réalité.

Tu m'as dit que tu trouvais que certaines filles étaient belles, mais est-ce que tu ressens un désir charnel et sexuel envers elles ? Si tu réalises que non, alors c'est sans doute parce que tu es hétérosexuelle, mais si tu crois que oui, alors tu peux être lesbienne ou bisexuelle. Il se peut aussi que ça demeure confus pendant un moment, mais je t'assure que tu finiras par y voir plus clair. Mon meilleur conseil serait de rester connectée à ce que tu ressens pour obtenir des réponses et d'assumer qui tu es, peu importe ton orientation sexuelle.

CATHERINE

# JE SUIS TANNÉE D'ÊTRE CÉLIBATAIRE

Salut Catherine !
Je n'ai jamais eu de chum, et j'ai l'impression que je ne trouverai jamais de gars qui me convient. Je me sens vraiment seule. Tout le monde autour de moi est en couple et j'ai l'impression qu'aucun garçon ne s'intéressera jamais à moi. Je rêve d'avoir un chum, mais j'ai peur de rester seule pour toujours. Aide-moi !

Salut ! Laisse-moi d'abord te rassurer en te disant que même si tu te sens seule en ce moment, je suis certaine que tu finiras toi aussi par tomber amoureuse. L'important, c'est de trouver un gars qui te plaît vraiment et qui te rend heureuse. Je sais que ça t'apparaît impossible en ce moment, mais je t'assure que l'amour arrive souvent au moment où l'on s'y attend le moins.

Si tu veux faire bouger les choses, n'hésite pas à faire les premiers pas et à prendre des risques pour que le gars qui te plaît apprenne à te connaître davantage. Lorsque tu l'abordes, essaie de rester toi-même, question de lui faire découvrir la fille géniale que tu es. Tu peux faire des blagues pour détendre l'atmosphère et lui poser des questions pour apprendre ce qui l'intéresse et le passionne. Efforce-toi surtout de garder confiance en toi et de ne pas perdre espoir, car je suis certaine que tu trouveras bientôt l'amour !

CATHERINE

# JE ME FAIS INTIMIDER

Allô!
À l'école, il y a une gang de filles qui s'acharnent sur moi et qui me niaisent tout le temps. Heureusement, j'ai aussi de bonnes amies, mais ça n'empêche pas ces filles de se moquer de moi et de m'intimider dès qu'elles en ont la chance. Que devrais-je faire? Je suis vraiment tannée qu'elles s'acharnent sur mon cas.

Salut ! Premièrement, c'est important que tu saches que tu n'as rien à te reprocher et que les insultes de ces filles sont vides de sens et ne sont pas un reflet de ce que tu es ! Beaucoup de bourreaux prennent effectivement un malin plaisir à rabaisser leurs victimes pour contrer leurs propres insécurités. Ils intimident ainsi certaines personnes pour se sentir forts et puissants aux yeux des autres sans prendre conscience des séquelles que peuvent avoir leurs gestes.

Je crois que la première chose à faire est de dénoncer ces filles pour qu'elles réalisent que leurs actions ont des conséquences et pour que cela cesse au plus vite. Après tout, tu mérites d'être traitée avec respect et tu n'as pas à tolérer cette attitude. Je sais que c'est difficile d'entendre des insultes, mais essaie de ne pas laisser leurs paroles ou leurs gestes teinter la perception que tu as de toi-même ou ébranler ta confiance en toi. Tu es une fille géniale qui mérite d'être heureuse et épanouie en tout temps.

CATHERINE

# MON AMIE ET MOI SOMMES AMOUREUSES DU MÊME GARS

Salut Catherine !
Ça fait très longtemps que je suis amoureuse d'un gars, mais je ne l'ai dit à personne parce que j'avais peur que ça se sache et j'étais trop gênée. Le problème, c'est que ma meilleure amie vient de m'avouer qu'elle aime le même garçon, et que je ne sais pas quoi faire. Je ne veux pas être une mauvaise amie, mais je sais que ça me ferait vraiment de la peine de les voir ensemble. Est-ce que je devrais le lui dire, ou non?

Coucou ! Je crois que si tu veux éviter que ce garçon crée un froid ou un malentendu entre vous, ce serait mieux d'être honnête et d'en parler à ton amie pour qu'elle sache ce que tu ressens. Explique-lui que tu es amoureuse de lui depuis très longtemps, et que même si ça te fait un pincement au cœur de réaliser que vous avez cliqué sur le même gars, tu ne veux surtout pas la perdre pour ça et que tu aimerais trouver une solution.

Vous pourriez, par exemple, demander au garçon de trancher en lui demandant s'il éprouve des sentiments pour l'une de vous. Si c'est le cas, vous devez toutefois être prêtes toutes les deux à accepter sa décision et possiblement à le voir dans les bras de l'autre. Si l'idée vous semble insupportable, vous pourriez aussi décider de prioriser votre amitié et de faire une croix sur lui pour éviter qu'une de vous soit blessée. Après tout, les amours passent, mais les vraies amitiés solides peuvent durer toute une vie !

CATHERINE

# 10 résolutions pour 2018

## 1 Se trouver belle !

Ça semble niaiseux, mais je crois qu'on a trop souvent la fâcheuse habitude de se concentrer sur nos complexes au lieu d'apprendre à s'accepter et à s'aimer comme on est. Cette année, je vous encourage donc à aimer le reflet que vous voyez dans le miroir et à vous trouver jolies !

## 2 Opter pour des produits écolos !

Depuis que ma fille est née, j'ai découvert les produits de beauté et de nettoyage Honest, et j'adore ça ! Ils sont écologiques, ils ne contiennent aucun ingrédient nocif pour la santé ou l'environnement et ils fonctionnent à merveille ! Les produits Bio-Vert, Attitude, Bionature et Envirolab, qui se trouvent dans la plupart des pharmacies et des supermarchés, sont aussi entièrement certifiés écologiques et fonctionnent tout aussi bien !

Si le cœur vous en dit, vous pouvez aussi faire vos propres produits de base pour nettoyer la maison. Voici quelques idées de recettes faciles à faire[1] :

- Pour nettoyer les vitres, mélangez une tasse de vinaigre et quatre tasses d'eau.

- Pour nettoyer les taches sur les tapis, saupoudrez de bicarbonate de soude et laissez agir au moins une heure avant de nettoyer à la balayeuse.

- Pour obtenir un nettoyant de surfaces, mélangez ½ tasse de savon pur, 4 litres d'eau chaude et ¼ de tasse de jus de citron.

1-Greenpeace Canada. Repéré à <greenpeace.org/canada/fr/a-vous-d-agir/trucs-et-astuces/recettes-de-base>

## 3 Faire de l'exercice

On ne le dira jamais assez souvent : non seulement l'exercice physique est bon pour la santé, mais le fait de bouger permet de sécréter de l'endorphine, une hormone du bonheur qui agit comme un antistress naturel !

## 4 Apprendre à cuisiner

Quand j'étais plus jeune, c'est à peine si je savais me faire cuire un œuf, mais en quittant la maison de mes parents, je n'ai pas eu d'autre choix que d'apprendre à cuisiner. Et j'avoue qu'avec le temps, la cuisine est presque devenue thérapeutique pour moi ! J'adore essayer de nouvelles recettes et savoir ce que je mets dans mon corps. Avec le recul, je regrette de ne pas l'avoir appris plus tôt !

5

## Être plus serviable

Je sais que ça paraît un peu moralisateur, mais je crois que si vous faites un petit effort pour ouvrir la porte aux dames avec des poussettes, pour aider une personne âgée à traverser la rue, pour faire la vaisselle à la maison ou pour aider une amie qui a de la difficulté dans une matière, vous vous sentirez bien. Sans compter que ce sont les petits gestes qui font une différence et qui peuvent nous permettre de vivre mieux en société.

6

## Ne pas avoir peur de prendre des risques

Cette résolution s'applique à différentes sphères de votre vie. Comment savoir si vous aimez le soccer si vous ne l'essayez pas ? Comment voulez-vous que votre *kick* sache ce que vous éprouvez pour lui si vous ne lui parlez jamais ? Comment savoir si les leggings roses vous vont bien si vous n'en enfilez jamais ? Je ne le répéterai jamais assez : qui ne risque rien n'a rien !

7

## S'entourer des bonnes personnes

Si vous ne vous sentez pas à l'aise devant vos amis ou que vous avez l'impression que vous ne pouvez pas être naturelles avec eux, c'est probablement parce que cette gang ne vous correspond pas. Les vrais amis sont ceux qui nous supportent, nous écoutent, nous respectent, nous permettent d'évoluer et nous aiment telles que nous sommes.

8

## S'écouter

Personne ne sait mieux que vous ce que vous ressentez et où sont vos limites. Vous n'avez pas envie d'embrasser un gars ? C'est correct. Ça ne vous tente pas d'assister à un party ? Il n'y a rien de mal à ça. Vous trouvez que certaines personnes de votre entourage n'ont pas les mêmes valeurs que vous ? Alors, respectez-les tout en vous tenant loin d'elles. L'essentiel, c'est de vous écouter et d'être fidèles à ce que vous êtes.

9

## Prendre des photos

Les adultes vous cassent les oreilles avec ça : le temps passe vite. Maintenant que je suis une adulte, je dois avouer que c'est vrai. Et quand je suis nostalgique de certaines périodes de ma vie, j'aime regarder les photos et les vidéos que j'ai prises. Croyez-moi, dans quelques années, vous serez contentes vous aussi d'avoir ces souvenirs sous la main !

## Croire en soi

Je ne suis pas devenue l'auteure de *Léa Olivier* du jour au lendemain. J'ai commencé par traduire des livres, puis à écrire *L'ABC des filles* il y a 10 ans, et c'est ce qui m'a donné assez d'assurance pour me lancer en fiction. Vos idoles connaissent tous un parcours différent, mais chacune d'elles s'entendra pour vous répéter qu'avec du travail, de la persévérance et de la confiance en vous et en vos capacités, tout est possible !

10

# Le long voyage de la famille Chabo

Comme vous devez le savoir, une guerre fait rage en Syrie depuis 2011. Dans ce conflit entre les forces du régime en place dirigé par Bachar el-Assad et des groupes opposés au régime, les civils sont trop souvent pris à partie et se retrouvent entre les tirs ennemis. On estime à plus de 465 000 le nombre de morts et disparus depuis le début du conflit[1]. La situation est tellement intenable que des familles entières préfèrent traverser la mer sur des radeaux de fortune au péril de leur vie plutôt que de risquer de mourir sous les bombes ou de se retrouver prisonniers dans leur propre ville, comme ça a été le cas à Madaya, Alep et de trop nombreuses autres villes syriennes.

1- Le Monde, « Syrie – 465 000 morts et disparus en six ans de guerre », 13 mars 2017, repéré à <lemonde.fr/syrie/article/2017/03/13/syrie-plus-de-320-000-morts-apres-six-ans-de-guerre_5093677_1618247.html>.

En mars dernier, le nombre de réfugiés syriens inscrits auprès du Haut-Commissariat pour les réfugiés de l'ONU (HCR) a franchi le cap des 5 millions. Si la majorité se trouve dans des camps dans les pays voisins, notamment en Turquie, au Liban ou en Jordanie, certains arrivent à émigrer dans des pays où ils ont de la famille ou arrivent à bénéficier d'un parrainage (fait de se porter garant et responsable financièrement pour une personne ou une famille). Il est important de noter que le Canada est le seul pays à offrir un programme de parrainage privé. C'est par le biais de ce programme que mes deux frères et leurs familles ont pu faire venir la famille Chabo au Canada en 2016.

La famille Chabo ce sont Rihabe, Jony et leurs trois enfants, George, 16 ans, Zedan, 14 ans, et Celena, 4 ans. En Syrie, ils habitaient à Kamishli, dans le nord-est du pays où Jony avait un garage et une station d'essence. Après le début de la guerre, ils ont rapidement eu peur pour leur sécurité. En effet, juste à côté de leur commerce, des voisins à eux sont morts dans une explosion. Craignant pour leur vie et celle de leurs enfants et ne voyant plus aucun avenir pour leur famille, ils ont choisi de tout laisser derrière eux et de quitter la Syrie. Le hasard faisant bien les choses, ils ont réussi à entrer en contact avec mon frère Marc-André par le biais de l'ami d'un de ses voisins. De leur côté, mes frères avaient déjà décidé de parrainer une famille. Ils ont donc entrepris les longues démarches administratives qui ont mené à la venue des Chabo à Montréal.

La famille Chabo est arrivée à Montréal en février 2016, en pleine tempête de neige. Grâce à l'aide et au soutien de mes frères et de leurs familles, leur intégration s'est passée sans heurts, même si leur premier hiver a été éprouvant. Une partie de leur famille qui s'était réfugiée au Liban a même pu les rejoindre ici l'été dernier. Dix-huit mois après leur arrivée, on voit nettement les progrès qu'ils ont faits en français (que les enfants parlent désormais couramment) et on peut voir que leur intégration est en voie d'être réussie !

Pour en savoir plus sur le sujet et voir comment s'est déroulée la première année des Chabo au Québec, vous pouvez visionner le très touchant documentaire réalisé par Eza Paventi, ma belle-sœur à l'adresse web suivante : <http://www.telequebec.tv/documentaire/d-une-mer-a-l-autre/>.

Extrait du roman graphique

En librairie !

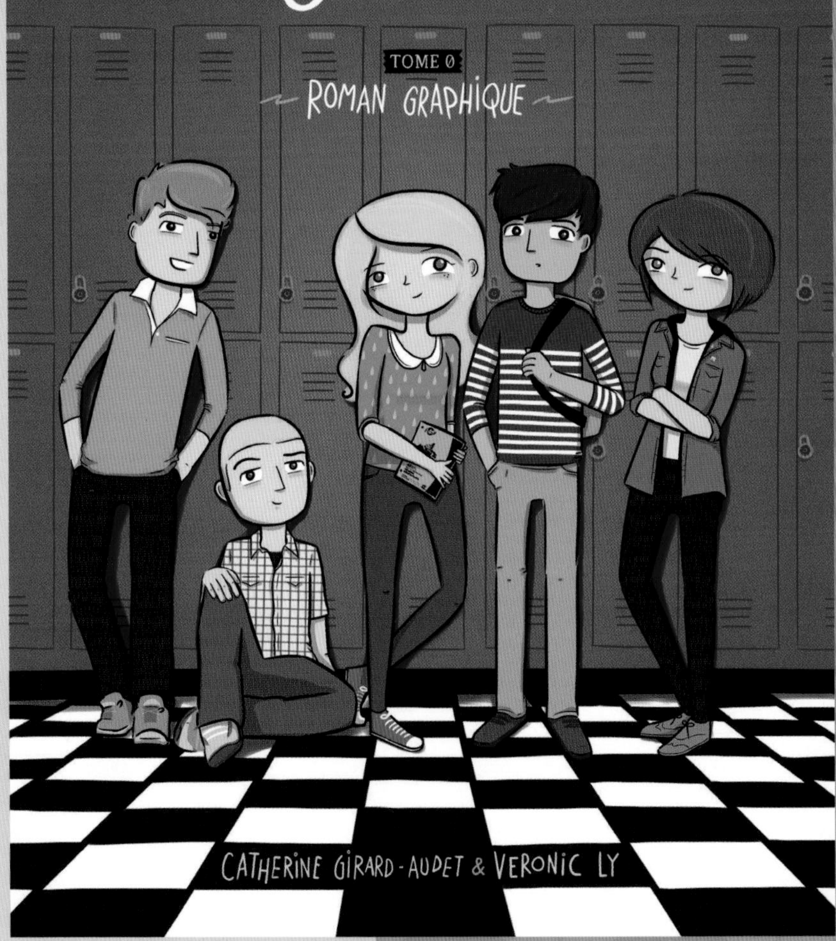

LA VIE COMPLIQUÉE
DE Léa Olivier
TOME 0
ROMAN GRAPHIQUE
CATHERINE GIRARD-AUDET & VERONIC LY


Scénario : Catherine Girard-Audet
Illustrations : Veronic Ly

Qu'est-ce que tu as ?
Pourquoi tu fais cette face-là ?
Je suis tannée de ne pas avoir de chum. J'ai l'impression que je vais passer ma vie toute seule.

Ben non, voyons ! C'est sûr que tu vas te faire un chum ! Comme dit Manu, ces choses-là arrivent quand on s'y attend le moins.
Ouais, mais en attendant, je trouve que ma vie est plate.

Je veux me coller sur un gars, moi aussi...

GARS

C'est vrai que c'est le fun avoir un chum.

L+T

DRING DRING

Allô ?

Oh, salut, Thomas !

Qu'est-ce que tu fais ?

Hum ? Qui ça ?

Pourquoi ?

Où ça ?

OK, on se parle plus tard...

Qu'est-ce qu'il y a ?
Thomas est chez une amie de son ami JP, que je ne connais pas. Ça m'énerve.
Pourquoi ?
Ben... peut-être qu'elle est belle.
Toi aussi, t'es belle.
Peut-être qu'elle est fine et pas compliquée.
Pis ça ?
Ben, tout à coup que Thomas se dit que les filles pas compliquées, c'est mieux ?

# Arbre généalogique

## LA VIE COMPLIQUÉE DE Léa Olivier

**VOICI UN PETIT ARBRE GÉNÉALOGIQUE POUR VOUS AIDER À DÉMYSTIFIER L'UNIVERS COMPLIQUÉ DE LÉA OLIVIER !**

LÉA OLIVIER

MEILLEURE AMIE DE LÉA

MARILOU BERNIER

AMIE DE LÉA

KATHERINE MAY

MEILLEUR AMI DE THOMAS

JEAN-PHILIPPE (ALIAS JP)

AMI DE LÉA

ex-chum de Marianne

ÉLOI BOLDUC

ex-chum de Léa

chum de Sarah

THOMAS RABY

ennemie jurée de Léa et de Marilou

blonde de Thomas

SARAH BEAUPRÉ

NUNUCHE

MARIANNE BOIVIN

MÈRE DE LÉA

JUSTINE OLIVIER

PÈRE DE LÉA

FRÉDÉRIC OLIVIER

FRÈRE DE LÉA

FÉLIX OLIVIER

AMIE DE LÉA

ex-blonde d'Alex

JEANNE O'REILLY-SAUVÉ

MEILLEUR AMI DE LÉA

ex-chum de Jeanne

ALEX GRAVEL-COTÉ

AMI D'ALEX

chum de Maude

JOSÉ MARTINEZ

REINE DES NUNUCHES

blonde de José

MAUDE MÉNARD-BÉRUBÉ

NUNUCHE

LYDIA COHEN

NUNUCHE

SOPHIE DUBUC

Collaboration spéciale d'Ewa Demianowicz

# 10 ans en musique!

Dix ans, ça se fête en musique! Chaque décennie qui passe nous laisse avec une couleur musicale qui lui est propre. En effet, on se réfère souvent à des décennies pour identifier des genres musicaux; quand on parle des sixties ou des eighties, on sait exactement à quoi s'attendre! Pour les dix ans de *L'ABC des filles*, nous ferons donc un petit voyage dans le temps avec une chronique musicale rétro! Au passage, nous allons voir également quels artistes actuels s'inspirent des genres musicaux du passé pour créer leur sonorité personnelle, car en musique comme dans d'autres formes d'art, rarement va-t-on créer un nouveau genre de toutes pièces. Au contraire, ils évoluent en se mélangeant et en s'influençant les uns les autres dans le temps.

## LES ANNÉES 50

Le roi du rock'n'roll, Elvis Presley, est certainement une figure emblématique des années 50. Par contre, les débuts du rock sont associés au rockabilly, un mélange de country et de R&B des années 40. Une bonne dose de guitare, beaucoup de rythme, des voix qui vibrent et des cheveux cirés sur le côté, voilà ce qui décrit le rockabilly! De nos jours, ce genre musical représente une sous-culture et certains adeptes ne sont pas que des fans de cette musique, ils aiment aussi s'en inspirer du côté vestimentaire. Le duo Les Deuxluxes au Québec est un parfait exemple du genre. Sur la scène musicale anglophone à Montréal, l'artiste Bloodshot Bill se démarque également.

## LES ANNÉES 60

Impossible de ne pas mentionner la musique yé-yé quand on pense aux fabuleuses années 60. Surtout que bon nombre des artistes populaires de ce mouvement musical étaient des jeunes femmes qui chantaient à propos de l'amour ! Ces chanteuses, comme France Gall ou Françoise Hardy, sont une grande source d'inspiration pour la nouvelle génération. Sally Folk, par exemple, ne fait pas que s'inspirer de la musique des années 60, elle a même adopté un style vestimentaire qui rappelle cette époque ! Évidemment, le groupe phare des années 60 reste les Beatles. Ce groupe mythique a vraiment redéfini les bases du rock'n'roll.

© Casablanca records

## LES ANNÉES 70

Bien que les années 70 aient été fructueuses pour plusieurs genres musicaux, le disco a certainement été marquant pour cette décennie. Encore aujourd'hui, qui peut s'empêcher de danser quand on entend les plus grands succès de Donna Summer ou de Gloria Gaynor passer à la radio ? Le disco est loin d'être mort et il influence les plus grands noms du pop, comme Madonna. Dans les dernières années, le chanteur Pharrell Williams et le duo français Daft Punk ont rendu un véritable hommage au disco avec leur chanson « Get lucky ». Il y a même un vidéoclip associé à la chanson où de véritables images de danseurs disco des années 70 collent parfaitement à la chanson. Au Québec, le groupe électro-disco Le Couleur nous rappelle ces années éclatées !

© Philips Records

© United Press International (UPI Telephoto)

© Shawn Ahmed

# LES ANNÉES 80

Les années 80 en musique sont souvent synonymes de synthétiseur, cet instrument de musique qui ressemble à un piano. Il a même donné son nom à un genre musical, le synth-pop ! Assurément, c'est une décennie qui laisse la place à la musique électronique. Des groupes comme Depeche Mode ou Duran Duran connaissent beaucoup de succès et symbolisent ce mouvement. Les années 80 ont fait un grand retour sur la scène musicale au 21e siècle et le Québec n'y échappe pas. La musique de Peter Peter, par exemple, est largement influencée par cette décennie.

© Jason Persses

© Philips Records

# LES ANNÉES 90

Le groupe Nirvana est en lui-même un symbole non seulement du mouvement grunge, mais des années 90 en général ! Véritable légende, on ne peut nier l'immense influence de ce trio de Seattle sur la musique. Le grunge et les années 90 ont décidément la cote 20 ans plus tard, que ce soit en musique ou en mode vestimentaire. Prenez Safia Nolin, cette jeune artiste de Québec : elle adore porter des t-shirts à l'effigie des artistes québécois des années 90 et elle a lancé un album complet de reprises de chansons de cette époque. À écouter autant que les originaux !

# LES ANNÉES 2000

© Rama

© Clara Palardy

Plusieurs des artistes qui ont émergé durant la première décennie du 21e siècle sont encore bien présents de nos jours. Des artistes comme Rihanna et Beyoncé sont toujours des mégastars de la musique actuelle. Dans les années 2000, la musique urbaine est omniprésente, le hip-hop et le R&B deviennent des genres populaires qui figurent au sommet des palmarès musicaux, mais ce ne sont pas les seuls ! Le rock indie devient également de plus en plus répandu. Arcade Fire, ce groupe qui a débuté à Montréal, connaît un immense succès et influence plusieurs autres groupes indie encore aujourd'hui. Saviez-vous que Cœur de pirate a aussi commencé sa carrière vers la fin des années 2000 ? Eh oui, cela fait déjà un moment que Béatrice Martin charme les fans de musique bien au-delà des frontières du Québec !

***Impossible de le prédire maintenant, mais dans quelques décennies, avec le recul, nous allons savoir ce qui aura marqué les années 2010 en musique. Quels artistes et genres musicaux auront influencés notre décennie et celles à venir ? Il faudra consulter L'ABC des filles de 2028 pour le savoir !***

# MES 10 coups de coeur DE L'ANNÉE

**Comme il s'agit d'une édition très spéciale pour moi, j'ai décidé de rédiger une liste de mes coups de cœur de la dernière année, toutes catégories confondues !**

## LES SALOPETTES

J'en portais quand j'étais enfant, et je suis tellement contente de les retrouver maintenant qu'elles font un retour dans les boutiques ! On pense souvent qu'une salopette est synonyme de travail à la ferme, mais je vous assure que j'ai déniché des styles qui vont bien ! Je tripe tellement que j'ai même en ma possession quelques dérivés (salopette courte et salopette robe). Oui, je m'assume complètement !

Quelques adresses utiles pour les amatrices de salopettes :

Urban Outfitters :
**<urbanoutfitters.com/ca/fr>**

Free People :
**<freepeople.com>**

Frank and Oak :
**<frankandoak.com>**

## LES COTONS OUATÉS

Merci la vie de permettre aux cotons ouatés de faire un *comeback*. Ils sont tellement confortables et ils s'agencent avec tout ! Même si je vous en présente plusieurs modèles dans l'article « La mode québécoise », voici aussi quelques adresses pour en dénicher :

Pony : **<ponymtl.com>**

Stay Home Club :
**<stayhomeclub.com>**

Mimi & August :
**<mimiandaugust.com>**

Hugo ♥ Tiki :
**<hugo-loves-tiki.myshopify.com>**

## L'ÉMISSION *Like-Moi!*

J'adore cette émission à sketchs qui n'a pas peur d'aborder les vraies affaires et de nous faire brailler de rire en évoquant les clichés de la société. Mention spéciale à Gaby Gravel, maquilleuse émérite et coach de vie!

## LA DÉNONCIATION DE L'INTIMIDATION ET DES AGRESSIONS

Personne ne mérite d'être harcelé et intimidé, et il est primordial d'agir pour mettre fin à ce fléau. Oui, on peut tenir tête aux bourreaux, mais il faut aussi les dénoncer. Même chose pour les agressions verbales, physiques ou sexuelles. Aucune d'entre vous n'a à traverser une épreuve pareille dans le silence.

## LA SÉRIE TÉLÉ AMÉRICAINE *The Fosters*

Enfin une série télé un peu différente qui bouscule les stéréotypes! On y suit une famille de cinq enfants (dont plusieurs sont adoptés) et on y traite de transidentité, d'injustices sociales, de tabous, d'inégalités, d'homosexualité et d'autres thèmes qui nous touchent tous, de près ou de loin.

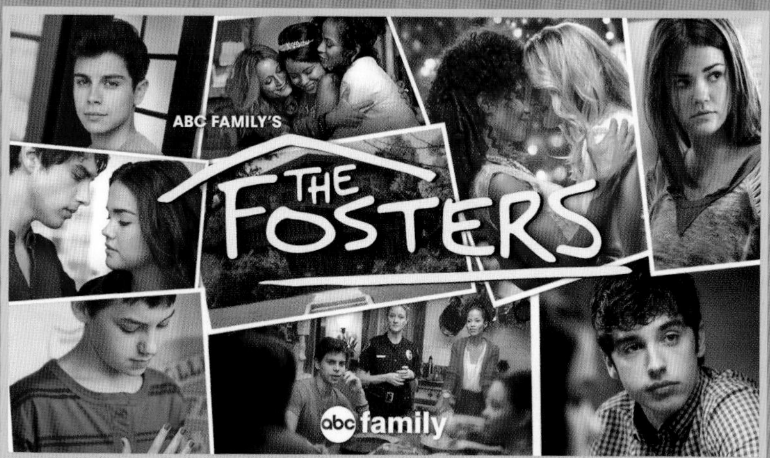

© Si simple

La plateforme Etsy m'a permis de découvrir plein de talents québécois pour décorer ma maison, accessoiriser mon look et vêtir ma mini-moi. J'aime aussi le fait qu'Etsy Montréal et Esty Québec organisent de grands marchés qui me permettent de voir mes créateurs préférés réunis sous un même toit, et d'en découvrir de nouveaux! **<etsy.com>**

© Les Folichonneries

© PaperyDesignsCo

## INSTAGRAM

Même si je reste super branchée à ma page Facebook officielle – **<facebook.com/CatherineGirardAudet>** –, j'avoue que je me suis un peu déconnectée de ma page personnelle. Pour être honnête, j'ai de la difficulté à tolérer que les gens (je parle ici des adultes) se permettent de juger et d'insulter les autres à tour de bras. Avant, on se servait des statuts Facebook pour faire part de nos états d'âme ou raconter un épisode de notre quotidien, mais maintenant, c'est devenu un lieu de débat public, et ça m'épuise un peu, surtout que je suis dans un mode « je m'éloigne de tout ce qui est trop négatif »! Heureusement pour moi, vous êtes tellement extraordinaires que je ne reçois que de l'amour sur ma page officielle! ☺

C'est donc dans cette optique que j'ai décidé de m'ouvrir aux autres réseaux sociaux. J'avoue que je n'ai pas eu de coup de cœur pour Snapchat. J'aime les filtres et les photos drôles, mais je me suis tannée un peu vite. J'ai toutefois eu un coup de cœur pour Instagram, surtout depuis que les Story existent. J'aime m'inspirer des gens que je suis, rire des trucs qui leur arrivent et m'émerveiller devant les découvertes que je fais en regardant les photos qui défilent sur mon mur. Et surtout, j'aime bien pouvoir vous donner un petit aperçu de ma vraie vie!

## SHAZAM

Il n'y a rien de plus enrageant que d'entendre une super bonne chanson quelque part et de n'avoir aucun moyen de la retracer. L'application Shazam a remédié à mes frustrations musicales et me permet d'identifier le titre et l'interprète quand je lui fais écouter les paroles d'une chanson qui me plait!

## L'ESTRIE

Voici ma région coup de cœur de l'année! Depuis que ma fille est née, je parcours moins le globe pour mes vacances. Je préfère rester au Québec pour me reposer. Je me dis que ce sera plus agréable de visiter le reste du monde quand elle sera un peu plus vieille et qu'elle pourra s'en souvenir.

Depuis quelques années, je loue donc un chalet au bord du lac Memphrémagog pour prendre des vacances à l'automne, et j'adore ça. À part dans mon chalet familial dans le Bas-du-Fleuve, c'est le seul endroit où j'arrive à décrocher complètement. Les paysages sont romantiques et apaisants, les gens sont accueillants et la nourriture est tellement bonne! Lectrices de l'Estrie, vous êtes chanceuses!

## L'ELLIPTIQUE

Je l'avoue, j'ai une relation amour/haine avec le sport. Dès que j'arrête d'en faire, je me sens un peu coupable et ça me prend tout mon petit change pour m'y remettre, mais quand j'entreprends un entraînement plus sérieux, je réalise à quel point ça me fait du bien, tant sur le plan physique que mental. Le hic, c'est que j'ai parfois de la difficulté à trouver l'exercice physique qui me convient vraiment et qui me motive à sortir de mon sofa quand il fait -20 degrés dehors. Dernièrement, je me suis toutefois rappelé que j'adorais faire de l'elliptique au gym, puisque ça me permettait de faire du cardio et de suer ma vie tout en regardant des vidéos sur mon iPhone! Je m'y suis donc remise, et j'apprécie énormément ces moments où je me retrouve et j'évacue mon stress quotidien!

# Mes 10 films cultes

**Quand l'hiver ne finit plus de finir et qu'on a juste envie d'hiberner pendant cinq mois pour regarder des séries et des films en boucle, on cherche parfois de nouvelles suggestions. Je vous présente donc ici 10 films que j'ai adorés et que je vous conseille fortement. Certains sont assez vieux, mais on ne se tanne jamais de les voir!**

## Love Actually

**(*Réellement l'amour*), 2003**

Voici selon moi LE film de Noël par excellence. Il s'agit d'une comédie romantique britannique qui vous fera rire, pleurer et surtout passer un très bon moment.

## L'Auberge espagnole,

**2002**

Croyez-moi, ce film franco-espagnol vous donnera envie de faire un échange étudiant et de partir à la découverte de l'Espagne! On y suit Xavier, un Français qui s'installe pendant un an à Barcelone et qui vit en colocation avec une Anglaise, un Italien, une Espagnole, un Danois, un Allemand et une Belge. C'est un des films que j'ai vus le plus souvent dans ma vie.

## Star Wars

**(*La guerre des étoiles*), 1977**

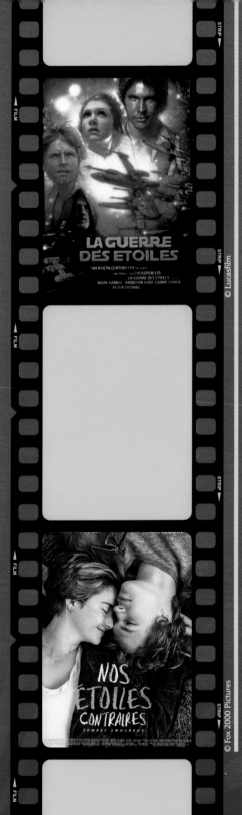

Même si je ne suis pas la plus grande fan de science-fiction, j'ai dû voir la première trilogie de *La guerre des étoiles* au moins cinq fois, et la deuxième trilogie à trois reprises. Je suis peut-être bizarre, mais j'attends que les trois films de la troisième trilogie soient sortis pour les regarder l'un à la suite de l'autre. C'est ma tradition, après tout ! Mais maintenant que l'actrice Carrie Fisher est décédée, qu'adviendra-t-il de la princesse Leia ? C'est à suivre...

## Nos étoiles contraires,

**(*The Fault in our Stars*), 2014**

Vous avez été plusieurs à me recommander ce film dramatique, et vous aviez raison. J'ai pleuré ma vie en le regardant dans l'avion. Je vous jure que les gens autour de moi me regardaient de travers. C'est l'histoire de deux adolescents qui tombent amoureux par le biais d'un groupe d'entraide pour les gens souffrant de cancer. Je n'en dis pas plus, si ce n'est de le regarder si ce n'est pas encore fait !

## *The Blair Witch Project*

(*Le projet Blair*), 1999

Voici une recommandation pour celles d'entre vous qui aiment les films d'horreur. Personnellement, j'en fais encore des cauchemars ! L'histoire est basée sur la disparition mystérieuse de trois étudiants qui se rendent dans la forêt de Blair pour documenter une légende à propos d'une sorcière. Leur vidéo est retrouvée une année plus tard et relate ce qui leur est arrivé.

## *Forrest Gump*, 1994

C'est l'un des premiers films que j'ai été voir au cinéma, et l'un de ceux qui m'ont le plus marquée. On suit l'histoire de Forrest Gump, un personnage excentrique et sensible, tout en parcourant une partie de l'histoire des États-Unis, des années 1960 à 1990.

## *Le fabuleux destin d'Amélie Poulain*, 2001

J'ai dû regarder ce film au moins dix fois, et je vous jure que chaque visionnement m'a fait découvrir un nouveau détail et a fait surgir en moi une nouvelle émotion. Amélie est une fille curieuse et unique en son genre qui prend la décision de changer la vie des gens dont elle croise le chemin. En anglais, on dit qu'il s'agit d'un *feel-good* movie, un genre de film qui mettra du soleil dans vos vies. Un moment de pur bonheur, finalement !

© Jinks Cohen Company

© Fox Searchlight Pictures

© Dune Entertainment

## *American Beauty*

**(*Beauté américaine*), 1999**

On dit souvent que les apparences sont trompeuses. C'est le cas de la famille Burnham, qui semble parfaitement équilibrée de l'extérieur, mais dont les graves problèmes de communication et les troubles de chacun des membres mèneront à une crise généralisée. Ce film dramatique, qui a remporté plusieurs Oscars, ne vous laissera pas indifférentes.

## *Juno*, 2007

On y suit l'histoire de Juno, une adolescente de 16 ans, qui tombe accidentellement enceinte de son ami. Avec le soutien de ses proches, elle tente ensuite de trouver la meilleure famille adoptive pour le bébé qu'elle porte dans son ventre. Cette excellente comédie dramatique, qui aborde des thèmes importants de l'adolescence, vous fera rire et pleurer. Mention spéciale à Ellen Page et Michael Cera, qui sont tellement bons dans ce film!

## *500 days of Summer*

**(*500 jours ensemble*), 2009**

Je l'avoue : j'aime les films d'amour. Mais ce que je préfère avant tout, ce sont les films romantiques réalistes, et c'est le cas de *(500) jours avec Summer*. On y fait la rencontre de Tom, qui travaille dans la confection de cartes de vœux, et de Summer, la nouvelle assistante de son patron. Leurs visions opposées de l'amour créeront de grands remous, et on découvrira leur relation tout en montagnes russes en faisant des va-et-vient dans le temps durant les 500 jours suivant leur première rencontre. À voir absolument!

# Mode québécoise

## DES TRUCS GÉNIAUX FAITS AU QUÉBEC

En tant qu'auteure et artiste québécoise, je sens qu'il est de mon devoir d'encourager les artisans d'ici. Et depuis que j'ai une petite fille, je m'efforce d'acheter local le plus souvent possible. Je ne nierai pas que les vêtements faits au Québec ne sont pas toujours donnés, mais j'ai appris à consommer différemment, voire plus intelligemment. Aujourd'hui, je réfléchis un peu plus à mes besoins et je préfère opter pour la qualité plutôt que la quantité. Dans cette optique, j'ai donc décidé de vous présenter mes coups de cœur de l'année, en espérant qu'ils vous inspirent autant que moi !

### Vêtements

#### PONY

J'ai eu un coup de cœur pour les vêtements de Gabrielle Laïla Tittley, alias Pony, dans un marché éphémère organisé dans un sous-sol d'église. Son art est une façon d'extérioriser sa sensibilité, mais ce qui ressort de ses créations, c'est un style original, coloré et excentrique.

Je possède non seulement un de ses étuis à iPhone et quelques t-shirts géniaux qui vont avec tout, mais j'ai aussi un gros faible pour ses cotons ouatés éclatés qui ne passent jamais inaperçus !

**<ponymtl.com>** (en anglais)

## Vêtements
### SUPAYANA

J'ai découvert le talent de Yana Gorbulsky lors d'un marché créatif d'Etsy. Elle a créé sa compagnie Supayana il y a près de quinze ans, alors qu'elle était encore à l'université. Au fil des années, elle a décidé de se concentrer principalement sur les vêtements pour enfants et pour femmes. C'est l'une de mes créatrices préférées, et ma fille possède plusieurs robes et chandails confectionnés à Montréal par Yana.

J'avoue avoir moi aussi succombé pour ses leggings super originaux pour adultes et ses chandails tout aussi géniaux et originaux. J'ai même tellement craqué pour l'une de ses combinaisons pour enfants que je lui ai demandé de m'en confectionner une pour adulte. C'est l'un de mes morceaux préférés dans ma garde-robe ! Non seulement ses vêtements sont de qualité et faits ici, mais sa gentillesse et son service à la clientèle hors pair font d'elle l'une des incontournables sur Etsy.

**<etsy.com/ca-fr/shop/supayana>**

© Pony Montréal

## Vêtements
### MES AMIS IMAGINAIRES

Les super leggings de Supayana m'ont donné envie de connaître d'autres types d'artisans qui en confectionnaient au Québec. C'est ainsi que j'ai découvert l'entreprise locale Mes amis imaginaires, qui se démarque par ses vêtements uniques et ludiques offerts aux adultes et aux enfants, et que j'ai craqué pour les leggings ornés de cactus et ceux avec des laits fouettés et bonbons sur fond noir. Ce que j'aime, c'est qu'ils font bien et qu'on voit tout de suite que ce sont des vêtements de grande qualité. Je peux aussi agencer mes pantalons moulants avec des chandails ou des t-shirts unis et super simples pour compléter mon look et obtenir un résultat original !☺

**<mesamisimaginaires.com>**

© Pony Montréal

## Vêtements
### GAWA

J'ai découvert cette entreprise saguenéenne sur mon fil Instagram. J'aime bien ses vêtements équitables, simples et décontractés, conçus pour les amatrices de plein air ou simplement celles qui aiment le look détendu. À noter que l'expression « gawa » est issue du Saguenay et désignait, dans les années 80 et 90, les amateurs de musique heavy metal et les filles super maquillées avec des coupes de cheveux excentriques.

L'entreprise définit plutôt une Gawa comme une fille qui « vit en symbiose avec la nature et avec l'environnement qui l'entoure. Une personne un peu déjantée par moments, marginale plus souvent qu'autrement, mais authentique tout le temps ». À découvrir.

**<gawaclothing.com/fr/collection.html>**

© Gawa Clothing

## Bijoux et accessoires
### NINA.NANAS

Je suis tombée sous le charme d'un collier avec un pendentif en forme d'ananas dans une petite boutique il y a plus de trois ans de ça. Depuis, il ne quitte plus mon cou. Je prends ma douche avec sans même qu'il noircisse, alors ça vous donne une idée de la qualité du produit. Certains des bijoux de la créatrice sont tout simples (comme les petites bagues ou mini boucles d'oreilles) alors que d'autres sont un peu plus ludiques et fruitées. À vous de voir quel genre convient le plus à votre style !

**<etsy.com/ca-fr/shop/NinaNanasShop>**

© Nina.Nanas

© Nina.Nanas

## Bijoux et accessoires
### ELAINE HO

C'est en me baladant dans l'une de mes boutiques de créateurs québécois préférés que j'ai découvert les bijoux de Elaine Ho. Personnellement, j'ai immédiatement craqué pour ses minuscules pendentifs en forme d'ananas, de chat, de dinosaure, d'ours ou d'os de poulet ! C'est adorable, et le travail qui est investi dans chacune des créations est digne de mention.

**<elaine-ho.com>** (en anglais)

© Elaine Ho

## Bijoux et accessoires
### MIMI & AUGUST

Quand l'élastique de la culotte du bikini que je portais depuis six ans s'est cassé, j'ai vu ça comme un signe de la vie. Je déteste magasiner des maillots de bain, mais là, il était temps de me déniaiser et de m'en trouver un nouveau. Sur internet, j'ai découvert la marque québécoise Mimi Hammer et ses maillots qui semblaient convenir à tous les types de corps.

J'ai craqué pour les maillots une-pièce trop adorables qui ont le pouvoir magique d'allonger mon corps, et pour les bikinis qu'on agence soi-même selon les motifs qui nous plaisent. J'y suis allée pour une culotte de bikini taille très haute, ce qui donne un petit air des années 50. J'aime bien l'agencer avec leurs hauts plus *funkys*, ornés d'ananas, de perroquets ou de cactus !

J'ai aussi découvert que sous leur bannière Mimi & August se cachaient des accessoires pour la maison, des t-shirts super mignons et des cotons ouatés tellement confortables que j'ai envie de passer ma vie dedans. Bref, allez voir ça !

**<mimiandaugust.com>**

© Mimi&August

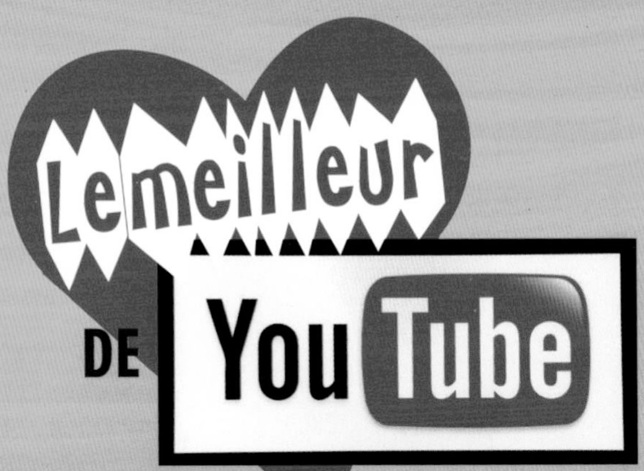


Étant donné que je suis sûre que vous connaissez déjà très bien les YouTubeurs et YouTubeuses québécois les plus populaires, je suis partie à la recherche de chaînes différentes qui traitent d'autres sujets que le maquillage! En voici deux qui m'ont particulièrement intéressée!

Et vous, quelles sont vos dernières découvertes sur YouTube? Envoyez-les-moi à l'adresse <info@lesmalins.ca>!

  0:00 / 7:15   

## LES REVUES DU MONDE

Si vous avez déjà rêvé de porter le chapeau d'Indiana Jones, la chaîne de Charlie Danger est faite pour vous! Elle y parle d'archéologie, de mystères historiques, de lieux intrigants, le tout de façon décontractée et drôle!

**<youtube.com/c/LesRevuesduMonde>**
**<facebook.com/revuesdumonde>**

## GREEN TA VIE

*Green ta vie* est la chaîne de deux Québécoises, Erika Roy et Bianca Bernard, qui souhaitent sensibiliser les gens avec humour aux défis environnementaux actuels. Leurs vidéos touchent les initiatives environnementales et le développement durable. Oui, parler de compost peut être intéressant! ☺

**<youtube.com/channel/UCt6nd9hY5_dqxXhFY2uVeiw>**
**<http://www.greentavie.ca>**

# Le meilleur d'Instagram

Cette année encore, je suis allée passer des heures sur Instagram (bon, j'y passe beaucoup de temps de toute façon !) pour essayer de dénicher des comptes inspirants, drôles ou sérieux, mais surtout différents ! Écrivez-moi pour me dire ce que vous en pensez !

## Magnum Photos

L'agence Magnum est une coopérative de photographes créée par Robert Capa. Découvrez les œuvres récentes de photographes du monde entier ou extraites de leurs archives. À suivre absolument si vous aimez la photo !

**@magnumphotos**

## Cory Richards

Vous aimez le plein air et les voyages hors des sentiers battus ? Ce compte est fait pour vous ! Cory Richards est un alpiniste et photographe qui nous entraîne sur les plus hauts sommets du monde et dans les coins les plus reculés de la planète. Dépaysement garanti !

**@coryrichards**

## NASA

C'est le compte à suivre pour des images époustouflantes de notre univers et de la Terre vue de l'espace !

**@nasa**

## Anne McIsaac

Parce qu'on a toujours besoin d'une touche de jaune dans la vie !

**@yellowillow**

## The Baby Animals

Sans aucun doute le compte Instagram le plus adorable. À regarder les jours où l'on est un peu triste!

**@thebabyanimals**

## Bodega Cats

Celles qui aiment les chats savent bien qu'ils ont tendance à s'installer dans les endroits les plus inusités. La preuve en images!

**@bodegacatsofinstagram**

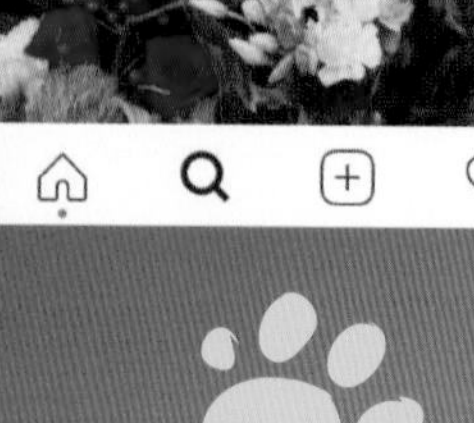

## Gina Rodriguez

Avez-vous regardé/fini les saisons de *Jane the virgin*? J'adore cette série, qui me fait beaucoup rire et aussi parfois pleurer d'émotion! #TeamMichael

Surtout, j'adore l'actrice qui joue Jane, Gina Rodriguez. Son compte Instagram est vraiment drôle! Elle est aussi très engagée dans des causes sociales et elle donne envie de faire de même!

**@hereisgina**

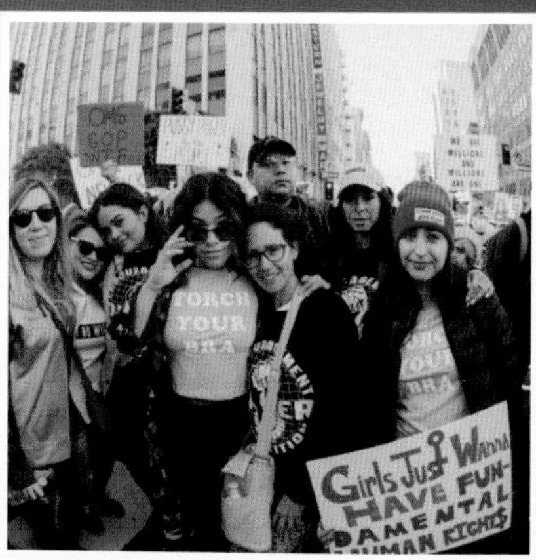

# L'ÉVOLUTION DE L'ABC des filles

2009

IL M'EST TRÈS CHER PARCE QUE C'EST LE PREMIER!

2010

POUR LA PREMIÈRE FOIS, NOUS AVONS MIS L'ANNÉE DESSUS ET IL Y AVAIT UNE PLUS GRANDE SECTION « ACTUALITÉS » !

2011

J'AIMAIS BEAUCOUP SA COUVERTURE COUSSINÉE ET ARGENTÉE! C'EST LE PREMIER À AVOIR 512 PAGES!

C'EST LE PREMIER *ABC* DONT LE GRAPHISME A ÉTÉ PENSÉ PAR SHIRLEY DE SUSINI, LA DIRECTRICE ARTISTIQUE DES MALINS. DÉJÀ ELLE A APPORTÉ UNE PETITE TOUCHE « FUNKY », À SAVOIR LES BOUTONS!

LA COUVERTURE ÉTAIT EN TISSU ET VOUS ÉTIEZ NOMBREUSES À AVOIR AIMÉ LA NOUVELLE INÉDITE DE LÉA!

ON AIME L'ÉTUI EN SILICONE ROSE FLUO!

10 ANS, JE N'EN REVIENS TOUJOURS PAS! LE TEMPS PASSE TELLEMENT VITE! QUE CET *ABC* QUE VOUS TENEZ ENTRE VOS MAINS SOIT VOTRE PREMIER OÙ QUE VOUS AYEZ AUSSI UNE OU DEUX ÉDITIONS PRÉCÉDENTES, JE DOUTE QUE VOUS AYEZ CONNU LES PREMIERS! JE ME SUIS DIT QUE CE SERAIT UNE BONNE OCCASION POUR METTRE CÔTE À CÔTE TOUTES LES COUVERTURES ET VOIR L'ÉVOLUTION! EN 10 ANS VOTRE *ABC* A BEAUCOUP CHANGÉ (ET GROSSI AUSSI)! PETIT SURVOL DE L'ÉVOLUTION GRAPHIQUE DE *L'ABC*!

2012

DANS LA SECTION MAGAZINE, JE PARLE DE CERTAINS DE MES PLUS BEAUX SOUVENIRS DE VOYAGE AU MEXIQUE, À L'ÎLE MAURICE ET AU KENYA!

2013

POURQUOI L'ÉDITION 2013 EST-ELLE SPÉCIALE? CAR ELLE MARQUE LES 5 ANS D'EXISTENCE DE *L'ABC DES FILLES*!

ALORS LUI, C'EST MON PRÉFÉRÉ DE TOUS LES TEMPS (AU MOMENT OÙ J'ÉCRIS CES LIGNES. JE N'AI PAR CONTRE PAS ENCORE VU L'ÉDITION QUE VOUS TENEZ ENTRE VOS MAINS!) SHIRLEY S'EST VRAIMENT SURPASSÉE! IL EST MAGNIFIQUE AVEC SA TRANCHE DORÉE ET LES MOTIFS DE FLEURS SUR LA COUVERTURE!

IL A L'AIR DÉLICIEUX, DÉCORÉ DE TOUS CES PETITS BONBONS MULTICOLORES! J'AI HÂTE DE SAVOIR SI VOUS L'AIMEZ!

2017

2018

TV
NEWS
HOT NEWS
Live

# Actualités

Pour cette édition spéciale de *L'ABC*, j'ai voulu vous proposer une section « Actualités » un peu différente des autres années. Elle se compose de deux parties : un almanach et un retour sur des événements marquants de la dernière année.

Pour l'almanach, j'ai choisi de le faire pour la décennie au complet, soit de 2008 à 2018, et non pas seulement pour l'année passée. Évidemment, il est impossible en aussi peu de pages de rendre compte de tous les événements importants qui se sont produits en dix ans. Toute l'équipe des Malins et moi avons eu de longues discussions (parfois houleuses !) pour en arriver à cette sélection qui est évidemment partielle. J'espère qu'elle vous permettra tout de même de comprendre un peu mieux ce qui se passe dans l'actualité de ces derniers mois, car la majorité de ces événements passés ont des répercussions encore aujourd'hui !

Quant à la section proposant un retour sur des événements importants de la dernière année, il est navrant de constater qu'il est surtout question d'attentats et de mauvaises nouvelles, souhaitons de tout cœur que 2018 soit une meilleure année pour tout le monde et qu'il y aura plus d'événements positifs dont nous pourrons parler !

# Les événements marquants

## des dix dernières années

*Pour souligner le dixième anniversaire de* L'ABC des filles, *voici un petit récapitulatif des événements ayant marqué l'actualité au cours des dix dernières années.*

### 2008

- Barack Obama remporte l'élection présidentielle américaine et tourne une page d'histoire en devenant le premier homme afro-américain à accéder à la Maison Blanche.

© Evan El-Amin

- Le premier *ABC des filles* est publié aux éditions les Malins!

### 2009

- L'auteure Nelly Arcand s'enlève la vie.

- La crise financière continue de secouer les marchés boursiers et a des répercussions partout dans le monde.

- Mort du chanteur Michael Jackson.

### 2010

- Un tremblement de terre d'une magnitude de 7,1 en Haïti fait plus de 220000 morts et 300000 blessés.

© arindambanerjee

- Sortie très attendue de l'iPad.

### 2011

- Mort du terroriste Oussama Ben Laden, au Pakistan.

- Plusieurs pays arabes sont secoués par un mouvement inédit du peuple cherchant à se défaire des régimes autoritaires. Cette série de révolutions portera bientôt le nom de Printemps arabe.

© ymphotos

- Décès de Jack Layton, chef du Nouveau parti démocratique du Canada (NPD).

- Décès de Steve Jobs, cofondateur d'Apple.

© Anton_Ivanov

### 2012

- Réélection de Barack Obama pour un deuxième mandat de quatre ans à la tête des États-Unis.

- Crise étudiante sans précédent entraînant des grèves et des manifestations monstres pour critiquer la hausse des frais de scolarité annoncée par le gouvernement libéral.

© Jeangagnon

- Commission Charbonneau pour faire la lumière sur l'attribution de contrats publics dans le domaine de la construction.

- Attentat au Métropolis visant Pauline Marois, à la tête du Parti Québécois, qui vient d'être élue Première ministre du Québec.

- Le premier tome de *La vie compliquée de Léa Olivier* est publié aux éditions les Malins!

## 2013

- Deux attentats à la bombe perturbent le marathon de Boston et causent la mort de trois personnes, en plus d'en blesser plus de 200 autres.

© Hang Dinh

- Un train transportant du pétrole déraille et explose à Lac-Mégantic, tuant 47 personnes et anéantissant une grande partie du centre-ville.

© meunierd

- Décès de Nelson Mandela, l'un des plus grands opposants à la ségrégation raciale en Afrique du Sud.

## 2014

- Un incendie dans une résidence pour personnes âgées de L'Isle-Verte fait 32 victimes.

- Disparition d'un avion de Malaysia Airlines transportant 239 personnes entre Kuala Lumpur, en Malaisie, et Pékin en Chine. Il s'agit de l'un des plus grands mystères de l'histoire de l'aviation civile.

© AHMAD FAIZAL YAHYA

- Attaque contre deux militaires à Saint-Jean-sur-Richelieu par un homme de 25 ans converti à l'islam radical, faisant une victime.

## 2015

- Attentat à Paris contre le magazine satirique *Charlie Hebdo*, faisant 12 morts et plusieurs blessés.

© Frederic Legrand - COMEO

- La crise migratoire qui touche l'Europe prend des tournures dramatiques avec des séries de naufrage et des conditions extrêmement précaires dans les camps pour réfugiés.

© Economou

- Justin Trudeau devient premier ministre du Canada.

© Art Babych

- Une série d'attentats secoue Paris et fait 130 victimes et des centaines de blessés. Les tireurs, liés au groupe armé État islamique, frappent sur les terrasses des bars et des cafés, et principalement dans la salle de spectacle *Le Bataclan*.

- Les premiers réfugiés syriens sont accueillis au Canada.

## 2016

- Décès du chanteur David Bowie.

- Décès de René Angelil, mari et mentor de Céline Dion.

© praszkiewicz

- Un attentat est perpétré dans le métro et à l'aéroport international de Bruxelles, faisant plus de 30 morts et 300 blessés. Les attaques sont revendiquées par le groupe armé État islamique.

- Décès du chanteur Prince.

- Un tireur américain d'origine afghane ouvre le feu dans une discothèque gaie d'Orlando, en Floride, faisant 49 morts et 53 blessés. L'attaque est ensuite revendiquée par le groupe armé État islamique.

© Miami2you

- Le Royaume-Uni vote à 51,9 % pour quitter l'Union européenne.

© Lenscap Photography

- Un chauffeur de camion fonce dans la foule réunie sur la promenade des Anglais, à Nice, en France, lors des célébrations du 14 juillet, faisant 86 morts et plus de 200 blessés. L'attaque sera revendiquée par le groupe armé État islamique.

- Contre toute attente, Donald Trump est élu président des États-Unis.

- Décès du chanteur et compositeur montréalais Leonard Cohen.

© gcluskey

- Décès de Fidel Castro, père de la révolution cubaine.

© Adwo

- L'efficacité du vaccin contre le virus Ebola de souche Zaïre mis au point au Canada est confirmée.

- Le gouvernement colombien signe un accord de paix avec les FARC (Forces armées révolutionnaires de Colombie), mettant fin à plus de 50 ans de conflit armé.

## 2017

- Attentat à la grande mosquée de Québec commis par Alexandre Bissonnette et visant la communauté musulmane. L'attaque fait six morts et une dizaine de blessés.

- Tempête de neige historique à la mi-mars qui force la fermeture de toutes les écoles et universités de la métropole. Plusieurs centaines de personnes restent, par ailleurs, prisonnières de leurs voitures sur l'autoroute 13, près de Montréal, pendant toute la nuit.

© Exile on Ontario Street

- Le 22 mars 2017, un attentat terroriste frappe Londres, en Angleterre. Un véhicule percute plusieurs piétons sur un pont près du Parlement et un homme armé d'un couteau s'en prend à un policier près de Westminster. On dénombre quatre morts et une douzaine de blessés.

# Fusillade
## dans une discothèque gaie d'Orlando

© Miami2you

Le 12 juin 2016, un homme fait irruption dans la discothèque Pulse à Orlando, en Floride, où des centaines de gens sont réunis pour une soirée thématique latine dans le cadre de la marche des fiertés. Il sort une arme d'assaut et fait feu sur la foule, faisant des dizaines de victimes. Il prend plusieurs otages et s'enferme dans les toilettes. L'assaut est donné par la police quelques heures plus tard, et les forces de l'ordre tuent l'assaillant. Au total, Omar Mateen, un Américain d'origine afghane, aura assassiné 49 personnes en plus d'en blesser plus d'une cinquantaine. Il s'agit de la pire fusillade de l'histoire des États-Unis. Le groupe terroriste État islamique revendique l'attaque, n'aidant en rien à alléger le climat de tension et de peur installé chez nos voisins du Sud.

# Les électeurs du Royaume-Uni votent pour quitter l'Europe

Le 23 juin 2016, les habitants du Royaume-Uni (qui inclut l'Angleterre, l'Irlande du Nord, l'Écosse et le Pays de Galles) doivent répondre à la question suivante lors d'un référendum : le Royaume-Uni devrait-il rester membre de l'Union européenne ou quitter l'Union européenne ? Les sondages annonçaient déjà une lutte très serrée, et c'est finalement le camp du Brexit (abréviation anglaise de *Britain* et *exit*) qui remporte la victoire. En effet, 51,89 % des répondants votent pour le retrait de l'Union européenne.

David Cameron, alors premier ministre du Royaume-Uni, qui avait promis la tenue de ce référendum et avait fait campagne pour le maintien du pays au sein de l'Union européenne, est aussitôt forcé de démissionner. C'est Theresa May qui prend la relève et qui devra négocier de nouveaux accords économiques avec l'Union européenne. Le déclenchement du divorce entre le Royaume-Uni et l'Union européenne est finalement amorcé officiellement le 29 mars 2017.

Évidemment, il est encore tôt pour soupeser les avantages et les inconvénients du Brexit. Si certains analystes croient que les Britanniques pourront ainsi former des liens étroits avec de nouveaux partenaires économiques et qu'ils se verront soulagés d'un poids en n'ayant plus à débourser pour le retard économique de certains partenaires européens, la plupart s'accordent plutôt pour dire que le Royaume-Uni se lance dans une ère d'incertitude, d'isolement et d'inquiétude économique. Sans compter que le resserrement des lois sur l'immigration ne contribue pas à résoudre la crise des réfugiés. L'Union européenne perd, quant à elle, l'une de ses plus grandes puissances et l'un des principaux partenaires diplomatiques européens des États-Unis.

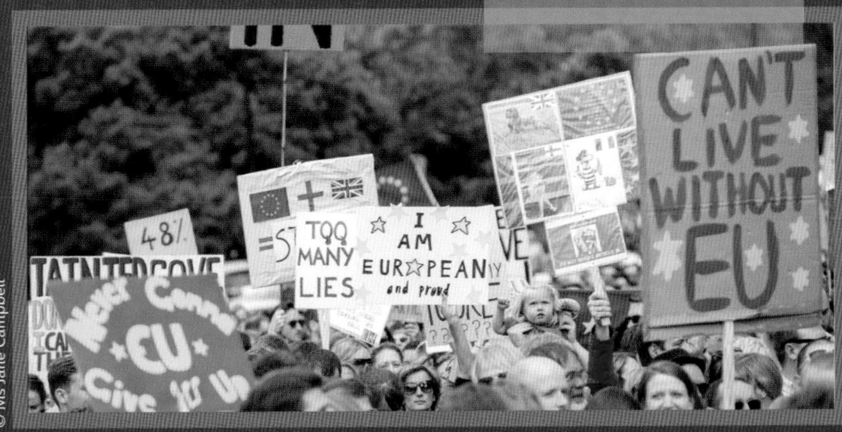



**Manifestation pro-Europe tenue après les résultats du référendum.**

# Attentat à l'aéroport
## d'Istanbul

La Turquie a été durement touchée par divers attentats tout au long de 2016, la plupart étant revendiqués par l'État islamique. Celui du 28 juin 2016 s'est révélé particulièrement sanglant alors que trois hommes armés ont fait feu sur des gens qui attendaient en file à l'aéroport international d'Istanbul, avant de se faire exploser. Au total, l'attentat a fait 48 morts et des centaines de blessés.

L'atmosphère de peur et de tension qui règne en Turquie a par ailleurs nui au tourisme, qui est une source de revenus importante pour le pays.

© deepspace

© deepspace

# Attentat de Nice
## en France

Le 14 juillet 2016, alors que des milliers de gens sont réunis sur la célèbre promenade des Anglais à Nice, en France, un lourd camion fonce sur la foule et roule sur près de deux kilomètres sans s'arrêter. Le chauffeur tente au contraire de frapper le plus de gens possible. La police et des passants essaient de le maîtriser, mais le chauffard provoquera la mort de 86 personnes et fera près de 500 blessés avant d'être neutralisé et abattu par les policiers.

Au volant se trouvait Mohamed Lahouaiej-Bouhlel, un Tunisien père de trois enfants vivant à Nice. Ses motivations demeurent nébuleuses, mais les recherches semblent démontrer que cet homme au passé violent s'était sans doute radicalisé dans les semaines précédant son attaque, ceci expliquant la revendication de l'attentat par l'État islamique, deux jours après le drame.

Cet attentat est un autre coup dur pour la France qui est dans la mire de l'État islamique depuis déjà plusieurs années.

# Jeux olympiques d'été
## à Rio de Janeiro

Du 5 au 21 août, les Jeux olympiques d'été 2016 se tiennent à Rio de Janeiro sous forte présence policière. Non seulement Rio est reconnue pour sa dangerosité, mais la menace terroriste mondiale et les attentats de Nice poussent les organisateurs à relever le niveau de sécurité.

**Voici quelques faits saillants de ces jeux historiques :**

- Le nageur Michael Phelps se démarque une fois de plus et devient le sportif le plus médaillé de l'histoire des Jeux olympiques. À Rio, il remporte cinq médailles d'or et une médaille d'argent à lui seul. Il met ainsi fin à sa carrière olympique de façon époustouflante.

- Le Jamaïcain Usain Bolt remporte la médaille d'or aux sprints du 100 mètres et du 200 mètres et celle du relais 4 x 100 mètres, portant son total à 9 médailles d'or en athlétisme, un sommet historique qu'il partage avec le Finlandais Paavo Nurmi et l'Américain Carl Lewis. Il met ainsi fin à sa carrière olympique.

- Le sprinter canadien Andre De Grasse remporte quant à lui le bronze au 100 mètres, l'argent au 200 mètres et le bronze au 4 x 100 mètres. Il s'agit d'une feuille de route extrêmement impressionnante qui soulève l'engouement de l'athlétisme au Canada.

- La jeune gymnaste américaine Simone Biles remporte quatre médailles d'or et une médaille d'argent, un exploit qui lui permet de porter le drapeau américain lors de la cérémonie de clôture.

- Le nageur américain Ryan Lochte est impliqué dans un scandale alors qu'il fait une fausse déclaration à la police. Il raconte que ses trois coéquipiers et lui ont été victimes d'un vol dans une station-service, mais des caméras de surveillance prouvent qu'ils ont plutôt commis des actes de vandalisme. Il admet finalement son erreur et le comité olympique américain le suspend pour dix mois.

- Le Canadien Derek Drouin impressionne tout le monde en remportant l'or au saut en hauteur.

- La nageuse canadienne Penny Oleksiak, qui n'est âgée que de 16 ans, remporte le bronze au relais 4 x 100 mètres nage libre, l'argent au 100 mètres papillon et l'or au 100 mètres nage libre.

- Les Québécoises Roseline Filion et Meaghan Benfeito remportent le bronze au plongeon synchronisé.

© Antonio Scorza

© Petr Toman

# L'ouragan Matthew fait des ravages en Haïti

© Ashley Greiner, CDC

À la fin du mois de septembre 2016, une importante dépression tropicale se forme dans l'océan Atlantique. Celle-ci est rapidement baptisée Matthew. Il s'agit du quatorzième ouragan de la saison.

Le 4 octobre, Matthew touche la côte sud-ouest d'Haïti, pays dévasté par la pauvreté et encore fragile après l'effroyable tremblement de terre de 2010, qui a fait 230 000 victimes. L'ouragan frappe la région de plein fouet, faisant des centaines de morts et des milliers de sinistrés. Plusieurs régions deviennent inaccessibles à cause des inondations et des glissements de terrain. On relate que 80 % des habitations de la côte sont endommagées, la ville de Jérémie ayant particulièrement été touchée. L'absence d'eau potable provoque aussi une hausse des cas de choléra. La communauté internationale et des agences d'aide humanitaire joignent leurs efforts pour aider la population à se remettre face à l'acharnement des éléments naturels sur le pays.

# Donald Trump est élu président des États-Unis

Lors de la rédaction de *L'ABC des filles 2017,* j'avais écrit un article à propos de l'effet Trump, de l'inquiétude que soulevait sa candidature aux présidentielles américaines, et du fait qu'on se croisait les doigts pour que Hillary Clinton remporte la victoire et devienne la première femme à la tête des États-Unis.

Même si une partie de moi redoutait Trump, je n'ai jamais cru qu'il était possible qu'il soit élu démocratiquement président américain, jusqu'à ce que je regarde la soirée électorale le 8 novembre 2016 et que je le voie remporter un à un les États clés dont il avait besoin pour s'installer à la Maison-Blanche.

J'avoue que j'ai eu un choc, car je crois que peu de gens s'attendaient réellement à ce qu'il gagne. Plusieurs prédisaient une lutte serrée, mais peu croyaient qu'il remporterait autant de grands électeurs. Bref, pour plusieurs comme pour moi, le réveil a été très dur. Si on se fie aux discours de Trump et à ses déclarations racistes, misogynes et proarmes, l'avenir semble peu reluisant pour nos voisins du Sud. Le problème, c'est que nous sommes tous affectés par l'élection de Trump. Après tout, les États-Unis représentent la plus grande puissance mondiale.

Et à mon grand découragement, ses décisions depuis son élection semblent encore plus farfelues et lourdes de conséquences que je n'aurais pu l'imaginer. Parmi celles-ci, son acharnement à faire construire un mur le long de la frontière mexicaine « pour s'assurer que les bandits n'entrent pas dans son pays », et sa volonté de faire payer les frais de ce mur par les Mexicains, qui n'en veulent évidemment pas.

De plus, son décret anti-immigration visant à bloquer l'entrée de ressortissants de l'Irak, de l'Iran, de la Libye, de la Somalie, du Soudan, du Yémen et de la Syrie, a attiré les foudres de la communauté internationale. Un juge fédéral a même suspendu l'application du décret sur tout le territoire américain, car il contrevient aux lois mêmes du pays ! Trump, furieux, a ensuite signé un nouveau décret en excluant les ressortissants irakiens et ceux qui détiennent un visa ou une carte verte (carte de résident permanent), mais celui-ci a une fois de plus été bloqué par des juges fédéraux, soutenant que le décret du président Trump comprenait « des preuves significatives et non réfutées d'animosité religieuse ». Le Président a réagi en disant qu'il s'agissait d'un « abus de pouvoir sans précédent » et qu'il était prêt à aller devant la Cour suprême pour avoir gain de cause. C'est une histoire à suivre...

Ses déclarations contre l'avortement, pour le port d'arme, contre l'immigration et contre l'environnement nous poussent malheureusement à nous attendre au pire tout au long de son mandat de quatre ans... en espérant qu'il ne soit pas réélu pour un deuxième !

© a katz

# Développement d'un vaccin
## contre le virus Ebola

En 2013, nous avons assisté à l'éclosion d'une épidémie du virus Ebola dans plusieurs pays d'Afrique de l'Ouest (notamment en Guinée, en Sierra Leone et au Liberia). En trois ans, cette épidémie a fait plus de 11 300 victimes.

Pour éviter que ce genre de catastrophe ne se reproduise, la communauté scientifique a mis beaucoup d'efforts pour trouver un remède contre cette maladie. En 2016, des chercheurs canadiens ont mis au point un vaccin qui s'avère 100 % efficace pour l'une des souches du virus, celle dite de type « Zaïre ». L'efficacité de ce vaccin a été confirmée par des tests et les résultats ont été publié dans revue scientifique *The Lancet*. Cela représente une grande avancée et un tel vaccin pourrait stopper une future épidémie. Un vaccin est également en cours de développement contre la souche « Soudan » du virus. Il s'agit d'une avancée majeure face à cette maladie qui sévit depuis au moins 1976, mais dont l'éclosion la plus meurtrière est celle survenue en Afrique de l'Ouest.

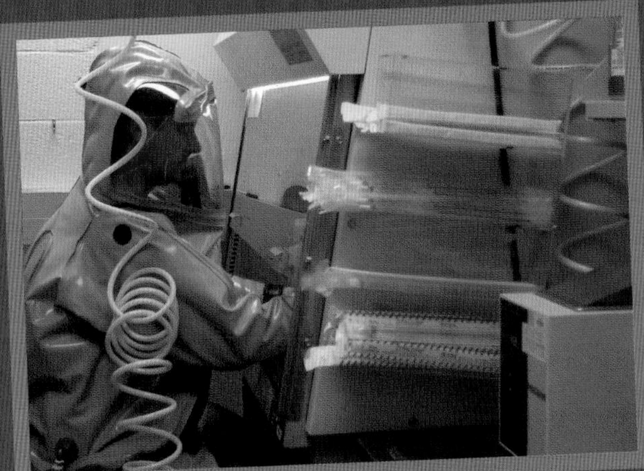

© USAMRIID

© European Commission DG ECHO

# Horreur à Alep,
## en Syrie

La guerre qui fait rage en Syrie depuis plusieurs années a littéralement réduit le pays en poussière et a fait des centaines de milliers de morts, en plus de forcer des millions de personnes à fuir le pays. Depuis 2012, Alep, deuxième ville du pays, est au centre d'une bataille sanglante entre les opposants au régime de Bachar el-Assad, qui s'est emparé de la région est, et l'armée syrienne, qui a pris possession de la partie ouest. Le conflit a rapidement dégénéré, entraînant aussi des groupuscules, l'armée syrienne libre, les forces armées syriennes et l'État islamique, dans le conflit.

Plusieurs pays se sont aussi mêlés au conflit. D'un côté, on trouve ceux qui soutiennent Bachar el-Assad afin de défendre leurs intérêts, comme la Russie et l'Iran, lesquels sont appuyés par le Hezbollah libanais et les milices irakiennes. De l'autre côté, on trouve une coalition internationale, dirigée par les États-Unis et dont fait partie le Canada, afin de lutter contre l'État islamique en Syrie.

Au centre de ce brouhaha sanglant, il y a des milliers de civils qui tentent de fuir, mais qui se trouvent coincés. Des femmes et des enfants sont massacrés, les hôpitaux et les convois d'aide internationale sont bombardés et les citoyens d'Alep sont littéralement prisonniers de leur ville. En novembre et décembre 2016, les combats atteignent leur paroxysme et les images d'Alep font réagir le monde entier. La situation à Alep est d'ailleurs considérée comme étant la pire crise humanitaire du siècle. Au moment d'écrire ces lignes, les combats continuent entre les forces du régime et les différentes factions mais des organisations humanitaires sont enfin capables d'entrer dans la ville et de porter assistance à la population.

# Attentat de la grande mosquée de Québec

Attaque terroriste contre une mosquée de Québec : six morts
euronews.

© Euronews/YouTube

Le 29 janvier 2017, le Québec tout entier est sous le choc. Un homme est entré armé dans la grande mosquée de Québec et a abattu six personnes et en a blessé huit autres, qui y étaient réunies pour la prière. Le terroriste est Alexandre Bissonnette, un Québécois reconnu pour son ultranationalisme et son fanatisme. Il est arrêté une demi-heure plus tard après s'être rendu aux policiers près du pont de l'île d'Orléans.

Ce n'est pas seulement la communauté musulmane qui est secouée et endeuillée, mais aussi l'ensemble des Québécois. La population prend alors conscience qu'elle n'est pas à l'abri d'un attentat terroriste ni des discours xénophobes et islamophobes. À la suite de l'attaque, des centaines de personnes se réunissent à Québec et à Montréal pour montrer leur solidarité à la communauté musulmane. J'étais du rassemblement montréalais, et c'est un moment que je n'oublierai jamais.

© Archives personnelles

Partie dico

# L'ABC des filles

Comme vous allez le constater, votre *ABC* continue cette année encore sa remise à jour et de nombreux articles ont été ajoutés ou modifiés.

Vous pourrez également remarquer les encarts « pour aller plus loin » dans lesquels je vous propose des lectures, des films ou encore des poèmes qui vous permettront d'approfondir certains sujets.

Voici comment décoder les pictogrammes :

- : livre ou bande dessinée
- : film
- : pièce de théâtre
- : série télé
- : poème

**Bonne lecture !**

# Accomodement raisonnable

**Sujets connexes :**

Tolérance p. 478
Égalité p. 258
Laïcité p. 341

## Respect du droit à l'égalité de chaque citoyen

Depuis quelques années, la notion d'accommodement raisonnable fait souvent la manchette au Québec. Certains la critiquent, d'autres la défendent, et plusieurs ont de la difficulté à comprendre exactement de quoi il s'agit.

De façon générale, un accommodement raisonnable vise à assouplir un règlement pour empêcher qu'il ne soit discriminatoire envers les communautés ou les individus auxquels il s'applique, cela dans le but de respecter le droit à l'égalité et au respect de chaque citoyen. Un accommodement raisonnable est donc une façon de prendre des mesures dites « raisonnables » pour répondre aux demandes des individus concernés.

Lorsqu'un individu, un groupe ethnique ou une communauté religieuse fait une démarche pour qu'une règle soit modifiée, plusieurs éléments doivent être examinés afin d'évaluer cette démarche et de savoir si on peut la satisfaire. On doit d'abord tenir compte des ressources financières de la compagnie ou de l'institution à laquelle la requête est adressée. En d'autres mots, on doit vérifier si les coûts liés à la modification demandée sont excessifs ou non. On doit ensuite s'assurer que cet accommodement raisonnable ne va pas à l'encontre des droits des autres individus. Le but est avant tout de modifier une norme pour prévenir la discrimination et encourager le respect de tous les individus. L'accommodement raisonnable ne doit donc pas entraîner davantage de conflits ni nuire au respect et aux droits des autres. Il ne doit pas non plus nuire au bon fonctionnement de la compagnie ou de l'institution concernée. Autrement dit, si une entreprise décide de modifier une règle pour répondre à la demande de certains individus, elle doit s'assurer que cette modification ne nuira pas au travail et au rendement des autres employés et patrons de l'établissement, ni au confort des clients qui le fréquentent. Par exemple, si un aveugle demande à la direction d'un supermarché de le laisser faire ses courses en compagnie de son chien-guide, celle-ci doit tenir compte du handicap de cet individu et respecter son droit de citoyen de faire ses courses en dépit de son handicap. Au cours des dernières années, plusieurs établissements et véhicules publics (les autobus, notamment) se sont équipés de rampes pour permettre aux handicapés ou aux personnes à mobilité réduite de circuler plus rapidement dans la ville et d'avoir accès à un plus grand nombre d'édifices. Bien que cela implique des coûts importants, il s'agit d'un accommodement raisonnable, puisqu'il répond aux besoins des handicapés et tente de contrer la discrimination en favorisant le respect et l'égalité de ces individus. Ce sont là des problèmes réels qu'il faut régler rapidement pour favoriser l'engagement et l'insertion des personnes à mobilité réduite dans la société.

Toutefois, une demande est jugée excessive lorsque l'accommodement revendiqué ne respecte pas le droit à l'égalité des citoyens. Celui-ci n'est alors plus considéré comme « raisonnable ». Le but de l'accommodement raisonnable est de permettre à tous de coexister dans une société qui promeut l'égalité et le respect des citoyens, et ainsi de répondre à certaines exigences des citoyens pour respecter leurs droits et leurs différences religieuses, culturelles et ethniques. Les accommodements raisonnables s'appliquent généralement à la discrimination liée au sexe des individus, à leur orientation sexuelle, à la grossesse, à l'âge, aux handicaps et maladies physiques, à la religion, aux traditions culturelles et ethniques et à la tenue vestimentaire.

## Un débat controversé

Au Québec, la notion d'accommodement raisonnable est très controversée et fait couler beaucoup d'encre. Un grand nombre de gens pensent que les accommodements exigés par certains groupes ethniques ou religieux sont excessifs et vont à l'encontre des valeurs québécoises. Ainsi, la société doit s'ajuster aux différences culturelles et promouvoir le multiculturalisme, mais jusqu'où doit-elle aller ?

Par exemple, en novembre 2006, les fenêtres d'un YMCA de Montréal ont été « givrées » à la demande des juifs hassidiques vivant dans le quartier. Par ces fenêtres, on pouvait voir des femmes qui s'entraînaient en short, en leggings et en t-shirt, ce qui irritait certaines personnes de la communauté juive qui n'aimaient pas que leurs enfants voient des femmes en tenue de sport. Bien que cette communauté religieuse ait demandé un changement pour que ses valeurs soient respectées, et bien qu'un accommodement raisonnable soit par définition un assouplissement visant à assurer l'égalité des citoyens et le respect des différences culturelles, plusieurs s'entendent pour dire que nous vivons dans une société ouverte et libre, et qu'il n'est pas choquant pour la majorité des Québécois de voir une femme en tenue de sport. Cet accommodement irait donc à l'encontre de nos valeurs et de la liberté de la majorité des citoyens. Plusieurs autres débats ont été lancés, concernant principalement les demandes d'accommodements faites par des groupes ethniques minoritaires et religieux. Certes, nous devons promouvoir l'ouverture d'esprit et le respect des différences culturelles, mais les minorités ethniques et religieuses ont elles aussi un rôle à jouer et doivent s'adapter à la société québécoise dans laquelle elles ont décidé de vivre. Une commission de consultation a été mise sur pied en février 2007. Elle était dirigée par le philosophe Charles Taylor et le sociologue Gérard Bouchard. Dans son rapport final, rendu en 2008, elle suggère notamment au gouvernement du Québec de produire un Livre blanc sur la laïcité, de promouvoir l'interculturalisme, de mieux intégrer ses immigrants et de les protéger plus efficacement contre toute forme de discrimination. Le débat sur les accommodements raisonnables s'est de nouveau retrouvé au cœur de l'actualité en 2014, au moment de la proposition, par le Parti québécois, d'une Charte sur les valeurs québécoises, dont certaines mesures ont été qualifiées de « draconiennes » par Charles Taylor.

**Sujets connexes :**

Complexes p. 204
Confiance p. 206

# Acné

## Un problème de peau très répandu

Se réveiller le matin pour découvrir qu'une pustule vous a poussé sur le bout du nez pendant la nuit n'est jamais une belle surprise. Vivre avec l'acné est pourtant le lot de la plupart des adolescentes. Pour éviter que la situation ne devienne ingérable, voici quelques façons d'assurer une bonne hygiène de votre peau, de traiter ces éruptions cutanées et de masquer les petites imperfections!

### Définition

L'acné est un problème de peau très répandu qui survient surtout durant l'adolescence et qui se manifeste par l'apparition de boutons.

L'acné n'est pas contagieuse, mais peut parfois être héréditaire. L'acné juvénile est principalement due à une surproduction de sébum (substance grasse sécrétée par les glandes sébacées) qui bloque les pores de la peau. L'acné touche beaucoup d'adolescentes, mais la gravité varie d'une personne à l'autre. Si vous avez un bouton sur le nez, pas besoin de paniquer ou de courir chez le médecin, mais si votre visage, votre poitrine et votre dos sont recouverts de petits boutons rouges, il existe maintenant des solutions efficaces pour remédier à votre problème et pour prévenir l'apparition d'autres boutons.

### L'hygiène

La clé est de toujours se laver le visage en se levant et avant de se coucher. Il est d'autant plus important de le faire si vous vous maquillez sur une base régulière. Si vous allez dormir sans vous être démaquillée, vos pores ne pourront pas respirer librement pendant la nuit et risquent de se bloquer, créant ainsi la formation de boutons. Il est aussi essentiel d'hydrater votre peau avec une crème non grasse.

Si vous avez de la difficulté à savoir quels produits vous conviennent, sachez qu'il existe toutes sortes de savons adaptés à chaque type de peau. Si vous avez la peau grasse, utilisez un gel conçu à cet effet, et si vous avez la peau sèche, optez pour un savon qui peut l'hydrater et la nourrir davantage. Lisez les étiquettes sur les flacons pour savoir si un savon convient ou non à votre type de peau, ou alors demandez l'avis du pharmacien, qui pourra vous aider.

Vous pouvez également vous faire des masques faciaux que vous devez laisser durant plusieurs minutes sur votre visage afin de nourrir votre peau et de lui donner plus d'éclat.

*Bon à savoir: Recherchez en priorité des produits de beauté « non comédogènes », c'est-à-dire qui ne bouchent pas les pores de la peau.*

## Traitements

La tentation est souvent grande de triturer un bouton dont la présence vous est particulièrement insupportable. Si vous savez que vous êtes sujettes à faire de l'acné, assurez-vous toujours d'avoir les mains fraîchement lavées avant de vous toucher le visage. Si vous tripotez un bouton alors que vous avez les mains sales, d'autres impuretés viendront contaminer votre peau et la situation ne fera qu'empirer.

Si vous souffrez d'acné juvénile et que les traitements offerts en pharmacie ne suffisent pas pour remédier au problème, consultez un médecin ou un dermatologue qui pourra déterminer le type de votre peau et vous prescrire un traitement adéquat. Il est aujourd'hui facile de vaincre l'acné, que ce soit en appliquant une crème réparatrice ou en prenant des médicaments oraux. La pilule contraceptive ne doit pas être utilisée uniquement comme traitement antiacnéique, mais elle aide à prévenir la formation de boutons et peut contribuer à guérir l'acné légère ou modérée.

## Pour vous aider

Il y a deux habitudes alimentaires à prendre pour vous aider à garder une peau en santé: vous nourrir sainement et boire beaucoup d'eau. L'eau aide à éliminer les toxines et à réduire le taux de sébum produit par l'épiderme. Bien que l'alimentation ne soit pas directement liée aux problèmes d'acné, certains aliments, comme les fruits et les légumes, contiennent des vitamines qui donnent plus de couleur et d'éclat à votre peau. Pour ce qui est du soleil, vous devez être très prudentes: même si ses rayons procurent de la vitamine D à la peau, une surexposition accélérera son vieillissement et entraînera la formation de rides en plus d'augmenter les risques de cancer cutané. Appliquez toujours un écran solaire sur votre visage avant de vous exposer au soleil.

De façon générale, l'acné est un problème qui touche presque tous les adolescents à un certain stade de leur croissance. L'acné juvénile n'est pas une maladie de peau permanente, et si vous avez des boutons à 16 ans, n'allez surtout pas croire que vous aurez à les endurer pour le reste de votre vie. Si le problème s'aggrave, si les produits vendus en pharmacie ne donnent aucun résultat, ou si vos boutons vous obsèdent, n'hésitez pas à consulter un médecin qui vous prescrira le traitement antiacnéique qui vous conviendra le mieux. Prenez soin de votre peau et ne paniquez pas à la vue d'un bouton; il ne suffit parfois que de chercher le traitement adéquat pour remédier rapidement à la situation!

Salut Catherine,
J'ai un gros problème d'acné et je ne sais plus comment m'en débarrasser. Aide-moi!

Une fille désespérée

# Adolescence

**Sujets connexes :**

Majorité p. 346
Maturité p. 359
Puberté p. 428

Avec le recul, on se dit que tout était plus simple quand on était une enfant: pas de décisions trop importantes à prendre, pas de responsabilités à assumer, pas de remises en question et de bouleversements hormonaux… C'était la belle vie!

Puis, peu à peu, non seulement notre emploi du temps devient chargé, mais on commence aussi à se poser des questions et à se remettre en cause. Notre corps se transforme, on devient de plus en plus curieuse face au monde qui nous entoure, aux garçons et à notre sexualité, on fait plus attention à notre apparence et on développe des complexes de filles. Ça y est, on est adolescente. Cliché? Pas du tout!

À l'adolescence, tout change. Notre corps se développe, notre caractère s'affine, et on se retrouve coincée entre la petite fille si simple qu'on était et la femme qu'on s'apprête à devenir. C'est une période à la fois merveilleuse et difficile. Merveilleuse parce qu'on devient sensible à ce qui nous entoure et parce qu'on ressent toutes sortes de nouvelles émotions. On sent qu'on a la vie devant soi et que le monde nous appartient. On peut rêvasser et entreprendre toutes sortes de projets. C'est aussi l'époque des premières expériences, des montagnes russes émotives et des erreurs qu'on commet aujourd'hui et dont on rira dans 10 ans. C'est en même temps une période plutôt difficile parce qu'on ne se connaît pas encore tout à fait, qu'on est en train de former son caractère et qu'on se trouve soi-même un peu imprévisible. On a des doutes, des inquiétudes et des questionnements qu'on n'ose partager avec personne parce qu'on a peur d'être jugée et qu'on se sent un peu seule au monde. C'est aussi l'étape où on voit son corps se transformer sans pouvoir le contrôler. Les seins poussent, les hanches s'élargissent, les règles surviennent. On se sent hypersensible, on a souvent envie de pleurer sans raison et on ne comprend plus trop ce qui nous arrive. Nos cadets nous semblent complètement out et bien trop immatures, tandis que les adultes nous paraissent ennuyeux et incompréhensifs. On n'arrive même pas à concevoir que nos parents aient déjà été des adolescents, puisqu'ils semblent complètement dépassés par les événements et qu'ils ne savent plus du tout comment nous aborder.

## La crise d'adolescence

Pourquoi les parents font-ils toujours allusion à la crise d'adolescence pour expliquer leur incompréhension ou pour excuser votre comportement? Vous êtes triste? C'est normal, c'est la crise d'adolescence! Vous êtes irritée? C'est normal, c'est la crise d'adolescence! En plus, vous sentez que lorsqu'ils évoquent cette fameuse « crise », c'est avec un peu d'ironie dans la voix, comme s'ils se moquaient de vous ou qu'ils trouvaient

## *Pour aller plus loin :*

***Bonjour tristesse***, Françoise Sagan

votre comportement ridicule. Je sais que c'est facile de se sentir persécutée, mais rassurez-vous : vos parents ne savent probablement pas comment s'y prendre avec vous et ne comprennent plus la jeune fille que vous êtes devenue. Il est donc plus facile pour eux d'avoir recours au prétexte de la crise d'adolescence que de chercher à comprendre ce qui vous arrive. Quant à vous, soyez honnête : vous devez admettre que vous vous renfermez de plus en plus sur vous-même et qu'il devient de plus en plus difficile de vous aborder. Je sais qu'avec vos amis, vous n'êtes pas aussi abrupte et irritée qu'avec vos parents, mais vous devez comprendre pourquoi ils se sentent déroutés et ne savent plus trop par quel bout vous prendre.

Lorsqu'ils réagissent en « parents » et qu'ils vous taquinent sur la crise que vous traversez, je sais que vous avez envie de leur claquer la porte au nez et de les ignorer pour le reste de la journée. Sans être impolie, vous pouvez aller prendre l'air pour vous calmer et éviter les affrontements qui ne feront qu'envenimer la situation. C'est normal que vous vous sentiez incomprise ou frustrée par la situation, mais il vaut mieux essayer d'en discuter calmement, ou même d'être indifférente à leurs taquineries plutôt que de piquer une crise et, ainsi, de leur donner raison. Si vous vous sentez au bord de la crise de nerfs, appelez une amie ou discutez-en avec quelqu'un de l'extérieur pour vous défouler plutôt que de péter les plombs et de casser les meubles !

Il est vrai que l'adolescence est une période de grande insécurité et d'hypersensibilité, et les parents ont parfois tendance à oublier à quel point il est difficile de gérer ces émotions. Comme ils s'y prennent mal et que vous êtes de moins en moins tolérante, le résultat est souvent orageux.

Dites-vous toutefois que cette période sera vite passée. Vous deviendrez de plus en plus à l'aise dans votre corps et vous apprendrez à mieux maîtriser vos émotions. La communication est par ailleurs la clé du succès dans toute relation interpersonnelle. Donc, même s'il est difficile de discuter avec vos parents, démontrez-leur que vous êtes mature en leur expliquant clairement que vous n'êtes plus une petite fille, plutôt qu'en claquant la porte. Je vous garantis que vous obtiendrez de meilleurs résultats en vous exprimant de cette façon. Ils doivent aussi faire leur bout de chemin et apprendre à connaître et à respecter la femme que vous êtes en train de devenir. Si vous trouvez vraiment qu'il s'agit d'une période difficile, rappelez-vous que, dans quelques années, vous y repenserez avec nostalgie et que toutes les incertitudes qui vous assaillent s'éclairciront au fur et à mesure que votre caractère se formera. Toutes les filles traversent cette étape à un moment ou un autre, alors consolez-vous en vous disant que vous êtes loin d'être seule au monde !

**Sujets connexes :**

Drogues p. 241
Party p. 388
Rave p. 436

# Alcool

## Boire avec modération

C'est souvent à l'adolescence qu'on commence à consommer de l'alcool.

Bien qu'il soit interdit, au Québec, de vendre de l'alcool aux personnes âgées de moins de 18 ans, vous pouvez vous retrouver en présence de boissons alcoolisées durant les repas en famille, les fêtes entre amis ou même dans les bars. Il est normal d'être curieuse et de vouloir partager vos premières expériences avec vos amis, mais je dois tout de même vous informer des effets néfastes de l'alcool et vous dire à quel point il est important de boire avec modération.

Au Québec, plus de 8 personnes sur 10 consomment de l'alcool de façon régulière[1]. L'alcool contient de l'éthanol, une substance active qui a un effet dépresseur sur le cerveau. Lorsque vous buvez de l'alcool, il va tout droit dans votre sang. C'est la raison pour laquelle l'effet est très rapide : il entraîne une réduction du stress et des inhibitions. On se sent alors amortie, détendue et « prête à tout », et on peut enfin dire tout haut ce qu'on pense sans se censurer. En fait, l'alcool décuple l'état dans lequel vous êtes au moment où vous en consommez. Si vous êtes triste ou bouleversée, il est fort probable que vous vous sentiez encore plus vulnérable après avoir bu de l'alcool et que vous perdiez un peu les pédales. Tout dépend évidemment de la quantité d'alcool que vous ingérez. Ce que vous devez savoir, c'est que bien qu'il puisse vous calmer et vous détendre, l'alcool a aussi un effet dépresseur sur le système nerveux, et il ralentit les fonctions cérébrales et modifie le jugement, les émotions et le comportement. Plus vous buvez, plus les effets se font sentir.

### Apprendre à boire

Je ne vous dis pas qu'il ne faut jamais consommer d'alcool ; je dis simplement que vous devez apprendre à boire de façon responsable et à être à l'écoute de votre corps pour savoir quand vous arrêter. Soyez aussi très prudente avec les boissons fortes, soit celles qui ont un taux d'alcool supérieur à 20 %, car les effets sont très puissants et font vite tourner la tête. Par ailleurs, il existe quelques règles d'or à suivre pour éviter d'avoir de mauvaises surprises :

Évitez de mélanger les types d'alcool lorsque vous buvez. Par exemple, ne faites pas alterner bière, vin et téquila, car je vous assure que vous le regretterez amèrement dans quelques heures.

Si vous commencez à avoir la nausée ou si vous avez la tête qui tourne, arrêtez immédiatement de boire de l'alcool et optez plutôt pour un grand verre d'eau.

1 - Éduc'alcool, en ligne : <educalcool.qc.ca>.

Même si vous ne vous sentez pas si mal, buvez toujours de l'eau avant de vous coucher lorsque vous consommez de l'alcool. Ainsi, vous hydraterez votre corps, et la gueule de bois sera beaucoup moins pénible le lendemain.

Prenez l'habitude de boire un verre d'eau entre chaque consommation alcoolisée. Non seulement ça permet de s'hydrater, mais ça évite aussi de laisser l'alcool nous monter trop vite à la tête!

Si on vous dit que vous supportez mal l'alcool, c'est-à-dire que vous réagissez mal lorsque vous en consommez, évitez de boire ou faites-le avec modération. Tenez compte de ce que vous disent vos amis.

*Ne buvez pas l'estomac vide.*
*Ne buvez pas trop vite.*
*Apprenez de vos erreurs!*

## Les premières expériences

Les premières expériences avec l'alcool sont parfois les plus pénibles. Comme on ne connaît pas encore ses limites et qu'on n'est pas habituée à en consommer, on boit parfois plus qu'on ne le devrait et on le regrette plus tard. Ainsi que je l'ai déjà mentionné, l'alcool diminue les inhibitions, ce qui fait qu'on se sent plus « forte » et plus disposée à faire ce dont on a envie. C'est souvent dans ces moments qu'on dit aux gens qu'on les aime, qu'on révèle des choses qu'on devrait taire et qu'on pleure sans raison. Bref, quand on dégrise, on a terriblement honte de ce qui s'est produit. Sachez d'abord que ça arrive à tout le monde de s'en vouloir d'avoir trop bu et d'avoir agi sous l'influence de l'alcool, alors si c'est votre cas, tâchez d'apprendre de votre erreur et de ne pas répéter l'expérience! Si l'une de vos amies se met à déraper durant une fête, je vous conseille par ailleurs de vous montrer responsable et de l'encourager à arrêter de boire. Elle vous en sera reconnaissante par la suite.

## La gueule de bois et les conséquences de l'alcool

Qui dit abus d'alcool dit gueule de bois. Si vous dépassez les limites et que vous avez trop bu, vous en subirez les conséquences le lendemain matin (ou même au cours de la nuit). Non seulement il est normal d'avoir la nausée, d'être étourdie, d'avoir mal au ventre et à la tête le lendemain d'une fête, mais il est fort probable que vous ressentiez les effets dépresseurs de l'alcool, c'est-à-dire que vous vous sentirez peut-être mal dans votre peau ou un peu déprimée. C'est pour cette raison qu'il faut boire de façon raisonnable ; mieux vaut s'amuser et passer un bon moment en buvant modérément que de perdre le contrôle et de vivre une mauvaise expérience après avoir trop bu. Sachez aussi que l'alcool peut vous pousser à faire des choses que vous ne feriez pas normalement et qui vont à l'encontre de vos valeurs et même de votre volonté. Vous devez donc rester très prudente lorsque vous consommez de l'alcool. N'allez pas trop loin avec un garçon si vous savez que vous n'êtes pas prête ; ne vous laissez pas convaincre de le suivre dans une chambre pour avoir plus d'intimité lorsque vous savez que vous n'êtes pas en pleine possession de vos moyens. Ne prenez jamais le volant lorsque vous avez bu, et ne montez pas dans un véhicule si le conducteur a consommé de l'alcool. Encouragez-le plutôt à prendre un taxi et à attendre d'avoir dégrisé pour venir récupérer sa voiture.

Les excès d'alcool ont toutes sortes d'effets néfastes sur la santé à long terme, tels que certaines maladies du foie et du cœur, le cancer, et peuvent créer une dépendance.

S'il y a des cas d'alcoolisme dans votre famille, sachez par ailleurs que cette dépendance peut être héréditaire et que vous devez vous montrer doublement prudente dans votre consommation. Si vous jugez que vous buvez trop, ou que vous avez sans cesse envie de boire, je vous conseille de consulter un professionnel de la santé.

En conclusion, lorsque consommé avec modération et de façon responsable, l'alcool peut rendre agréable une soirée en famille ou entre amis, mais vous devez être consciente des dangers et des risques inhérents à une consommation abusive et rester à l'écoute de votre corps. Ne soyez pas trop dure envers vous-même si vous vivez une mauvaise expérience avec l'alcool. C'est souvent cette cuite de trop qui nous donne une leçon et qui nous fait boire de façon plus responsable par la suite. Dites-vous qu'avec le temps, vous apprendrez à mieux connaître vos limites et à contrôler votre consommation pour passer de bons moments entre amis sans lendemains trop pénibles!

**Sujets connexes :**
Confiance p. 206
Choix de carrière p. 200
Volonté p. 494

# Ambition

## « Vers l'infini et plus loin encore ! »

L'ambition, c'est ce qui vous pousse à vouloir vous dépasser, à persévérer dans des projets parfois difficiles et à réaliser vos objectifs. Une personne ambitieuse est souvent travaillante, idéaliste et n'a pas peur des défis.

L'ambition, c'est une sorte de voix intérieure qui nous guide en fonction des exigences que nous nous imposons afin de réaliser nos rêves. C'est ce qui nous donne la volonté de déterminer les moyens à prendre pour atteindre nos buts, tant sur le plan professionnel (devenir médecin, chanteuse, actrice, etc.) que sur le plan personnel (s'acheter une voiture, vivre dans son propre appartement, tomber amoureuse, etc.).

Comme l'ambition demeure une chose très personnelle, chacune est le propre maître de ce qui la guide dans la vie. Même si vous êtes une fille très ambitieuse, les moyens que vous prenez pour réaliser vos rêves doivent être en accord avec vos valeurs et votre intégrité. De même, essayez d'éviter de blesser des gens dans vos démarches. Il est bien de ne pas vouloir se laisser abattre par l'adversité, mais il ne faut pas non plus adopter l'attitude « bulldozer » et tout détruire sur votre passage dans le but de vous frayer un chemin tout droit vers la gloire. Prenons l'exemple de Julie qui veut à tout prix être admise en droit afin de devenir avocate. Son ambition la pousse à étudier avec acharnement et à tout faire pour atteindre ses objectifs professionnels au détriment de sa vie personnelle. Elle refuse d'avoir un amoureux ou de passer du temps avec ses amis pour éviter de se laisser distraire et de perdre de vue son but principal. Même si son ambition peut l'amener à réaliser son plus grand rêve, elle doit faire attention et chercher une sorte d'équilibre qui lui permettra de ne pas sacrifier toutes les autres sphères de sa vie.

L'adolescence est sans contredit l'étape de la vie où l'on peut se permettre de rêver et de se fixer des objectifs à long terme. Ceux-ci vous donneront une ligne directrice et vous pourrez toujours vous concentrer sur ces rêves dans les moments d'angoisse. Ils vous motiveront et vous pousseront à rester zen dans des situations parfois stressantes. Il faut cependant garder en tête que vos ambitions changeront assurément lorsque vous vieillirez, et c'est tout à fait normal ; certaines de vos priorités se modifieront au cours des années à venir. Votre caractère se formera peu à peu, et lorsque vous entrerez dans le monde « adulte », vous saurez de plus en plus qui vous êtes et quels objectifs vous voulez atteindre. Bien que les buts ne restent pas toujours les mêmes au fil des ans, l'ambition et le feu intérieur vous poussent toujours à vous surpasser, et il n'y a absolument rien de mal à vous fixer différents objectifs et à changer de voie en cours de route. Au contraire, c'est ce qu'on appelle être à l'écoute de soi-même et être à la poursuite du bonheur.

Avoir de l'ambition, c'est aussi savoir choisir ses combats. Vous ne pouvez pas vous lancer corps et âme dans tous vos projets et dans toutes vos aspirations sans risquer de vous épuiser. On peut malheureusement souffrir d'un trop-plein d'ambition. Si vous éprouvez de la difficulté à faire la part des choses, n'hésitez pas à demander conseil à vos parents, à vos amis et aux personnes proches de vous. Ils partageront sans doute avec plaisir leur expérience et leur point de vue avec vous.

Dans le Québec d'aujourd'hui, les filles ont autant de possibilités que les garçons; par conséquent, rappelez-vous que toutes les portes vous sont ouvertes. Essayez de lutter contre la peur et contre l'insécurité, et songez à ce que vous désirez plus que tout au monde. Vos rêves changeront sûrement au fil des ans, mais ce sont tout de même eux qui vous stimuleront tout au long de votre vie.

**Alors, foncez!**

**Sujets connexes :**
Confidente p. 208
Copains p. 218
Gang de filles p. 291

# Amitié

## Une des choses les plus précieuses dans la vie

Que serait la vie sans vos amies? Après tout, ce sont elles qui vous font rire, qui vous connaissent le plus, qui peuvent vous dire vos quatre vérités sans vous blesser et avec qui vous faites les quatre cents coups.

À bien y penser, c'est avec vos amies que vous avez partagé certains des plus beaux moments de votre vie. Bref, la vraie amitié est l'une des choses les plus précieuses au monde!

Une véritable amie, c'est quelqu'un sur qui vous pouvez compter dans les moments difficiles, et en qui vous avez entièrement confiance. C'est une confidente et une grande complice qui vous connaît très bien et qui vous accepte telle que vous êtes. Tout ça semble fantastique, mais entretenir une amitié n'est pas aussi simple qu'on pourrait le croire. Comme toute relation interpersonnelle, l'amitié se bâtit peu à peu et ne doit jamais être négligée ni tenue pour acquise.

En effet, une vraie amitié doit être entretenue. Il ne faut pas croire que parce qu'on considère quelqu'un comme une amie, on n'a qu'à la saluer dans le corridor de l'école pour qu'elle sache qu'on tient à elle. Elle se sentirait alors comme une camarade de classe ou comme une simple connaissance. Il est tout aussi important de ne pas laisser tomber votre amie pour faire d'autres activités ou pour voir votre amoureux si vous aviez convenu de passer du temps avec elle. Quand on partage une vraie amitié, on doit pouvoir compter l'une sur l'autre et s'accorder du temps pour discuter, faire des activités qui nous plaisent et se confier l'une à l'autre. L'amitié doit être réciproque, car si vous pouvez toujours compter sur votre amie, mais que vous n'êtes jamais disponible pour elle, elle aura tôt fait de s'en offusquer et d'aller voir ailleurs, car elle ne se sentira pas importante à vos yeux. Il est également essentiel de ne pas trahir votre amie. Si elle vous fait une confidence ou vous parle de ses problèmes en toute intimité, n'allez pas crier ses secrets aux quatre coins de l'école, et ne la laissez pas tomber quand elle a besoin de vous. Une vraie amie doit être présente dans les bons comme dans les mauvais moments.

Me voici avec mes amies il y a quelques années. Ce sont elles qui m'ont inspiré le personnage de Marilou.

> ***Une véritable amie est aussi quelqu'un qui n'a pas la langue dans sa poche lorsqu'il est question de vous dire vos quatre vérités.***

Sans vous vexer inutilement, elle vous connaît si bien qu'elle sait intervenir quand elle sent que vous dérapez ou quand vous avez tort. Elle se doit d'être honnête et de vous aider à progresser dans la vie. Être franche, cela ne veut pas dire être méchante avec votre meilleure amie ou la blesser inutilement; cela signifie plutôt que vous êtes capable de le lui dire lorsqu'elle a tort ou lorsqu'elle commet une erreur afin qu'elle puisse en prendre conscience et s'améliorer. Les amies sont effectivement là pour nous

## Pour aller plus loin :

- *Sur la route*, Jack Kerouac
- *Histoire d'une mouette et du chat qui lui apprit à voler*, Luis Sepulveda
- *L'ami retrouvé*, Fred Uhlman
- *Le monde de Charlie*, Stephen Chbosky

faire avancer et évoluer, donc si votre meilleure amie vous dit que vous êtes parfois trop entêtée, ne réagissez pas en vous mettant en colère et ne cherchez pas à rétorquer en lui parlant de ses propres défauts. Laissez tomber l'orgueil et tenez compte de ses commentaires pour devenir une meilleure personne. Rappelez-vous qu'elle vous connaît très bien, et qu'elle a sûrement raison. Alors, pourquoi ne pas tenir compte de ses réflexions afin de changer pour le mieux votre comportement ? Vous en sortirez grandie et vous vous sentirez encore plus proche de votre amie.

Se faire des amies ne se fait pas non plus en claquant des doigts. Certaines amitiés se nouent facilement, puisqu'on a des tas de choses en commun, tandis que d'autres prennent plus de temps, au fur et à mesure que la confiance se développe. Quoi qu'il en soit, il s'agit d'un investissement qui en vaut grandement la peine. Il se peut aussi que vous vous fassiez de grandes amies au cours du primaire et du secondaire et que vous les perdiez de vue par la suite. Ce sont des choses qui arrivent lorsqu'on franchit une autre étape et qu'on ne suit pas la même route que ses amies. Il y a des filles qui resteront vos amies tout au long de votre vie, d'autres qui s'éloigneront peu à peu et d'autres que vous connaîtrez plus loin en cours de route. Même s'il est triste de constater qu'on a un peu perdu une amie de vue, il faut se rappeler que l'amitié que vous avez partagée avec elle vous a fait beaucoup grandir durant une certaine période de votre vie et que vous lui en serez toujours reconnaissante. Bien que vous ne lui parliez plus tous les jours, c'est tout de même quelqu'un qui restera gravé dans votre mémoire et qui aura toujours une place dans votre cœur, et c'est cela qui est important.

Bref, les amies sont extrêmement précieuses, et vous devez faire tout ce qui est en votre pouvoir pour leur faire sentir qu'elles sont importantes à vos yeux. N'oubliez pas : peu importe ce qui se passe dans votre vie, qui que soit le garçon que vous fréquentez en ce moment, vous devez accorder du temps à vos amies et entretenir vos amitiés. Non seulement cela rendra vos relations plus fortes et plus solides, mais cela vous permettra aussi de conserver un bon équilibre dans votre vie. Vous avez besoin de vos amies autant qu'elles ont besoin de vous. Par conséquent, soyez disponible, loyale et honnête. Comme le dit l'adage, les amours passent mais les amitiés restent, alors aussi bien les chérir et profiter de la vie en compagnie de ses meilleures amies !

Avec mes amies sur une plage au Kenya !

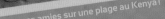

# Amour

**Sujets connexes :**

Désir p. 232
Premier baiser p. 421
Première fois p. 423

## Sentiment universel

Que ferait-on sans amour ? En effet, il s'agit d'un sentiment universel extrêmement important qui régit souvent nos comportements. Il existe divers types d'amour : l'amour fraternel, l'amour amical, l'amour familial, l'amour pour son chien, pour ses biens matériels, pour son confort, l'amour pour la vie, l'amour pour soi-même et l'amour pour son petit ami.

En règle générale, toutes les filles veulent être aimées, que ce soit de leurs amis, de leurs parents, de leur famille ou de leur copain. Il est très important d'apprendre à aimer les autres et à être aimée. On a tendance à croire qu'il s'agit d'un sentiment acquis et qu'il est facile d'aimer, mais cela peut souvent nous jouer des tours. Par ailleurs, vous devez apprendre à vous faire aimer des autres et à jouir de ce sentiment. Quand on se sent aimée, on se sent forte et confiante. L'amour nous donne le sentiment d'être importante, désirée et choyée. Ce phénomène est aussi vrai avec ses amis et sa famille qu'avec un garçon.

Je sais que la plupart des filles rêvent de connaître le grand amour, alors s'il frappe à votre porte, vous devez l'accueillir et en profiter au maximum. Même quand ça fait mal, on ne regrette jamais d'aimer ou d'avoir aimé. C'est un sentiment d'une grande intensité qui nous fait sentir vivante et qui nous donne envie de sourire à la vie.

Salut Catherine,
Toutes mes amies ont déjà été amoureuses, et j'ai vraiment l'impression que ça ne m'arrivera jamais et que je repousse les gars. Est-ce qu'il y a des trucs pour attirer les gars et connaître l'amour ?

Anonyme

### Ça ne m'arrivera jamais

Si vous n'avez pas encore connu l'amour, prenez votre mal en patience. On ne sait jamais quand l'amour nous tombera dessus. C'est souvent au moment où on s'y attend le moins. Il faut simplement y croire et être ouverte à cette éventualité. En attendant, vous avez des milliers de choses à faire et à découvrir, des moments précieux et uniques à partager avec les gens de votre entourage que vous aimez d'une autre façon. On ne peut pas décider de tomber amoureuse du jour au lendemain, et on ne choisit pas non plus qui on aime. Il arrive parfois qu'on tombe follement amoureuse d'un garçon plus vieux que nous qui fait craquer toutes les filles, mais qui ne semble même pas remarquer notre existence. Plutôt que de pleurer sur votre sort, apprenez à apprivoiser le sentiment amoureux et à en profiter au maximum. D'accord, la situation n'est pas idéale, mais c'est quand même génial de sentir votre cœur qui s'emballe chaque fois que vous le voyez! Vous savez que cet amour est impossible, mais c'est justement ce qui le rend encore plus charmant. Dites-vous que vous rencontrerez bientôt un garçon parfait pour vous avec qui vous pourrez partager toutes ces palpitations.

## L'amour rend dingue

Il existe tellement de chansons d'amour, d'histoires d'amour, de poèmes d'amour... il y a de quoi se poser des questions sur le sujet. Que dire de tous ces dictons? L'amour n'a pas d'âge, puisqu'on ne choisit pas de qui on tombe amoureuse. L'amour est aveugle, et on ne voit que lui. Ça nous rend un peu gaga, parfois même naïve, alors il faut apprendre à se former une petite carapace ou, du moins, à ne pas laisser les autres abuser de cette naïveté.

## Coup de foudre

Le coup de foudre, c'est quand vous tombez amoureuse de quelqu'un dès la première fois où vous le voyez. Il vous suffit d'un regard pour tomber sous son charme. Est-ce que le vrai coup de foudre existe? Bien sûr. Est-ce qu'il dure pour toujours? C'est moins évident. Quand on a un coup de foudre, on aime l'autre sans trop le connaître. C'est une sorte de chimie entre deux personnes qui est plutôt inexplicable et magique, mais il faut se rappeler que personne n'est parfait et qu'à force de côtoyer quelqu'un, on découvre ses défauts et ses petits travers. C'est souvent quand on se rend compte que l'autre n'est pas parfait que le coup de foudre s'éteint. Il peut toutefois se transformer en véritable amour parce que vous réalisez alors que les défauts de l'autre le rendent humain, et que vous l'aimez en dépit de ses petites imperfections. Après tout, ce n'est pas comme si vous étiez vous-même parfaite... et vous vous complétez si bien!

## L'amour à distance

Je vous le dis tout de suite, ce n'est pas facile de maintenir une relation à distance. Vous et votre amoureux vivez des choses que vous ne pouvez pas partager, les doutes, l'insécurité et la jalousie s'installent, vous ne savez pas quand vous pourrez vous revoir, etc. Les gens vous cassent les oreilles en vous répétant «loin des yeux, loin du cœur», et vous commencez bientôt à perdre espoir. Avec l'école, les devoirs, le boulot et les parents qui ne sont pas toujours prêts à donner leur autorisation, comment ferez-vous pour revoir votre petit ami? Il suffit parfois d'un peu de volonté, de patience et de confiance pour faire fonctionner une telle relation. Il faut aussi établir une bonne communication. Vous devez cependant voir les choses du bon côté: vivre un amour à distance vous permet de voir vos amies quand vous voulez, et vous n'avez pas à sacrifier vos activités pour être avec votre petit ami tous les jours. Courage! Tout est possible en amour!

## L'amour de soi

On ne le dira jamais assez: il faut d'abord apprendre à s'aimer soi-même pour mieux aimer les autres. S'aimer soi-même, c'est s'accepter telle que l'on est, et apprendre

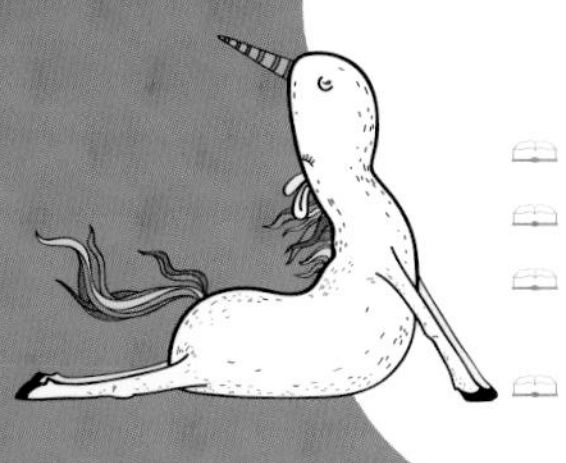

## Pour aller plus loin :

- *Un été d'amour et de cendres*, Aline Apostolska
- *Nos étoiles contraires*, John Green
- *L'amour au temps du choléra*, Gabriel Garcia Marquez
- *Scrapbook*, Nadine Bismuth

à apprécier ce qui nous définit si bien. Quand on s'aime, on a confiance en soi et on dégage une énergie qui attire inévitablement les autres vers nous. Ce n'est pas en changeant de coiffure que vous ferez tomber le garçon de vos rêves, c'est plutôt en montrant que vous savez ce que vous valez et en étant sûre de vous. C'est une question d'attitude et non d'apparence physique, alors il faut cesser de douter de vous et de vos capacités. Vous devez apprendre à accepter et à apprécier vos défauts et votre corps sans vous laisser abattre par vos complexes. Vous êtes géniale et les gens gagnent à vous connaître !

Inversement, quand on aime, on se sent confiante. On se sent sûre de soi, complète et bien dans sa peau. C'est pour toutes ces raisons qu'il faut vous ouvrir à l'amour. Laissez tomber votre pudeur et n'ayez pas peur de prendre des risques, car c'est l'amour qui donne du sens à la vie.

## Quand ça tourne mal

Si vous avez le cœur brisé et que vous ne croyez plus en l'amour, il faut vous laisser le temps de cicatriser et de reprendre confiance en vous. Avec le temps, la blessure guérira et vous serez prête à aimer à nouveau. Vous êtes encore jeune, et ça ne sert à rien de devenir aigrie ou défaitiste. Ce ne sont pas toutes les histoires d'amour qui se terminent mal. Vous devez croire en l'amour et apprendre à aimer sans compter, car on ne regrette jamais d'avoir aimé ; bien au contraire, ce sont souvent les souvenirs qui nous restent le plus longtemps et qui nous font sourire tout au long de notre vie. Quand on aime ou qu'on a connu l'amour, on en veut toujours plus. Vous devez donc être heureuse d'avoir vécu cela et de vous être sentie aussi vivante. Si vous attendez toujours le grand amour, soyez patiente et gardez le sourire ! Songez aux gens qui vous entourent et qui vous aiment. Ce n'est pas rien. Apprenez aussi à aimer les autres, à offrir, à vous ouvrir et à sourire à la vie. Tôt ou tard, quelqu'un fera battre votre cœur, et ce sera à vous d'écrire votre petite histoire d'amour.

## Sujets connexes :

Couple p. 220
Désir p. 232
Sexualité p. 456

# Amoureuse

## Moment d'une grande intensité

Nombreuses sont les filles qui m'écrivent parce qu'elles sont amoureuses et qu'elles ressentent une sorte de fébrilité inconnue qui les insécurise. D'autres me confient qu'elles aiment en silence et souffrent de ne pas oser déclarer leur amour au gars de leur rêve. Dans les deux cas, je leur réponds qu'il vaut mieux foncer et qu'en amour, qui ne risque rien n'a rien!

Quand on est amoureuse, il y a des symptômes qui ne trompent pas. On est dans la lune, on se sent légère, heureuse, au septième ciel. On vit des moments de bonheur d'une grande intensité et on ne se reconnaît plus. On se sent complète, épanouie, bien dans sa peau.

*Peu importe ce qui arrive, on ressent une légèreté et une joie de vivre qui surpassent tout le reste.*

Bien sûr, tout n'est pas parfait quand on est amoureuse. On apprend à connaître l'autre et on découvre ses petits défauts. On apprend également à être plus généreuse, à faire des compromis, à marcher sur notre orgueil. On a aussi parfois des disputes qui nous mettent tout à l'envers et qui nous donnent envie de pleurer, et quand on n'est pas avec notre amoureux, on ressent un vide immense et on a l'impression que le temps passe très lentement. On se sent un peu dépendante et complètement parano. Rassurez-vous, ça fait partie de l'amour.

Chère Catherine,
Je suis amoureuse d'un gars qui sait à peine que j'existe. Je tremble chaque fois que je le vois, et je n'arrive plus à penser à autre chose qu'à lui. Qu'est-ce que je devrais faire?

Andréanne

L'important, c'est de vous efforcer de laisser tomber votre peur et vos incertitudes. Il faut vaincre votre angoisse et profiter pleinement de ce qui vous arrive. L'amour ne peut pas se contrôler et il a souvent tendance à nous pousser aux extrêmes, alors il faut simplement assumer ce sentiment de vulnérabilité et apprendre à se laisser aller. L'inconnu nous fiche souvent la trouille, surtout lorsqu'il s'agit d'un sentiment d'une aussi grande intensité. Vous devez cependant apprendre à jouir de la vie et des imprévus qui se dressent devant vous plutôt que de vous refermer sur vous-même et de craindre le pire. Si vous ne vivez pas votre amour pleinement, vous risquez de le regretter amèrement, et même si vous vous faites mal en cours de route, dites-vous que cela fait partie de l'apprentissage. Une expérience amoureuse est pleine de rebondissements et d'imprévus. Quand on est amoureuse, on traverse des moments d'extrême bonheur et des moments de détresse incommensurable. Comme on se sent vulnérable, on devient hypersensible et un rien nous affecte. Dites-vous que c'est grâce à ces expériences que vous deviendrez plus forte et que vous apprendrez à vous connaître davantage. Par conséquent, n'ayez pas peur de foncer.

***Si vous faites face à un obstacle, il faut apprendre à le surmonter, et si vous connaissez un échec amoureux, il faut, à un moment donné, vous relever et continuer de foncer.***

Si vous n'avez jamais été amoureuse, il faut prendre votre mal en patience, car l'amour frappera bientôt à votre porte. On ne sait jamais quand on tombera amoureuse. Certaines vivent le grand amour à 10 ans, d'autres à 16 ans, d'autres à 25 ans et d'autres encore à 50 ans. L'important, c'est d'ouvrir ses yeux et son cœur, et d'apprendre à aimer et à être aimée. Profitez de votre célibat pour passer du temps avec vos amies et pour vous investir dans toutes sortes d'activités qui vous feront découvrir des choses nouvelles et rencontrer de nouvelles personnes. N'allez pas croire que ça ne vous arrivera jamais, car c'est faux. L'important, c'est d'apprendre à vous apprécier, à vous connaître et à avoir confiance en vous, car ce sont là des qualités qui attirent les autres vers nous et qui nous font sentir encore plus désirables. Pour le reste, il suffit d'attendre : l'amour arrive souvent quand on s'y attend le moins !

# Anglais

## La langue la plus parlée au monde

**Sujets connexes :**
Français p. 284
Politique p. 406
Québec p. 432

Tous les Québécois savent que le français est la langue officielle de la province, et nous en sommes tous très fiers. On est toutefois encouragés dès un très jeune âge à apprendre l'anglais.

On se fait casser les oreilles toute notre jeunesse sur l'importance de cette langue, et on est même parfois obligées d'aller dans des camps d'immersion ou des séjours linguistiques pour parfaire notre anglais. Pourquoi donc, si tous nos amis et les membres de notre famille parlent français ? Tout d'abord, parce que l'anglais est l'une des langues les plus parlées au monde. On la considère souvent comme une « langue internationale », ce qui veut dire que lorsqu'on voyage ou qu'on rencontre des gens d'un autre pays ou d'une autre culture qui parlent une langue différente de la nôtre, c'est en général l'anglais qui est utilisé comme langue intermédiaire.

Il s'agit également d'une langue communément employée dans les textes professionnels et dans les organisations mondiales et humanitaires. L'anglais est aussi la langue la plus pratiquée sur internet et celle qui est parlée dans la plupart des films qui passent sur nos petits écrans.

Bref, je me dois de tenir le même discours que vos parents et professeurs : l'apprentissage de l'anglais est non seulement utile, mais il est devenu plutôt nécessaire au 21e siècle. Lorsque vous entrerez dans le monde adulte, vous serez de plus en plus confrontée à des situations où vous aurez à comprendre ou à communiquer en anglais, que ce soit dans le milieu professionnel, personnel ou médiatique. La plupart des gens qui travaillent doivent lire des textes en anglais ou discuter avec des anglophones de temps à autre.

De plus, si vous avez la chance de voyager dans un pays étranger, l'anglais vous permettra de communiquer avec les gens de pratiquement tous les continents sur terre. Au point de vue des arts, vous serez heureuse de voir un film américain dans sa langue originale ou de lire le nouveau John Green sans devoir attendre la traduction française !

Au Québec, l'enseignement de l'anglais langue seconde est obligatoire au secondaire.

Je n'ai pas besoin de vous répéter que le Canada est un pays bilingue et que l'anglais est l'une des deux langues officielles. Par ailleurs, bien qu'il soit important de préserver notre langue maternelle, pourquoi ne pas tirer profit de notre environnement et apprendre une deuxième langue ? Vous constaterez que l'anglais est grammaticalement beaucoup plus simple que le français et s'apprend généralement assez vite. Il est plus facile d'assimiler une langue et ses subtilités lorsqu'on est jeune, alors profitez-en pour parfaire votre accent et acquérir plus de vocabulaire.

Les gens de Montréal sont davantage portés à communiquer en anglais puisqu'il s'agit d'une métropole multiculturelle, et je sais que celles d'entre vous qui habitent en région ont moins la chance de pratiquer leur anglais. C'est pour cette raison que vous devez sauter sur toutes les occasions qui se présentent à vous pour l'apprendre. Vous pouvez participer à des classes d'immersion ou à des échanges étudiants, suivre la télé en anglais ou vous exercer avec des gens de votre entourage qui maîtrisent bien la langue. Si vous regardez un film américain ou une télésérie en anglais, je vous conseille également de l'écouter dans la langue originale et de mettre des sous-titres en français ou en anglais pour vous familiariser avec les termes et accroître votre vocabulaire. Vous pouvez aussi imprimer les paroles des chansons anglaises qui vous plaisent le plus et fouiller dans le dictionnaire pour les traduire et comprendre leur sens exact. Lire est un autre moyen efficace de pratiquer et d'apprendre l'anglais, même si ça vous prend le double du temps. Gardez un dictionnaire à portée de la main pour chercher les mots que vous ne comprenez pas. C'est de cette façon que vous acquerrez du vocabulaire et assimilerez de plus en plus les subtilités de la langue.

Bref, il existe des milliers de façons d'apprendre l'anglais de manière amusante et agréable. Il vous suffit d'inclure cette activité dans votre emploi du temps et de faire un petit effort pour la pratiquer le plus souvent possible. Lorsque vous serez bilingue ou que vous pourrez vous exprimer avec beaucoup de facilité, vous serez extrêmement reconnaissantes et fières d'avoir appris une autre langue.

Lou, je capote. Aujourd'hui, j'ai fait mon exposé oral en anglais et j'ai eu un blanc pendant ma présentation ! Je ne me souvenais plus de rien ! Je me suis mise à bégayer et le professeur a dû m'aider pour que je puisse continuer. Penses-tu qu'un jour, je parlerai en anglais comme du monde ?
**Léa xox**

**Sujets connexes :**
Cafard du dimanche p. 191
Déprime/Dépression p. 230

# Angoisse

## Sorte de malaise physique et psychique

Il nous arrive toutes parfois de nous sentir accaparées par le stress et les inquiétudes du quotidien.

Notre tête tourne, on se pose des questions existentielles, on dort mal et hop, on entre dans l'univers de l'angoisse. On se sent alors en proie à une panique irrationnelle et incontrôlable sans pouvoir en déterminer la cause. On éprouve une sorte de malaise physique et psychique qui nous fait ressentir de l'inquiétude et de l'agitation.

C'est ce qu'on appelle l'angoisse. On peut avoir de petites crises d'angoisse isolées qui sont attribuables, par exemple, au stress, à un examen ou à une dispute avec une copine. On sent qu'on a l'estomac noué, le cœur qui palpite et les mains moites. On essaie de se calmer, mais c'est la panique, l'angoisse, et on ne parvient pas à se ressaisir et à rependre son sang-froid.

Certaines filles subissent des crises d'angoisse qui durent plusieurs jours, voire plusieurs semaines, et elles ne savent pas quoi faire pour remédier à la situation.

***Physiquement, l'angoisse peut causer de l'insomnie, des troubles respiratoires, des palpitations, une sensation de vertige ou d'étourdissement, des picotements dans les jambes et dans les bras et une impression continue de malaise.***

Le problème avec l'angoisse, c'est qu'on a souvent du mal à en déterminer la cause, ce qui nous fait paniquer davantage. Ce sentiment d'angoisse peut également perturber notre vie quotidienne, puisqu'il entraîne des problèmes de concentration, des trous de mémoire et un épuisement général. Que faire pour s'en sortir ?

Tout d'abord, ne vous affolez pas. L'angoisse est un malaise très commun, particulièrement pendant l'adolescence. Vous êtes assaillie de doutes et d'incertitudes qui vous font paniquer, car vous êtes en période d'adaptation. Votre corps et votre personnalité sont en train de se développer, et vous ne savez pas encore tout à fait qui vous êtes ou ce que vous allez faire dans la vie. Vous ressentez une grande insécurité, et c'est tout à fait normal. Ne croyez surtout pas que vous soyez seule dans cette situation. L'adolescence est une période de votre vie qui est très angoissante, car tout se transforme et se bouscule autour de vous. Vous changez rapidement sans même avoir le temps de vous y faire, et vous devez prendre des décisions sans trop savoir quelle est la bonne. Vous sentez que vous devez assumer de plus en plus de responsabilités sans être certaine d'avoir assez de maturité pour les affronter. Vous êtes déchirée entre la petite fille que vous étiez et la femme que vous êtes en train de devenir... Pas étonnant que vous soyez angoissée !

Ne soyez pas trop dure envers vous-même. Même si vous n'arrivez pas à mettre le doigt sur la source de votre angoisse, il existe des façons de maîtriser votre panique et de rationaliser vos peurs. Si vous êtes capable de déterminer la cause de votre angoisse, je vous encourage à en parler et à prendre le taureau par les cornes! Vous êtes stressée à cause d'un examen? Étudiez et faites vos exercices, puis essayez de vous détendre en prenant un bain et en vous répétant que vous ferez de votre mieux et que tout ira bien. Rien ne sert de paniquer avant l'examen; cela risque seulement d'empirer les choses et de vous faire perdre la boule au moment de votre évaluation. Il faut apprendre à surmonter vos peurs et vos inquiétudes, car le stress ne fait que rendre la tâche encore plus ardue. Vous pouvez aussi écrire dans votre journal intime pour exprimer ce que vous ressentez et vous défaire du poids qui vous serre la poitrine. Parlez de votre angoisse à vos parents; ils sont souvent les mieux placés pour rationaliser vos craintes et pour vous réconforter. Je me rappelle que lorsque j'avais un examen au secondaire et que cela m'angoissait, ma mère n'avait qu'à me dire que tout allait bien se passer pour que je me sente un peu plus légère. Vous pouvez évidemment en discuter avec une amie; quelle que soit la cause de votre angoisse, je suis certaine qu'elle pourra vous écouter et vous comprendre, puisqu'elle a certainement déjà traversé une épreuve semblable. Bref, il faut extérioriser son angoisse et «faire sortir le méchant», même si on ne sait pas exactement ce qui nous tracasse.

J'ai personnellement vécu des crises d'angoisse au cours de ma vie. Je me revois assise sur mon lit, soudain prise de panique et de vertige. Je sentais mon cœur battre à tout rompre, j'avais de la difficulté à respirer et je sentais même des picotements dans mon corps. Je n'arrivais pas à déterminer ce qui m'angoissait autant, mais je savais que quelque chose me tracassait au point de m'empêcher de dormir la nuit. J'en ai discuté avec des gens qui avaient déjà eu des crises similaires, et ce sont eux qui m'ont dit qu'il s'agissait de crises d'angoisse. Que faire? Premièrement, lorsque vous êtes prise de panique, vous devez accepter l'angoisse sans la laisser vous emporter davantage. Dites-vous par exemple que tout va bien aller, que ce n'est qu'une crise passagère et que vous n'avez aucune raison de paniquer de cette façon. Vous pouvez trouver des moyens pour vous changer les idées et vous détendre: prenez un bain chaud, faites une promenade, lisez un magazine ou téléphonez à une amie. Il faut vous efforcer d'en parler pour éviter d'accumuler davantage de stress et de tout garder à l'intérieur. Je vous recommande aussi fortement de faire de l'activité physique; cela vous permettra de vous défouler et de dépenser votre énergie de façon saine. Même si vous croyez que l'angoisse ne vous quittera jamais, répétez-vous que ce n'est qu'une attaque temporaire et que tout ira mieux dans quelques minutes!

Si la cause de votre angoisse est plus sérieuse, si elle est liée à un traumatisme personnel, vous devez en parler à une personne en qui vous avez confiance, à un professionnel de la santé ou à un psychologue.

Il n'y a aucune honte à être angoissée, et ce, quelle qu'en soit la cause. Je répète qu'avec tous les bouleversements physiques et émotifs que vous traversez à l'adolescence, il est normal de paniquer de temps à autre. Bien que certaines filles soient de nature plus agitée et plus angoissée que d'autres et doivent se concentrer davantage pour ne pas laisser l'anxiété les dominer, il arrive à tout le monde de paniquer et de perdre les pédales de temps à autre. Souvenez-vous simplement de prendre une grande respiration, de vous détendre et de vous répéter que tout ira mieux demain matin!

# Animaux de compagnie

## Sujets connexes :

Famille p. 275
Maturité p. 359
Responsabilité p. 443

Fidèles compagnons, les chiens et les chats nous aiment sans condition. Ils nous réconfortent lorsqu'on a du chagrin, nous tiennent compagnie quand on se sent seule et nous font sourire avec leur bonne humeur.

## Quelques questions à se poser avant d'adopter un animal

La décision d'adopter un animal de compagnie ne se prend pas sur un coup de tête ! Il faut y réfléchir sérieusement, car s'occuper d'un chien ou d'un chat demande un investissement considérable de temps, d'énergie et d'argent. C'est un engagement à long terme, l'espérance de vie des chats étant de 20 ans et celle des chiens, de 15 ans.

## Est-ce qu'on est assez souvent à la maison ?

Les chiens et les chats sont des animaux sociaux, c'est-à-dire qu'ils apprécient la compagnie humaine. S'ils passent trop de temps seuls, ils en souffrent. Ceci est particulièrement vrai pour les chiens, qui peuvent développer des problèmes de comportement (aboiement compulsif, destruction d'objets) quand on les laisse seuls trop souvent ou pendant de trop longues périodes. Il est donc important de déterminer combien d'heures par jour les membres de votre famille sont absents avant de décider d'adopter un chien. Un chien adulte peut rester seul environ sept heures par jour, tandis qu'un chiot ne peut être seul que durant le nombre d'heures correspondant à son âge en nombre de mois (par exemple, un chiot de deux mois ne peut rester seul que deux heures, un chiot de 6 mois, 6 heures, etc.). Si vous n'avez pas accès à un service de garderie ou de promenade et que vous êtes régulièrement absente pendant plus de sept heures par jour, il vaut mieux s'abstenir d'adopter un chien. Les chats, pour leur part, ont également besoin de compagnie, mais peuvent tolérer des absences plus prolongées, surtout s'ils sont deux. Bien entendu, il faut également songer à qui s'occupera de votre animal lorsque vous partirez en vacances.

## Ai-je assez de temps et d'énergie à lui consacrer ?

Les chats et les chiens ont non seulement besoin d'être en notre compagnie, mais ils ont également besoin d'attention, particulièrement les chiens. En effet, un chien doit être promené au minimum trois fois par jour, idéalement quatre (matin, midi, après-midi et soir). Mais attention, amener son chien au coin de la rue pour qu'il fasse ses besoins ou l'envoyer dans la cour quelques fois par jour n'est pas suffisant ! Au

★collaboration spéciale
SOPHIE GAILLARD

moins une des promenades quotidiennes devrait inclure une période d'exercice sans laisse, idéalement en compagnie d'autres chiens (au parc à chiens, par exemple). Ceci permet à l'animal de se défouler, de renifler de nouvelles odeurs et de socialiser avec ses congénères. Le jeu (lancer une balle, tirer une corde, etc.) constitue aussi une excellente façon de faire faire de l'exercice à son chien. Les chiens sont des animaux sociaux qui souffrent d'être séparés de leur « meute » humaine; il est donc déconseillé de faire vivre son chien à l'extérieur, que ce soit dans la cour ou enchaîné à une niche.

Malheureusement, les chiens ne viennent pas au monde en sachant qu'il ne faut pas faire pipi dans la maison, qu'il ne faut pas tirer sur sa laisse et que les mots « viens ici ! » veulent dire qu'il faut retourner vers sa maîtresse. C'est pourquoi, en plus d'exercice physique, tout chien a besoin d'une éducation de base. Ceci demande beaucoup de temps, d'énergie et, surtout, de patience. Des cours d'éducation canine peuvent vous guider dans le processus. Choisissez une école qui emploie des méthodes mettant l'accent sur le renforcement positif (c'est-à-dire les récompenses sous forme de biscuits, de caresses et de félicitations verbales) plutôt que sur la punition (« corrections » au collier étrangleur ou au collier électrique, par exemple). Il existe également une foule de renseignements dans des livres et sur internet. Si votre famille n'a pas le temps ni l'énergie nécessaires pour éduquer le chien et ainsi prévenir les problèmes que pourrait occasionner ce manque d'éducation, le moment n'est peut-être pas encore venu d'intégrer un chien à votre famille.

## Ai-je assez d'argent pour subvenir à ses besoins ?

Avant de décider d'adopter un chien ou un chat, il faut être certaine d'être en mesure d'assumer tous les frais que cela implique. En plus de la nourriture, il ne faut pas oublier les divers accessoires dont vous aurez besoin : bac à litière et litière (à racheter régulièrement), laisse, collier, brosse, jouets, cage, etc. Des visites régulières chez le vétérinaire sont également nécessaires afin de vérifier l'état de santé de l'animal et de lui donner ses rappels annuels de vaccins. À cela s'ajoutent les frais de stérilisation. Il faut également être capable de payer les frais vétérinaires d'urgence s'il arrive un imprévu.

## Est-ce que toute la famille souhaite avoir un animal ?

Puisque l'animal de compagnie fera partie du quotidien de tous ceux avec qui vous habitez, il est important d'obtenir l'accord de tous les membres de votre famille avant de décider d'avoir un chien ou un chat. Il est également nécessaire de s'assurer que personne n'est allergique à l'animal. Si vous avez déjà des animaux à la maison, il faut songer à la manière dont ceux-ci réagiront au nouveau venu et vous attendre à ce que l'ajustement prenne un certain temps. Si vous êtes locataire, assurez-vous aussi que l'animal en question soit admis dans votre logement. Décidez à l'avance qui, dans la famille, sera en charge de nourrir le chien, de le promener, de le toiletter, de suivre les cours d'obéissance avec lui, etc. N'oubliez pas que ceci constitue un engagement à long terme et qu'un chien a besoin de se promener même quand il pleut, même quand vous préférez rester au chaud devant la télévision !

## OK, C'EST DÉCIDÉ, ON VEUT UN ANIMAL DE COMPAGNIE !

### *Où trouver son compagnon à quatre pattes ?*

Se procurer un animal de compagnie dans une animalerie n'est pas la meilleure solution. Aussi mignons soient-ils quand on les voit derrière la vitrine, les chiots à vendre dans les animaleries proviennent souvent d'« usines à chiots », c'est-à-dire d'élevages se spécialisant dans la production massive de chiens. Les chiens adultes servant à la reproduction y passent leur vie enfermés dans des cages insalubres ou attachés à des chaînes. Acheter un chiot dans une animalerie peut encourager ces pratiques cruelles, car, même si ça nous donne l'impression de « sauver » un chiot, il sera aussitôt remplacé par un autre. Nés dans des conditions misérables, issus de parents négligés, les chiots d'animalerie ont plus de chance de développer des problèmes de santé et de comportement. De plus, les employés des animaleries sont rarement en mesure de vous fournir les informations (tempérament du chiot, niveau d'énergie, etc.) qui vous permettront de prendre une décision éclairée. Sachez que les éleveurs sérieux ne vendent pas leurs animaux par le biais d'animaleries. Il est donc conseillé de bien s'informer au sujet de la provenance des animaux, et meme de visiter les chenils où ils sont nés.

Songez plutôt à adopter un animal abandonné. Des centaines de chats et de chiens sympathiques et en santé sont euthanasiés chaque année au Québec, faute de personnes prêtes à les accueillir. Rendez visite aux refuges près de chez vous pour voir les animaux qui y sont disponibles. Il existe également de plus en plus de petits groupes de secours animal qui, au lieu de garder les chiens abandonnés dans un refuge, les placent dans des familles d'accueil qui s'en occupent temporairement en attendant qu'ils soient adoptés. Ces familles d'accueil connaissent très bien le caractère et les habitudes des animaux qui leur sont confiés, ce qui permet aux groupes de secours de créer un « match parfait » entre vous et votre futur compagnon à quatre pattes. Ce type de service est particulièrement utile quand il s'agit de choisir son premier animal de compagnie.

Si vous tenez absolument à acheter un animal chez un éleveur, assurez-vous qu'il s'agisse d'un éleveur sérieux qui se préoccupe de l'état de santé et du bien-être de ses animaux. L'éleveur sérieux ne se spécialise que dans une ou deux races, et ses animaux reproducteurs ne donnent naissance qu'à quelques portées par année. Il ou elle devrait accepter avec plaisir de vous faire visiter les lieux, qui doivent être propres et bien entretenus. Ses animaux devraient être en bonne santé, avoir un pelage, une peau, des dents et des yeux sains et avoir bon caractère. Afin de s'assurer que vous êtes en mesure de répondre aux besoins de l'animal qu'il s'apprête à vous vendre, l'éleveur sérieux vous posera une foule de questions. Lors de la vente, il ou elle devrait vous fournir – sans frais supplémentaires – un certificat d'enregistrement officiel du Club canin canadien (pour les chiens) ou du Club félin canadien (pour les chats) ; ce document certifie la race et l'identité des parents de l'animal. L'éleveur devrait également vous remettre un certificat de bonne santé et être en mesure de vous prouver qu'un dépistage de maladies génétiques a été effectué sur les parents de l'animal.

## Comment le choisir?

Une fois la décision prise d'avoir un animal de compagnie, prenez le temps de discuter avec tous les membres de votre famille pour identifier le type de chien ou de chat qui vous conviendrait le mieux. Pensez aux aspects physiques (taille, longueur et type de poil), mais surtout au tempérament que vous souhaitez (niveau d'énergie, type de caractère, etc.). Si vous songez à un animal de race, renseignez-vous sur les besoins (en termes d'exercice physique, de toilettage, etc.) et sur les traits de caractère spécifiques à cette race. Pour ce qui est de l'âge de l'animal, la décision d'adopter un adulte ou un jeune dépend de votre disponibilité et de votre expérience, surtout en ce qui concerne les chiens. En effet, puisque les chiots ne peuvent pas être laissés seuls très longtemps et qu'ils ont tout à apprendre, ils exigent énormément de temps et d'énergie. S'il s'agit de votre premier chien, il est probablement plus sage d'opter pour un chien adulte avec un tempérament calme qui possède déjà une éducation de base. Vous seriez étonnée du nombre de chiens correspondant à ce profil qui sont présentement en attente d'une famille dans les refuges et groupes de secours du Québec!

## Et si mes parents ne sont pas d'accord?

Prouvez-leur que vous êtes sérieuse.

Nos parents refusent parfois de nous laisser avoir des animaux de compagnie parce qu'ils pensent que ce sont eux qui finiront par devoir s'en occuper, ce qui, soyons francs, est bien souvent le cas, car certains jeunes à qui on permet d'avoir un chien ou un chat finissent par s'en désintéresser après quelque temps. Si vous êtes certaine de vouloir vous occuper de l'animal à long terme, prouvez à vos parents que vous êtes sérieuse et responsable. Engagez-vous à promener le chien du voisin tous les jours – par pluie ou par beau temps – pendant plusieurs mois. Économisez votre argent de poche afin d'être en mesure de payer les frais vétérinaires liés aux premiers vaccins et à la stérilisation de votre futur compagnon à quatre pattes. Proposez à vos parents de signer avec eux un contrat qui stipule que c'est bien vous qui êtes responsable de promener, de nourrir et de toiletter l'animal.

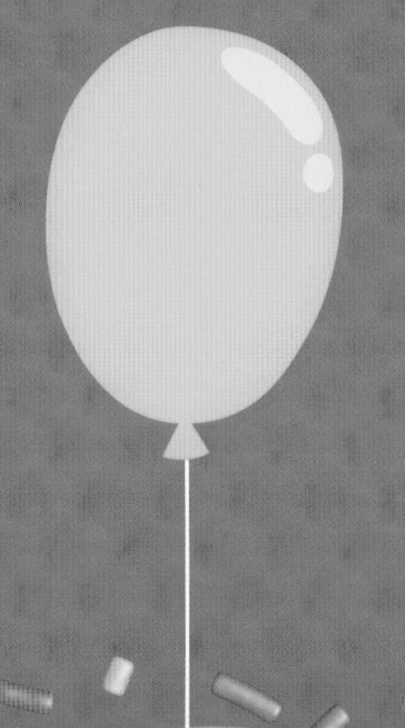

**Sujets connexes :**

Beauté p. 179
Complexes p. 204
Confiance p. 206

# Apparence

## Image extérieure ou look

L'apparence est l'image extérieure que renvoie une personne. Cette image peut être influencée par la mode, ou encore par les gens qui font partie de l'entourage de cette personne.

Bref, il s'agit de votre look, de la façon dont vous vous habillez, coiffez et maquillez pour aller à l'école ou pour vaquer à vos occupations. Il y a des filles qui accordent beaucoup d'importance à leur apparence physique et qui peuvent passer des heures devant le miroir chaque matin pour se coiffer, se maquiller et choisir leurs vêtements, tandis que d'autres optent pour un look plus naturel et se fichent un peu plus de ce dont elles ont l'air et de ce que les autres pensent de leur apparence.

Peu importe où vous vous situez, sachez qu'il ne faut pas juger les gens en fonction de leur image extérieure. Ce n'est pas parce qu'une fille ne passe pas des heures à se préparer pour aller à l'école qu'elle est moche ; ce n'est pas parce qu'une autre accorde beaucoup d'importance à son apparence qu'elle est superficielle. Chacune décide de l'importance qu'elle accorde à son apparence physique. Il appartient à chacune de trouver son propre équilibre.

Si vous vous fichez de ce que les gens pensent et que le look n'a aucune valeur pour vous, cela ne signifie pas, cependant, que vous deviez négliger votre hygiène personnelle pour autant. Par respect pour les autres et pour soi-même, il convient de se laver le corps et les cheveux, de se nettoyer et de se couper les ongles, de se coiffer le moindrement et d'avoir l'air propre, quel que soit le contexte.

Par ailleurs, passer le plus clair de son temps devant le miroir et ne penser qu'à son apparence n'est pas très sain non plus. La véritable identité d'une personne se cache à l'intérieur. Mieux vaut passer un peu plus de temps à discuter avec les autres et à apprendre à les connaître plutôt que de se concentrer uniquement sur sa propre image.

Sachez aussi qu'il est possible de vous amuser avec votre apparence, de jouer au caméléon selon le contexte dans lequel vous vous trouvez et selon votre humeur de la journée. Il y a des jours où vous avez envie de vous bichonner un peu plus, d'autres où votre image a un peu moins d'importance. Vous vous rendrez compte que c'est génial de pouvoir changer de style tous les jours. Il y a moyen d'être extrêmement jolie tout en restant naturelle, de rester soi-même lorsqu'on se maquille, par exemple. Tout est une question d'attitude. Sachez que ce n'est pas votre look qui influence votre attitude et votre caractère, mais bien le contraire. Si vous êtes bien dans votre peau et que vous vous assumez telle que vous êtes, vous serez en mesure d'enfiler les tenues les plus originales et d'adopter tous les styles possibles en restant fidèle à vous-même et en vous inventant un look du tonnerre.

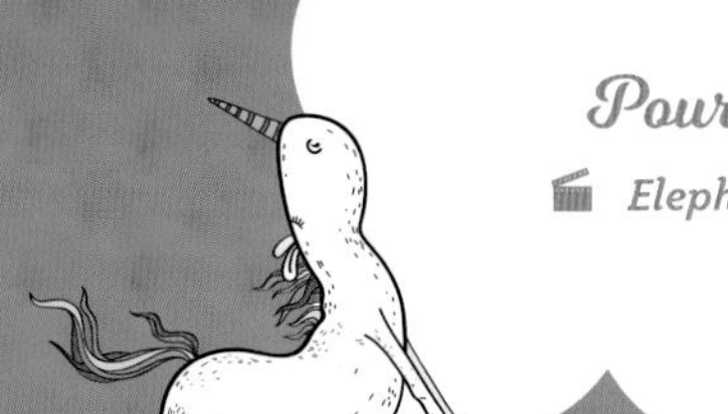

### Pour aller plus loin :

*Elephant Man*, David Lynch

Enfin, apprenez à voir au-delà des apparences. À l'adolescence, les groupes se forment souvent en fonction du style vestimentaire et de l'apparence en général. Les filles qui se tiennent ensemble ont parfois tendance à s'habiller, à se coiffer ou à se maquiller de la même façon. N'hésitez cependant pas à sortir du moule et à nouer des liens avec les gens qui vous semblent différents de vous, car ils ont eux aussi beaucoup à offrir. Il faut cesser d'étiqueter et de juger les gens en fonction de leur look. Je sais que beaucoup de filles jugent les autres en fonction de leur apparence, mais il faut vous efforcer d'éviter de vous baser sur des critères aussi superficiels. En vieillissant, vous constaterez que vous préférez vous entourer de gens intègres avec qui vous avez des affinités et qui vous font sentir bien dans votre peau, plutôt qu'avec ceux dont l'apparence est semblable à la vôtre. Vous apprendrez peu à peu à vous accepter telle que vous êtes et votre propre style ne cessera d'évoluer, et ce, peu importe ce que les autres en pensent.

Il est vrai que la tâche n'est pas aussi simple au secondaire, mais rappelez-vous que chacune possède son propre style. Vous pouvez apprendre énormément de choses de ces différences. Assumez-vous telle que vous êtes et soyez bien dans votre peau, car c'est ce qui influence le plus votre façon d'être et votre apparence physique. Quand on a confiance en soi et qu'on a les yeux qui brillent, on est jolie et on dégage une assurance qui attire les autres, et ce, peu importe la façon dont on s'accoutre. Laissez tomber les clichés et les jugements. Soyez authentique et bien dans votre peau.

# Argent de poche


**Sujets connexes :**

Emploi à temps partiel p. 262
Gardiennage p. 300
Maturité p. 359


## Des dollars difficiles à économiser !

Si vous décidez de travailler ou d'accomplir des tâches ménagères à la maison, il s'agit d'une bonne façon de commencer à amasser un peu d'argent de poche.

Je sais que les premiers dollars qu'on gagne sont ceux qui nous impressionnent le plus, et qu'ils sont difficiles à économiser ! C'est à vous de déterminer ce que vous voulez faire de votre argent de poche et quelles sont vos priorités.

Si, par exemple, vous rêvez de vous acheter une guitare, vous devrez faire un effort pour ne pas dépenser tous vos sous au fur et à mesure que vous les gagnez. C'est à cela que servent les comptes d'épargne. Si vous voulez économiser votre argent de poche, je vous recommande fortement de le déposer dans un compte en banque ; ainsi, vous ne serez pas tentée de le dépenser à tout instant. Il existe même des comptes d'épargne pour étudiants où vous ne pouvez pas avoir accès à votre argent depuis un guichet automatique. Je vous suggère d'appeler votre banque ou votre Caisse populaire pour prendre rendez-vous avec un conseiller qui pourra vous expliquer toutes les options disponibles. C'est à vous de déterminer si vous êtes de nature dépensière ou non. Si vous êtes certaine que vous ne pourrez résister à la tentation de dépenser votre argent de poche, soyez honnête et prenez les mesures nécessaires pour économiser vos sous et atteindre votre objectif. Lorsque vous pourrez enfin acheter l'article de vos rêves, vous serez doublement fière de vous. Je vous assure par ailleurs que les premiers objets et les premiers vêtements qu'on paie avec notre propre argent sont souvent les plus précieux, puisqu'on a travaillé très fort pour les obtenir. Vous pouvez aussi demander à vos parents de vous aider à faire un budget raisonnable qui vous permette de dépenser un peu de votre argent de poche tout en en économisant une partie pour parvenir à acheter ce à quoi vous rêvez.

Apprenez aussi à vous faire plaisir. Le fait de travailler et de gagner de l'argent de poche vous permettra justement de vous acheter une camisole ou une poutine sans demander constamment de l'argent à vos parents. Ces derniers seront par conséquent heureux de vous voir devenir plus autonome et apprendront à vous donner de plus en plus de liberté. S'ils voient que vous êtes sérieuse et que vous faites tout ce qui est en votre pouvoir pour amasser assez d'argent pour participer à une activité ou à un voyage étudiant qui vous intéresse, ils auront peut-être moins tendance à vous mettre des bâtons dans les roues et à vous refuser des permissions. Sachez que s'ils vous empêchent de participer à une activité, ce n'est pas simplement pour vous rendre la vie difficile, mais peut-être parce qu'ils jugent qu'il s'agit d'un projet trop dangereux et qu'ils veulent vous protéger. Je vous encourage à en discuter calmement avec eux afin de trouver un terrain d'entente et de leur prouver que vous êtes assez mature pour assumer les responsabilités qui en découlent. Amasser de l'argent de poche et gagner un petit salaire est un premier pas vers le monde adulte et vers l'indépendance. Par conséquent, si vous êtes vraiment sérieuse, il est important de montrer à vos parents votre motivation et d'apprendre à atteindre vos objectifs.

## Un sentiment d'accomplissement

Par ailleurs, le fait de gagner votre propre argent de poche vous fera sentir autonome, mature et responsable. Bien que la tâche soit ardue et que la paresse nuise parfois à votre motivation, je vous assure que cette nouvelle autonomie aura une grande influence sur votre estime personnelle et sur votre confiance en vous. Vous devez apprendre à vous responsabiliser et à trouver un équilibre qui vous permette de profiter de cette nouvelle flexibilité financière sans dépasser les bornes et vos propres moyens! Même si vous dépensez toute votre première paye et que vous le regrettez amèrement, ne soyez pas trop dure envers vous-même. Il n'est pas facile d'apprendre à gérer son argent et à respecter son budget pour la première fois. Apprenez plutôt de vos erreurs et dites-vous que vous ferez mieux la prochaine fois. N'ayez pas honte de demander de l'aide à des gens qui s'y connaissent ni d'admettre que vous avez de la difficulté à vous discipliner. Même les adultes ont parfois de la difficulté à économiser et doivent demander de l'aide à leur comptable. Soyez raisonnable, responsable et, surtout, profitez un peu de ces sous pour vous gâter et vous faire plaisir!

**Sujets connexes :**
Croyances p. 222
Tolérance p. 478
Valeurs p. 486

# Athéisme

## La foi *versus* l'athéisme

Vous connaissez déjà certainement l'univers des religions. La foi est rattachée aux religions, en ce sens qu'elle fait allusion à la croyance en l'existence incontestable d'un dieu ou d'un être supérieur ou surnaturel.

Les chrétiens qui ont la foi croient que Jésus de Nazareth est le Messie et le fils de Dieu, envoyé sur Terre pour accomplir les prophéties de l'Ancien Testament, tandis que les musulmans ont la foi en Allah et les hindouistes en l'existence d'une multitude de divinités. En d'autres mots, la croyance sous-entend la foi en un ou plusieurs êtres surnaturels, et ce, peu importe la religion.

À l'opposé, l'athéisme est une doctrine qui nie l'existence d'un dieu, d'une divinité ou d'un être supérieur. Bref, quand quelqu'un est athée, c'est qu'il ne croit en aucune divinité.

Il ne faut toutefois pas penser qu'une personne qui est non croyante ne peut partager certaines valeurs et certains principes prônés par les religions. Les religions ne détiennent pas le monopole de la morale ! Par exemple, même si quelqu'un ne croit pas à l'existence d'un être divin, il peut tout de même prôner la solidarité, l'amour et le respect, et préconiser l'entraide et la paix dans le monde. Ce sont là des qualités humaines qu'il faut dissocier de la religion. De plus, être athée ne signifie pas renoncer à toute vie spirituelle, et il existe plusieurs formes de spiritualité sans dieu. Pratiquer la méditation, la contemplation ou même le yoga peut vous permettre de vivre des expériences spirituelles très enrichissantes en allant au fond de vous et en testant les limites de votre pensée.

### L'agnosticisme

L'agnosticisme représente quant à lui une doctrine selon laquelle on ne peut ni reconnaître ni nier complètement l'existence d'un dieu.

C'est une théorie basée sur le doute, qui dure tant et aussi longtemps qu'aucune explication scientifique ne peut confirmer ou infirmer l'existence divine. Les gens agnostiques supposent donc qu'il sera peut-être un jour possible de déterminer ou non l'existence d'un dieu si nous obtenons les informations nécessaires pour le savoir, tandis que d'autres croient que l'existence d'un dieu ne pourra jamais être démentie ou confirmée et qu'ils resteront dans le doute.

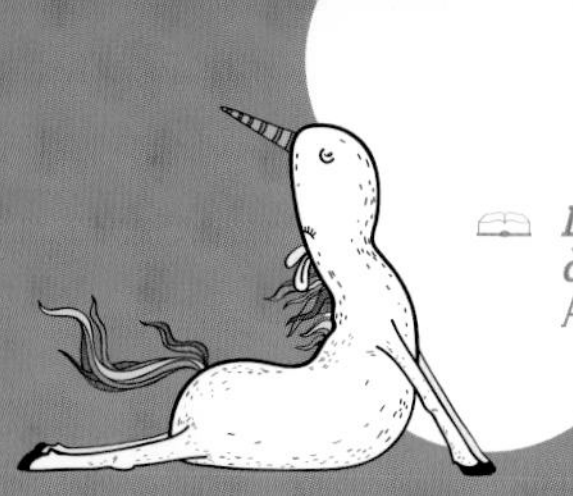

## Pour aller plus loin :

*L'esprit de l'athéisme, Introduction à une spiritualité sans Dieu,* André Comte-Sponville

## Le respect d'autrui

Que vous soyez croyante, athée ou agnostique, vous devez apprendre à respecter l'opinion des autres et écouter ce qu'ils ont à dire, même si ça vous semble farfelu. Certaines personnes grandissent dans un cadre très religieux, et il est inconcevable pour elles de renier l'existence d'un dieu, tandis que d'autres naissent dans un contexte athée et ne croiront jamais en un « être suprême ». Il ne faut pas généraliser et classer les gens seulement en fonction de leurs tendances religieuses. Les différences d'opinions et de cultures peuvent nous faire grandir et nous ouvrir davantage l'esprit sur le reste du monde. L'important, c'est que vous soyez en accord avec vos choix et que vous sachiez les assumer et vous exprimer tout en laissant les autres faire la même chose.

# Autochtones

Sujets connexes :

Québec p. 432
Racisme p. 434
Valeurs p. 486

Autochtones, Premières Nations, Amérindiens, Indiens... Nous cohabitons depuis près de 400 ans, mais il semble parfois que ce qu'on nous apprend à l'école n'est pas suffisant pour bien comprendre qui ils sont réellement. Je vous propose quelques éléments pour vous aider à mieux connaître ces peuples.

© Sergei Bachlakov

Je voudrais vous donner tout d'abord quelques précisions sur les différents termes que vous pouvez entendre dans les médias.

Le terme « autochtone » vient des mots grecs *autós*, « soi-même », et *khthon*, « terre », et signifie « qui est originaire de l'endroit où il habite ». Le contraire d'autochtone est allochtone, qui est un synonyme d'étranger. Au Canada, on utilise le terme « Autochtone » pour nommer une personne ou un groupe faisant partie des nations amérindiennes, de la nation inuite ou métisse[1].

En ce qui concerne les expressions « Amérindien », « Indien » et « membre des Premières Nations », ils sont utilisés pour désigner un membre des peuples autochtones d'Amérique, à l'exception des Inuit et des Métis.

## Les 11 nations autochtones du Québec

En 2015, on recensait au Québec un peu plus de 104 000 personnes autochtones réparties en 11 nations et 3 familles linguistiques[2].

1- La Constitution canadienne reconnaît trois groupes de peuples autochtones : les Indiens, les Métis et les Inuit. Voir la Loi constitutionnelle de 1982, art 35(2).
2- Ministère des Affaires autochtones et Développement du Nord Canada, Registre des Indiens, 31 décembre 2015.

QUÉBEC

# Les Autochtones du Québec

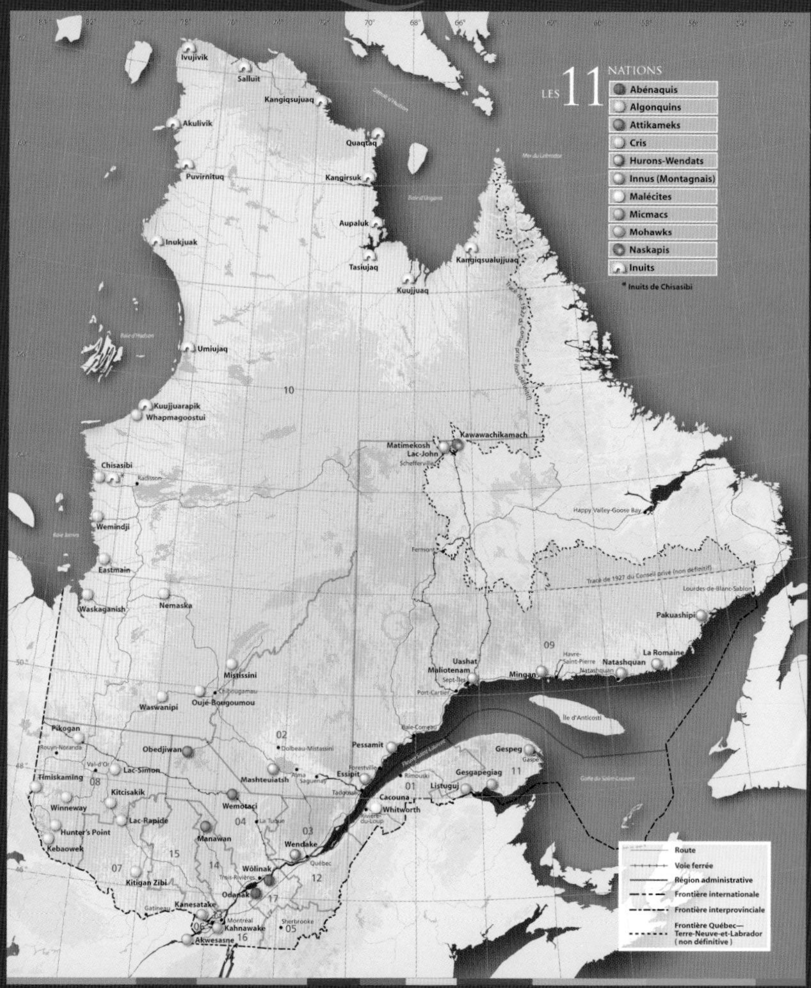


## Les 17 régions administratives du Québec

01 Bas-Saint-Laurent
02 Saguenay–Lac-Saint-Jean
03 Capitale-Nationale
04 Mauricie
05 Estrie
06 Montréal
07 Outaouais
08 Abitibi-Témiscamingue
09 Côte-Nord
10 Nord-du-Québec
11 Gaspésie– Îles-de-la-Madeleine
12 Chaudière-Appalaches
13 Laval
14 Lanaudière
15 Laurentides
16 Montérégie
17 Centre-du-Québec

www.autochtones.gouv.qc.ca

**Secrétariat aux affaires autochtones**
Québec

## FAMILLE LINGUISTIQUE ALGONQUIENNE[3]

Les Abénaquis 

 Les Algonquins

Les Attikameks 

 Les Cris

Les Innus (ou Montagnais) 

 Les Malécites

Les Micmacs 

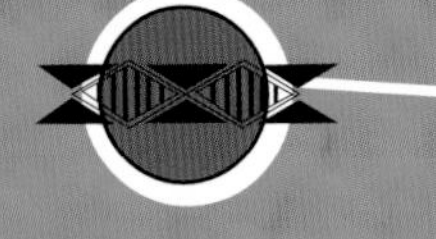 Les Naskapis

## FAMILLE LINGUISTIQUE IROQUOIENNE

Les Mohawks

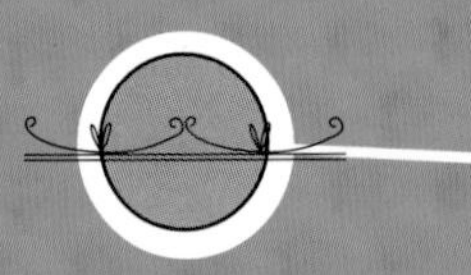 Les Hurons-Wendats

## FAMILLE LINGUISTIQUE ESKIMO-ALÉOUTE

Les Inuit 

3- Les pictogrammes ont été créés et gracieusement fournis par Tourisme Autochtone Québec : <tourismeautochtone.com>.

## La nation métisse

En tant que Québécois, nous sommes nombreux à être de descendance autochtone ou à avoir un ou plusieurs ancêtres amérindiens. Cela est un élément clé de notre identité dont nous pouvons être fiers. Néanmoins, les seules personnes ayant le statut d'« Indien » au sens de la Loi sur les Indiens descendent directement et pratiquement sans interruption des premiers habitants du continent.

C'est différent en ce qui concerne les personnes reconnues comme « Métis ». Les Métis sont un peuple autochtone d'ascendance mixte, autochtone et européenne, provenant en majorité des provinces de l'Ouest du Canada[4], c'est-à-dire du Manitoba, de la Saskatchewan et de l'Alberta, ainsi que de certaines parties de la Colombie-Britannique, de l'Ontario et du nord des États-Unis[5]. Ils sont reconnus par la Constitution comme faisant partie des peuples autochtones du Canada et bénéficient donc de certains droits particuliers.

On considère que le peuple métis est né au 18e siècle, à l'époque de la traite des fourrures, quand de nombreux marchands et coureurs des bois ont épousé des femmes amérindiennes. Leurs descendants ont forgé une culture distincte, une conscience collective et une nation commune.

Le membre le plus connu de la nation métisse est sans conteste Louis Riel, chef métis et fondateur du Manitoba. Il a combattu toute sa vie pour que soient reconnus les droits de son peuple.

Il n'y a pas de nation métisse reconnue au Québec.

## Réserves et établissements

Certains Autochtones habitent sur des réserves. Les réserves sont des terres gérées par le gouvernement fédéral et destinées à l'usage exclusif des groupes autochtones. Un conseil de bande peut y adopter des résolutions et prendre des décisions qui concernent les domaines de l'éducation, de la santé ou des services sociaux. D'autres vivent dans des établissements (bandes de terre sans statut qui ne leur sont pas réservées) ou encore dans les différentes villes et villages du Québec.

## Des conditions de vie parfois difficiles

Si le Canada se place parmi les meilleurs pays au monde pour son indice de développement humain (IDH), il est vraiment triste de constater que les conditions de vie de certains groupes autochtones sont semblables à celles de gens vivant dans les pays les plus pauvres de la planète[6]. En effet, de trop nombreuses communautés connaissent de graves problèmes comme des pénuries de logements, de hauts taux de décrochage scolaire et des taux de suicide et de violence conjugale très élevés par rapport aux moyennes nationales.

En ce qui concerne la violence faite aux femmes, les femmes autochtones y sont 3 fois plus à risque que les autres Canadiennes et sont également surreprésentées parmi les femmes disparues et assassinées au pays. C'est ce que décrit le rapport de la Gendarmerie Royale du Canada, paru en 2014. On y apprend que les femmes autochtones représentent 16 % des femmes

4- Encyclopédie canadienne, *sub verbo* « Métis », en ligne : encyclopediecanadienne.ca.

5 - Bibliothèque et archives Canada, *La Nation métisse*, en ligne : <bac-lac.gc.ca>.

6 - Marie Vastel, « C'est la crise au Canada, dit le rapporteur spécial de l'ONU », *Le Devoir*, 16 octobre 2013, en ligne : <ledevoir.com>.

victimes d'homicide au Canada, alors qu'elles ne représentent que 4,3 % de la population féminine canadienne[7].

Peu après son entrée en poste à la fin de l'année 2015, le nouveau premier ministre du Canada, Justin Trudeau, a annoncé la mise en place d'une commission d'enquête sur les femmes autochtones disparues ou assassinées. Les consultations auprès des familles ont été lancées au début de l'année 2016.

## Le mouvement « Idle no more » (« Fini l'apathie »)

Ce mouvement de contestation a été lancé en Saskatchewan à l'automne 2012 par quatre femmes, suite au dépôt par le gouvernement de Stephen Harper du projet de loi omnibus C-45 (devenu par la suite la Loi de 2012 sur l'emploi et la croissance). Par cette loi, le gouvernement a apporté de nombreuses modifications à des lois touchant directement les intérêts des peuples autochtones canadiens.

De nombreuses associations, autochtones ou non, se sont rapidement jointes au mouvement. En quelques mois, ce dernier a grossi et s'est peu à peu mué en un mouvement général de contestation des groupes autochtones et des sympathisants non autochtones envers les politiques gouvernementales.

*Idle no more* se sert de plusieurs moyens pacifiques pour faire passer ses messages et attirer l'attention de tous les Canadiens sur les nombreux problèmes auxquels font face maintes communautés autochtones au Canada grâce, notamment aux réseaux sociaux.

Pour en savoir sur la culture autochtone, je vous invite à aller visionner les courts-métrages réalisés grâce à la Wapikoni mobile, un studio mobile qui circule dans les communautés autochtones et offre aux jeunes des Premières Nations des ateliers permettant la réalisation de courts métrages ou d'œuvres musicales. Les courts métrages sont disponibles sur le site de la Wapikoni mobile : **<wapikoni.ca>.**

Si vous résidez dans la région de Montréal, je vous conseille d'aller faire un tour au festival Présence autochtone, qui a lieu chaque année au mois d'août depuis plus de 10 ans : **<presenceautochtone.ca>.**

7- GRC, Femmes disparues ou assassinées : un aperçu opérationnel national, 2014, en ligne : <rcmp-grc.gc.ca>.

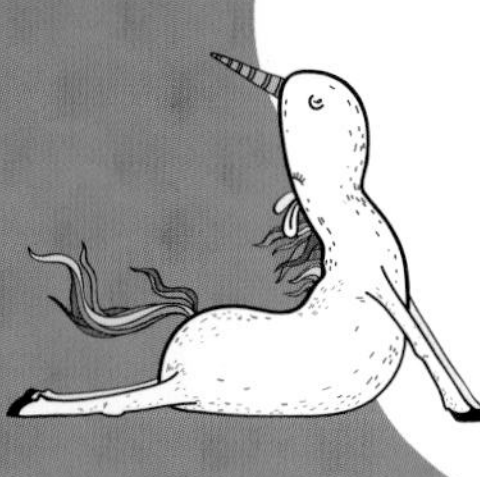

## Pour aller plus loin :

- ***Kuei, je te salue. Conversation sur le racisme,*** Deni Ellis Béchard et Natasha Kanapé Fontaine, Écosociété, 2016
- ***Où sont tes plumes ?*** Widia Larivière et Mélanie Lumsden
- ***Louis Riel l'insurgé,*** Chester Brown

**Sujets connexes :**

Justice p. 339
Parents p. 384
Punition p. 430

# Autorité

## Règles et ordre social

Pas toujours faciles à gérer, les relations avec l'autorité ! Entre les parents, les profs et la direction de l'école, on peut se sentir un peu étouffées. À l'adolescence, on a besoin d'affirmer son indépendance, mais ce n'est pas facile quand on se sent soumise à autant de règles. On finit parfois par penser que les figures d'autorité font tout pour nous rendre la vie difficile...

Mais soyons honnêtes : que serait la société sans autorité ? L'autorité en est une composante essentielle. Il ne faut pas la voir comme quelque chose de négatif. Il faut plutôt tenter de comprendre sa raison d'être et la façon dont elle permet à la société et aux individus de progresser. L'autorité maintient l'ordre et aide chacun à atteindre ses objectifs et à s'épanouir au sein de divers groupes sociaux ainsi que dans le milieu familial et scolaire.

*À l'école, par exemple, les profs, les membres de la direction et les surveillants jouent un rôle autoritaire afin de vous permettre d'avancer dans votre cheminement scolaire et de vous apprendre à vivre en groupe tout en respectant les autres.*

Ils sont là pour vous montrer la voie, non pas par la violence ni par l'imposition de sanctions injustes, mais simplement en appliquant des règles qui vous obligent à respecter les autres et à faire ce que vous avez à faire. Vous ne fréquentez pas l'école pour sauter sur les tables ; vous y allez pour apprendre.

Le rôle de ceux qui y détiennent l'autorité est donc de s'assurer que tout le monde puisse atteindre cet objectif en agissant selon les règles.

Les parents, évidemment, représentent aussi une figure d'autorité. Légalement, leur devoir consiste à vous indiquer le droit chemin et à vous guider jusqu'à ce que vous soyez majeure et en mesure de vous débrouiller toute seule. C'est leur travail en

tant que parents de vous imposer des règles et de vous indiquer ce qui est bon pour vous et ce qu'il vous faut éviter. Comme vous, les parents peuvent commettre des erreurs. Il faut comprendre qu'ils ne sont pas parfaits et que s'ils arrivent à vous pardonner quand vous faites des gaffes, vous pouvez aussi leur pardonner leurs petites erreurs de jugement. Sachez cependant que vos parents prennent leurs décisions pour votre bien-être et votre bonheur. S'ils vous interdisent de faire la fête les jours de semaine ou vous demandent de terminer vos devoirs avant d'aller rejoindre vos amis, ce n'est pas parce qu'ils abusent de leur autorité. C'est plutôt parce qu'ils veulent vous apprendre à devenir responsable et vous montrer que des sacrifices sont parfois nécessaires pour parvenir à respecter ses engagements, à se surpasser et à se sentir fière de soi et bien dans sa peau. Vos parents sont là pour vous aider lorsque vous dérapez ou que vous perdez le contrôle, pour vous indiquer

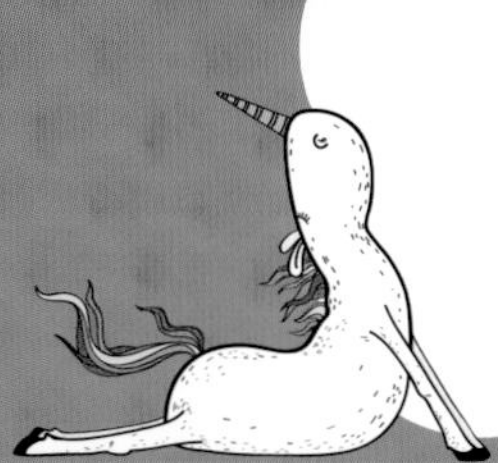

## Pour aller plus loin :

🎭 ***Antigone***, Jean Anouilh

la voie et pour vous venir en aide. Sans eux, vous seriez sans doute complètement perdue !

Dans la société, la police agit également à titre de figure d'autorité. Son rôle est de faire respecter les lois et de s'assurer que tout le monde puisse vivre en société en respectant les autres. Les lois existent pour permettre aux gens de vivre et de vaquer à leurs occupations en toute sécurité. Il est normal que quelqu'un qui commet un crime paie pour ses erreurs, et l'autorité est là pour s'assurer que tout se déroule dans le calme et dans le respect civil.

Quoi qu'il en soit, ce n'est pas tout le monde qui peut s'approprier l'autorité. Pour s'imposer comme figure d'autorité, on doit faire preuve de caractère et de leadership, c'est-à-dire encourager les autres à nous respecter et à suivre notre exemple.

Certaines personnes ont parfois tendance à abuser de ce pouvoir en faisant du chantage, en imposant des sanctions injustes et en faisant preuve de favoritisme. Il faut alors chercher à dénoncer l'abus de pouvoir, car l'objectif de l'autorité est de nous permettre de vivre en toute égalité, dans la justice et le respect des autres. Détenir un certain pouvoir ne justifie en rien qu'on en abuse en rendant impossible la vie des gens.

Il faut donc respecter les règles et imposer des limites pour avancer, pour s'épanouir et pour vivre harmonieusement en société, pour se faire respecter et pour revendiquer ses droits sans brimer ceux des autres. C'est ainsi que vous deviendrez une adulte responsable, à l'écoute des autres et capable de différencier le bien du mal.

# Avortement

**Sujets connexes :**

Contraception p. 212
Grossesse p. 304
Sexualité p. 456

Définition: « Expulsion spontanée ou provoquée de l'embryon ou du fœtus avant la date de sa viabilité »[1]. L'avortement est une interruption de la gestation, soit du procédé commençant avec la fécondation de l'ovule par le spermatozoïde et se poursuivant par la croissance du fœtus jusqu'à la naissance du bébé.

Il existe l'avortement médical, qui s'effectue par la prise de médicaments et qu'on peut envisager si la grossesse n'a pas dépassé neuf semaines. En général, on ne peut effectivement y avoir recours que durant les sept à neuf premières semaines d'une grossesse. Deux médicaments sont alors ingérés pour interrompre la grossesse : le mifépristone ou le méthotrexate, qui affaiblissent le lien entre le contenu de l'utérus et la paroi, et le misoprostol, qui fait contracter et saigner l'utérus et provoque l'expulsion du fœtus.

Au Québec, l'avortement chirurgical peut être effectué durant les 23 premières semaines de grossesse. On utilise généralement une technique appelée « aspiration à vide ». Cette technique consiste à introduire une pompe dans le col de l'utérus pour aspirer le contenu de ce dernier. L'intervention ne dure habituellement que de 15 à 20 minutes. Les réactions sont nombreuses face à la douleur ressentie au cours d'un tel avortement. Cependant, la plupart des femmes considèrent qu'il s'agit d'une sensation désagréable mais tolérable. Par ailleurs, lorsqu'on subit un avortement chirurgical, on peut en général reprendre ses activités dès le lendemain, du moment que les séquelles émotives et psychologiques laissées par cette interruption de grossesse le permettent. En effet, celles-ci s'avèrent souvent plus graves que les séquelles physiques.

L'avortement est devenu légal en 1969 dans les hôpitaux du Québec, et la Cour suprême du Canada a confirmé sa légalité en 1988. Bien qu'il s'agisse aujourd'hui d'une intervention médicale fortement pratiquée dans la province, l'avortement demeure un sujet très controversé au sein de la société. Certaines personnes considèrent qu'il s'agit d'un geste égoïste et d'un crime contre la nature humaine, tandis que d'autres voient dans cet acte une façon d'exercer une liberté, une égalité et un droit longtemps recherchés par les femmes. Quoi qu'il en soit, la légalité de l'avortement au Québec et au Canada permet à chaque femme de prendre sa propre décision en tenant compte de ses valeurs, de ses options et de ses sentiments. Bien que l'avortement ne soit pas une situation désirable, il s'agit parfois d'une intervention nécessaire. Par conséquent, il revient à chacune de peser le pour et le contre et de prendre une décision qu'elle puisse entièrement assumer.

1- Office québécois de la langue française – <granddictionnaire.com>.

## *Une fois la décision prise*

Si vous décidez de vous faire avorter, il est avant tout essentiel de consulter un médecin qui puisse vous examiner pour déterminer combien de semaines de grossesse se sont déjà écoulées et ainsi décider quelle intervention est la plus appropriée dans votre cas. Au Québec, l'âge légal pour la confidentialité du dossier médical est de 14 ans: si vous avez atteint ou dépassé cet âge, votre médecin sera tenu de ne pas répéter ce que vous lui confierez, et la décision d'en parler ou non à votre entourage vous reviendra.

Au Québec, même s'il est possible d'avorter jusqu'à 23 semaines de grossesse, la majorité se pratique entre la sixième et la quatorzième semaine. Vous pouvez téléphoner à un CLSC, à un hôpital ou à une clinique privée pour prendre un rendez-vous. Vous devez cependant prévoir que l'attente sera plus longue dans les endroits où les services sont gratuits que dans les cliniques privées, Depuis 2008, les services d'avortement sont entièrement financés par l'État et sont donc accessibles gratuitement partout au Québec, y compris en cliniques à gestion privées et au sein des Centres de santé des femmes (Montréal, Mauricie et Outaouais). Il est important de noter que le processus peut varier d'un établissement à un autre. Dans certains cas, vous devrez consulter le médecin deux fois, dans d'autres, vous n'aurez qu'à vous présenter le jour de l'intervention. N'hésitez pas à appeler l'Association canadienne pour la liberté de choix (ACLC), ou la Fédération du Québec pour le planning des naissances (FQPN) qui sauront vous diriger vers les services disponibles dans votre région. La plupart des médecins vous inviteront également à revenir quelques semaines après l'intervention chirurgicale pour s'assurer que tout se passe bien. Il est fortement recommandé de se présenter à ce dernier rendez-vous.

À l'adolescence, la venue d'un bébé ou l'interruption d'une grossesse peuvent tous deux transformer votre vie. Il est donc important de bien réfléchir à ce que vous voulez faire avant de prendre votre décision finale. Sachez que des conseillers, des infirmiers, des psychologues ou même les gens de votre entourage sont là pour vous écouter et vous conseiller si vous en avez besoin. Cette décision étant extrêmement marquante et importante, il est recommandé de ne pas refouler vos sentiments, mais plutôt d'en parler avec des gens de confiance. Si vous décidez de vous faire avorter, il est tout aussi recommandé de consulter un médecin ou de parler à quelqu'un après l'avortement pour exprimer ce que vous ressentez, et pour bien vous informer au sujet de la contraception afin d'éviter qu'une telle situation se reproduise. L'avortement est parfois la solution qui convient le mieux à une situation, mais il ne doit en aucun cas être considéré comme une méthode de contraception.

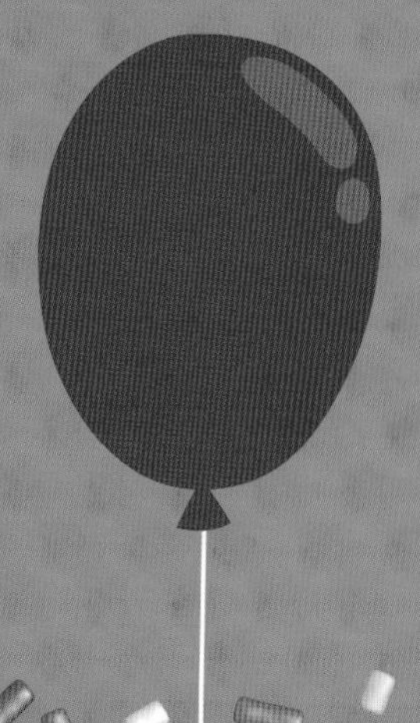

Quoi qu'il en soit, ne laissez pas le jugement des autres influencer votre décision. Après tout, c'est vous qui devrez en subir les conséquences par la suite. Il est d'ailleurs préférable de ne vous confier en premier lieu qu'à des gens de votre entourage en qui vous avez confiance pour éviter les réactions et commentaires mesquins des autres. L'avortement est un choix basé sur des principes, des valeurs, des responsabilités et des sentiments très personnels, et la prise de décision ainsi que la convalescence psychologique et émotive peuvent parfois être longues. N'hésitez donc surtout pas à consulter un professionnel en toute confidentialité si cela peut vous aider.

## ATTENTION :

**En cherchant sur internet un organisme auprès duquel vous renseigner, vous pourriez tomber sur les sites d'associations anti-avortement qui cherchent à empêcher les femmes d'avorter pour des raisons idéologiques et religieuses. Si vous avez des doutes sur une association, n'hésitez pas à appeler info-santé au 811 ou consultez les numéros utiles à la fin de votre *ABC*.**

## CONSEILS :

L'avortement est un sujet délicat et controversé. Soyez donc diplomate lorsqu'une discussion est lancée sur le sujet. Certaines filles peuvent être très sensibles, tandis que d'autres qui ont vécu une telle expérience ne désirent en aucun cas se sentir jugées par les autres.

Si vous choisissez de vous faire avorter et que vous assumez votre décision, il pourrait être bon de partager votre expérience avec d'autres filles qui vivent ou ont déjà vécu la même expérience. Le réconfort est souvent le meilleur remède dans une telle situation.

Après un avortement, tentez d'éviter de vous refermer sur vous-même et d'assumer seule le sentiment de perte. Il est normal de se sentir vide, abandonnée et coupable. Parlez-en à des gens de confiance ou alors écrivez dans un journal intime pour ne pas vous laisser submerger par la douleur. C'est un moment difficile à passer, mais sachez que vous n'êtes pas seule dans votre situation, et que plusieurs personnes ne demandent pas mieux que de vous aider si vous leur faites signe.

# Bal des finissants

**Sujets connexes :**

Copains p. 218
Secondaire p. 450
Amitié p. 145

**Une soirée inoubliable!**

Que vous soyez en 6e année du primaire ou en secondaire 5, il se peut très bien que vous ayez à vous préparer pour votre bal des finissants cette année.

Il semblerait que la plupart des filles soient excitées voire stressées par leur bal des finissants! Certaines ont aussi la possibilité d'assister tous les ans à un bal de fin d'année, ou alors d'être invitées à un bal par quelqu'un d'autre. Quoi qu'il en soit, on veut souvent se présenter sous son meilleur jour lorsqu'arrive le grand soir, et je suis là pour vous aider à y arriver!

## Le gars

Si votre bal approche et que vous n'avez toujours pas de partenaire avec qui partager cette importante soirée, qu'à cela ne tienne! Rien ne vous empêche de demander au gars qui vous intéresse ou à votre meilleur ami de vous accompagner! Qu'avez-vous à perdre? Dans le pire des cas, vos *prospects* sont déjà « pris » pour la soirée, et vous irez au bal en compagnie de vos amies! Vous aurez autant de plaisir, et encore moins de pression qui pèse sur vous! Pensez que c'est VOTRE soirée, alors mieux vaut être en agréable compagnie!

## La tenue

Si certaines filles préfèrent porter un pantalon chic ou encore un *jumper*, la majorité des filles opte pour une robe. Certaines choisissent une robe faite sur mesure, puisqu'elles ont une idée précise de ce qu'elles veulent et sont capables de l'expliquer clairement à un couturier, tandis que d'autres préfèrent magasiner et attendre le coup de foudre! L'important, c'est de choisir une robe dans laquelle vous vous sentez à l'aise et jolie. Choisissez une couleur qui vous va bien et un modèle qui met en valeur vos attributs. Même si ça sonne un peu quétaine, vous avez le droit de vous sentir comme une princesse… le bal des finissants, ça n'arrive qu'une fois dans une vie!

Ma photo de bal! La mode change, hein? 😉

## Le maquillage

Encore une fois, ça dépend vraiment des filles. Certaines optent pour un look plus naturel, tandis que d'autres préfèrent y aller à fond! Choisissez des tons qui s'harmonisent à votre visage et votre tenue vestimentaire. Si vous êtes, comme moi, un peu étrangère au maquillage, n'hésitez pas à demander à vos amies de vous aider: après tout, c'est vraiment génial de se préparer ensemble pendant la journée et de se donner des conseils de beauté. Sachez aussi qu'il est possible de prendre rendez-vous avec un maquilleur ou une maquilleuse professionnelle qui pourra vous pomponner à votre goût pour le grand jour.

## La coiffure

Nombreuses sont les filles qui prennent rendez-vous chez le coiffeur en vue du jour J. Le mieux est parfois d'avoir une idée précise de ce que vous voulez comme coiffure et de l'expliquer clairement au coiffeur pour éviter les mauvaises surprises. Songez à l'agencement que vous préférez avec votre robe en l'essayant préalablement devant le miroir. Si vous voulez être bien certaine d'obtenir le résultat désiré, vous pouvez montrer une photographie de ce que vous voulez à votre coiffeur pour qu'il ait une meilleure idée de votre coiffure et lui dire très clairement si vous n'êtes pas complètement satisfaite du résultat obtenu. Si vous lui expliquez gentiment, il se fera un plaisir de faire les retouches nécessaires pour compléter votre look!

## Les accessoires

Je crois qu'il est préférable de choisir votre robe en premier, puis de sélectionner des accessoires (bijoux, sac à main, chaussures) qui s'agencent bien avec elle. Ce n'est pas nécessaire de dépenser une fortune! Plusieurs boutiques vous offriront de véritables aubaines (pensez à Ardène, Le Garage, Forever XXI)!

## Prenez votre temps

Vous pouvez vous y mettre plusieurs semaines ou mois à l'avance pour vous préparer en vue de votre bal. Il ne suffit parfois que de feuilleter des magazines, de naviguer sur internet ou de faire un peu de lèche-vitrine pour dénicher la perle rare! On s'entend que ce n'est pas mortel de passer des heures à magasiner! Si vous vous y prenez à l'avance, vous serez moins stressée lors du grand jour et vous pourrez davantage profiter de cette occasion spéciale.

Amusez-vous, mais soyez responsable: ça y est, le grand jour est arrivé! Vous avez toutes les raisons de rire, de vous amuser et de célébrer vos accomplissements, mais ça ne veut pas dire qu'il faut boire de façon démesurée et dépasser vos limites personnelles pour avoir du plaisir. L'important, c'est d'être avec vos meilleurs amis, de passer une agréable soirée et de ne rien faire que vous risquez de regretter le lendemain matin. 😉 Bon bal!

# Beauté

**Sujets connexes :**

Adolescence p. 138
Complexes p. 204
Confiance p. 206

**« La beauté est dans l'œil de celui qui regarde. »**

La beauté n'est pas quelque chose qui se définit facilement, et pour cause : tout le monde ne la perçoit pas de la même manière. Ainsi, toutes les filles ne sont pas belles de la même manière et pour les mêmes raisons.

Nous vivons dans une société dans laquelle les dictats de beauté sont omniprésents. L'industrie de la mode travaille tous les jours pour tenter de nous imposer ses standards et pour nous convaincre qu'« être belle » est impossible si on ne répond pas à ses critères. Ne vous laissez pas emberlificoter : la beauté est une notion propre à chaque individu puisqu'elle dépend des goûts de chacun. Il n'existe donc pas de définition précise de ce qui est considéré comme beau ni des attributs physiques que vous devez posséder pour être belle.

Certaines cultures valorisent davantage les femmes pulpeuses ; d'autres, celles qui sont très maigres. Certains garçons raffolent des blondes ; d'autres, des brunettes. Certains mannequins sont choisis pour leur silhouette ; d'autres, pour les traits uniques de leur visage. Tout cela est très subjectif et dépend des goûts de chacun.

Comme on vous l'a probablement déjà dit, la véritable beauté provient de l'intérieur. Ce qui importe vraiment, c'est la conviction et l'assurance qui émanent de vous. Une fille qui a confiance en elle a souvent beaucoup de charme. La beauté, c'est un peu comme le reflet de l'âme. Même si une fille possède des traits délicats et un visage d'ange, si elle ne dégage rien, on aura de la difficulté à la trouver belle. La beauté physique est souvent liée à notre charisme et à la simplicité avec laquelle on l'exprime. Ne vous basez pas sur les critères de beauté hollywoodiens pour juger si vous êtes jolies ou non. La beauté ne se résume pas à quelques traits physiques, et deux filles peuvent être considérées comme très belles pour des raisons bien différentes. Ce qui compte d'abord et avant tout, c'est que vous vous sentiez bien dans votre peau. Si vous vous apprenez à vous trouver jolie, vous gagnerez naturellement de la confiance et vous transmettrez votre assurance aux personnes autour de vous. Lorsque vous avez le regard lumineux et le sourire aux lèvres, les gens vous trouvent belle. Au lieu de vous fier à la perception que certaines personnes ont de la beauté, apprenez à vous sentir belle et à vous regarder dans la glace sans grimacer.

Nous avons toutes nos petits complexes, mais chacune possède des traits particuliers et une beauté intérieure qu'elle doit aller chercher pour se sentir radieuse. Tout ça pour dire que l'important, c'est de savoir regarder à l'intérieur de vous pour trouver toute l'étendue de votre beauté. Il faut ensuite apprendre à l'extérioriser pour en faire profiter votre entourage. Si vous savez vous aimer telle que vous êtes, les autres pourront apprécier votre beauté à sa juste valeur. Que vous ayez les cheveux blonds, bruns, frisés ou raides, que vous soyez maigres ou grassouillettes, grandes ou petites, je vous assure que cela n'a aucune importance, puisque c'est l'éclat de votre âme qui reflète votre beauté. Rappelez-vous ces mots de Victor Hugo : « Aucune grâce extérieure n'est complète si la beauté intérieure ne la vivifie. La beauté de l'âme se répand comme une lumière mystérieuse sur la beauté du corps. » Oubliez les critères basés sur l'apparence physique et concentrez-vous à faire transparaître votre bien-être et votre confiance en vous. Peu importe à quoi vous ressemblez, sachez que la beauté émane de l'intérieur !

**Sujets connexes :**

Gentillesse p. 302

Écologie p. 250

Égalité p. ???

# Bénévolat

**Donner aux autres**

Définition : Ensemble des activités, conduites par des individus ou des groupes, sans obligation et sans rémunération.

Être bénévole, c'est offrir une partie de son temps et de son énergie sans être payé en retour. C'est faire preuve d'une grande générosité, et faire sa part dans la société de façon altruiste en aidant les gens ou les organismes qui en ont besoin.

Il existe différents secteurs dans lesquels vous pouvez faire du bénévolat. Vous pouvez par exemple travailler dans un centre de santé, aider les jeunes dans le besoin, les personnes âgées, les démunis, les malades, etc. Sachez que les possibilités sont illimitées et que, peu importe celle que vous choisirez, votre aide sera grandement appréciée.

De grands organismes, voués à aider des clientèles dans le besoin, embauchent des professionnels en plus de solliciter l'aide de bénévoles. De plus petites organisations, pour leur part, fonctionnent uniquement grâce à la contribution de volontaires. Vous pouvez ainsi offrir vos services pour amasser des dons, des vêtements ou de la nourriture, ou encore pour faire du porte-à-porte afin d'aider à financer l'organisme dont la cause vous tient le plus à cœur. Certaines écoles encouragent d'ailleurs fortement les élèves à s'engager comme bénévoles au sein de la société, tandis que d'autres exigent carrément qu'ils le fassent, imposant le bénévolat comme une façon d'obtenir des crédits scolaires. Même si cela peut vous sembler exagéré et que cela vous embête de consacrer autant d'heures à une telle activité, dites-vous bien qu'à long terme, vous serez heureuse d'avoir contribué, d'une façon ou d'une autre, à aider les gens dans le besoin, et rappelez-vous qu'une expérience de bénévolat est un grand atout sur le plan professionnel et que cela fait bonne impression dans un *curriculum vitæ*.

**VOUS AIMERIEZ VOUS IMPLIQUER DANS UNE ASSOCIATION PRÈS DE CHEZ VOUS ?**

**Vous pouvez consulter ces deux sites :**

Réseau de l'action bénévole du Québec (pour l'ensemble du Québec) :
Site web : <rabq.ca>

Facebook : <facebook.com/ReseauActionBenevoleQc>

**Pour la grande région de Montréal :**

Centre d'action bénévole de Montréal :
Site web :<cabm.net>

Facebook :
<facebook.com/benevolat>
Téléphone :
514 842-3351

## Rêver de l'étranger

Si vous désirez aller travailler comme bénévole à l'étranger, sachez qu'il faut bien vous renseigner avant de prendre une décision : plusieurs organismes refusent la candidature de mineurs, ou alors n'acceptent de les engager que sous diverses conditions, comme l'accompagnement d'un adulte. De plus, le fait de séjourner dans un pays étranger comporte des risques et des dangers dont vous devez être consciente. Cela exige également beaucoup de préparation. Aussi, je vous encourage à bien vous informer auprès des organismes en question (par exemple : Croix-Rouge, Jeunesse Canada Monde, CECI, YMCA, Student Volunteer Program, Oxfam Québec, Carrefour Canadien International, Conseil canadien pour la coopération internationale, etc.).

## Pourquoi devenir bénévole?

Plusieurs raisons peuvent vous pousser à travailler bénévolement au sein d'un organisme ou de la société. Vous pouvez le faire par obligation, par altruisme, pour découvrir et apprendre de nouvelles choses, pour vous ouvrir l'esprit et acquérir une plus grande conscience sociale ou pour des raisons plus personnelles (aider des proches dans le besoin, soutenir une cause qui vous est chère, travailler dans un domaine qui vous intéresse, prendre de l'expérience, etc.). Il s'agit donc d'un choix personnel. Quelles que soient vos raisons, sachez que vous ne regretterez pas cette expérience. Il se peut que vous vous engagiez dans un secteur et que vous vous aperceviez par la suite que vous n'y êtes pas tout à fait à l'aise. Il n'est jamais trop tard pour vous informer et pour changer de voie. Les organismes vous accueilleront à bras ouverts!

Lorsqu'on travaille en tant que bénévole, on acquiert des tas de connaissances ainsi qu'une expérience de vie qui sont loin d'être négligeables. Ce sont ces expériences qui nous font grandir et avancer dans la vie. Alors, même si votre contribution vous semble minime, soyez fière des résultats obtenus et de l'expérience que vous avez acquise, et sachez que tout apport, aussi petit soit-il, peut changer les choses au sein de la société. De cette façon, vous éprouverez un sentiment d'accomplissement et de bien-être, car vous aurez soutenu une cause qui vous tient à cœur sans rien demander en retour.

Rappelez-vous toutefois que travailler en tant que bénévole est une responsabilité sérieuse et que vous ne pouvez vous engager sans être prête à faire des compromis et à vous investir à fond. Il est normal d'avoir des empêchements, et je ne vous dis pas de vous investir au détriment de votre réussite scolaire et de votre vie sociale, mais lorsque vous prenez un engagement, vous devez être prête à en assumer les conséquences, autrement dit, à agir de façon responsable. Si vous avez un examen ou un rendez-vous qui vous empêche de vous rendre à l'endroit où vous faites du bénévolat, avertissez-en les responsables pour qu'ils puissent prendre les dispositions nécessaires. Essayez aussi d'être réaliste : si vous croyez que votre horaire est déjà trop chargé, ne vous engagez pas à faire plus que ce que vous pouvez faire.

**Sujets connexes :**

Gang de filles p. 291
Mensonge p. 361
Potins p. 417

# Bitchage

## Parler en mal de quelqu'un

Le bitchage se rapproche du potinage en ce sens qu'il consiste à parler dans le dos de quelqu'un et à répandre des rumeurs sans qu'elles soient fondées.

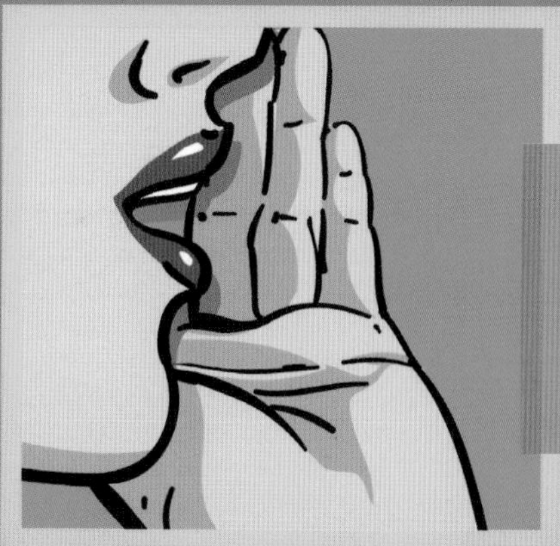

Cependant, de façon générale, il a une connotation plus négative et découle d'une intention plus cruelle. Bitcher, ça veut dire parler en mal de quelqu'un, dire à son sujet des choses haineuses qui dépassent souvent notre pensée sans s'adresser directement à la personne concernée.

Que ce soit au cours de notre adolescence ou de notre vie adulte, il est tout à fait normal d'être parfois énervée par la conduite de quelqu'un et de perdre patience face à ses comportements. Chaque personne est différente, et nous avons tous nos forces, nos faiblesses, nos qualités et nos défauts. Bien qu'il soit normal que les gens vous tapent parfois sur les nerfs, vous devez savoir que le bitchage peut avoir des conséquences plus graves que vous ne le croyez, et qu'il risque surtout de blesser ceux qui en sont la cible. Même si vous êtes persuadée que vos paroles cruelles ne se rendront pas aux oreilles de la personne concernée, vous devez vous rappeler que tout finit par se savoir, surtout dans une école secondaire! Et même si vous vous croyez discrète, la personne contre qui vous médisez risque de se rendre compte que vous n'êtes pas franche avec elle. S'il s'agit d'une amie proche, ne croyez-vous pas qu'elle remarquera votre changement d'attitude et qu'elle sentira votre rejet?

Le bitchage est une activité particulièrement féminine et, croyez-moi, on peut s'y adonner à tous les âges! Je sais qu'il est parfois difficile d'affronter les gens et de leur dire les choses en face, mais, au bout du compte, l'honnêteté s'avérera moins blessante pour la personne qui vous énerve, et vous vous sentirez mieux après avoir discuté avec elle des vrais problèmes.

Si vos reproches ne sont pas fondés sur des faits concrets, mais relèvent plutôt de votre appréciation personnelle d'un individu et de vos affinités avec celui-ci, je vous conseillerai de garder vos commentaires pour vous. Il est impossible d'aimer tout le monde, et je sais que certaines personnes vous donnent envie de vous frapper la tête contre votre casier, mais ce sera ainsi pour le reste de votre vie, alors aussi bien vous habituer tout de suite à fréquenter des gens qui vous plaisent moins. Vous n'avez qu'à faire en sorte de ne pas vous retrouver dans les mêmes activités qu'eux et de leur parler le moins possible, mais vous n'avez pas à dénigrer quelqu'un simplement parce qu'il a une tête qui ne vous revient pas. Si vous avez des raisons concrètes d'être en colère contre quelqu'un, alors mieux vaut lui en parler ou lui écrire pour lui faire part de vos sentiments. Parler dans son dos vous permettra peut-être de vous défouler sur le coup, mais cela ne changera rien à ce que vous ressentez, et la personne en question ne pourra s'excuser ou changer son attitude si elle ne connaît pas le fond de votre pensée, et encore moins si elle entend de fausses rumeurs provenant des quatre coins de l'école.

## Pour aller plus loin :

*Bitch*, Jasmin Roy

## Effet boule de neige

À l'adolescence, il est normal de former des clans, soit de petites bandes d'amies qui ont plus d'affinités. Le « bitchage » entre amies a par conséquent un effet boule de neige, puisqu'il pousse les filles à se réunir pour parler méchamment dans le dos de quelqu'un ou à partager les médisances et les frustrations des autres pour ne pas se sentir exclues. Même si elles n'ont pas les mêmes sentiments que vous, vos amies se laisseront convaincre par vos arguments et se joindront au « bitchage » collectif pour faire partie de la bande et éviter de se sentir rejetées à leur tour. Rappelez-vous que cela n'aidera en rien votre cause et que cela risque grandement de blesser quelqu'un. L'honnêteté et la franchise sont décidément des solutions plus matures et plus efficaces pour régler les problèmes.

Si c'est vous qui êtes la victime du bitchage, dites-vous que vous valez mieux que cela et tentez de ne pas vous laisser atteindre par les rumeurs qui courent. Vous pouvez plutôt affronter la personne qui répand ces méchancetés à votre sujet pour savoir quel est son problème et ce que vous avez fait pour l'énerver autant. Sachez aussi que vous ne pouvez pas plaire à tout le monde, alors tâchez d'être mature et de laisser passer la vague; les gens auront tôt fait de passer à autre chose, surtout si vous n'embarquez pas dans leur petit jeu. Si une amie semble vous en vouloir et bitcher contre vous, écrivez-lui une lettre ou allez la voir pour lui dire que son comportement vous blesse et que vous préféreriez qu'elle soit honnête avec vous et qu'elle vous en parle lorsqu'elle est triste ou en colère.

Je sais que le bitchage fait partie de votre vie et que vous parlez parfois dans le dos de vos amies parce que vous croyez que c'est mieux que de leur dire la vérité et de leur faire de la peine, mais vous et vos amies devez apprendre à vous serrer les coudes et à agir de façon mature. Si vous vous laissez emporter par vos frustrations ou si vous cédez à la pression de votre entourage, songez à la personne que vous attaquez gratuitement et essayez de vous mettre à sa place quelques instants; cela vous fera peut-être changer d'attitude! Quelles que soient les raisons de votre colère et de votre irritation, dites-vous que le fait de blesser quelqu'un ne changera rien à votre problème et risque de vous faire sentir encore plus misérable. Alors, prenez votre courage à deux mains et optez pour l'honnêteté.

Léa! Tu ne devineras jamais! Après le cours de maths, Laurie m'a raconté que Steph lui avait raconté que Seb lui avait raconté que Thomas lui avait raconté que Sarah Beaupré s'était fait couper les cheveux, et que c'était vraiment laid! Mouahaha!
**Lou xox**

**Sujets connexes :**
Bonne humeur p. 187
Gentillesse p. 302
Humour p. 323

# Bonheur

## C'est quoi le bonheur?

Tout au long de votre vie, vous serez confrontée à la fameuse question : êtes-vous heureuse ? Les gens vous la poseront sans cesse.

Vous devrez vous-même vous questionner pour évaluer vos choix de vie et pour déterminer si vous êtes bien dans votre peau et si vous vous sentez heureuse dans la situation dans laquelle vous vous trouvez.

Mais au fond, c'est quoi, le bonheur ? Comment déterminer si on est heureuse, et comment atteindre ce sentiment de plénitude et de satisfaction personnelle ?

Il y a beaucoup de choses qui peuvent nous rendre heureux. Pour certains, c'est l'aisance matérielle et financière ; pour d'autres, c'est la liberté et le sentiment d'accomplissement, tandis que d'autres encore se sentent heureux simplement lorsqu'ils sont entourés des gens qu'ils aiment et qu'ils se sentent bien dans leur peau. Le bonheur, ça ne se définit pas en trois lignes. C'est plutôt un concept personnel, quelque chose que tous les humains recherchent en se fixant des objectifs et en s'efforçant de les atteindre.

Le bonheur, c'est d'abord les petits plaisirs du quotidien. Lorsque vous partagez un repas entre amis, ou que vous vous sentez fébrile à l'idée de partir en vacances ou d'assister à une fête, vous êtes heureuse. Il faut par ailleurs apprendre à jouir de ces moments de joie et à profiter du moment présent pour bien comprendre ce qu'est le bonheur. C'est à vous d'établir vos priorités et de découvrir les choses, ou encore les gens, qui vous rendent vraiment heureuse dans la vie. Il y a bien sûr la famille, les amis, le sentiment de réussite, les rêves qu'on a, les objectifs qu'on se fixe, les petits cadeaux qu'on reçoit, que ce soit sur le plan matériel ou sur le plan émotionnel. Par exemple, quand on se sent aimée, on a confiance en soi et on se sent bien. On est heureuse. De façon plus générale, quand on se lève le samedi matin et qu'on peut faire la grasse matinée et écouter la télé sans devoir songer aux devoirs, on est également heureuse. Le bonheur, ce n'est

pas seulement une façon de se sentir qui nous mène au septième ciel; ce sont aussi les plaisirs de la vie, petits et grands, qui surviennent tous les jours et dont il faut savoir profiter.

## Apprendre à être heureuse

Même s'il existe des gens et des choses qui vous rendent heureuse, sachez en outre que le bonheur est une question d'attitude, et que vous pouvez (et devez!) apprendre à être heureuse. Tout d'abord, il faut savoir profiter du moment présent. C'est génial de se fixer des objectifs et des buts à atteindre, car cela vous pousse à aller plus loin et à vous surpasser, mais vous ne pouvez pas toujours vivre en songeant au futur, au même titre qu'il n'est pas très sain de vivre sans cesse dans le passé et de vous épancher avec nostalgie sur les moments de bonheur que vous avez déjà vécus. La vie se déroule maintenant, et il faut saisir chaque occasion d'être heureuse et de profiter des petits plaisirs. Il faut apprendre à rire, à mordre dans la vie, à se trouver belle et intelligente, et à s'aimer telle qu'on est.

## Déterminer les moments de bonheur

C'est souvent quand on traverse une période difficile qu'on prend vraiment conscience de ce qu'est le bonheur. Le contraste est si frappant qu'on se met à regretter les moments de bien-être qu'on a vécus sans même s'en rendre compte. Parfois, on se retrouve aussi dans une situation où on s'arrête quelques instants pour réaliser à quel point on est bien. Il faut apprendre à profiter de ces moments et à identifier ce qui en fait des moments heureux. Songez à vos priorités, ou alors faites une liste des choses, des rêves et des gens qui sont indispensables à votre bonheur. Non seulement cela vous permettra de jouir davantage de ces plaisirs de la vie, mais vous pourrez ainsi atteindre certains objectifs plus rapidement, ou encore réaliser que vous êtes choyée, bien entourée et aimée de tous.

Quoi qu'il en soit, le bonheur est beaucoup moins rare qu'on ne le croit. Le problème, c'est que lorsqu'on est heureuse, on a moins tendance à le remarquer que lorsqu'on est triste. Il existe toutefois des règles toutes simples pour vous aider à jouir du moment présent et à vous sentir heureuse et bien dans votre peau. En plus de profiter de chaque instant et de mordre dans la vie, apprenez à voir les choses d'un œil positif et à affronter les épreuves sans jouer les victimes et sans être trop négative. Il faut voir le bon côté des choses et se dire que tout ira mieux demain. Apprenez également à aimer les autres sans compter. L'amour est l'une des choses qui nous font sentir vivante et légère. N'ayez pas peur de vous fixer des buts et de foncer pour les atteindre. L'ambition et les accomplissements nous procurent généralement bonheur et fierté. Rappelez-vous aussi que vous êtes jeune et que vous avez la vie devant vous, alors profitez-en au maximum pour réaliser vos rêves les plus fous tout en savourant le moment présent!

**Sujets connexes :**

Patience p. 392

Plaisir p. 403

# Bonne humeur

## Voir la vie en rose

Je ne vous apprends rien quand je vous dis que notre humeur varie souvent de jour en jour. Il y a des matins où on se lève et où on a envie de danser et de crier sur tous les toits que la vie est belle, et d'autres où on se sent maussade et où on plaint les gens qui croisent notre route.

L'humeur peut être liée à des événements externes, à nos hormones ou à notre état physique. Bien qu'il y ait des journées où on se sent en meilleure forme que d'autres, il revient à chacune de nous d'adopter une attitude généralement positive face à la vie et de s'efforcer de voir la vie en rose. Bref, malgré les hauts et les bas de la vie quotidienne, il est toujours mieux d'être de bonne humeur que de se renfrogner et d'être négative.

Chaque fille a son propre caractère : certaines sont de nature plus joviale et plus optimiste que d'autres. Le caractère, c'est ce qui nous définit, et il est parfois difficile de changer des comportements qui semblent si profondément ancrés en nous, mais on se rend vite compte que la bonne humeur nous permet généralement de nous sentir plus épanouie et mieux dans notre peau. Par exemple, quand on sourit et qu'on adopte une attitude positive, les gens autour de nous ont tendance à nous répondre de la même façon. Notre bonne humeur est contagieuse et incite les autres à sourire et à voir le bon côté des choses. Si, au contraire, on décide d'être de mauvaise humeur et d'adopter une attitude négative et maussade, tout est susceptible de nous irriter, et on risque parfois de blesser les gens autour de nous à cause de notre air renfrogné. En plus, on a tendance à se sentir incroyablement nulle et on s'en veut à soi-même d'être aussi aigrie, ce qui nous fait inévitablement tomber dans un cercle vicieux. Non seulement on repousse les gens avec notre attitude, mais on devient encore plus morose, car les choses ne font qu'empirer ! Je ne vous dis pas que vous devriez être un rayon de soleil à tout moment de la journée, mais il vaut mieux rire que maugréer, tant pour votre bien-être que pour celui des autres.

*Quand on sourit et qu'on voit la vie en rose, on dégage une attitude positive qui attire les autres et qui donne davantage confiance en soi.*

Plutôt que de se méfier de vous et de votre mauvaise humeur, les gens viendront vous voir pour mettre un peu de couleur dans leur journée et pour puiser un peu d'énergie. Il est tout à fait normal que vous vous sentiez de mauvaise humeur de temps à autre, mais plutôt que d'être de compagnie désagréable et de lancer des méchancetés à tout le monde pour décharger votre mal de vivre, efforcez-vous de limiter vos contacts avec les autres jusqu'à ce que vous vous sentiez mieux. Il n'y a rien de mal à être honnête et à admettre qu'on traverse une journée plus difficile, alors mieux vaut dire à vos amis et à vos parents que vous préférez être seule car vous vous trouvez insupportable que de leur faire subir votre mauvaise humeur et vos commentaires négatifs.

La bonne humeur n'est pas un signe de faiblesse de caractère ou d'imbécillité. C'est au contraire une force interne dans laquelle on doit aller puiser pour lutter contre nos instincts plus sombres. Vous pouvez avoir du caractère et dire ce que vous pensez tout en gardant le sourire. Votre force de caractère est bien ancrée en vous, mais c'est votre bonne humeur qui vous permettra de vous exprimer de façon plus positive et de faire passer votre message de manière plus constructive. De plus, il faut se rappeler que quand ça va mal, la mauvaise humeur, les critiques et le renfrognement ne font souvent qu'empirer les choses et ne changent en rien la situation. Par conséquent, plutôt que de vous apitoyer sur votre sort et de jouer les victimes en prétendant que la vie est injuste, prenez les choses avec un grain de sel, souriez et affrontez les difficultés avec une attitude positive. Non seulement la situation vous semblera moins pénible, mais vous pourrez y faire face avec beaucoup plus de facilité et ainsi trouver des solutions plus rapidement. Bref, mettez du soleil dans votre vie, souriez et rappelez-vous que la vie est belle !

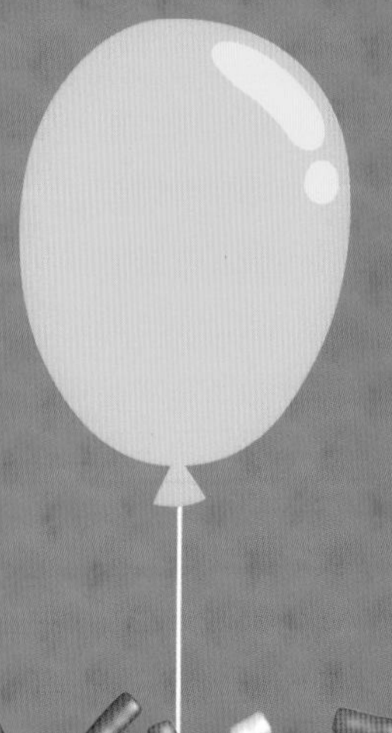

# Bouder

Sujets connexes :

Cafard du dimanche p. 191
Humour p. 321
Solitude p. 456

## État de mécontentement

Quand vous décidez de bouder, c'est souvent pour manifester votre mauvaise humeur et votre colère sans vouloir affronter le problème qui vous a mise dans cet état. C'est une façon délibérée de faire comprendre votre mécontentement à quelqu'un en faisant la tête et en étant maussade.

Vous décidez alors d'ignorer votre interlocuteur et de vous replier sur vous-même pour le punir et le faire sentir mal.

Bien que toutes les filles boudent à un moment ou à un autre, en y songeant bien, vous devez admettre qu'il s'agit d'une attitude immature qui ne vous avance à rien. Par exemple, si vous êtes en colère contre une amie et que vous décidez de lui faire la tête pour le lui faire comprendre, vous optez pour une stratégie et une sorte de chantage émotif dans le but de lui faire sentir que vous êtes blessée plutôt que de lui expliquer clairement pourquoi vous êtes blessée. Si elle ne sait pas ce qui vous a contrariée, elle aura de la difficulté à régler le problème, surtout si elle a devant elle quelqu'un qui lui tourne le dos et refuse de lui adresser la parole. La situation risque de devenir encore plus frustrante pour vous, puisque vous n'obtiendrez pas la réaction désirée. Vous risquez alors de vous replier davantage sur vous-même et d'entrer dans une espèce de cercle vicieux d'où personne ne sort gagnant. Tout cela pour un simple malentendu...

Je sais que l'habitude de bouder est parfois un trait de notre personnalité et qu'on ne peut faire autrement. C'est simplement plus fort que nous. Mais il faut essayer de lutter contre cette tendance à punir les autres en se disant que cela ne nous avancera à rien. Il est difficile de changer certains traits de sa personnalité du tout au tout, mais on peut quand même s'efforcer de travailler

nos points faibles ; après tout, cela fait partie de la maturité. Quand on boude, on adopte une attitude d'autodéfense et on cherche à se protéger et à attirer l'attention de l'autre sans affronter directement le problème. On fronce les sourcils, on pince les lèvres, on se crispe et on se referme sur soi. On cherche le réconfort de l'autre et ses excuses sans lui expliquer clairement la source du problème, et on opte pour la susceptibilité et le refoulement plutôt que d'adopter une attitude plus mature et plus responsable. En effet, il serait beaucoup plus efficace de discuter et d'affronter la situation plutôt que de se réfugier dans la bouderie et la manipulation. Votre attitude risque d'entraîner l'autre dans votre jeu, et dites-vous que l'un des deux boudeurs devra bien finir par céder !

*Si vous faites face à quelqu'un qui boude, tentez de l'approcher avec diplomatie sans le contrarier davantage. Essayez de vous excuser et de vous expliquer, ou conseillez-lui de réfléchir et de vous parler plutôt que de vous ignorer. Si rien ne fonctionne, laissez-le tranquille et accordez-lui un peu de temps pour faire passer la tempête. La bouderie est difficile à supporter, mais elle n'est souvent que de courte durée.*

Pour éviter de bouder à la suite d'une dispute, prenez un peu de recul, allez faire une promenade et réfléchissez à ce qui s'est produit plutôt que de monter sur vos grands chevaux et de vous replier sur vous-même. Si vous apprenez à exprimer vos sentiments et à partager vos émotions, vous constaterez que les conflits se régleront de façon plus saine et plus rapide, et vous serez par conséquent fière de vous.

# Cafard du dimanche

Sujets connexes :
Déprime/Dépression p. 230
Famille p. 275
Travaux scolaires p. 480

**Phénomène universel**

C'est dimanche et la journée s'achève. Sans trop savoir pourquoi, vous sentez une boule dans votre estomac et une vague de déprime vous envahir...

Il suffit de penser aux devoirs qui recommencent et à l'école le lendemain matin pour avoir carrément envie de vous mettre en boule et de pleurer toutes les larmes de votre corps ! Du calme... c'est le cafard du dimanche, soit un sentiment de spleen, de tristesse ou d'angoisse qui nous envahit face aux responsabilités qui nous attendent.

Il est d'abord important de préciser que le cafard du dimanche est un phénomène universel ! Après une fin de semaine remplie d'activités, de sorties, de balades et de plaisir, on a du mal à faire face à la nouvelle semaine qui commence. C'est le retour à l'école, le retour des devoirs, bref, le triste retour à la réalité !

Ne désespérez pas ! Bien qu'il soit tout à fait normal de se sentir un peu accablée le dimanche, il existe plusieurs façons d'éviter la déprime et de terminer la semaine en beauté !

## La famille

Pour plusieurs, le dimanche est le jour international de la famille. C'est souvent la journée de la semaine où on peut se réunir et préparer un bon repas. Alors, plutôt que de déprimer, pourquoi ne pas mettre la main à la pâte et en profiter pour vous changer les idées ? Vos parents vous cassent les oreilles dès 8 h le matin pour que vous les aidiez à préparer la tourtière ? Deux options s'offrent à vous. Si vous êtes une lève-tôt, alors aucun problème, joignez-vous à la fête ! Si, par contre, vous aimez dormir tard, vous devez leur expliquer (calmement) que vous êtes prête à les aider, mais que vous êtes complètement improductive avant 10 h ! Après tout, le dimanche est votre dernière journée de repos. Suffit donc de trouver un terrain d'entente !

## Activités du dimanche

Le dimanche est aussi la journée idéale pour faire des activités extérieures et respirer un peu d'air frais. Journée chaude et humide ? Pourquoi ne pas aller au parc ou se baigner à la piscine ? Il fait 15 degrés sous zéro et il neige ? Alors, mieux vaut enfiler ses skis ou faire de la randonnée en raquettes ! Si la météo vous en empêche ou que vous n'avez pas l'âme très sportive ce jour-là, allez magasiner ou faites du lèche-vitrine ! Presque toutes les filles en raffolent, et ça vous fera bouger sans même vous en rendre compte ! Vous pouvez aussi aller au cinéma, louer un film, jouer à un jeu de société avec les membres de votre famille ou avec vos amis, écrire dans votre journal intime, aller au musée, aller au restaurant, lire un livre ou des revues, écouter de la musique... Bref, les possibilités sont infinies lorsqu'il est question de se changer les idées, de se faire plaisir et d'éviter de se laisser emporter par ce cafard dominical...

## Ne vous laissez pas crouler sous les devoirs!

Vos devoirs se sont accumulés tout au long de la semaine, et la fin de semaine a filé plus que vite que vous ne l'auriez voulu. Oups! C'est dimanche soir, et vous êtes coincée avec vos devoirs de maths, de français, de géo et d'anglais… Rien pour calmer la déprime qui vous envahit! Ne vous en faites pas, l'erreur est humaine, et bien que la philosophie de la «dernière minute» soit très populaire, le fait de répartir vos travaux tout au long de la semaine vous permettra d'avoir plus de temps libre le dimanche. Vous pourrez ainsi vous adonner à des activités qui rendront votre journée plus agréable.

## Relaxez sans trop penser au lundi

D'accord, je sais, l'aspect le plus déprimant du dimanche, c'est de savoir que le lundi s'en vient et qu'on doit affronter une autre semaine de classe, mais c'est essentiel de faire un effort pour vivre le moment présent. Après tout, la fin de semaine n'est pas encore terminée! Que ce soit en prenant un bon bain, en lisant votre magazine préféré ou en écoutant de la musique, tâchez de consacrer quelques minutes de votre journée à la relaxation. Chassez toutes les idées noires et tentez de vous concentrer sur le positif: lundi n'est pas encore arrivé, alors on traversera le pont quand on y sera rendu! Le dimanche vous appartient! Si vous êtes incapable de chasser les pensées sombres de votre esprit, il faut encore une fois vous efforcer de songer aux choses positives: le lundi, vous pourrez revoir vos copines ou encore le gars qui vous fait rêver, entendre tous les derniers potins, porter les vêtements que vous venez d'acheter et exhiber votre super nouvelle coupe de cheveux. Pensez aussi aux matières que vous préférez, aux profs que vous tolérez… Au fond, l'école, ce n'est pas si mal.

## Faites-vous un horaire

Si, comme moi, vous êtes de nature plutôt stressée et appréhendez le test de maths du jeudi, faites-vous un horaire. Ça vous permettra de bien répartir votre temps et de planifier votre horaire de façon à ne pas vous sentir submergée par le travail et le stress. En plus, votre dimanche sera beaucoup moins ennuyeux si vous n'avez pas à le consacrer uniquement à vos devoirs!

Salut, Lou.
Tu sais ce que je n'aime pas, dans la vie? Les dimanches soir. Ça veut dire que la fin de semaine est terminée et que demain matin, je dois retourner à l'école, reprendre la routine et affronter les nunuches. Ma mère m'a dit que le meilleur remède contre le cafard du dimanche, c'est de ne pas y penser et de se changer les idées! Elle est en train de faire cuire du pop corn et ensuite, on va écouter un film de filles ensemble. C'est vrai que c'est un bon truc! Et comme le dit ma mère, on traversera le pont lorsqu'on y sera rendu!
**Léa xox**

**Sujets connexes :**
Gentillesse p. 302
Plaisir p. 403
Première fois p. 423

# Caresse

## Un peu de tendresse

Une caresse est une façon toute simple d'encourager, de consoler ou tout simplement de manifester son attachement pour une amie, un amoureux ou un membre de sa famille. C'est une manière affectueuse de témoigner notre amour aux gens qui nous importent.

Apprendre à donner et à recevoir des caresses, ainsi qu'à s'ouvrir à l'affection des autres est important. Pendant l'adolescence, on est parfois réticent à l'idée de partager nos émotions et on est moins enclin à vouloir poser des gestes qui témoignent de notre tendresse à l'égard de quelqu'un. Sachez toutefois qu'une caresse peut véritablement rendre les autres heureux et vaut parfois plus que mille mots. En effet, quand vous faites une caresse à quelqu'un, vous lui communiquez vos émotions ainsi que les mouvements de votre âme et de votre cœur, et personne n'est indifférent à un tel témoignage d'amour. Même s'il vous arrive de jouer les dures, une accolade est parfois tout ce dont vous avez besoin pour retrouver le sourire et vous sentir mieux. Ce n'est pas toujours facile d'assumer qu'on a besoin d'amour. Certaines personnes ont tendance à percevoir la chose comme une faiblesse, alors qu'il s'agit plutôt d'un acte naturel et extrêmement réconfortant. Il faut donc savoir passer par dessus sa pudeur émotionnelle pour se donner la chance de recevoir et de donner de la tendresse.

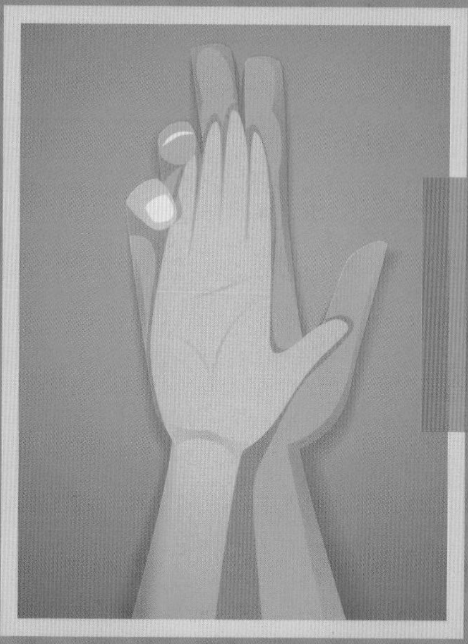

### Quand c'est plus que de la simple affection...

Les caresses peuvent également avoir un caractère sexuel. Il s'agit non seulement d'une façon de témoigner son amour et son affection, mais aussi d'un moyen d'apprendre à connaître le corps de son partenaire et de manifester son désir. Pour une fille, il est extrêmement important de se sentir aimée et désirée. Les caresses servent entre autres à établir ce rapport de confiance avec son partenaire. Même si les garçons ne sont pas tous naturellement portés vers les caresses, il est primordial que vous soyez en mesure d'expliquer à votre amoureux qu'elles sont importantes pour vous. Tentez aussi de lui expliquer ce que vous aimez et n'oubliez jamais de vous respecter vous-même et de sentir que l'autre est tout aussi attentif à vos désirs. Vous devez non seulement apprendre à écouter les besoins de votre partenaire, mais aussi être fidèle à vous-même et aller à votre propre rythme. Si vous ne vous sentez pas prête, dans les caresses, à dépasser un certain stade, expliquez clairement à votre petit ami que vous préférez attendre et faites vous respecter. S'il fait fi de vos limites et n'écoute pas ce que vous avez à lui dire, dites-vous que vous méritez probablement mieux !

## *Une caresse s'il vous plaît !*

N'oubliez pas qu'une caresse peut changer bien des choses. Que ce soit avec votre père, votre mère, votre amie ou même votre petit frère, il ne vous coûte rien d'exprimer votre amour et votre affection par une caresse de temps à autre. Vous devez aussi apprendre à laisser votre pudeur de côté et à accepter la tendresse des autres sans faire la tête. On ne réalise pas toujours à quel point une simple caresse sur la joue ou une accolade peut mettre du soleil dans notre journée et nous faire sentir importante aux yeux des autres. Il en va de même pour les gens autour de vous, alors n'hésitez pas à exprimer votre amour en leur faisant un câlin ou à demander à un proche de vous faire une caresse si vous en ressentez le besoin. C'est le genre de petit geste qui réconforte et qui vous aidera à refaire le plein d'énergie !

## Sujets connexes :

Amitié p. 145
Choix de carrière p. 200
Party p. 388

# Cégep

### Collège d'enseignement général et professionnel

Après six ans d'école primaire et cinq ans d'école secondaire, les jeunes Québécois entament une nouvelle étape de leur cheminement scolaire : ils entrent au cégep, soit dans un établissement public d'enseignement collégial.

Le mot « cégep » est l'acronyme de « collège d'enseignement général et professionnel ». Les cégeps ont été créés en 1967 et servent de transition entre les études secondaires et les études universitaires. Durant vos années au cégep, vous devez sélectionner un domaine de spécialisation, et traverser par conséquent une période décisive. En effet, au cours de cette formation qui dure généralement deux ans, vous choisissez une orientation de carrière pour poursuivre vos études et votre vie professionnelle. Par exemple, les cégeps offrent un programme de sciences humaines, dont les cours portent sur le comportement humain (psychologie, anthropologie, sociologie, etc.), un programme de sciences pures, dont les cours se concentrent sur les sciences (chimie, physique, mathématiques, etc.) et un programme d'arts où les étudiants sont invités à suivre une formation artistique (arts plastiques, théâtre, cinéma, etc.).

Vous pouvez aussi opter pour une formation technique qui vous prépare à entrer directement sur le marché du travail après l'obtention du diplôme plutôt que de poursuivre des études universitaires. Quel que soit le programme que vous choisissez, vous devez suivre un certain nombre de cours communs faisant partie de la formation générale (français, anglais, philosophie, éducation physique)[1].

## Une étape extrêmement importante

Non seulement le cégep constitue une étape cruciale sur les plans scolaire et professionnel, mais il s'agit aussi d'une période charnière de votre développement

social. Vous entrez normalement au cégep entre 16 et 17 ans, et en sortez à l'âge de 18 ou 19 ans. C'est donc à cette période que vous devenez une jeune adulte et atteignez la majorité. Le cégep peut vous permettre de vous épanouir dans un milieu plus mature et plus adapté aux personnes de votre âge. À la fin du secondaire, vous êtes habituées à côtoyer des jeunes de 12 ou 13 ans qui, eux, viennent de terminer l'école primaire, et les autres ont tendance à vous considérer comme des enfants. Lorsque vous entrez au cégep, les choses changent complètement. Vous fréquentez des gens de votre âge, vous faites vous-même vos horaires et choisissez vos cours et vos activités. L'enseignement collégial encourage en effet les jeunes à devenir plus autonomes. Les profs ne vous dictent plus la voie ; c'est à vous de faire preuve de jugement. De plus, ils ne vous disent plus quoi faire ou quoi prendre en note ; il est temps pour vous d'apprendre

1- De nombreux programmes s'offrent à vous. Pour trouver celui qui vous correspond le mieux vous pouvez visiter le site du Ministère de l'éducation : <education.gouv.qc.ca/colleges/etudiants-au-collegial/formation-collegiale>.

à écouter en classe et à distinguer les informations importantes de celles qui sont superficielles. N'oubliez pas que le cégep est le passage le plus commun vers l'université, où vous serez encore plus indépendantes et laissées à vous-mêmes, alors cela fait partie du travail des enseignants de vous apprendre à devenir plus autonomes et plus responsables. Notez également que les profs du cégep ont tendance à être moins indulgents que ceux du secondaire, car ils tiennent pour acquis que vous êtes assez vieilles pour assumer vos responsabilités et demander de l'aide si vous en avez besoin.

## Comment être responsable dans cette ambiance de fête?

Je ne vous le cacherai pas, le cégep est également une période de votre vie où vous élargirez votre cercle d'amis et développerez vos aptitudes sociales. La plupart des cégeps organisent des fêtes et des événements, au cours de l'année, pour célébrer les moments importants de la vie étudiante: l'Halloween, la fin de l'année scolaire, etc. Ce sont de bonnes occasions pour s'amuser, aller dans les bars et flirter avec l'alcool. En effet, vous serez normalement au cégep lorsque vous célébrerez vos 18 ans et aurez le droit d'entrer dans les bars et les discothèques. Tout cela vous semble sûrement bien attrayant à première vue, mais il faut tout de même faire attention à ne pas tomber dans l'excès!

Vos notes du cégep sont extrêmement importantes pour la poursuite de vos études, car ce sont elles qui détermineront si vous pourrez être admises dans le programme universitaire de votre choix. Vous devrez donc apprendre à trouver un équilibre entre les amis, les copains, les activités, les fêtes et les études. Si vous vous sentez égarées, vos parents s'assureront certainement de vous ramener sur le droit chemin! Ce n'est pas parce que vous aurez 18 ans qu'ils cesseront de vous faire la morale!

En première année de cégep, il se peut fort bien que vous ne soyez pas encore majeures et que vous soyez tout de même invitées à boire et à participer à des fêtes. Faites alors preuve de jugement et ne soyez pas surprises si les agents de sécurité vous interdisent l'entrée à la porte des bars et des discothèques. Leur travail consiste à s'assurer que les jeunes qui se trouvent à l'intérieur sont majeurs. Ne vous en faites pas, ce sera votre tour dans quelques mois, et vous aurez le reste de votre vie pour fréquenter les bars!

## L'importance du cégep

Bien que vous soyez fières d'avoir obtenu votre diplôme d'études secondaires, sachez que, de nos jours, la plupart des employeurs exigent au moins un diplôme d'études collégiales (DEC) avant d'engager quelqu'un. De plus, le cégep est une étape essentielle dans votre croissance personnelle ainsi que dans le développement de votre autonomie et de vos aptitudes sociales. Les études collégiales vous permettent également de vous orienter sur les plans scolaire et professionnel, et d'apprendre à vous connaître davantage en côtoyant des gens de différentes cultures et de divers horizons. Par conséquent, n'hésitez pas à vous inscrire à plusieurs activités et à vous investir dans des équipes sportives ou dans des comités culturels ou sociaux. Cela vous permettra de vous ouvrir l'esprit et de découvrir vos champs d'intérêt. De plus, cela sera un plus à votre dossier d'inscription à l'université.

Il existe une cinquantaine de cégeps publics au Québec. Il y a également plusieurs collèges privés. Si vous voulez avoir plus d'information sur les cégeps de votre région ainsi que sur les divers programmes d'études qui y sont offerts, consultez le site de la Fédération des cégeps et assistez aux journées d'information et d'orientation qui ont lieu normalement en février. Vous pourrez ainsi choisir le cégep qui vous convient le mieux et le programme qui vous intéresse le plus.

## LISTE DES CÉGEPS PUBLICS

**Montréal et les environs**
Collège Ahuntsic
Cégep André-Laurendeau
Collège de Bois-de-Boulogne
Champlain Regional College
Campus Saint-Lambert
Collège Dawson
Collège Édouard-Montpetit
Collège John Abbott
Cégep régional de Lanaudière
Collège Lionel-Groulx
Collège de Maisonneuve
Collège Montmorency
Collège de Rosemont
Cégep de Saint-Hyacinthe
Cégep Saint-Jean-sur-Richelieu
Cégep de Saint-Jérôme
Cégep de Saint-Laurent
Cégep de Sorel-Tracy
Collège de Valleyfield
Collège Vanier
Cégep du Vieux Montréal
Cégep Marie-Victorin
Collège Gérald-Godin

**Québec et les environs**
Cégep Beauce-Appalaches
Champlain Regional College
Campus St.Lawrence
Cégep Garneau
Cégep de Lévis-Lauzon
Cégep Limoilou
Cégep Limoilou-
Campus de Charlesbourg
Cégep de Thetford
Cégep de Sainte-Foy

**Centre du Québec**
Cégep de Drummondville
Collège Shawinigan
Cégep de Trois-Rivières
Cégep de Victoriaville

**Côte-Nord**
Cégep de Baie-Comeau
Cégep de Sept-Îles

**Outaouais • Nord-Ouest**
Cégep de l'Abitibi-
Témiscamingue
Cégep de l'Outaouais
Collège Héritage

**Estrie**
Champlain Regional College
Campus Lennoxville
Cégep de Granby Haute-Yamaska
Cégep de Sherbrooke

**Saguenay • Lac-Saint-Jean**
Collège d'Alma
Cégep de Chicoutimi
Cégep de Jonquière
Cégep de Saint-Félicien

**Bas-Saint-Laurent • Gaspésie**
Cégep de la Gaspésie et des Îles
Cégep de Matane
Cégep de Rimouski
Cégep de Rivière-du-Loup
Cégep de La Pocatière

## Sujets connexes :

Apparence p. 160
Beauté p. 179
Mode p. 368

# Cheveux

### Savoir dompter sa tignasse

Quand on se retrouve dans l'allée des shampoings d'une pharmacie, on se rend compte qu'il existe des produits pour tous les types de cheveux: les naturels, les teints, les longs, les courts, les frisés et les raides en passant par les cheveux gras, secs, cassés, épais ou fins! Comment s'y retrouver et comment savoir quel revitalisant, masque ou pommade vous convient?

Chaque fille possède des cheveux différents, et on traverse toutes des moments où on a l'impression qu'il n'y a rien à faire avec notre tête et qu'il ne nous reste plus qu'à tout raser. Il y a de ces matins où on ne sait vraiment plus comment se coiffer. On s'est littéralement réveillée de mauvais poil! On passe toutes par là, alors inutile de paniquer et d'envisager des solutions radicales. Vous devez seulement apprendre à connaître vos cheveux et à savoir ce qui vous convient le mieux.

Si vous ne savez pas quel est votre type de cheveux et quel shampoing ou revitalisant utiliser, la meilleure chose à faire est sans doute de demander l'avis de votre coiffeur ou de votre coiffeuse. Ceux-ci sont des spécialistes du cuir chevelu, et ils se feront un plaisir de vous donner des conseils pour vous aider à maîtriser votre tignasse.

Il existe toutefois quelques règles générales qui peuvent vous aider à avoir une belle chevelure. Le fait de laver vos cheveux tous les jours risque par exemple de les abîmer, au même titre que l'usage quotidien d'un fer à friser, d'un fer plat, de laque, de gel et de mousse coiffante. Les teintures qui contiennent des produits oxydants assèchent les cheveux et les rendent souvent ternes. Par conséquent, je vous encourage à utiliser des teintures naturelles et non permanentes qui s'estompent au bout de quelques lavages – cela vous évitera en plus d'être coincée pendant des mois avec une couleur qui vous plaît moins, et cela vous donnera la possibilité de faire des essais sur vos cheveux sans trop les abîmer.

Si vous en avez assez de votre tête et que vous avez envie de changement, n'hésitez pas à prendre des risques et à essayer une coupe différente. Demandez à votre coiffeur ce qui vous irait le mieux. Cela dépend de la forme de votre visage et de votre type de cheveux. Par exemple, si vous avez le visage rond, on ne vous conseillera sûrement pas une coiffure très courte; et si vous avez les cheveux très fins, vous vous rendrez vite compte que vous avez de la difficulté à les faire pousser sans que des nœuds se forment ou qu'ils perdent tout leur volume.

***Vous pouvez aussi consulter des magazines de mode pour connaître les dernières tendances et pour pouvoir décrire ou montrer précisément ce que vous voulez à votre coiffeur.***

Les instants passés à vous faire dorloter au salon de coiffure sont très agréables et relaxants. C'est le moment de vous faire plaisir, de prendre du temps pour vous et de changer de tête si le cœur vous en dit ! C'est aussi l'occasion de jaser avec votre coiffeur. Certains salons offrent des petits extras qui sont toujours appréciés : massage du cuir chevelu pendant le shampoing ou encore café, chocolat chaud et autres boissons lorsque vous patientez sur la chaise de votre coiffeur. Par ailleurs, lorsque vous trouvez un coiffeur qui vous plaît et qui tient compte de vos envies et de vos besoins, ne le laissez pas vous glisser entre les doigts, car ce n'est pas toujours facile à trouver. Si vous prévoyez une sortie spéciale, vous pouvez aussi vous coiffer dans le confort de votre chambre. Vous pouvez vous friser les cheveux, les raidir, les remonter en un élégant chignon, leur donner davantage de volume, ajouter une jolie barrette, un bandeau, etc.

Bref, soyez audacieuse et osez tester de nouveaux styles et de nouvelles coiffures ; c'est ainsi que vous saurez ce qui vous convient le mieux. Attention toutefois de ne pas vous lancer des défis trop radicaux ! Amusez-vous avec des pinces et des accessoires, mais laissez les ciseaux dans votre tiroir, car une coupe de cheveux maison ratée semble prendre beaucoup plus de temps à repousser ! De même, évitez de demander à votre coiffeur de vous raser la tête ou de vous teindre en bleu sur un coup de tête. C'est le genre de décision qui risque non seulement de faire pleurer vos parents, mais que vous regretterez amèrement chaque fois que vous vous regarderez dans le miroir. Si vous songez à un changement important de coupe ou de couleur, prenez le temps d'y réfléchir pour être bien certaine de ce que vous voulez.

Finalement, sachez qu'il n'est pas toujours bon de vouloir imiter la coiffure ou la coupe de cheveux des autres. Un style peut très bien aller à une amie qui possède une tignasse frisée et ne pas convenir à vos cheveux raides. Je sais que c'est plutôt typique d'envier la chevelure des autres, mais le mieux à faire est d'apprendre à apprécier vos cheveux et à mieux les connaître. C'est ainsi que vous pourrez savoir quelles coupes et quelles coiffures mettent le plus votre visage en valeur et vous font sentir belle et pleine d'assurance !

# Choix de carrière

**Sujets connexes :**
Ambition p. 143
Cégep p. 195
Emploi à temps partiel p. 262

## Des décisions pour le futur

En cinquième secondaire, vous devrez faire un choix important: ce que sera votre avenir scolaire et professionnel. DEP, DEC technique, DEC préuniversitaire... Les possibilités sont nombreuses. Si vous vous sentez mélangées, pas de panique! Plusieurs ressources sont disponibles pour vous aider et vous accompagner dans votre démarche.

Tant d'options s'offrent à vous! Il existe diverses façons de vous informer pour faire un choix éclairé. Certaines filles savent quel métier elles veulent exercer depuis qu'elles sont toutes petites. Pour quelques-unes d'entre elles, il s'agit d'une passion, comme la danse, le théâtre ou la médecine vétérinaire, qu'elles veulent développer pour en faire leur carrière. Pour d'autres, il s'agit simplement d'une ambition et d'un rêve qu'elles veulent absolument réaliser. Peut-être êtes-vous toutefois de celles qui sont indécises...

À l'adolescence, il est tout à fait normal de se poser beaucoup de questions sur ce que l'on veut faire dans la vie. Cela peut sembler être un problème énorme et impossible à résoudre, mais il ne faut pas vous en faire. Prenez plutôt cela une étape à la fois. Commencez par déterminer les domaines qui vous attirent, les activités que vous aimez pratiquer et les matières scolaires qui vous intéressent le plus. Vous pouvez procéder par élimination, ou simplement faire une liste des domaines que vous aimez ou qui vous passionnent réellement. Les cours d'éducation au choix de carrière offrent parfois des « journées carrière » où vous êtes invitées à intégrer un milieu professionnel pour voir comment les choses s'y déroulent. Aussi, divers tests existent afin de déterminer les domaines où vous vous démarquez ou qui sont plus susceptibles de vous plaire. L'important, au secondaire, c'est de déterminer une branche dans laquelle vous désirez poursuivre vos études. Préférez-vous les sciences humaines, les sciences médicales, les sciences pures, les arts, les sports, les communications, l'administration ou les maths ? Aimeriez-vous étudier dans un domaine plus général, ou vous sentez-vous prêtes à vous orienter immédiatement vers un métier particulier ou vers une technique professionnelle ?

Si cela peut vous aider, vous pouvez essayer de penser plus loin que vos études en vous posant des questions sur le métier que vous aimeriez exercer. Peut-être réaliserez-vous que pour atteindre votre but, vous n'aurez pas à rester sur les bancs d'école pendant plusieurs années! Si vous restez dans le vague même après être allées chercher de l'aide, vous pouvez essayer de procéder par élimination; il y a certainement des domaines qui ne vous intéressent pas, et c'est en les écartant que vous arriverez à cibler ceux qui vous plaisent davantage.

Il est encore tôt pour savoir où la vie vous mènera, et ce sont souvent les expériences professionnelles que vous vivrez ou les occasions que vous saisirez qui vous feront découvrir vos véritables passions.

Beaucoup de portes s'ouvriront à vous en cours de route, alors ne vous rongez pas tout de suite les sangs si vous ne savez pas exactement ce que vous voulez faire plus tard. Vous avez encore plusieurs années pour y penser, et il faut laisser le temps faire son œuvre. L'important, c'est d'avoir de l'ambition et de faire ce qui vous passionne.

Si vous vous sentez vraiment perdue et que vous ne savez pas trop dans quel domaine vous diriger, vous pouvez aussi consulter un conseiller en orientation qui pourra vous aider à déterminer ce qui vous plaît, en plus de cibler vos forces et vos faiblesses.

Quoi qu'il en soit, gardez toujours en tête qu'il existe une foule d'emplois différents dans tous les domaines et qu'il arrive souvent qu'on finisse par exercer un métier qu'on n'aurait pas nécessairement envisagé quelques années plus tôt. Laissez-vous la chance d'explorer vos champs d'intérêt tout au long de vos études et de garder plusieurs portes ouvertes. Expérimentez, foncez et n'hésitez pas à poursuivre vos rêves! Après tout, vous avez la vie devant vous!

## Sujets connexes :

Gentillesse p. 302
Respect p. 441
Tolérance p. 478

# Colère

### Émotion vive et spontanée

La colère est une émotion qui survient le plus souvent de façon vive et spontanée, sans crier gare, dans un moment d'intense frustration. On se met en colère lorsqu'une situation nous fait sortir de nos gonds et qu'on se sent sur le point d'exploser.

C'est une émotion qui peut être difficile à dominer, car elle nous prend par surprise et nous pousse souvent à dire des choses qui dépassent notre pensée ou à agir de façon regrettable, voire violente.

On se retrouve parfois dans des situations qui nous font monter la moutarde au nez ou avec des gens qui nous mettent franchement en colère. Par exemple, si une amie vous donne rendez-vous au coin d'une rue et qu'elle se pointe avec une heure de retard sans vous avoir prévenue, il est fort probable que vous serez en colère contre elle. Vous ruminez peut-être même dans votre for intérieur depuis plus de soixante minutes. Quand elle finit enfin par arriver avec un air coupable et désolé, vous avez eu tout le temps de mûrir votre colère. Peu importe ses raisons et ses excuses, vous sentez la vapeur qui vous sort par les oreilles et vous éclatez.

Quand on est en colère, des manifestations physiques en témoignent. On devient parfois toute rouge et tendue. Notre corps se raidit, on hausse le ton, on se met à crier, parfois même à pleurer de rage, et on a dans certains cas recours à des gestes violents. Bref, ça n'a rien de très joli! Quand la tempête passe et qu'on prend le temps de se calmer, on regrette souvent de s'être emportée ainsi et on réalise qu'on a dépassé les bornes.

C'est normal d'être en colère de temps à autre. Il y a des journées où on est plus sensible, donc plus susceptible de se mettre en colère. Il survient parfois des événements qui nous font vraiment perdre les pédales. Sachez qu'il existe toutefois des façons de maîtriser sa colère ou, du moins, de l'évacuer autrement qu'en

agressant les gens qui nous entourent. Quand vous vous sentez sur le point d'éclater, mieux vaut parfois le dire et vous éloigner durant quelques minutes. Allez prendre l'air, écoutez de la musique, écrivez pour vous défouler, ou pratiquez un sport pour faire « sortir le méchant ». Vous pouvez aussi vous enfermer entre quatre murs et hurler à pleins poumons! Ça peut sembler un peu fou, mais ça fait un bien immense.

Lorsque vous éclatez, vous devez toutefois tenir compte de l'endroit où vous vous trouvez pour ne pas agir de façon déplacée. Bien que la colère puisse provoquer une réaction spontanée et irrationnelle souvent difficile à contenir, vous devez vous efforcer de retrouver votre sang-froid et de vous calmer. Évitez les coups bas et les paroles blessantes que vous risquez de regretter amèrement par la suite. La colère ne justifie en aucun cas le fait de vous montrer injuste et de blesser les autres, alors prenez une grande respiration et réfléchissez avant de parler. De plus, évitez de réagir de façon violente et de casser des objets pour faire valoir votre point de vue ou pour exprimer votre colère. La violence et l'agressivité ne règlent absolument rien et vous feront sentir complètement ridicule après coup.

Enfin, sachez que la colère permet parfois de faire valoir son opinion, d'exprimer un point de vue qui nous tient à cœur ou tout simplement de se faire respecter quand on sent que les gens abusent de nous. Ce n'est pas mauvais de sortir de ses gonds de temps à autre et d'exprimer ses sentiments en toute sincérité et en toute vulnérabilité, mais il ne faut pas dépasser les limites. Il arrive à tout le monde de dire des choses regrettables sous l'effet de la colère. Aussi, une fois calmée, assurez-vous de vous excuser auprès des personnes concernées. Si vous faites preuve de sagesse et que vous assumez vos torts, les autres auront tendance à avoir de la compassion et à pardonner vos élans d'agressivité. Apprenez toutefois à prendre une grande respiration lorsque vous sentez la colère vous gagner et tournez votre langue sept fois avant de parler pour éviter de jeter de l'huile sur le feu!

**Sujets connexes :**
Confiance p. 206
Poids p. 405
Troubles alimentaires p. 482

# Complexes

## Ne pas les laisser prendre le dessus !

On développe presque toutes de petits complexes de temps à autre. Certaines trouvent que leurs cuisses sont trop grosses, que leur poitrine est trop petite, que leurs jambes ne sont pas assez effilées, etc.

À l'adolescence, il est commun d'avoir des complexes. Le corps se transforme, on ne le reconnaît plus et on sent qu'on en perd la maîtrise. De plus, notre société occidentale est très axée sur l'apparence et le fait d'être confrontées tous les jours à des modèles de corps de femmes aux attributs physiques inatteignables a des conséquences très importantes sur notre estime de nous-mêmes.

La première chose à faire quand on a des complexes, c'est de ne pas les laisser prendre le dessus. Je sais que c'est plus facile à dire qu'à faire et que c'est un travail de longue haleine avec des hauts et des bas et de nombreuses rechutes. Mais cet effort en vaut vraiment la peine, je vous assure !

Apprenez par exemple à identifier les aspects de votre corps et de votre personnalité que vous appréciez, et mettez-les en valeur plutôt que de vous acharner à penser à vos complexes.

Il se peut aussi que vous développiez des complexes relativement à votre personnalité, ou à vos connaissances générales, par exemple. Peut-être trouvez-vous que vous n'en savez pas assez sur l'actualité, que vous êtes nulle en maths, que vous ne comprenez rien aux sports ou que vous n'avez pas suffisamment d'expérience avec les garçons. Et alors ? Personne ne réussit dans tout. Vous avez certainement des domaines de prédilection et des talents qui vous distinguent des autres, alors songez à ce qui vous rend satisfaite de vous plutôt qu'à ce qui vous embête. De plus, il n'est jamais trop tard pour vous améliorer et en

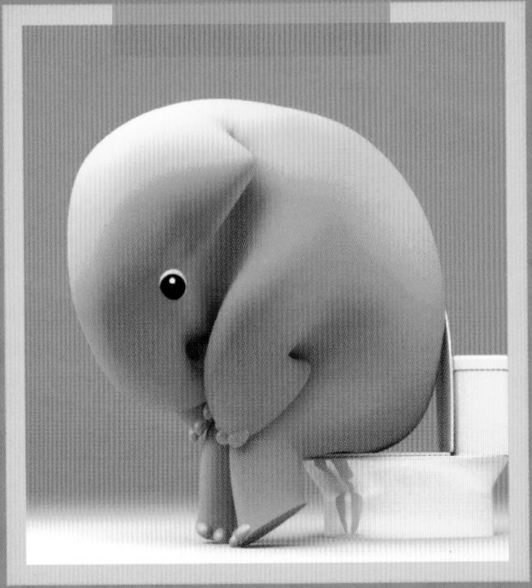

apprendre davantage dans les domaines que vous connaissez moins. Même si vous n'obtenez pas les résultats voulus, vous serez tout de même fière d'avoir essayé et d'avoir cherché à vous surpasser.

Il va sans dire que les complexes sont directement liés à la confiance en soi. Ce n'est pas parce que vous ne raffolez pas de votre nez que vous avez une piètre estime de vous-même, mais vous ne devez pas laisser ce petit complexe prendre le dessus sur tout le reste. Il importe d'apprendre à vous aimer telle que vous êtes et à vous mettre en valeur pour vous sentir jolie et intelligente. Les complexes se forment dans votre tête, et ils ne constituent en rien des indices de la perception qu'ont les autres de vous. Il n'en tient qu'à vous de les dominer et de les vaincre. De plus, certains complexes disparaîtront d'eux-mêmes au fil du temps, avec le passage de l'adolescence ou lorsque votre corps aura terminé de se développer, mais, d'ici là, apprenez à vous apprécier, à vous valoriser et à accorder la priorité à vos qualités et à vos atouts plutôt qu'aux aspects de votre corps et de votre personnalité qui vous plaisent le moins. Tant et aussi longtemps que vous ne maîtriserez pas vos complexes et que vous ne serez pas capable de faire taire cette petite voix intérieure qui a tendance à vous rabaisser, vous ne pourrez pas vous sentir complètement épanouie. Alors, soyez forte et assumez-vous telle que vous êtes. Vous êtes la maîtresse de votre estime personnelle et de votre confiance en vous. Ne soyez pas trop dure envers vous-même, et prenez conscience de vos qualités!

## Les complexes et les réseaux sociaux

Bien qu'on aime s'y perdre pendant des heures, il va sans dire que les réseaux sociaux représentent un véritable danger pour l'estime de soi. Lorsque j'ouvre ma page d'accueil Instagram, j'y aperçois en effet des tonnes d'images de corps sensuels qui me font grincer des dents puisqu'elles ne sont pas du tout représentatives de la réalité, et que du coup je peux parfois me sentir moche, vieille et triste. Et je sais que je ne suis pas la seule et que beaucoup de jeunes se dévalorisent en croyant qu'il s'agit là d'un idéal à atteindre.

Je vous encourage fortement à ne pas vous comparer à ces modèles irréalistes de beauté. N'oubliez pas que la plupart de ces photos n'ont rien de naturel et sont souvent retouchées (oui, même sur Instagram!). Je crois que le mieux à faire est plutôt de prendre le tout avec un grain de sel et de changer de page rapidement, un peu comme lorsque vous feuilletez un magazine.

Comme je le répète souvent, il est humain d'avoir des complexes, mais le mieux est d'apprendre à vous aimer et à vous accepter telle que vous êtes sans vous comparer aux autres. Je crois par ailleurs que ce sont les petits détails qui vous distinguent et la confiance et la générosité qui émanent de vous qui vous rendent attirante aux yeux des autres.

## Sujets connexes :

Amitié p. 145
Potins p. 417
Respect p. 441

# Confiance

## Compter l'un sur l'autre

Il nous arrive souvent de promettre quelque chose à quelqu'un. On promet à nos amies de garder leurs secrets ou à nos parents de rentrer à l'heure convenue. Ces personnes doivent alors nous faire confiance et se fier à notre parole. De même, lorsque quelqu'un nous dit qu'on peut compter sur lui, il faut savoir si cette personne est réellement digne de confiance. Comment savoir faire la part des choses?

La confiance est un sentiment de sécurité lié à une relation qu'on entretient avec quelqu'un. Lorsqu'on fait confiance à une personne, c'est parce qu'on sait qu'elle tient ses promesses, qu'elle est honnête et qu'on peut se fier à son jugement. Le sentiment de confiance s'établit quand on a la certitude que cette personne ne va pas nous trahir et qu'elle nous respectera quoi qu'il arrive. Songez par exemple à votre meilleure amie. Vous pensez certainement qu'il s'agit d'une personne loyale et qu'elle sera toujours là pour vous. Si quelque chose vous tracasse, vous savez que vous pouvez vous confier à elle, puisqu'elle reste muette comme une carpe et qu'elle respecte votre intimité. Vous ne craignez pas qu'elle aille jacasser et révéler vos secrets à toute l'école ou qu'elle vous déçoive. D'ailleurs, elle s'attend probablement à la même chose de votre part. En d'autres mots, vous vous faites confiance mutuellement.

La confiance n'est pas quelque chose que l'on peut accorder facilement. On peut rarement se fier aveuglément à quelqu'un qu'on ne connaît pas, mais lorsqu'on gagne cette confiance, on se sent vraiment importante à ses yeux, et ce sentiment est tout à fait unique. Quand on est en confiance, on se sent stable et on sait que la relation qu'on entretient avec une personne honnête est difficile à ébranler. La vie semble aussi plus facile lorsqu'on a quelqu'un sur qui compter, puisqu'on n'a pas à s'inquiéter d'être trahi par cette relation. Par exemple, si vous passez la soirée chez une copine et que vous informez vos parents que vous ne dormirez pas à la maison, s'ils vous font confiance, ils ne seront pas inquiets. Ils n'iront pas s'imaginer que vous êtes dans une fête délirante ou que vous traînez dans la rue, puisque vous tenez toujours parole et que vous êtes honnête. La confiance est d'ailleurs directement liée à l'honnêteté. Il ne faut pourtant pas croire que vous êtes tenue d'être exemplaire et d'agir toujours pour le plus grand bien. Il arrive à tout le monde de commettre des erreurs, et ce n'est pas parce que vous rentrez cinq minutes en retard que vos parents n'auront plus confiance en vous. Lorsque vous commettez un petit écart, faites comprendre à vos parents ou à vos amis que vous êtes désolée et que cela ne se reproduira plus. Vous démontrez ainsi que vous prenez vos engagements au sérieux et que vous êtes une personne responsable. La prochaine fois, si vous savez que vous allez être en retard, appelez vos parents pour les prévenir. S'ils vous font confiance, ils auront tendance à vous donner plus de liberté. Si vous jugez que vous êtes digne de cette confiance et qu'ils sont complètement paranos, il faut en discuter avec eux pour leur expliquer que, jusqu'à preuve du contraire, vous êtes responsable et qu'ils peuvent toujours se fier à vous.

## Une confiance réciproque

C'est bien beau de faire confiance aux gens, mais il n'y a rien de plus valorisant que de sentir que les gens peuvent vous faire confiance. Vous devez gagner cette loyauté en agissant de façon à ce que les personnes que vous aimez sachent qu'elles peuvent compter sur vous, sur votre honnêteté, sur votre respect et sur votre parole. En d'autres mots, cela signifie que vous devez honorer vos engagements et agir de façon responsable. Faire des promesses que vous trahirez et donner votre parole en sachant que vous ne pourrez pas la tenir ne vous aidera pas à acquérir la confiance de vos proches. Soyez réaliste dans ce que vous dites. Pour gagner la confiance des autres, il est aussi important d'être là pour eux et de leur faire sentir qu'ils peuvent vraiment compter sur vous, sur votre présence et sur votre soutien. Lorsqu'une de vos bonnes amies ne va pas bien et qu'elle a besoin de se confier à vous, assurez-lui qu'elle peut le faire en toute confiance, que vous respecterez son intimité et que vous ne la jugerez pas. C'est essentiel. Vous devez savoir garder des secrets et être discrète pour que les gens aient confiance en vous. Laissez faire les ragots et concentrez-vous sur la vraie amitié. Évidemment, si vous voulez gagner la confiance d'une personne, il faut éviter d'être malhonnête ou de la trahir. Tout est question d'honnêteté, de respect, de loyauté et de fidélité avec votre famille, vos amies et votre amoureux.

## Les deux extrêmes

On peut avoir tendance à accorder sa confiance un peu trop facilement. La confiance n'est pas quelque chose à traiter à la légère et, dans certaines circonstances, la naïveté peut blesser. Certaines personnes ne sont pas dignes de cette confiance et risquent de vous faire du mal. C'est à vous de déterminer qui, dans votre entourage, mérite ce respect et cette ouverture de soi. De plus, il ne faut pas non plus se fermer aux autres et refuser d'accorder votre confiance à qui que ce soit, car vous passerez à côté de plein de belles choses. Même si quelqu'un vous blesse et abuse de votre confiance, dites-vous que nous apprenons toutes de nos erreurs et que, la prochaine fois, vous serez plus prudente. Apprenez à donner et à recevoir. La confiance se construit souvent à deux, et il est très facile de voir si vous êtes seule à tenir le fort ou si vous pouvez véritablement compter sur l'autre.

Sachez toutefois que la clé, c'est la patience. Certaines personnes prennent plus de temps à s'ouvrir et à faire confiance aux autres. Il faut que vous puissiez montrer aux gens qu'ils n'ont aucune raison de ne pas croire en votre parole. Ainsi, ils seront plus sujets à vous accorder leur confiance.

Par ailleurs, ne soyez pas surprise si les gens à qui vous pouvez toujours vous fier se comptent sur les doigts d'une main. L'important, c'est de savoir que vous pouvez compter sur eux, et qu'ils peuvent se fier à vous et vous faire confiance sans la moindre inquiétude. La confiance est un immense atout dans les relations avec vos amies, vos parents, vos frères et vos sœurs, vos professeurs et, bien évidemment, avec la personne qui fera battre votre cœur. Non seulement la confiance est-elle essentielle en amitié, mais c'est aussi l'une des bases de l'amour. Apprendre à construire la confiance n'a que du bon; cela vous fera rapidement vous sentir beaucoup plus mature et vous aidera à vous bâtir une belle estime de soi.

# Confidente

**Sujets connexes :**

Copains p. 218
Journal intime p. 337
Secret p. 452

## Dévoiler son jardin secret

Une confidente, c'est quelqu'un sur qui on peut compter et à qui on peut se confier, raconter ses petits secrets, ses hauts et ses bas, ses angoisses, ses malheurs et ses chagrins sans avoir peur de se faire juger ou de ne pas se faire respecter.

Quand on choisit un confident ou une confidente, on lui dévoile notre jardin secret, on partage une intimité unique et très précieuse. Aussi, il faut savoir valoriser ce sentiment. C'est à vous et à vous seule de déterminer qui sont vos confidents. Il peut s'agir d'une amie, d'un copain, de votre journal intime, de vos parents, de votre sœur ou de votre chien, mais ce doit être quelqu'un de loyal et d'honnête sur qui vous pouvez compter. Ces personnes-ressources sont parfois difficiles à trouver, alors ne vous étonnez pas si vous constatez que vous n'avez qu'un ou deux vrais confidents. Lorsqu'on se confie à quelqu'un, on dévoile son jardin secret et on partage des confidences, ce qui peut nous faire sentir extrêmement vulnérable. Il faut toutefois apprendre à s'ouvrir aux autres et à ne pas avoir peur de discuter des choses qui nous tracassent ou qui nous perturbent avec les gens qu'on considère comme étant dignes de confiance.

*Devenir la confidente de quelqu'un ne se fait pas du jour au lendemain.*

L'autre doit d'abord être convaincue qu'elle peut compter sur vous et vous faire confiance. Elle sait que vous êtes là en tout temps pour l'écouter, pour lui offrir une épaule sur laquelle pleurer ou une oreille pour se confier. Bref, elle peut non seulement compter sur votre loyauté et votre respect, mais aussi sur votre discrétion. Quand quelqu'un se confie à vous, vous devez apprécier la confiance qui vous est accordée, et apprendre à respecter les confidences de cette personne et à ne pas dévoiler ses secrets aux autres, même s'ils vous paraissent anodins. Après tout, ce qui vous semble sans importance est peut-être extrêmement précieux à ses

yeux et, de toute façon, ce n'est pas à vous d'en juger. Si vous voulez qu'une copine vous fasse confiance et se confie à vous, vous devez lui montrer que vous êtes disponible, discrète, loyale, respectueuse et que vous ne porterez pas de jugement sur ce qu'elle vous racontera. La liste semble assez longue, mais ce sont des qualités qui vont souvent de soi en amitié. On ne doit pas se forcer à être loyale ou disponible, puisque quand on aime quelqu'un, c'est souvent naturel d'être là pour lui et de l'écouter en lui offrant notre soutien. Si une amie est bouleversée, angoissée ou stressée et qu'elle se confie à vous, vous pouvez aussi décider de l'écouter, puis de lui proposer une activité qui saura lui changer les idées et la sortir de sa torpeur. C'est à vous, la confidente, de lui donner des conseils ou de lui proposer des activités amusantes. Soyez attentive aux besoins des autres et apprenez à les écouter lorsqu'ils en ont besoin. Inversement, apprenez à vous ouvrir aux autres et à partager vos émotions avec les gens en qui vous avez confiance.

Sachez aussi qu'il existe toutes sortes de confidentes: il y a les copines que vous irez voir lorsque vous voudrez parler de vos émotions et de vos angoisses un peu plus profondes, celles à qui vous voudrez parler lorsque vous aurez envie de lâcher votre fou ou de vous changer les idées, et celles qui ont toujours le don de vous faire sentir mieux en un rien de temps. L'important, c'est que vous puissiez leur faire confiance et compter sur elles et sur leur discrétion, tout en leur faisant bien comprendre qu'elles peuvent également compter sur vous et que vous vous acquitterez tout aussi bien de votre rôle de confidente. C'est ça, la vraie amitié!

# Conscience

**Sujets connexes :**

Croyances/Religions p. 222
Responsabilité p. 443
Valeurs p. 486

## La petite voix qui se cache à l'intérieur

La conscience est «l'état nerveux de vigilance et de réceptivité aux signaux provenant de l'environnement interne et externe, qui fonde la pensée, les comportements et l'identité de l'individu»[1].

En d'autres termes, c'est la petite voix qui se cache à l'intérieur de vous, qui vous rend capable de distinguer le bien du mal et qui vous incite à faire des choix conformes à vos valeurs.

Prenons un exemple concret. Si vous volez dans un magasin, vous savez que vous avez commis un délit et que vous avez mal agi. Même si personne ne s'en rend compte, au fond de vous, vous êtes rongée par la culpabilité et par la honte parce que vous êtes tout à fait consciente du fait que votre geste n'était pas conforme à vos valeurs et à la loi. Bref, votre conscience ne cesse de vous répéter que vous avez mal agi, de sorte que vous avez de la difficulté à assumer votre crime et qu'il devient impossible pour vous d'avoir l'esprit en paix. Bien que la conscience soit solidement ancrée au fond de vous et que personne d'autre que vous ne puisse la diriger, c'est presque impossible de la faire taire ou de l'ignorer quand elle vous indique que quelque chose cloche. La conscience constitue la base de votre identité ; c'est en elle que se trouvent les repères qui vous guident dans la vie et qui vous poussent à agir correctement, à vous questionner sans cesse sur vos agissements, à vous améliorer en cas d'erreur et à vous surpasser.

***La conscience vous permet souvent de vous remettre sur le droit chemin et d'agir en fonction de vos valeurs et de votre vision de la vie.***

Non seulement elle vous fait réfléchir sur le fondement de vos valeurs lorsque vous commettez une erreur ou que vous n'êtes pas fière de vous, mais elle vous trace aussi la voie par laquelle atteindre vos objectifs. C'est elle qui vous permet de bien percevoir vos émotions et de vous ouvrir à votre propre état d'esprit, de réfléchir à vos actes. Ainsi, elle peut vous guider vers le bonheur et l'épanouissement, en plus de vous permettre de déterminer les fondements de votre morale.

Ce n'est toutefois pas toujours facile de s'y retrouver. Parfois, on ne sait pas trop quelle est la meilleure décision, et notre conscience se fait toute petite ou semble tout aussi confuse que nous. Bref, on cogite dans une zone grise et on n'y voit plus très clair.

1- Grand Dictionnaire terminologique.

De plus, votre conscience ne peut pas vous garantir que vous ne commettrez jamais d'erreur : il arrive à tout le monde de se tromper. L'important, c'est que vous en soyez consciente et que vous appreniez de ces erreurs pour ne plus les reproduire, ce qui vous permettra de vous améliorer. Il ne sert à rien de vous perdre en regrets, car de toute façon ce qui est fait est fait et, jusqu'à preuve du contraire, vous ne pouvez pas réécrire le passé. Vous pouvez toutefois accepter votre erreur et vous dire que vous ferez mieux la prochaine fois. C'est à cela que sert la conscience. Elle agit comme un guide pour que vous puissiez devenir une meilleure personne.

**Sujets connexes :**

Avortement p. 174

ITSS p. 329

Sexualité p. 456

# Contraception

## Les méthodes contraceptives

Quand vous vous sentez prête à avoir vos premières relations sexuelles, il est essentiel de songer à la contraception.

Les méthodes contraceptives sont indispensables pour empêcher la grossesse et le condom (masculin ou féminin) pour prévenir les maladies transmises sexuellement (MTS – maintenant appelées infections transmissibles sexuellement, ou ITS). L'appellation « infections transmissibles sexuellement et par le sang » (ITSS) désigne quant à elle des infections qui se transmettent par voie sexuelle et sanguine.

Il est important de noter que le condom (féminin ou masculin) est la seule méthode contraceptive qui protège également des ITSS. L'utilisation du condom (masculin ou féminin) demeure donc essentielle, quelle que soit la méthode de contraception que vous utilisez[1].

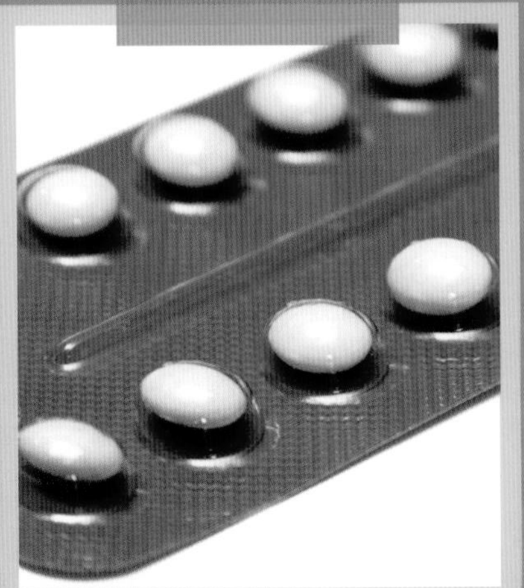

### LES MÉTHODES HORMONALES

#### La pilule

La pilule anticonceptionnelle est la méthode contraceptive la plus répandue chez les adolescentes. Elle est très efficace si elle est utilisée correctement (aucun oubli, prise régulière). Les hormones qu'elle contient empêchent l'ovulation. Il existe divers types de pilules. Les effets secondaires varient selon les filles, mais la plupart des pilules possèdent une concentration d'hormones si faible que ces effets sont très minimes. Le corps a besoin d'environ trois mois pour s'habituer à la pilule, mais cette dernière contribue notamment à rendre les règles plus régulières, celles-ci devenant souvent plus courtes et moins abondantes. Certaines pilules règlent également les légers problèmes d'acné.

#### L'injection contraceptive

Aussi appelée « Depo-Provera® » ou « contraceptif injectable », l'injection contraceptive est une injection d'hormone progestative qu'on effectue toutes les 11 à 13 semaines pour prévenir la grossesse. Ce produit bloque la libération d'ovules par les ovaires et épaissit la glaire du col utérin, ce qui empêche les spermatozoïdes de pénétrer dans l'utérus et d'y survivre. L'efficacité de l'injection contraceptive est supérieure à 99 %, et il ne faut que 24 heures, après l'injection, pour qu'elle fasse effet. Lorsque vous allez chez le médecin pour recevoir l'injection, il est important de prendre rendez-vous pour la suivante, puisque son efficacité dure entre 11 et 13 semaines. Certains effets secondaires sont à signaler (nausées, étourdissements, saignements irréguliers, aménorrhée, prise de poids).

1- Gouvernement du Québec, *MTS, ITS, ITSS… je ne fais pas la différence!*, en ligne : <itss.gouv.qc.ca/mts-its-itss.dhtml>.

## Le timbre

Le timbre est un autocollant qu'on colle sur sa peau. Il contient de l'œstrogène et de la progestérone, qui sont libérés en continu à partir du timbre et à travers la peau. Il prévient l'ovulation et peut aussi épaissir la glaire cervicale (la lubrification naturelle du vagin), ce qui rend plus difficile aux spermatozoïdes de remonter jusqu'à l'utérus. Le timbre a une excellente adhésion au corps. Une fois collé sur la peau (sur le ventre, les fesses, les bras, les jambes ou le dos), le timbre peut rester en place durant 7 jours. Vous devez le changer chaque semaine, la même journée, sur une peau propre et sèche. Normalement, le timbre reste en place malgré la baignade ou les différentes activités sportives.

## L'anneau vaginal

L'anneau vaginal a un mode d'action très similaire aux contraceptifs oraux et au timbre, car il contient lui aussi de l'œstrogène et de la progestérone, qui sont libérés en continu. L'anneau vaginal est réellement un anneau, d'environ 5 cm de diamètre, en plastique transparent et facilement malléable. L'anneau doit être installé dans le vagin et il y restera durant 3 semaines. Ces 3 semaines seront suivies par une semaine sans anneau (et donc de menstruations), puis il doit être remplacé par un nouvel anneau. Il n'y a pas de position spécifique pour que l'anneau soit efficace à l'intérieur du vagin, et il est impossible qu'il migre pour aller ailleurs dans le corps. Normalement, les filles ne sentent pas l'anneau lorsqu'il est en place. Il est aussi important de savoir qu'il ne faut pas enlever l'anneau lors d'une relation sexuelle.

## Le stérilet

(contraception hormonale ou non hormonale)

Le stérilet (aussi connu sous le nom de « dispositif intra-utérin », DIU) est un dispositif qu'on place à l'intérieur de l'utérus. Il existe des stérilets hormonaux et des stérilets en cuivre qui empêchent la nidation de l'ovule fécondé (l'œuf ne peut s'accrocher aux parois) et ralentissent l'épaississement de la muqueuse utérine. Le stérilet doit être inséré par un professionnel de la santé au fond de l'utérus. Le stérilet n'altère en rien la fertilité et est une bonne méthode qui peut être utilisée dès l'adolescence. Il faut noter que le stérilet de cuivre peut causer des menstruations plus abondantes et douloureuses alors que le stérilet hormonal peut, au contraire, diminuer la durée et l'abondance du flux menstruel.

### LES MÉTHODES NON HORMONALES

## Le condom

Le condom (masculin ou féminin) est la seule méthode contraceptive qui protège en même temps contre les ITS et le VIH; il est donc primordial de toujours en utiliser un lorsque vous avez des relations sexuelles, et ce même si vous employez une autre méthode de contraception. Le condom se trouve dans un petit sachet individuel que tu dois ouvrir délicatement pour être bien certaine de ne pas l'abîmer. Pour protéger efficacement d'une grossesse ou de la transmission d'ITSS, le condom doit obligatoirement être mis avant le début de la pénétration. Quand le garçon éjacule, le sperme demeure à l'intérieur du préservatif plutôt que de se répandre à l'intérieur du vagin. Par conséquent, au moment d'enfiler le condom, il est important de laisser un petit espace au bout pour recueillir le sperme. La plupart des préservatifs sont pourvus d'un petit réservoir qui simplifie les choses. Vous devez ensuite pincer légèrement le haut du condom pour chasser l'air, mais faites-le avec vos doigts plutôt qu'avec vos ongles pour éviter de le déchirer. Vous devez ensuite bien le dérouler, avant la pénétration, jusqu'à la base du pénis en vous assurant qu'il est dans le bon sens (le petit anneau que vous déroulez doit être tourné vers l'extérieur). Après l'éjaculation, il est important de retirer le condom alors que le pénis est encore en érection. Pour ce faire, il faut bien tenir la base du condom.

Jetez-le immédiatement. Lorsque le condom est bien utilisé, son taux d'échec est de seulement 20 sur 1000 soit 2 %.

## Le diaphragme

Le diaphragme est moins efficace que le condom pour prévenir la grossesse, et il ne protège pas contre les ITSS. Il s'agit d'une membrane en latex qu'on place au fond du vagin juste avant le rapport sexuel, de façon à recouvrir le col de l'utérus et à éviter que les spermatozoïdes ne rencontrent l'ovule. C'est votre médecin qui déterminera d'abord la taille du diaphragme dont vous avez besoin et qui vous montrera comment l'installer adéquatement. Le diaphragme peut être accompagné d'une crème spermicide (qui détruit les spermatozoïdes), que l'on doit appliquer avant la pénétration.

### LES MÉTHODES NATURELLES

Les méthodes naturelles sont très peu efficaces. Non seulement elles ne protègent pas contre les ITSS, mais elles entraînent un risque très important de grossesse à cause du liquide pré-éjaculatoire qui est émis par le garçon au cours de la relation sexuelle et qui contient des spermatozoïdes. Les deux principales méthodes naturelles sont le coït interrompu, où le garçon se retire avant l'éjaculation, et l'abstinence durant les périodes d'ovulation (très difficiles à déterminer avec précision). Ces méthodes naturelles ne sont pas recommandées.

2-Sexandu.ca/fr : *Contraception, Méthodes non-hormonales,* en ligne : <sexandu.ca/fr>.

| LES MÉTHODES HORMONALES | | | |
|---|---|---|---|
| | **Quelques avantages** | **Quelques inconvénients** | **Accessibilité** |
| ***La pilule anticonceptionnelle*** | • Très efficace si utilisée comme il faut (97 - 99 %)<br>• Facile à utiliser<br>• N'affecte pas la fécondité<br>• Régularise les menstruations : moins de crampes menstruelles | • Ne protège pas contre les ITSS<br>• Effets secondaires possibles (nausées, maux de tête)<br>• Doit se prendre au même moment de la journée tous les jours<br>• Autres méthodes contraceptives requises lors du premier mois ou en cas d'oubli<br>• Le coût peut être un facteur limitant pour certaines femmes | • CLSC<br>• Clinique<br>• Médecin de famille |
| ***L'injection contraceptive*** | • Très efficace (99,7 %)<br>• Pratique<br>• Ne s'injecte que toutes les 11 à 13 semaines | • Ne protège pas contre les ITSS<br>• Irrégularités menstruelles<br>• Gain pondéral possible<br>• Les effets secondaires ne sont réversibles qu'une fois le dépôt injecté épuisé<br>• Risque de diminution de la densité osseuse en cas d'usage prolongé. Effet réversible après l'arrêt chez la majorité des femmes | • CLSC<br>• Clinique<br>• Médecin de famille |
| ***Le timbre*** | • Reste normalement en place jusqu'à 7 jours<br>• Peut réduire l'abondance des règles et des crampes<br>• Complètement réversible | • Ne protège pas contre les ITSS<br>• Effets secondaires possibles au début de l'utilisation<br>• Peut irriter la peau | • Clinique<br>• Médecin de famille |
| ***L'anneau vaginal*** | • Permet de régulariser les règles et de les rendre moins abondantes et moins douloureuses<br>• Peut traiter le SPM et l'acné<br>• Reste en place pendant environ 3 semaines | • Peut entraîner certains effets secondaires (rares) tels que maux de tête, irritation, inconfort, écoulement vaginal, nausées et sensibilité des seins<br>• Des saignements entre les règles ont été signalés chez 5 % des femmes surtout au cours des premiers mois | • CLSC<br>• Clinique<br>• Médecin de famille |

## LES MÉTHODES NON HORMONALES

| | Quelques avantages | Quelques inconvénients | Accessibilité |
|---|---|---|---|
| *Le condom* | • Protège contre la grossesse et la majorité des ITSS<br>• Efficace à 98 % pour la prévention des grossesses s'il est utilisé constamment et correctement<br>• Accessible et peu coûteux<br>• Implique la participation directe du partenaire (sauf dans le cas du préservatif féminin)<br>• Aucune visite chez le médecin ni ordonnance ne sont requises | • Les deux partenaires doivent être consentants et en mesure de l'utiliser pour chaque rapport sexuel<br>• Peut se déchirer s'il n'est pas utilisé comme il faut (date de péremption passée, lubrification insuffisante)<br>• Nécessite une planification/ manque de spontanéité<br>• Certaines personnes peuvent être allergiques au latex (il est alors possible d'utiliser un préservatif sans latex) | • Pharmacie<br>• Clinique jeunesse<br>• Infirmerie scolaire |
| *Le diaphragme et la cape cervicale (utilisés avec un gel ou une crème spermicide)* | • Peuvent s'insérer quelques heures avant les rapports sexuels<br>• Efficacité de 74 % à 94 % dans la prévention des grossesses s'ils sont utilisés constamment et correctement<br>• Peu d'effets secondaires | • Ne protègent pas contre les ITSS<br>• Leur insertion demande une certaine expérience et une bonne motivation de la part de l'utilisatrice<br>• Une perte ou un gain pondéral d'environ 10 livres peut compliquer leur ajustement<br>• Rendez-vous chez un médecin requis pour ajuster le diaphragme | • CLSC<br>• Clinique<br>• Médecin de famille |
| *Les spermicides* | • Offerts sans ordonnance<br>• Efficacité de 71 % à 82 % s'ils sont employés seuls (71 % pour un usage habituel, 82 % pour un usage parfait)<br>• Efficacité maximale en association avec une méthode barrière comme le diaphragme ou la cape cervicale | • Ne protègent pas contre les ITSS<br>• Comportent un risque de réaction allergique pouvant causer des fissures microscopiques du vagin<br>• La recherche indique que le principe actif dans les spermicides, le nonoxynol-9, peut en fait augmenter le risque de transmission du VIH, car il peut fissurer la paroi génitale | • Pharmacie |
| *Le stérilet* | • Son introduction ne dépend pas des rapports sexuels<br>• Efficacité à de 99,3 % à 99,9 %<br>• Contraception à long terme pouvant durer jusqu'à 10 ans<br>• Sans danger et efficace pour les femmes non exposées au risque d'ITSS (partenaire stable et fidèle) | • Ne protège pas contre les ITSS<br>• Peut causer des douleurs et un saignement après son insertion<br>• Risque de saignements menstruels plus abondants avec un stérilet de cuivre<br>• Risque de pelvipéritonite 1 mois après l'insertion<br>• Son coût varie de 50 $ à 150 $ | • CLSC<br>• Clinique<br>• Médecin de famille |

Source : <sexandu.ca/fr>.

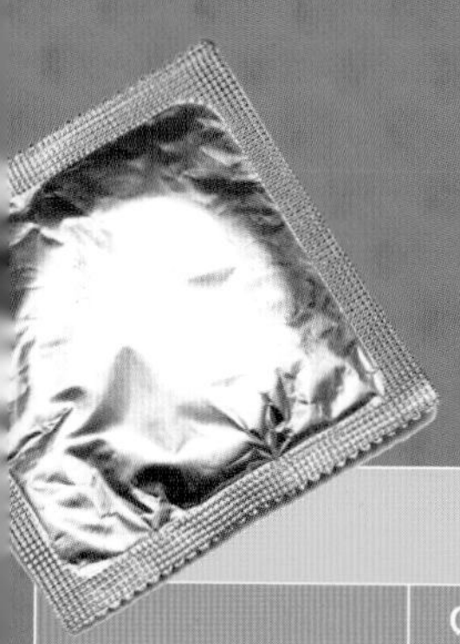

| LES MÉTHODES NATURELLES | | | |
|---|---|---|---|
| | **Quelques avantages** | **Quelques inconvénients** | **Accessibilité** |
| ***Abstinence (pas de rapports sexuels ; aucune pratique sexuelle pouvant causer un échange de liquides organiques ; pas de contact cutané dans la région génitale ; aucun contact buccal avec les organes génitaux)*** | • Méthode la plus efficace pour la prévention des grossesses et des ITSS<br>• Aucun effet secondaire<br>• Aucun coût | • Chaque partenaire peut avoir une conception différente de l'abstinence<br>• Elle n'est pas un bon choix si l'un des partenaires n'est pas consentant ou si l'un d'eux exerce des pressions ou subit des pressions de son entourage pour avoir des rapports sexuels<br>• Les partenaires peuvent changer d'avis pendant les jeux sexuels ; ils doivent donc toujours avoir un condom à leur disposition | |
| ***Le retrait*** | • Aucun effet secondaire<br>• Aucun coût<br>• Convient lorsque aucune autre méthode n'est accessible (mais une meilleure méthode est presque toujours accessible !) | • Du sperme provenant d'un pré-éjaculat du pénis en érection peut entrer dans le vagin avant le retrait du pénis<br>• Ne protège pas contre les ITSS<br>• Pas hautement efficace. Des études ont démontré des taux d'échec de 23 % chez les utilisateurs typiques et de 4 % chez les utilisateurs expérimentés<br>• Requiert une grande maîtrise de soi-même et de la pratique | |

Source : <sexandu.ca/fr>.

## Sujets connexes :

Amitié p. 145
Gang de filles p. 291
Sorties p. 462

# Copains

**Rires, legèreté et bonne entente !**

Ce sont les bonnes connaissances qu'on croise à l'école et dans les fêtes entre amis. Les copains font souvent partie du groupe de personnes avec qui vous vous tenez, suivent le même cours que vous ou habitent dans votre quartier.

Un copain (ou une copine), c'est une personne avec qui on a des champs d'intérêt communs ou avec qui on fait des activités. Il faut faire la distinction entre les amis, à qui on se confie et sur qui on peut toujours compter dans les moments difficiles, et les copains qu'on fréquente de façon plus désinvolte et avec qui on entretient des rapports plus légers. Parfois, un copain peut devenir un ami. Avec le temps, on peut remarquer qu'on a beaucoup d'affinités avec un copain. Une relation de confiance s'établit et il devient alors un bon ami. Par exemple, si vous faites partie de l'équipe de basket de votre école, les autres joueuses sont vos copines : c'est avec elles que vous pouvez discuter de sport, que vous prenez l'autobus avant et après les parties, et que vous participez aux tournois. Avec les copains, on passe souvent des moments inoubliables, mais on a plutôt tendance à confier nos petits secrets à notre meilleure amie, en qui l'on fait totalement confiance.

Il ne faut toutefois pas sous-estimer l'importance des copains. Ce sont eux que vous croisez dans les couloirs ou dans la cour de l'école et qui mettent de la vie dans votre quotidien. Ce sont aussi eux qui se joignent à vos fêtes et qui rendent votre vie plus joyeuse. Ce sont les copains qui viennent rompre le train-train et mettre de la vie dans vos journées qui, sans eux, seraient longues et ennuyantes. Avoir des copains qui fréquentent divers groupes sociaux permet de connaître toutes sortes de cultures, de traditions et de personnalités.

Il est facile de se faire des copains ; il vous suffit d'être joviale, sociable et de vous montrer assez ouverte pour bavarder de tout et de rien. Montrez-vous accessible et facile d'approche. Tentez de combattre

votre timidité et ne restez pas dans votre coin. Si vous semblez fermée, les gens seront moins tentés de vous aborder et préféreront garder leurs distances. Même si vous croyez que certaines personnes sont différentes de vous et que vous n'avez pas les mêmes champs d'intérêt, faites un effort, et vous pourriez être très surprise. Inscrivez-vous à des activités parascolaires, participez aux excursions qu'on vous propose, joignez-vous à une équipe sportive ou au conseil étudiant ; c'est là que vous ferez la connaissance de personnes avec qui vous aurez des champs d'intérêt communs. On a souvent moins de vraies amies que de bons copains. Vos amies sont celles avec qui vous partagez des choses personnelles, celles à qui vous pouvez vous confier et qui peuvent compter sur vous en retour. Même si elles ne partagent pas toutes vos passions, ce sont vos amies qui vous comprennent le mieux. Les copains de votre cours d'arts plastiques, c'est avec eux que vous pouvez parler de votre amour de la peinture à l'huile ! Avec eux, vous pouvez discuter des toiles et des pinceaux avant de rejoindre votre meilleure amie pour discuter de choses qui vous tiennent à cœur.

***Même si les copains ne sont pas les personnes les plus proches de vous, il faut tout de même faire un effort pour entretenir ces liens d'amitié.***

Envoyez-leur une carte postale de la République dominicaine ou une jolie carte de Noël pour qu'ils sachent que vous pensez à eux, même si vous ne passez pas tout votre temps en leur compagnie. Prenez de leurs nouvelles par Facebook ou par courriel, faites des blagues dans l'autobus et saluez-les lorsque vous les croisez à l'école.

Les camarades de classe sont eux aussi vos copains, car ils sont ceux avec qui vous assistez à vos cours durant toute l'année scolaire et avec qui vous partagez le plus clair de votre temps. Bien que la plupart d'entre eux soient différents de vous, il y a tout de même entre vous une grande camaraderie et une grande complicité. Les cours seraient beaucoup plus monotones sans eux! Plus tard, vous vous remémorerez avec joie les souvenirs de votre passage au secondaire en pensant à vos camarades de classe.

Avec les copains, on n'a pas trop à s'en faire: pas de disputes, pas de grandes confidences ou de fortes émotions. Les relations demeurent légères et on peut rigoler sans se faire de souci, et ce qui est génial, c'est qu'on peut se faire des copains un peu partout et ouvrir son esprit aux différences et à la diversité. Si vous partez en voyage et que vous rencontrez des copines qui vivent en Allemagne, vous ne pourrez pas rester en contact quotidien avec elles, mais vous pouvez quand même leur écrire de temps à autre, puisque vous partagerez à jamais ces souvenirs de vacances. Les copains serviront aussi à développer votre estime personnelle, car vous constaterez que même s'ils ne vous connaissent pas de fond en comble, ils apprécient beaucoup votre personnalité et votre dynamisme et ils aiment bien être en votre compagnie. Profitez du temps passé avec eux pour accumuler les bons moments et les rigolades. Laissez briller votre personnalité!

## Sujets connexes :

Amour p. 147
Plaisir p. 403
Première fois p. 423

# Couple

## Un premier petit ami

Il n'est pas rare de vivre son premier amour à l'adolescence. On se fait un petit ami et on se sent au septième ciel. Une première relation amoureuse vous en apprendra énormément sur vous-même et sur la vie de couple.

Ça y'est vous êtes en couple! Que cela fasse des semaines ou des mois que vous attendiez ce moment-là, ou que vous veniez à peine de vous rencontrer, vous vous êtes tranquillement (ou pas) rapprochés et c'est officiel, vous êtes ensemble! Sortir avec quelqu'un nous permet de mieux connaître cette personne et parfois de découvrir des petits (ou gros) défauts. On doit aussi s'habituer à un nouveau rythme de vie et à une nouvelle routine. C'est normal de vouloir passer tout son temps avec son amoureux, mais il faut faire attention de ne pas tout sacrifier pour lui.

Tout d'abord, il y a vos amies. Vous aviez sans doute l'habitude de passer tout votre temps libre avec elles, de dîner en leur compagnie et de les retrouver après l'école. Maintenant, vous devez apprendre à partager votre temps entre votre amoureux et vos meilleures copines. Il se peut très bien que l'adaptation soit difficile au début. Vos amies seront peut-être jalouses de l'attention que vous portez à un garçon et du temps que vous lui consacrez, et votre petit ami vous demandera peut-être de sacrifier vos après-midis de magasinage avec vos amies pour passer plus de temps avec lui.

*L'important, c'est de trouver un équilibre qui vous permette de voir votre amoureux sans négliger complètement vos amies.*

### Et vos amies dans tout ça?

Quand on est follement amoureuse, on sent que notre cœur s'emballe pour un rien et on désire passer tout notre temps avec notre amoureux. Rappelez-vous toutefois que l'amour ne dure pas toujours pour l'éternité, surtout au secondaire, et que les amies,

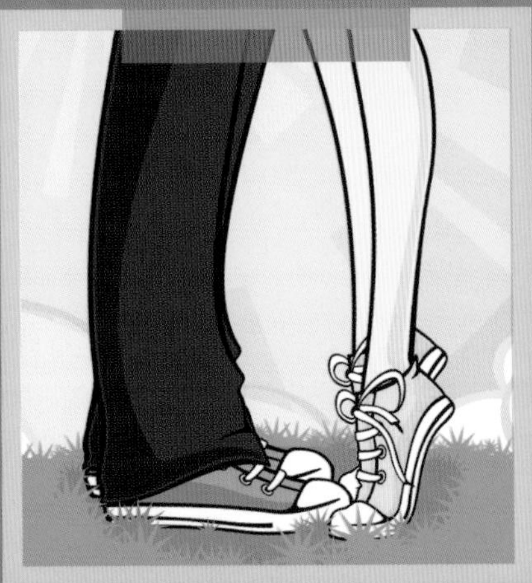

elles, sont là pour rester. Si vous passez des mois entiers seules avec votre amoureux et que la relation se termine, vous risquez de vous sentir extrêmement isolées, surtout si vous avez abandonné vos amies pendant tout ce temps et qu'elles ne sont plus là pour vous. Les amies sont là pour vous aider dans les moments difficiles, mais il est essentiel d'entretenir l'amitié, de demeurer disponible pour elles et de leur faire comprendre qu'elles sont encore très importantes à vos yeux.

### Quand la jalousie s'installe

Il se peut aussi que vos amies éprouvent de la jalousie envers votre copain et soient en colère contre vous parce que vous ne leur accordez pas assez de temps. Bien que vous ayez un devoir à accomplir en tant qu'amie, elles doivent quant à elles se montrer plus indulgentes. Expliquez-leur que vous êtes amoureuse et que vous avez aussi envie d'être avec votre petit ami. L'ajustement sera peut-être difficile au

## Pour aller plus loin :

- *Eternal Sunshine of the Spotless Mind (Du soleil plein la tête)*, Michel Gondry
- ***Les célébrations***, Michel Garneau

début, mais elles comprendront si vous leur en parlez calmement, surtout si certaines d'entre elles ont déjà été en couple. Vous pouvez discuter avec elles au sujet de votre relation et leur faire des confidences pour qu'elles se sentent intégrées dans votre vie. Vous pouvez aussi essayer d'organiser une activité où vous aurez l'occasion de passer du temps avec votre amoureux et avec vos amies (repas au restaurant, film à la maison ou au cinéma, activité sportive, etc.) pour qu'ils apprennent à se connaître davantage et pour détendre l'atmosphère.

## Les parents et le couple

Il est aussi normal que vos parents ne sautent pas de joie à l'idée de vous voir en couple. Ils vous diront peut-être que vous êtes encore jeune pour vous engager dans une relation sérieuse et mettront de la pression pour que vous ne négligiez pas votre famille, vos études et vos activités parascolaires pour passer le plus de temps possible avec votre amoureux. Dites-vous qu'ils sont inquiets et qu'ils doivent s'adapter au fait que vous grandissez. Vous devez encore une fois essayer de trouver un compromis et éviter de sacrifier votre vie pour votre petit ami, tout en expliquant à votre père et à votre mère qu'il est normal que vous désiriez passer du temps avec lui. S'il s'agit d'une relation plus sérieuse, je vous suggère de présenter votre amoureux à vos parents pour que ces derniers apprennent à le connaître et pour qu'ils aient davantage confiance en vous et en votre couple.

## Suis-je trop jeune pour découcher ?

Au secondaire, vous allez parfois à des fêtes chez des amis qui vous proposent de passer la nuit chez eux. Vous aurez alors peut-être envie de dormir avec votre petit ami et d'en profiter pour avoir un peu plus d'intimité. Soyez responsable et prudente ; allez à votre propre rythme et assurez-vous que votre chum respecte votre décision. Si vos parents vous interdisent de dormir avec lui, tentez de ne pas leur désobéir ; cela risquerait de nuire à leur confiance et à votre indépendance. Si vous vous sentez prête à dormir avec votre amoureux et que vos parents sont d'accord, alors vous êtes la fille la plus chanceuse du monde !

## Une question d'équilibre

On ne le dira jamais assez : si vous formez un couple, il est important de trouver un équilibre qui vous permette de ne pas négliger vos amies, votre famille et vos études tout en passant suffisamment de temps avec votre petit ami. Vous discutez peut-être pendant de longues heures au téléphone avec lui, ce qui embête vos parents qui préféreraient vous voir étudier. Soyez juste et raisonnable, et pensez aux autres sans toutefois vous négliger. Vous pouvez par exemple consacrer une journée de la fin de semaine à votre amoureux ou dîner avec lui deux midis par semaine, et partager le reste du temps entre vos devoirs, votre famille et vos amies. L'ajustement sera peut-être un peu compliqué au début, mais si vous trouvez un équilibre, les gens de votre entourage auront tôt fait de s'habituer à votre statut, et vous apprécierez quant à vous tous les moments précieux que vous passerez en compagnie de votre amoureux.

# Croyances
## Religions

**Sujets connexes :**

Athéisme p. 164
Respect p. 441
Tolérance p. 478

Définition: « Ensemble de doctrines et de pratiques ayant pour objet les rapports de l'âme humaine avec le sacré.[1] »

En d'autres mots, la religion est un ensemble de croyances, de traditions et de règles qui est adopté par un individu ou par l'ensemble d'une société. L'étymologie du mot « religion » est toutefois controversée et incertaine depuis l'Antiquité. La religion est souvent associée au principe de la foi, c'est-à-dire au fait de croire en Dieu ou à des concepts spirituels ou religieux.

### LES PRINCIPALES RELIGIONS

Si on inclut les doctrines obscures et de moindre envergure, il existe dans le monde d'innombrables religions. De façon générale, les principales religions sont cependant regroupées en trois grandes catégories, soit les religions animistes, les religions orientales et les religions monothéistes. Voici une brève description de certaines de ces principales religions.

### *Les religions animistes*

Les religions animistes reposent sur la croyance selon laquelle tous les êtres vivants et les objets inanimés possèdent une âme et un esprit, bon ou mauvais. Aujourd'hui, elles sont davantage perçues comme relevant de la superstition, de la magie ou de la sorcellerie. Les religions animistes se fondent sur la croyance en l'âme, et on les trouve principalement en Afrique et dans quelques pays d'Asie.

### *Les religions orientales*

#### L' HINDOUISME

L'hindouisme provient de l'histoire même de l'Inde. Les hindouistes se basent sur les Védas, soit les écritures les plus anciennes du monde, et croient en la réincarnation et en la préexistence. Selon les hindous, l'homme possède une nature divine et doit consacrer sa vie à la connaissance de son être et à la recherche du divin qui réside en lui.

#### LE BOUDDHISME

Le bouddhisme est issu des enseignements de Bouddha. Cette religion s'est développée en Inde et s'est étendue aux quatre coins de l'Asie à partir du 3e siècle av. J.-C. Sa philosophie est basée sur la recherche de la sagesse et du salut, et l'objectif des bouddhistes est de se libérer des souffrances et de l'insatisfaction pour atteindre le nirvana et un plein épanouissement. Le bouddhisme est souvent considéré davantage comme une éthique spirituelle ou une philosophie athée que comme une religion, puisque ses adeptes ne croient ni en l'âme éternelle, ni en un dieu unique, ni aux dieux créateurs.

#### LE SHINTOÏSME

Le shintoïsme est la religion fondamentale la plus ancienne du Japon et se base sur la mythologie. Les shintoïstes vénèrent les éléments naturels et considèrent le soleil et la lune comme des divinités.

1- Multidictionnaire de la langue française.

### LE CONFUCIANISME

Le confucianisme trouve son origine dans les enseignements de Confucius (Chine, 551-479 av. J.-C.) et a beaucoup influencé la société chinoise. Les confucianistes s'efforcent de rechercher la vertu et la sagesse individuelle, et leur religion repose sur l'harmonie de la société et sur une morale humaniste basée sur la recherche de l'équilibre et l'amour de son prochain.

## Les religions monothéistes

Les religions monothéistes reposent sur la croyance en un dieu unique et s'appuient sur un livre saint.

### LE JUDAÏSME

Le judaïsme est fondé sur l'immortalité de l'âme et sur l'attente du Messie qui viendra instaurer un royaume de paix et d'amour. Les juifs entretiennent une relation directe et personnelle avec Dieu. Les principales fêtes religieuses du judaïsme sont le sabbat, la Pâque, le Yom Kippour et le Rosh Haschana.

On compte aujourd'hui plus de 14 millions de juifs dans le monde. Ils sont principalement concentrés en Israël, aux États-Unis et en Europe.

### LE CHRISTIANISME

Le christianisme est basé sur la reconnaissance de Jésus de Nazareth comme étant le fils de Dieu, sur l'immortalité de l'âme, la résurrection et l'amour de son prochain. Le christianisme s'inspire de la Bible, et particulièrement du Nouveau Testament, qui relate l'histoire de Jésus.

Le christianisme a lui-même donné naissance à plusieurs religions chrétiennes telles que le catholicisme, le protestantisme, l'évangélisme et l'orthodoxie.

### L'ISLAM

Fondé par Mahomet (début du 7e siècle) l'islam s'appuie sur le Coran. En plus d'être une religion, il propose un système de gouvernement et des règles de vie. Les musulmans croient en Allah, dieu et créateur unique, ainsi qu'en Mahomet, son prophète. Pendant les 29 jours pour commémorer le mois du Ramadan, durant lequel le Coran leur a été dévoilé, les musulmans jeûnent du lever au coucher du soleil. Principalement concentrée dans le nord de l'Afrique et au Moyen-Orient, la population musulmane mondiale s'élève à plus de 1,7 milliard de croyants.

## L'agnosticisme

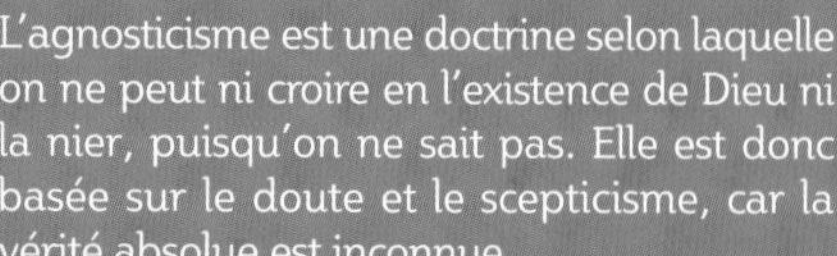

L'agnosticisme est une doctrine selon laquelle on ne peut ni croire en l'existence de Dieu ni la nier, puisqu'on ne sait pas. Elle est donc basée sur le doute et le scepticisme, car la vérité absolue est inconnue.

## L'athéisme

L'athéisme est une doctrine à laquelle adhèrent les gens qui nient complètement l'existence de Dieu ou de toute autre divinité.

## La religion au Canada

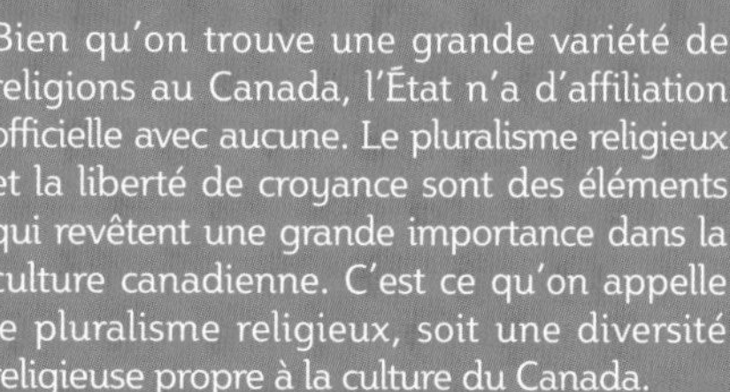

Bien qu'on trouve une grande variété de religions au Canada, l'État n'a d'affiliation officielle avec aucune. Le pluralisme religieux et la liberté de croyance sont des éléments qui revêtent une grande importance dans la culture canadienne. C'est ce qu'on appelle le pluralisme religieux, soit une diversité religieuse propre à la culture du Canada.

De plus, une enquête réalisée par la Presse canadienne – Harris Décima en 2008 sur un échantillonnage de 1 000 personnes, stipule que 23 % des Canadiens sont athées et que 6 % sont agnostiques.

## La religion au Québec

En 1950, le Québec était encore l'une des régions les plus catholiques du monde. L'État était alors contrôlé par l'Église, et le taux de fréquentation des églises était extrêmement élevé, puisque cela faisait partie des mœurs et de la culture de l'époque.

L'arrivée de la Révolution tranquille dans les années 1960 a changé radicalement la situation. Un mouvement de sécularisation et de restructuration sociale est venu transformer totalement le rôle de l'Église dans la société québécoise.

Même si, aujourd'hui, un grand nombre de Québécois se disent encore catholiques, le taux de fréquentation des églises au Québec est le plus bas au Canada, et ce, particulièrement dans les grandes villes, où nombre d'églises furent converties en bureaux et en condominiums. La libéralisation des mœurs, la modernisation de la société, la laïcisation des écoles et des hôpitaux, l'augmentation du taux de divorce et la révolution sexuelle ont fortement contribué à cette diminution de l'importance de la religion dans la société québécoise. Même aujourd'hui, les pratiques et les valeurs libérales sont plus répandues au Québec que dans le reste du Canada et que dans presque toutes les régions du monde, et c'est aussi là qu'on trouve le plus de gens en faveur de l'avortement et du mariage entre conjoints de même sexe.

## Attention, danger !

Il ne faut surtout pas confondre les religions, qui sont liées à un ensemble de croyances, de doctrines et de pratiques, avec les sectes, qui désignent un groupe d'adeptes prônant des valeurs ou une idéologie et obéissant à un chef charismatique. Les sectes sont souvent très mal vues au Québec, et elles s'avèrent parfois dangereuses, puisque leurs adeptes chercheront bien souvent à recruter et à endoctriner de nouveaux membres par le biais du mensonge et de la manipulation.

## Un choix très personnel

Bien que la religion n'ait plus l'importance qu'elle avait auparavant au sein de notre société, le choix de croire en Dieu ou d'adhérer à une religion demeure tout à fait. Dans une société aussi multiculturelle que la nôtre, il est primordial d'apprendre à respecter et à comprendre les différences de coutumes, de traditions, de valeurs et de croyances. Il est essentiel de s'informer correctement pour prendre une décision réfléchie, pour assumer ses propres choix et pour être bien dans sa peau. Si vous êtes curieuse au sujet d'une religion et des valeurs qui y sont rattachées, n'hésitez pas à vous informer et tâchez d'être ouverte aux différences de valeurs qui forgent l'identité religieuse et culturelle. À chacun ses valeurs et ses opinions!

## La répartition des appartenances religieuses au Canada en 2011

| | Nombre d'adeptes | % de la population |
|---|---|---|
| Chrétiens | 22 102 745 | 67,3 |
| Aucune appartenance religieuse | 7 850 605 | 23,9 |
| Musulmans | 1 053 945 | 3,2 |
| Hindous | 497 960 | 1,5 |
| Sikhs | 454 965 | 1,4 |
| Bouddhistes | 366 830 | 1,1 |
| Juifs | 329 500 | 1,0 |
| Autres religions | 130 835 | 0,4 |
| Spiritualités autochtones | 64 940 | 0,2 |

Ces données proviennent du rapport « Quand les chiffres parlent de religion » 2015, du Centre de Ressources et d'Observation de l'Innovation Religieuse (CROIR) de l'Université Laval qui nous a gracieusement permis de les utiliser. Les données les plus récentes datent de 2011 car le gouvernement Harper avait supprimé le questionnaire long permettant de recueillir ce genre de données. Les prochaines données sont disponibles depuis l'automne 2016 et devraient donc être dans *L'ABC 2019*!

Sujets connexes :

Québec p. 432
Scène artistique p. 446
Sorties p. 462

# Culture

## Valeurs et traditions

Ainsi, lorsqu'on parle de la culture québécoise, on parle des arts, de la cuisine, de la langue française, du hockey, de l'hiver, de notre système social et politique, et de toutes les valeurs et traditions que nous partageons en tant que communauté. C'est ce qui fait de nous une société distincte et unique, et qui nous différencie de toutes les autres.

La culture se définit donc par des traits distincts qui caractérisent une société ou un groupe de gens partageant les mêmes valeurs. Lorsqu'on parle d'une culture, quelle qu'elle soit, on fait référence à une philosophie de vie et à un ensemble de valeurs propre à cette culture (on parlera par exemple de culture européenne, nord-américaine, latino-américaine, indienne, de culture populaire, de culture punk, etc.). Ainsi, même si, au Québec, on s'associe à la culture québécoise, car on se distingue par un ensemble de valeurs et de traditions qui nous est propre, chacun peut aussi appartenir à une autre culture qui le définit de façon plus personnelle. Les immigrants qui vivent au Québec se sentiront par conséquent inclus dans la culture québécoise, sans toutefois nier leur appartenance à la culture de leur pays d'origine. C'est le mélange de ces deux cultures qui forme leur identité culturelle et fait d'eux des gens uniques.

De plus, un jeune peut par exemple considérer qu'il fait partie de la culture alternative parce que, non seulement il raffole de ce style de musique, mais il partage en outre les idées et les valeurs qui sont prônées par le mouvement alternatif.

À l'échelle de la société, il s'agit donc d'un ensemble de facteurs ayant trait aux arts, aux lettres, aux droits, à la religion, aux croyances, aux valeurs, à la langue ou alors aux traditions culinaires, culturelles et sportives qui définit une société ou un groupe de gens et qui leur donne un sentiment d'appartenance et une immense fierté de faire partie de cette culture.

© Phil Roeder, Musée d'art contemporain de Montréal

## La culture québécoise

La culture québécoise ne se définit pas seulement par le pâté chinois, la gigue et les hivers rigoureux. Elle constitue aussi un croisement du caractère européen et du caractère nord-américain, puisque le Québec est une société relativement jeune qui cherche encore à faire sa place dans un pays aussi vaste que le Canada. C'est une culture bien distincte de celle du reste de l'Amérique du Nord, puisqu'elle se différencie par sa langue, sa musique, sa nourriture, ses sports, son climat, ses arts, les droits de ceux qui la composent, ses paysages, son système social-démocrate et son histoire. Bref, tous ces éléments nous unissent en tant que société et nous rendent uniques. Soyons fières d'être Québécoises!

# Déménagement

**Sujets connexes :**
Copains p. 218
Famille p. 275
Secondaire p. 450

## Adaptation 101

Catherine,
Ma meilleure amie a déménagé il y a quelques mois. Depuis, je ne l'ai vue qu'une fois ou deux. Ça me rend vraiment triste, puisqu'elle habitait dans ma rue et qu'on avait l'habitude de se voir tous les jours… Depuis, notre amitié a beaucoup changé.

Une fille déçue

Pas facile de changer de ville, de maison ou de quartier et de recommencer une nouvelle vie ailleurs ! Il faut nous accorder une période d'adaptation qui nous permettra d'apprivoiser notre nouvel environnement et de nous accoutumer à notre entourage.

Un déménagement consiste en un changement majeur de domicile, et parfois même de quartier, de ville ou de pays. Cette période d'adaptation et de transformation entraîne souvent du chagrin, du stress et de l'angoisse.

En effet, bien qu'un déménagement nous pousse vers l'inconnu et nous permette de sortir de notre zone de confort et de flirter avec de nouvelles expériences, il représente aussi la fin d'une étape de notre vie. Quand on est jeune, on accorde souvent beaucoup d'importance et de valeur sentimentale à notre domicile, à notre maison d'enfance et à notre quartier. On se familiarise avec son entourage, on se fait de bons amis, on connaît les recoins et les cachettes et on se sent en sécurité dans son chez-soi. Au primaire, on fréquente la plupart du temps l'école de quartier, et il arrive souvent que nos copains, copines ne demeurent qu'à quelques pas de la maison.

Ainsi, ce n'est pas étonnant que plusieurs perçoivent le déménagement comme une véritable rupture et qu'ils aient de la difficulté à traverser cette période de deuil.

C'est normal d'accorder de l'importance à nos habitudes, à notre mode de vie et de rechercher une certaine stabilité. Pas mal de gens détestent les déménagements et ont horreur du changement. La différence, c'est que, lorsqu'on est grande, on est maître de nos actions et c'est à nous que revient le choix de décider si l'on veut rester ou partir, tandis que, quand on est jeune, on doit suivre nos parents et on se sent négligée dans la prise de décision.

Si vos parents vous annoncent que vous devez déménager, il se peut donc que vous viviez de la tristesse, et même de la frustration face à votre impuissance. Vous aimez votre quartier, vos amis et vos habitudes de vie, et vous n'avez pas envie de changer. Sachez toutefois qu'un déménagement entraîne aussi des avantages et qu'il est préférable de voir les choses du bon côté. Le fait de vivre dans une nouvelle maison vous permettra peut-être de redécorer votre chambre à votre goût et de repartir à zéro. Bien que la transition soit souvent stressante et difficile à vivre, une fois installée, vous vous sentirez prête à tout puisque vous aurez des tonnes de défis à relever.

## De petits et de grands changements

Si vous ne faites que changer de rue sans changer de quartier, ne paniquez pas : vous aurez besoin d'une période d'adaptation pour vous familiariser avec votre nouvelle maison et pour vous sentir chez vous, mais dites-vous que vous n'avez pas perdu vos points de repère et que vos amis sont encore tout près. Si vous changez de quartier ou même de ville, il est évident que la transition sera plus difficile à vivre. Non seulement vous devrez vous habituer à une nouvelle maison, mais vous devrez aussi explorer un nouvel environnement, acquérir de nouvelles habitudes de vie et peut-être vous faire de nouveaux amis. Un changement de pays entraîne, quant à lui, une période d'adaptation beaucoup plus profonde. Il se peut que vous vous sentiez déracinées et que vous ayez besoin de temps pour apprécier le changement. Qu'il s'agisse d'un déménagement temporaire ou permanent, les filles qui changent de pays doivent souvent apprendre une nouvelle langue et se familiariser avec des mœurs, des habitudes de vie et des valeurs différentes des leurs.

Pas toujours simple de se sentir à l'aise dans un milieu qui semble si différent du nôtre ! À long terme, je vous assure qu'une telle expérience vous fera grandir et que vous découvrirez comment vous adapter à différents milieux. En d'autres mots, quand on apprend à vivre dans un monde différent du sien, on devient comme un caméléon : on acquiert des habitudes locales tout en restant soi-même.

Je sais que ce n'est pas facile de laisser un monde derrière soi et d'aller de l'avant pour plonger vers l'inconnu, mais vous pouvez percevoir un déménagement comme une sorte de renouveau ; vous pourrez recommencer à zéro, changer de chambre, refaire la décoration, vous faire d'autres amis et changer vos habitudes. Laissez-vous le temps de vous acclimater, mais essayez de rester ouverte ; sortez de votre coquille, parlez aux gens et explorez autour de vous. Ne soyez pas trop dure envers vos parents : ils ne font pas ça pour vous rendre la vie impossible. L'existence est remplie de hauts et de bas, et lorsque vous vous serez habituée à votre nouvel environnement et que vous vous sentirez plus en confiance, vous leur serez reconnaissante pour les changements qu'ils vous auront fait vivre. Pour ma part, j'ai quitté la ville de Québec à 14 ans pour m'installer à Montréal, et bien que la transition ait été difficile à vivre au cours de la première année, je ne regrette rien. Il faut vous accorder du temps et ne pas vous sentir mal si vous angoissez au début. Un déménagement est une cause importante de stress et d'anxiété, et ce n'est pas facile de changer ses points de repère et de recommencer à neuf, mais au fil du temps, vous saurez apprécier l'expérience et vous réaliserez qu'elle vous a permis de devenir plus courageuse et plus aventureuse !

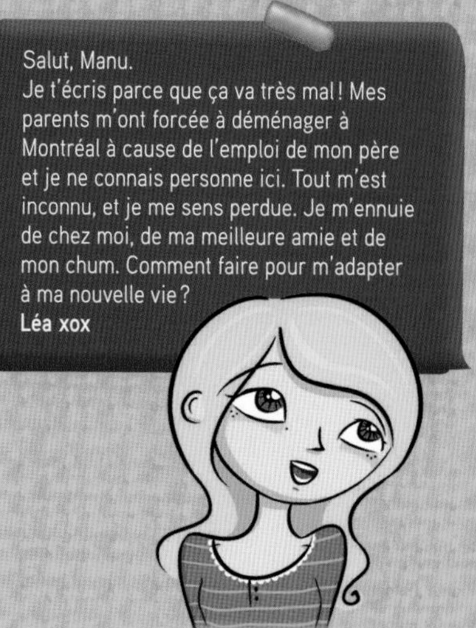

Salut, Manu.
Je t'écris parce que ça va très mal ! Mes parents m'ont forcée à déménager à Montréal à cause de l'emploi de mon père et je ne connais personne ici. Tout m'est inconnu, et je me sens perdue. Je m'ennuie de chez moi, de ma meilleure amie et de mon chum. Comment faire pour m'adapter à ma nouvelle vie ?
**Léa xox**

# Déprime
## Dépression

**Sujets connexes :**
Cafard du dimanche p. 191
Ennui p. 268
Solitude p. 458

### Broyer du noir

La déprime est un sentiment de léthargie, de fatigue et de cafard. Quand on est déprimée, on broie du noir, on sent que rien ne va plus et on n'est vraiment pas dans son assiette.

Il existe les blues passagers où on se lève de mauvais poil, et la déprime qui s'empare de nous lorsqu'on traverse un moment difficile. Par exemple, il est tout à fait normal que vous vous sentiez déprimée lorsque vous vous disputez avec vos parents ou avec une amie, que vous ne réussissez pas très bien à un examen ou que vous avez une peine d'amour. De plus, on se sent parfois déprimée sans pouvoir en déterminer la raison. Cela peut être dû au stress, à l'anxiété, à un sentiment de solitude ou simplement aux hormones qui s'emballent au cours de l'adolescence. Vous devez aussi savoir qu'il est normal d'être un peu plus sensible, voire un peu déprimée quelques jours avant l'arrivée de vos règles. Ce n'est qu'un état passager et ça ne vaut pas la peine de consulter un psychologue pour autant. Il y a aussi les petits moments de cafard liés aux saisons, aux jours de pluie, à l'hiver interminable, au manque de lumière, à l'inertie, au dimanche soir ou à la fatigue. Il s'agit alors d'une petite déprime mineure et passagère. Ne vous inquiétez pas, ça arrive à toutes les filles de se sentir un peu morose, et il est tout à fait normal que votre humeur soit influencée par des facteurs externes comme la température, les saisons ou la tension prémenstruelle.

Si toutefois vous ressentez un sentiment de déprime plus profond qui s'étend sur une longue période, et que vous sentez que vous vous enfoncez sans être capable de reprendre le dessus ou que vous perdez goût à la vie, il s'agit peut-être d'une dépression, c'est-à-dire d'un trouble affectif ou psychologique qui doit être traité avec l'aide de professionnels de la santé. La dépression demeure plutôt mystérieuse, puisque les causes sont parfois inconnues. Elles peuvent provenir d'un déséquilibre hormonal, d'une sensibilité excessive, d'une prédisposition, de l'hérédité, ou encore être simplement le fruit du hasard. Les jeunes qui souffrent de dépression ressentent souvent des effets physiques tels qu'une grande fatigue, une perte d'appétit ou une extrême sensibilité qui leur donne sans cesse envie d'éclater en sanglots et qui leur enlève toute joie de vivre. Il faut alors agir vite et tenter d'affronter le problème et de trouver une solution. N'ayez pas honte de consulter un médecin, un psychologue ou un psychiatre. Ils sont là pour vous écouter et pour déterminer le traitement qui va pouvoir vous aider.

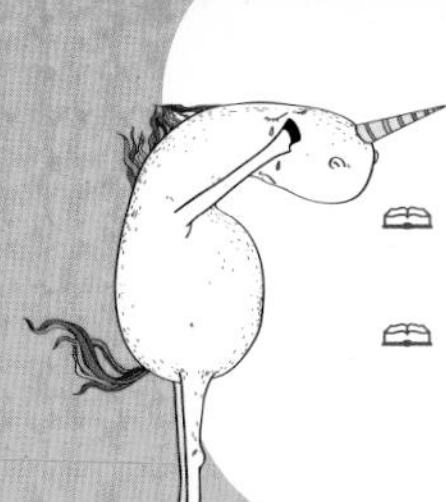

## Pour aller plus loin :

- *L'importance de Mathilde Poisson,* Véronique Drouin
- *Tous nos jours parfaits*, Jennifer Niven

***Que votre dépression soit due à un déséquilibre hormonal, à un drame personnel ou à n'importe quel autre trouble émotif, il se peut fort bien que les médecins vous prescrivent des médicaments ou vous encouragent à suivre une thérapie qui vous permettra d'extérioriser votre mal de vivre.***

Malgré toute la bonne volonté du monde, vous aurez probablement besoin de médicaments et d'une aide psychologique pour vaincre votre dépression. Souvenez-vous que la dépression est une maladie reconnue et non un état d'esprit passager. N'ayez pas honte d'aller chercher de l'aide; c'est au contraire une étape très importante pour établir le diagnostic de dépression et pouvoir ainsi trouver le traitement le mieux adapté pour vous. Par ailleurs, souvenez-vous qu'il est tout à fait normal de traverser des journées plus moroses et de se sentir maussade de temps à autre, mais lorsque cela arrive, mieux vaut l'extérioriser, l'écrire dans un journal intime, en discuter avec des proches ou simplement vous changer les idées pour que votre état ne se détériore pas. Il ne faut pas chercher à nier l'évidence ou à refouler ce que vous ressentez.

Laissez simplement la crise passer et apprenez à vous faire plaisir. Il suffit parfois d'une nouvelle coupe de cheveux, d'un ajout à sa garde-robe, d'un bon roman ou d'un peu de changement pour vous sortir de votre torpeur.

Évitez de jouer les victimes et de vous apitoyer sur votre sort. Cela risquerait de vous enfoncer dans votre déprime et de vous encourager à vous complaire dans votre tristesse. Secouez-vous, et apprenez à sourire et à adopter un regard positif sur la vie. Mais n'oubliez pas que si vous sentez que vous avez réellement perdu le goût de rire et de vivre, il est essentiel que vous en parliez et que vous cherchiez le soutien dont vous avez besoin.

Si vous sentez qu'une amie a le cafard ou qu'elle semble déprimée depuis quelque temps, changez-lui les idées en lui proposant une activité qui lui fera plaisir. Encouragez-la aussi à se confier à vous et à vous raconter ce qui la tracasse. Rassurez-la et tentez de lui remonter le moral. Si vous sentez que tous vos efforts sont vains, suggérez-lui d'en discuter avec quelqu'un qui pourra l'aider ; faites-lui comprendre que vous vous inquiétez à son sujet et que vous l'aimez.

**Sujets connexes :**
Premier baiser p. 421
Première fois p. 423
Sexualité p. 456

# Désir

## Picotements, papillons et serrements au coeur

Quand on éprouve du désir, on ressent des picotements dans le bas-ventre et des papillons dans l'estomac, et il arrive même parfois que notre cœur se serre à l'intérieur de notre poitrine.

Chez les garçons, il va sans dire que le désir est beaucoup plus manifeste que chez les filles. Lorsqu'un garçon a une érection, le pénis augmente de volume et devient très dur, ce qui peut être très gênant lorsque ça se produit dans un endroit public.

Le désir chez les filles se manifeste aussi par des réactions physiques. Quand vous regardez quelque chose qui vous excite, quand vous apercevez un garçon qui vous fait craquer ou quand vous avez des rapports intimes avec votre amoureux, il est fort probable que votre sexe devienne humide et lubrifié, que vos mamelons se dressent et que votre clitoris se durcisse. Si c'est le cas, ne paniquez surtout pas : vous êtes en train d'éprouver du désir sexuel, et il n'y a aucun mal à être à l'écoute de votre corps et de ses réactions.

***À l'adolescence, vous êtes en train de vous épanouir et de découvrir votre sexualité. Par conséquent, il se peut que vous soyez attirée par des gens ou excitée par certaines situations qui vous semblent très embêtantes.***

Par exemple, il arrive à plusieurs filles d'éprouver du désir pour un professeur, ou encore de développer un fantasme impliquant plusieurs individus. Cela ne veut pas dire que vous soyez une obsédée sexuelle ; ça vous indique simplement que vous êtes curieuse et que vos désirs sont à fleur de peau. Il se peut aussi que vous éprouviez du désir pour une autre fille ou que vous fassiez un rêve érotique où vous avez des rapports intimes avec une fille de votre entourage. Ne vous sentez pas

mal pour autant. Votre sexualité en pleine floraison, votre curiosité sans précédent et votre imagination fertile peuvent pousser votre inconscient à inventer des scénarios assez étranges, mais cela ne veut pas nécessairement dire que vous soyez lesbienne. Laissez libre cours à votre imagination et cessez de vous censurer, car tous ces comportements sont normaux à l'adolescence, et même à l'âge adulte.

D'autre part, il ne faut pas confondre l'amour et le désir. Ce n'est pas parce qu'on est attirée par quelqu'un qu'on est amoureuse de lui. Parfois, ce n'est que notre corps qui manifeste ses besoins et ses désirs face à quelqu'un qui nous plaît physiquement. Si vous apercevez par exemple un garçon dans l'autobus et que vous craquez pour lui, il se peut que vous soyez saisie de désir et même que vous fantasmiez le soir en vous imaginant l'embrasser. Vous n'avez toutefois aucune affinité avec lui et vous ne le connaissez

pas assez pour vous considérer comme amoureuse. Je sais que l'intensité des deux sentiments peut porter à confusion, mais ne vous laissez pas leurrer par la force d'une attirance physique.

Pour aller plus loin :
*Les liaisons dangereuses*, Choderlos de Laclos

Par ailleurs, lorsqu'on est amoureuse, il est tout à fait normal d'éprouver du désir pour son amoureux. On se sent alors proche de l'autre et on a envie de se rapprocher physiquement pour sceller cette intimité et succomber à cette envie de ne faire qu'un. Si vous n'éprouvez aucun désir pour votre amoureux, c'est peut-être parce que vous ne le percevez que comme un ami.

En conclusion, il est très sage d'être à l'écoute de vos désirs et des besoins de votre corps en reconnaissant que vous êtes à l'âge où votre sexualité s'emballe et où votre curiosité prend le dessus. Il est normal que vous éprouviez du désir pour un garçon ou pour votre amoureux, mais il est d'autant plus important que ce sentiment ne vous amène pas à franchir une étape que vous n'êtes pas prête à franchir. C'est que le désir peut parfois vous faire perdre la tête ! Bien que votre corps ait envie d'aller plus loin, vous devez être consciente de vos limites et ne pas aller trop loin si vous ne vous sentez pas prête. Vous n'avez qu'à vous arrêter quelques instants afin de reprendre vos esprits. Ne faites pas l'amour pour la première fois sur un simple coup de tête parce que votre désir est trop fort. Si le cœur n'y est pas, vous risquez de le regretter par la suite. Il y a toutes sortes d'étapes à franchir avant d'en arriver là, et je vous conseille d'apprendre à écouter, mais aussi à gouverner vos désirs pour respecter vos limites et aller à votre rythme.

# Désordre

Sujets connexes :

Adolescence p. 138
Maturité p. 359
Travaux scolaires p. 480

## C'est la pagaille!

C'est un classique d'être désordonnée à l'adolescence! Sans raison apparente, un fouillis sans nom s'installe souvent dans votre chambre. Soudainement, toutes les raisons sont bonnes pour éviter de faire le ménage! Le temps manque, vous êtes trop occupée et, soyons honnêtes, vous évitez parfois de ranger vos affaires simplement pour embêter vos parents.

Quoi qu'il en soit, vous devez admettre que ce n'est pas très agréable de vivre dans une chambre sens dessus dessous. On ne sait plus lesquels, parmi nos vêtements, sont propres et lesquels sont sales, on perd toutes nos choses et c'est la panique! Le désordre est l'une des causes de dispute les plus communes entre les adolescents et leurs parents. Ces derniers détestent l'odeur qui émane de votre chambre et ils ont franchement honte de vous voir vivre ainsi. Ils doivent absolument fermer la porte de votre chambre lorsqu'ils reçoivent des invités parce qu'ils ne veulent pas les confronter à un tel désastre. Ils vous font la morale, vous demandent de ranger votre chambre... et la dispute éclate. Il est vrai que vous n'êtes plus une enfant, que vous avez droit à votre intimité et à votre « bulle », mais cela n'empêche pas que vous vivez sous le même toit qu'eux et que vous vous sentirez sans doute mieux en mettant un peu d'ordre dans vos affaires.

Soyons honnêtes, le bordel qui s'est installé dans votre chambre ne vous rend pas la vie facile. Par esprit de contradiction, vous vous faites probablement un point d'honneur de ne pas écouter les supplications de vos parents qui n'en peuvent plus de votre fouillis, mais au fond, la situation vous déprime! Retrouver vos affaires représente un véritable défi et vous devez vous rendre à l'évidence : vos parents ont raison et il est grand temps de passer à l'action!

**Voici quelques trucs qui vous aideront à éviter que la situation ne dégénère davantage.**

- Plutôt que de laisser les vêtements et les assiettes sales s'accumuler et finir par créer un chaos ingérable, prenez l'habitude de ramasser et de nettoyer au fur et à mesure. C'est beaucoup moins décourageant que de se retrouver devant une montagne de traîneries qui s'accumulent depuis des semaines.

- Pour bien entamer une session de ménage, commencez par jeter les déchets ou les petites choses inutiles que vous avez gardées pour rien (aliments qui sont en train de moisir, vieux mouchoirs et crayons qui ne fonctionnent plus, etc.).

C'est ensuite le temps de sortir un torchon et de bien nettoyer ! Je sais que ça demande un effort, mais vous vivrez beaucoup mieux dans une chambre propre que dans un bazar total. Mettez de la musique pour rendre le moment plus agréable, ou demandez à quelqu'un de vous aider ou de vous tenir compagnie pour faire passer le temps plus rapidement. Notez toutefois que faire le ménage demande un certain degré de concentration, alors je vous conseille plutôt de mettre vos écouteurs, de danser aux quatre coins de votre chambre tout en la nettoyant et de profiter de ce petit moment de solitude !

Cela dit, vous n'aurez probablement pas envie de recommencer toute l'opération chaque semaine. Je vous conseille donc d'adopter peu à peu de bonnes habitudes et de trouver des techniques pour mieux organiser votre espace. Vous pouvez acheter des bacs et des paniers pour ordonner votre garde-robe, ou des classeurs et des pochettes pour garder votre bureau bien propre.

Faire son lit tous les matins est aussi un bon moyen de garder votre chambre dans un état présentable.

Mettez votre linge sale directement dans un panier prévu à cet effet plutôt que de le laisser traîner sur le plancher, et allez accrocher vos vêtements propres dès qu'ils sortent de la sécheuse. Ce sont de petits gestes qui ne demandent pas beaucoup d'efforts, pour peu que vous preniez le temps de les intégrer à votre routine. Parions aussi qu'ils vous éviteront plusieurs prises de tête avec vos parents !

Vous pouvez aussi acheter un diffuseur ou de petites bougies parfumées pour que votre chambre sente toujours bon. Cela vous motivera à la garder propre (n'oubliez pas d'éteindre les bougies lorsque vous sortez de votre chambre ou allez vous coucher).

Installez des crochets derrière votre porte, dans votre garde-robe ou sur le mur pour y accrocher vos manteaux, vos vestes et votre serviette lorsque vous sortez de la douche.

Vous constaterez bientôt que tous ces efforts auront un effet très positif sur votre humeur et sur votre quotidien. Votre chambre vous paraîtra un endroit beaucoup plus agréable à fréquenter lorsqu'elle sera propre et aérée et il vous sera beaucoup plus facile de vous y retrouver. Sans devenir une accro de la propreté et du ménage, je vous suggère fortement de vous fier à ces petites astuces pour vivre de façon plus saine sans vous chamailler constamment avec vos parents.

**Sujets connexes :**

Colère p. 202

Déprime/Dépression p. 230

Mort p. 370

# Deuil

## Affronter la mort d'une personne qu'on aime

Si vous avez déjà dû affronter la mort d'une personne que vous aimiez, vous savez que le moment qui suit est extrêmement étrange, déchirant et difficile à traverser. Vous vous réveillez un jour, et une personne de votre entourage n'est plus là.

Vous ne pouvez plus l'appeler, vous ne pouvez plus la voir, vous ne pourrez plus jamais partager des instants de votre vie avec elle… et vous ne pouvez rien y changer. Vous devez alors commencer votre deuil.

Pourtant, tous les jours, à la télévision, vous entendez parler de la mort : bombardement en Irak, inondation en Inde, tuerie aux États-Unis… Les morts se comptent par centaines sur votre écran et, malgré votre sensibilité, tout cela vous bouleverse à peine… Par contre, lorsque la mort s'abat sur une personne que vous connaissez, une seule, cela vous apparaît comme le pire drame au monde. Le deuil, c'est lorsque quelqu'un meurt et qu'une immense vague de tristesse vient nous happer.

Au cours de notre existence, nous devrons plusieurs fois affronter la mort. Celle de nos grands-parents assurément, celle de nos parents probablement, celle de certains de nos amis peut-être et, un jour, nous devrons faire face à notre propre mort. Le deuil est un moment très intense et douloureux à vivre, mais dites-vous que ce passage peut également vous faire grandir et vous aider à réaliser l'importance d'apprécier la vie et de jouir du moment présent.

### Les étapes du deuil

Selon l'Association canadienne pour la santé mentale, on peut diviser le processus du deuil en trois grandes étapes. Cette division permet de mieux comprendre ce qu'est le deuil. Cependant, rappelez-vous que chaque personne réagit différemment à la mort d'un proche et que tous ne traversent pas ces trois phases de la même façon.

Étape 1

**L'état de choc**

Après avoir appris la nouvelle, on est sous le choc, on est troublée. Cependant, par une sorte de mécanisme de survie, certaines personnes ne verseront pas de larmes pendant plusieurs jours. On éprouve également une impression d'irréalité durant cette phase ; on peut avoir le sentiment d'être comme un zombie.

Étape 2

**La désorganisation**

Ça y est, la peine nous envahit et les émotions font surface : la gorge se serre, on pleure, on est fatiguée, on peut même ressentir de la colère. On repense aux moments passés avec la personne qui vient de nous quitter. On est triste.

★collaboration spéciale
MARIE-CHARLES BOIVIN

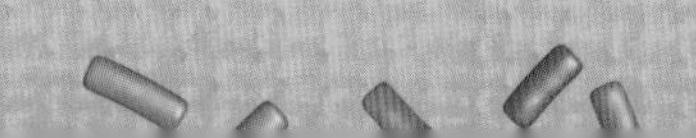

Étape 3

La réorganisation

On n'oublie pas le disparu, mais on se remet à vivre plus normalement. On retrouve tranquillement l'envie de faire des activités. On accepte peu à peu la perte de l'être aimé.

## Comment passer au travers?

Il est normal et même sain d'éprouver des émotions intenses et d'avoir des sautes d'humeur lorsqu'on perd une personne qui nous est chère. Le deuil est une sorte de peine d'amour.

Lorsque vous vivez un deuil, surtout, ne gardez pas vos émotions à l'intérieur. C'est éprouvant de vivre une telle perte et c'est tout à fait normal de pleurer. Ne niez pas votre douleur. Au fond, c'est une partie de vous-même, une partie de votre vie qui s'arrache à vous. Si vous n'évacuez pas la tristesse que vous ressentez, vous risquez simplement de repousser votre deuil à plus tard.

Pour parvenir à guérir, il est important d'en parler: avec des amis, avec sa famille et aussi avec les gens qui connaissaient la personne décédée. Exprimez vos sentiments et partagez vos souvenirs. Parlez des qualités du disparu et des agréables moments que vous avez passés avec lui: cela vous réconfortera de vous rappeler les bons souvenirs. Confiez-vous au travailleur social de votre école ou à votre professeur préféré. Non seulement ces derniers peuvent vous aider à passer à travers, mais, dans les circonstances, ils peuvent également faire preuve d'indulgence en ce qui concerne la remise de vos devoirs, par exemple. De plus, assurez-vous de faire des activités de temps en temps pour vous sortir de votre chagrin. Entourez-vous des personnes qui prennent soin de vous ou qui ont déjà vécu le même genre d'expérience. Prenez le réconfort qu'on vous offre. Acceptez les mots doux qui vous sont adressés; vous y avez droit en cette période difficile. Écrivez dans votre journal intime: défoulez-vous, racontez tout ce que vous ressentez et ce que vous pensez de la situation. Vous serez par la suite mieux en mesure d'exprimer vos sentiments, ce qui pourra vous aider à passer peu à peu à travers cette période.

C'est peut-être difficile à concevoir, mais les funérailles peuvent également vous aider à cheminer dans votre processus de deuil. C'est un dernier au revoir, un dernier hommage à la personne perdue. La cérémonie permet de réaliser ce qu'elle représentait pour vous. Vous pouvez également écrire un petit mot pour l'occasion. Pas besoin d'être complètement dramatique. Vous pouvez simplement raconter des anecdotes liées à la personne décédée, ce qui vous aidera et aidera l'assistance à mieux comprendre qui elle était. Et si vous ne vous sentez pas la force de le lire votre mot demandez à un membre de votre famille de le faire à votre place.

## Mon amie est en deuil...

Doit-on lui en parler ou éviter le sujet ? Tout dépend de votre personnalité et du lien que vous entretenez avec cette personne, mais voici quelques trucs.

Tout d'abord, il est normal d'être mal à l'aise avec le sujet. Ce n'est pas facile de choisir les bons mots dans une telle situation. On est tentée de rassurer son amie, de lui dire qu'on comprend ce qu'elle traverse, mais ce n'est pas toujours vrai. Il est impossible de savoir réellement comment la personne peut se sentir.

Le plus simple, c'est de faire comprendre à votre amie que vous êtes là pour elle. Ne l'excluez pas de votre vie parce qu'elle n'est plus aussi joyeuse qu'auparavant. Au contraire, c'est le moment de lui dire que vous tenez à elle et de lui démontrer à quel point vous pouvez être une bonne amie. Vous pouvez acheter une fleur, fabriquer une carte ou encore demander aux autres élèves de la classe de préparer un petit quelque chose pour elle : un dessin, une belle lettre, une carte signée par tous. Vous pouvez aussi essayer d'aider votre amie grâce à des gestes plus concrets. Par exemple, rapportez-lui ses devoirs à la maison ou prenez des notes pour elle dans les cours qu'elle doit manquer. De plus, essayez de lui changer les idées : parlez-lui au téléphone, organisez une activité avec elle. Cela peut paraître anodin, mais cela lui fera extrêmement plaisir. Elle a besoin de sentir que vous êtes présente pour elle.

Le deuil est pénible. Lorsqu'on perd quelqu'un, notre cœur se déchire et on doit se résoudre à accepter le fait que cette personne ne reviendra jamais. Par contre, cela ne signifie pas qu'on oublie cette personne. On trouve simplement une nouvelle façon de vivre sans elle. Il le faut bien. Qu'aurait-elle préféré ? Que vous viviez dans la douleur et dans la peine… ou que vous arriviez à être heureuse malgré son absence ? Bien sûr, vous continuerez de penser à elle. Certains événements, certaines choses vous la ramèneront parfois en mémoire (une fête, un objet, une chanson, une odeur…), mais apprenez à ne pas laisser la tristesse vous envahir. Dites-vous que cette personne serait fière de vous voir heureuse, de vous voir forte, de vous voir continuer à vivre et à rire.

Et c'est ce qui arrivera après le deuil. Vous aurez vécu de grandes émotions, mais vous serez sans doute plus mature, plus sensible à l'égard des autres. Vous serez peut-être même portée à faire vos choix différemment, car vous serez plus consciente du fait que la vie est précieuse et bien éphémère…

# Divorce

## 2 chambres, 2 mesures...

Les statistiques mondiales indiquent que le taux de divorce pour les couples mariés dans les années 1970 est de 50 % et que, pour les couples mariés dans les années 1990, il s'élève à 67 %[1].

Bien que le divorce soit devenu un phénomène commun dans notre société, il n'en demeure pas moins une étape difficile à franchir pour les couples qui vivent une telle rupture, ainsi que pour leurs enfants. Qui dit divorce dit fin du mariage et annulation du contrat unissant deux personnes. Une simple séparation, par ailleurs, n'implique pas toute la procédure légale et officielle.

Lors d'un divorce, le couple peut décider de se séparer légalement ou sans recourir aux services d'un avocat. Dans ce dernier cas, les deux partenaires doivent faire une demande conjointe et en arriver à une entente « à l'amiable » concernant tous les aspects de leur vie commune (la garde des enfants, le partage des biens, la pension alimentaire, etc.). En ce qui concerne la garde des enfants, les parents doivent décider de quelle façon ils procéderont en tenant compte du bien-être de leur famille. Il peut s'agir d'une garde exclusive d'un seul parent, d'une garde partagée (moitié du temps chez la mère, moitié du temps chez le père, ou alors la semaine chez l'un et la fin de semaine chez l'autre). Quoi qu'il en soit, les jeunes adolescents ont leur mot à dire dans cette histoire. Légalement, le tribunal tient compte de l'avis des jeunes âgés entre 12 et 17 ans. Pour ce qui est des enfants de moins de 12 ans, le tribunal aura moins tendance à tenir compte de leur opinion, mais cela dépendra généralement de leur maturité et des motifs qui justifient leur demande. (Source : Gouvernement du Québec, Services aux citoyens, séparation et divorce au Québec) Il n'en demeure pas moins que les jeunes ont la possibilité de s'exprimer, et du moins de donner leur opinion devant le tribunal ou directement à leurs parents, mais c'est à ces derniers qu'il revient de faire preuve de tact et de prendre une décision responsable et réfléchie qui convient le mieux aux enfants.

Bien que le divorce soit devenu monnaie courante, il s'agit tout de même d'une situation extrêmement difficile pour les jeunes qui vivent cette rupture. Ce n'est pas facile de voir ses parents se séparer et de perdre l'image de famille unie qu'on s'était bâtie dans sa tête, au même titre qu'il n'est pas facile pour les parents d'admettre l'échec de leur couple et de traverser cette période de deuil. C'est pour cette raison qu'il est important d'essayer de rendre la situation le moins pénible possible. Pour ce faire, les parents doivent à tout prix éviter de placer les enfants dans une position délicate ou de se disputer devant eux, ce qui a souvent pour effet de bouleverser les jeunes et de leur causer des blessures qui peuvent prendre un temps fou à cicatriser.

1- Yvon Dallaire, « Le couple et le divorce », repéré à <journaldemontreal.com/2014/02/08/le-couple-et-le-divorce>.

## Prise entre les deux

Lors d'un divorce, il peut arriver qu'on se retrouve prise entre les deux parents, que ce soit à cause de leurs disputes, ou simplement parce qu'on doit choisir avec qui on désire habiter. Si vous vous sentez mal à l'aise et que vous jugez que vos parents ne tiennent pas compte de vos sentiments et vous mêlent trop à leurs disputes, vous devez essayer de leur en parler pour qu'ils prennent conscience de la situation. Dans la plupart des cas, ils n'agissent pas ainsi pour mal faire, mais plutôt parce que la rupture est si douloureuse qu'ils ne mesurent pas la portée de leurs actes et qu'ils ne se rendent pas compte de la tristesse que vous ressentez. Vous pouvez aussi vous confier à des proches ou à des professionnels pour exprimer vos émotions et, ainsi, mieux comprendre ce qui se passe. Évitez de tout garder à l'intérieur, car cela risquerait de vous suivre longtemps, et même de vous faire perdre confiance en l'amour.

De plus, certains jeunes éprouvent de la culpabilité lorsque survient le divorce de leurs parents. Ils croient que s'ils avaient agi différemment, la rupture n'aurait pas eu lieu. Si c'est votre cas, détrompez-vous. Un divorce représente la fin d'un mariage, soit de la relation amoureuse entre deux personnes. Vos parents décident de divorcer pour des raisons qui les concernent, et c'est le couple qui prend fin, non la famille, et tout l'amour qu'ils ont pour vous n'a pas changé. Si leur couple ne fonctionne plus, ce n'est pas à cause de vous, alors ne culpabilisez pas pour ce qui leur arrive.

## Courage !

Je sais que c'est décourageant de voir ses parents divorcer, et qu'il peut être plus difficile par la suite de croire à l'amour ou au mariage, mais je vous invite fortement à ne pas vous décourager et à ne pas devenir pessimiste. L'amour existe, et si vos parents divorcent, cela ne veut pas dire qu'ils n'ont pas passé, l'un à côté de l'autre, des années de bonheur et d'amour. Outre le fait qu'ils vous ont conçue, tous ces moments d'intimité et de bonheur qu'ils ont vécus ensemble ne seront jamais considérés comme un échec. Au contraire, vous devez essayer de voir les choses d'un œil positif et vous rappeler que ce ne sont pas tous les mariages qui se terminent par un divorce. Vous êtes jeune et il est important que vous croyiez à l'amour et aux relations. On ne sait jamais si une histoire d'amour durera pour l'éternité, ni de quelle façon elle se terminera ; l'important, c'est de la vivre au maximum et de ne jamais regretter d'avoir aimé. Même si vos parents divorcent, je suis convaincue qu'ils vous diront la même chose, alors ne perdez surtout pas confiance en l'amour !

Sujets connexes :

Marijuana p. 356
Alcool p. 140
Rave p. 436

# Drogues

**Attention, danger!**

Plus on vieillit, plus on est confrontée aux différentes drogues. Les drogues sont des substances chimiques ou naturelles qu'on consomme et qui ont un impact sur notre cerveau et sur notre corps.

Tout le monde vous dit d'éviter les drogues et s'acharne à vous mettre en garde contre leurs effets nocifs. Vous ne devez pas prendre ces avertissements à la légère. Non seulement la drogue peut avoir de lourdes conséquences sur votre santé physique, mais elle risque également de détruire votre vie.

Certains jeunes consomment de la drogue sous l'influence de leurs amis et des gens qu'ils fréquentent, d'autres le font pour fuir la réalité, pour vaincre l'ennui ou pour se rebeller, tandis que d'autres encore consomment pour rechercher un bonheur et un plaisir artificiels, pour se sentir plus en confiance ou pour gérer les épreuves qu'ils vivent.

On fait souvent une distinction entre les drogues dures et les drogues douces. Ces termes sont apparus lors de l'entrée en vigueur de la réglementation internationale sur les drogues. Par le terme « drogues douces », on désigne presque exclusivement le cannabis, puisque les risques de dépendance psychique et physique que présente sa consommation sont moins élevés et que les risques de décès sont pratiquement nuls. Les drogues dures sont quant à elles celles qui entraînent des risques élevés de dépendance physique et psychologique, comme la cocaïne, l'héroïne et leurs dérivés. On entend aussi souvent parler des drogues naturelles, comme le cannabis ou les champignons hallucinogènes, qui proviennent d'une substance naturelle n'ayant presque pas subi de transformations. Les drogues chimiques synthétiques, telles que l'ecstasy et le LSD, sont quant à elles fabriquées en laboratoire et leur consommation

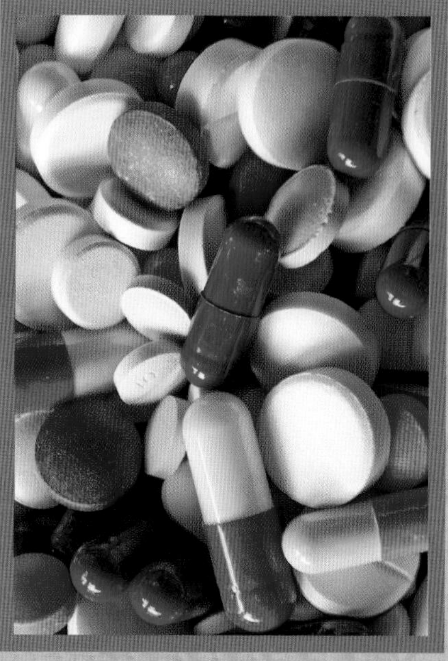

comporte des risques extrêmement élevés puisqu'on ne sait jamais avec exactitude ce qu'elles contiennent.

## UN BREF APERÇU

### La cocaïne et le crack

La cocaïne est un stimulant issu des feuilles de cocaïer d'Amérique du Sud. Elle se présente sous forme de poudre cristalline blanche. La cocaïne peut être reniflée sous cette forme ou alors dissoute dans de l'eau pour être injectée. Elle est parfois mélangée à d'autres ingrédients d'aspect similaire, comme le sucre, pour la revente. Les sous-produits de la cocaïne, tels que le crack, sont destinés à être fumés. Ils apparaissent sous forme de petits cristaux ou de petites pierres et sont le produit d'une transformation chimique de la poudre de cocaïne. La cocaïne est dangereuse, car elle crée une dépendance de façon sournoise et rapide. Elle augmente la quantité de dopamine dans le cerveau, ce qui fait augmenter la sensation de plaisir. Quand les effets s'atténuent, on a souvent envie de retomber dans le paradis artificiel puisque la vie normale ne nous semble pas aussi rose que sous l'effet de cette drogue. Les consommateurs de cocaïne auront parfois tendance à se sentir nerveux et agités ou alors très enthousiastes et remplis d'énergie. C'est ce qui rend la descente du *high* aussi pénible, et c'est ce qui les encourage à consommer toujours davantage.

## L'ecstasy

Meilleure amie de plusieurs amateurs de rave, l'ecstasy est également appelée MDMA, qui est son nom chimique lorsqu'elle se trouve à l'état pur. Chimiquement, elle s'apparente à la mescaline (un hallucinogène) et à l'amphétamine (un stimulant). Comme elle est fabriquée dans des laboratoires clandestins et qu'il s'agit d'une drogue mise au point chimiquement, elle est extrêmement dangereuse, car il n'existe aucun moyen pour le consommateur de savoir précisément ce qu'elle contient. Elle peut avoir des effets très graves sur le cerveau et sur la santé en général. Elle peut même entraîner la mort. Lorsqu'elle est consommée, elle se dirige vers le cerveau, où elle libère entre autres de la sérotonine qui influence le sommeil et l'appétit. Cette amphétamine a également pour effet de causer l'euphorie, une sensation de bien-être et de confiance en soi. Certains consommateurs peuvent aussi traverser des crises d'angoisse et d'anxiété. Lorsque le *high* se termine, la plupart des sujets éprouvent un sentiment de déprime, des maux de ventre et de la difficulté à dormir.

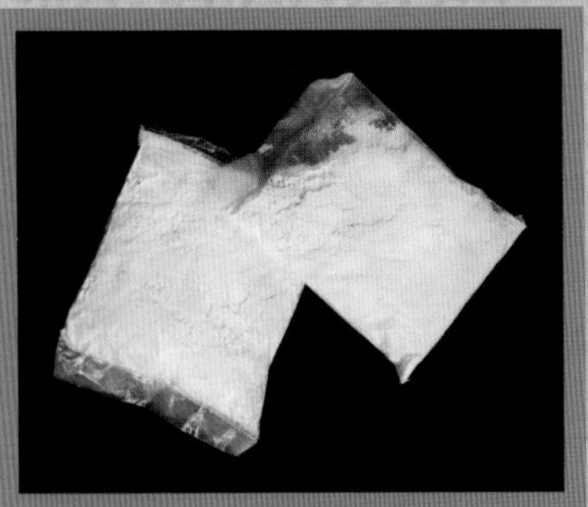

## Le LSD

Le LSD est un hallucinogène qu'on appelle souvent acide ou buvard. Il se consomme surtout par voie orale et est diffusé dans toutes les régions du corps, y compris le cerveau. Les effets durent parfois jusqu'à douze heures et créent des hallucinations, un mélange d'émotions et une distorsion des sens. Le LSD est une substance très concentrée : un petit comprimé représente près de 3 000 doses. Il est vendu sous forme de poudre contenue dans des petites capsules ou dans des comprimés. Les cristaux peuvent être consommés de toutes sortes de façons (timbre, carré de sucre, etc.), mais la forme la plus commune est le petit carré de papier buvard imbibé de LSD. On peut facilement reconnaître ces buvards, car ils sont souvent ornés de dessins représentant, la plupart du temps, des personnages de bandes dessinées.

## L'héroïne

« L'héro » est fabriquée avec de la morphine. À l'état pur, elle apparaît comme une poudre cristalline blanche au goût amer. La couleur et la consistance de l'héroïne vendue dans la rue varient selon le mode de fabrication et les substances qui y ont été ajoutées. Elle peut ressembler soit à une poudre blanche (comme la cocaïne), soit à une substance granuleuse brune, soit à une gomme collante brun foncé. Elle peut être reniflée, fumée ou dissoute dans l'eau pour être injectée dans le sang. L'effet est alors instantané. La drogue agit comme de la morphine, c'est-à-dire qu'elle modifie la perception de la douleur et fait temporairement disparaître l'anxiété et l'angoisse. Il s'agit d'une drogue extrêmement dangereuse qui entraîne une forte dépendance. Les effets varient selon la pureté de la drogue consommée, mais, de façon générale, elle crée une sorte d'apathie et de tranquillité qui durent une heure. Les héroïnomanes ont souvent énormément de difficulté à vaincre leur dépendance et deviennent rapidement résistants aux effets ; ils doivent donc consommer de plus fortes doses dans des délais plus rapprochés pour éviter de connaître un sevrage. L'héroïne entraîne aussi beaucoup de risques de maladies, comme le sida par exemple, lorsqu'elle est consommée par injection.

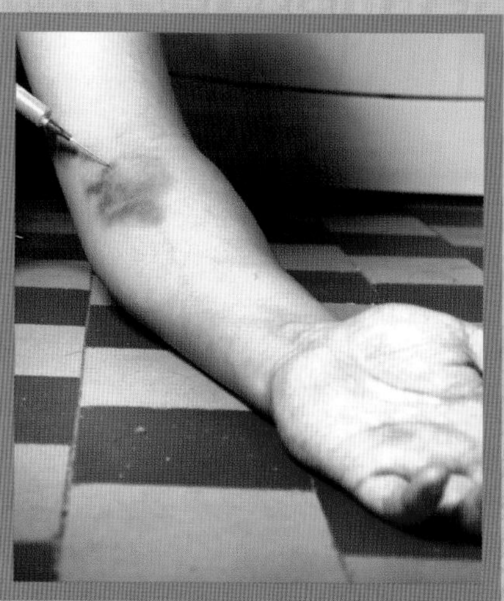

## La kétamine

La kétamine est une drogue anesthésique qui agit très rapidement et qui est surtout utilisée par des vétérinaires ou par des chirurgiens. Elle provoque une impression de détachement, comme si l'esprit se séparait du corps. Elle peut causer des évanouissements, des étourdissements et une perte complète de l'orientation. Elle est souvent vendue sous forme de poudre, dont certains se servent pour mettre dans des boissons à l'insu des gens. C'est d'ailleurs pour cette raison qu'on l'appelle la drogue du viol ; ses effets sédatifs peuvent faire perdre connaissance aux victimes ou leur faire perdre la notion du lieu où elles se trouvent et de ce qu'elles y font. Ainsi, elles ne peuvent pas résister à l'agresseur et, bien souvent, elles n'arrivent pas à se rappeler de ce qui s'est produit. Si vous vous êtes déjà fait opérer et qu'on a dû vous endormir, sachez que les effets de la kétamine ressemblent un peu à ceux de l'anesthésie. Ce n'est pas pour rien que les gens vous répètent de ne pas laisser votre verre sans surveillance lorsque vous êtes dans un endroit public.

## La métamphétamine

La métamphétamine, aussi surnommée ice ou crystal est un stimulant chimique qui affecte directement le cerveau et le système nerveux. Ses dénominations sont inspirées de sa forme cristalline, qui ressemble à de la glace. Le procédé de fabrication et les effets s'apparentent beaucoup à ceux des amphétamines.

## Pour aller plus loin :

- *Moi, Christiane F, 13 ans, droguée, prostituée,* Kai Hermann et Horst Rieck
- *Coup de soleil,* Jennifer F. et Matthew Holm

Par contre, la métamphétamine est une drogue encore plus puissante et excessivement addictive, c'est pourquoi son usage est très dangereux. Cette drogue produit des réactions plus intenses lorsqu'elle est injectée, mais elle peut aussi être reniflée, avalée ou fumée. Les produits chimiques qui la composent peuvent causer un sentiment euphorisant et avoir des effets aphrodisiaques. La métamphétamine peut avoir des conséquences dévastatrices à long terme et même causer des psychoses, des hallucinations et des crises d'épilepsie.

## Attention, danger !

Les drogues ont des effets nocifs sur le corps. Ils ont un impact direct sur le cerveau et peuvent entraîner des séquelles à long terme (problèmes de santé sévères, difficulté à se concentrer, pertes de mémoire, etc.). La dépendance entraîne quant à elle une difficulté à se prendre en main et à ne pas tout détruire pour se procurer de la drogue. Quand on est en sevrage, le corps s'agite de telle façon qu'il devient difficile de maîtriser son comportement. On est prête à tout pour se procurer de la drogue et pour cesser de souffrir. Plusieurs consommateurs vont même jusqu'à voler et jusqu'à proférer des menaces aux membres de leur famille pour se procurer l'argent nécessaire à l'achat de leur drogue. Ils deviennent violents, imprévisibles et incohérents. Leur entourage ne les reconnaît plus et éprouve de la pitié à les voir dans cet état. Non seulement les drogues ont un effet sur votre corps, sur votre cerveau et sur votre entourage, mais elles peuvent carrément détruire vos relations et votre vie en général. Elles peuvent aussi entraîner la mort.

## Aider un ami

Si l'un de vos amis a des problèmes de consommation de drogue et souffre de dépendance, sachez que vous pouvez l'aider. Sachez qu'en offrant à une personne les moyens de se procurer de la drogue, vous ne l'aidez pas à s'en sortir. Refusez de l'aider à s'enfoncer davantage et encouragez-la à visiter un centre de désintoxication et à faire un sevrage. Parlez-en à un adulte ou à un intervenant social si la situation devient trop éprouvante. Je sais que c'est difficile de voir quelqu'un qu'on aime souffrir ainsi, mais dites-vous que vous le faites pour son bien. Lorsqu'il ira mieux, votre ami vous en sera extrêmement reconnaissant. N'assumez pas la responsabilité d'une personne dépendante à la drogue. C'est un fardeau beaucoup trop lourd à porter pour quelqu'un de votre âge qui a peu d'expérience et qui risque de se laisser embobiner par la personne dépendante. En d'autres mots, allez chercher de l'aide auprès des centres antidrogues, des CLSC, de vos parents, d'un professeur ou d'un adulte responsable. Il est essentiel d'agir au plus vite pour le bien-être et la survie de votre ami.

En ce qui vous concerne, efforcez-vous de dire non lorsqu'on vous offre de la drogue et ne vous laissez pas prendre au piège. La vie est trop courte pour la gâcher en consommant des substances chimiques dispendieuses et extrêmement nocives pour votre santé.

**POUR PLUS D'INFORMATIONS :**

Drogue aide et référence (DAR)

site web : **<drogue-aidereference.qc.ca>**

tél. : **1 800 265-2626**

### Sujets connexes :

Responsabilité p. 443
Politique p. 412
Droits humains p. 247

# Droit de vote

## Un devoir et un privilège

Lorsque vous aurez 18 ans, vous serez invitée à voter lors des élections municipales, provinciales et fédérales, car vous aurez l'âge légal pour voter.

On ne s'en rend pas toujours compte, mais le droit de vote fait intégralement partie de la démocratie dans laquelle nous vivons, et c'est une chance que nous avons d'avoir la possibilité de nous exprimer librement et d'élire les dirigeants en qui nous avons confiance.

### Liberté d'expression et responsabilité

Quand on vote, on peut exprimer notre volonté et notre désir d'élire les représentants que nous croyons les plus aptes à diriger notre ville, notre province ou notre pays, mais il nous revient de comprendre l'importance de notre voix au scrutin. Nous avons la chance de vivre dans une démocratie qui tient compte de la volonté du peuple, qui peut lui-même élire ses gouvernants contrairement aux dictatures dans lesquelles une seule personne ou un groupe restreint de hauts dirigeants exercent tous les pouvoirs sans loi qui les limitent ou qui donnent la parole à la population. Nombreux sont les peuples et les pays qui se battent encore aujourd'hui pour la démocratie et pour avoir le droit de parole au sein de leur société, alors c'est à nous de réaliser la chance que nous avons de vivre dans une société telle que la nôtre, et aussi d'assumer notre rôle de citoyen et d'électeur pour que les résultats du scrutin témoignent de l'opinion générale, et non pas seulement d'une partie restreinte de la population qui s'est déplacée pour voter. En effet, il arrive parfois que des changements de gouvernement surviennent en raison du nombre limité d'électeurs qui se sont donné la peine de voter. Il va de soi que les gens qui désirent le plus changer les choses seront ceux qui tiendront à voter lors de la tenue d'une élection, mais il est aussi dans le devoir des autres électeurs d'exprimer leur opinion et d'assumer leur responsabilité.

C'est un honneur et une chance que nous avons de pouvoir exprimer librement ce que nous désirons, alors il nous revient de faire honneur à ce droit et de voter lorsque le temps est venu.

### On passe au vote !

Toutes les femmes du Canada se sont vues accorder le droit de voter aux élections fédérales à partir du 1er janvier 1919, tandis qu'au Québec, ce n'est qu'à partir du 25 avril 1940 que les femmes ont obtenu le droit de vote aux élections provinciales. Aujourd'hui, il revient autant aux hommes qu'aux femmes de prendre le droit de parole qui leur est offert et d'exprimer leur opinion lors des scrutins afin d'élire les représentants choisis par une majorité d'électeurs. Nous vivons dans une démocratie qui fait l'envie de plusieurs millions de gens sur la planète, alors il vaut mieux rendre hommage à cette liberté d'expression et voter, que ce soit pour exprimer un désir de changement, un sentiment d'insatisfaction ou une volonté de continuer dans la même direction[1].

1- Pour plus d'informations sur les partis provinciaux et municipaux vous pouvez consulter le site : <electionsquebec.qc.ca>.

**Sujets connexes :**
Droit de vote p. 245
Exclusion sociale p. 274
Guerre p. 307

# Droits humains

## Revendiquer les droits humains

Est-ce que vous trouvez juste que certains enfants doivent travailler au lieu d'aller à l'école ? Est-ce que vous trouvez juste que des enfants-soldats soient enrôlés dans des armées et qu'ils doivent aller se battre à la guerre ? Est-ce que vous trouvez juste que des personnes se fassent emprisonner et même torturer parce qu'elles osent émettre une opinion contraire à celle de leur gouvernement ? Est-ce que vous trouvez juste qu'il y ait chaque jour des femmes, des hommes et des enfants qui meurent de faim ?

Non ? Sur quoi vous basez-vous pour dire que cela est injuste ?

Cela est injuste car tous ces exemples illustrent des violations des droits humains : le droit à l'éducation, le droit d'être protégé, le droit de s'exprimer librement, le droit à un niveau de vie décent. Ces violations de droits humains représentent de réelles attaques à la vie d'une personne ; ce sont des atteintes à sa dignité humaine.

Petite question : selon vous, qui peut revendiquer des droits humains ? Peut-on refuser à certaines personnes la jouissance de ces droits ? La réponse : tous les êtres humains ont des droits ! Oui, tous, sans exception, et ce, peu importe où nous vivons dans le monde, qui sont nos parents ou quel est le genre de gouvernement qui gère la société dont nous faisons partie. Et ces droits, vous ne pouvez pas les perdre, on ne peut pas vous les enlever. Ils peuvent être violés, bafoués, mais ils sont toujours présents pour chacun d'entre nous.

Avez-vous déjà entendu cette phrase : « Tous les êtres humains naissent libres et égaux en dignité et en droits » ? Elle est tirée de la Déclaration universelle des droits de l'homme, un document qui réunit la liste des droits humains. Les droits contenus dans cette liste ne devraient jamais, sous aucun prétexte, être violés ! La Déclaration universelle des droits de l'homme a été adoptée par l'Assemblée générale des Nations unies (l'ONU) le 10 décembre 1948, juste après la Deuxième Guerre mondiale, durant laquelle des

atrocités sans nom ont été commises, notamment par le régime nazi. Après la guerre, les chefs de pays du monde entier se sont rassemblés et se sont entendus sur ce que devraient être les droits des êtres humains, pour éviter que de telles souffrances soient répétées. Ils ont déclaré que ces droits appartenaient à tous les individus, quels que soient leur identité, leur sexe, leur origine, leur état de santé mentale ou physique, leur religion ou leur âge.

Il n'y a pas de hiérarchie entre les droits : tous les droits sont aussi importants les uns que les autres. Cependant, on a divisé les droits humains en deux catégories. Il y a les droits civils et politiques - comme le droit à la liberté d'expression, à subir un procès juste et équitable, le droit de s'associer librement avec d'autres –, et il y a les droits sociaux, économiques et culturels - comme le droit à la santé, le droit à l'éducation ou le droit de participer à la vie culturelle.

Il existe aussi des textes qu'on appelle « conventions » et qui énumèrent et protègent les droits de certains groupes plus vulnérables de la population : des groupes dont les droits ont été très souvent violés dans l'histoire. Par exemple, il existe une convention pour protéger les droits des femmes, une autre pour protéger les droits des migrants et des réfugiés, une autre encore pour protéger les individus contre la discrimination raciale. Il existe également une convention pour protéger les droits des enfants. Les enfants sont très vulnérables, car ils sont dépendants des adultes. En effet, pour survivre et pour faire respecter leurs droits, ils doivent compter sur l'aide des plus grands. On a donc écrit un texte pour s'assurer que les États comprennent bien quelle est leur responsabilité en ce qui concerne le respect des droits des enfants.

Selon vous, dans le monde, quel est le pourcentage d'enfants qui n'ont jamais eu la chance d'aller à l'école et qui ne peuvent ni lire, ni écrire, ni compter ? Selon l'UNESCO, il y a 263 millions de jeunes qui n'auraient pas fréquenté l'école en 2016[1]. L'UNICEF estime de son côté que près de 50 millions d'enfants âgés de moins de cinq ans souffrent de malnutrition. L'Organisation souligne aussi que 42 millions d'enfants souffrent de surpoids. De plus, 1,8 million d'enfants n'atteindront pas l'âge de cinq ans en raison du manque d'accès à l'eau potable. Cette situation est bien sûr inadmissible, et c'est pour tenter d'y remédier que les droits humains ont été écrits et proclamés par et pour les gouvernements des pays du monde entier.

Vous voulez en apprendre davantage sur les droits humains ou encore vous investir dans des organismes qui travaillent à les faire respecter ? Faites comme les Cowboys Fringants et soutenez les actions d'organisations telles qu'Amnistie internationale. Amnistie internationale est un mouvement mondial mobilisant des personnes qui choisissent, par solidarité, de consacrer une partie de leur temps et de leur énergie à défendre les victimes d'atteintes aux droits humains. L'organisation compte 7 millions de membres et de sympathisants dans plus de 150 pays et territoires.

Vous pouvez vous inscrire dans un groupe d'Amnistie internationale. Ces groupes sont établis un peu partout au Québec, et ils sont même présents dans des centaines d'écoles. Si votre école n'a pas encore le sien, vous pouvez mettre sur pied votre propre groupe. C'est une super activité à entreprendre avec des amis. Vous pourriez faire un geste pour militer en faveur de la libération d'un prisonnier d'opinion, ou encore pour empêcher une compagnie de polluer la terre ou d'exploiter des enfants.

De nombreuses célébrités choisissent aussi de s'engager pour défendre les droits humains, on peut notamment penser à Angelina Jolie, concernée par les populations réfugiées, ou encore Emma Watson qui se bat pour l'égalité entre les hommes et les femmes.

**Pour plus d'informations,**
voici le lien vers le site de la section québécoise d'Amnistie internationale :
**<amnistie.ca>**

1- UNESCO, repéré à <unesco.org/en/news/263-million-children-and-youth-are-out-school>; *The World Bank*, repéré à <datatopics.worldbank.org/child-malnutrition/>; Humanium, repéré à <humanium.org/fr/situation-monde/droit-a-l-eau/>.

# Échecs scolaires

Sujets connexes :

Cégep p. 195
Secondaire p. 450
Travaux scolaires p. 480

## Obstacles surmontables

Les échecs scolaires sont souvent difficiles à accepter. On se sent nulle et pas à la hauteur. Mais il ne faut pas être trop dure avec soi-même!

À l'adolescence, on vit toutes sortes de choses et, entre les amis, les cours, les activités parascolaires, la famille, le développement de notre corps, les hormones et le premier amour, on est souvent dépassée par les événements, et ce sont les résultats scolaires qui en subissent les conséquences.

Lorsque vous avez un échec scolaire, la première chose à faire est d'en déterminer la cause. Avez-vous plus de difficulté dans cette matière? Avez-vous fait vos devoirs? Avez-vous étudié suffisamment pour l'examen? Il est important d'être honnête. Si vous savez que vous n'avez pas fait les efforts nécessaires pour réussir un examen, alors vous devez travailler davantage et consacrer plus de temps à vos études. Si vous croyez que vous avez vraiment des difficultés en mathématiques, il ne faut pas avoir honte de l'admettre et de demander de l'aide.

Les écoles offrent souvent des services de tutorat conçus pour les élèves qui ont besoin d'un coup de main dans certaines matières. De plus, les professeurs sont là pour vous expliquer les choses que vous ne comprenez pas. Même si cela vous embête, ça vaut sûrement la peine d'assister au cours de rattrapage ou à la séance de révision avant l'examen. Vous pouvez aussi demander de l'aide à vos camarades de classe. Certains sont plus doués en arts, d'autres en sciences. À chacun ses forces et ses faiblesses, alors pourquoi ne pas s'entraider entre amis? Votre père, votre mère, votre frère ou votre sœur peuvent aussi vous aider si vous pensez qu'ils connaissent bien la matière. Si votre problème est plus grave, vous pouvez suivre des cours privés et en discuter avec votre professeur. Il vous donnera certainement de bons conseils pour que vous réussissiez le cours. L'objectif d'un prof n'est pas de vous faire couler, mais plutôt de vous faire réussir.

Si vous éprouvez de grandes difficultés à l'école et que vous avez de mauvaises notes dans plusieurs matières, il se peut que la direction décide que vous n'êtes pas prête à passer à un autre niveau, et que vous deviez par conséquent redoubler votre année. Même si cette solution peut vous sembler extrême, et même vous donner envie de tout abandonner, vous devez persévérer et trouver la source du problème pour vous améliorer. Cela ne veut pas dire que vous êtes moins intelligente que la moyenne ou que le monde entier est contre vous; les résultats scolaires ne déterminent en rien votre intelligence et les gens qui vous entourent cherchent seulement à vous faire avancer à votre propre rythme en étant conscients de vos difficultés. Courage!

### Trouver la raison

Si vous éprouvez des problèmes liés par exemple au divorce de vos parents, à une peine d'amour ou à une crise personnelle, vous aurez peut-être de la difficulté à vous concentrer sur vos travaux scolaires. Vous devez donc vous efforcer d'affronter votre problème ou de parler aux personnes concernées pour tenter de trouver une solution. Je sais que lorsqu'on a la tête ailleurs, il est difficile de se concentrer sur son travail et de se motiver, mais il faut faire un effort pour se secouer et pour chercher de l'aide en cas de besoin. Certaines filles éprouvent des difficultés à l'école pour des raisons physiques : stress, dyslexie, troubles d'attention ou de concentration, etc. Il faut alors en parler franchement avec le professeur ou le directeur pour qu'ils soient au courant de votre problème.

## Ça arrive à tout le monde

Si vous échouez à un examen, ne paniquez pas tout de suite. Sachez d'abord que même les plus doués ont parfois des mauvaises notes à l'école, et que cela ne fait pas de vous une personne stupide et nulle. Les échecs scolaires tendent souvent à influer sur l'estime de soi et à nous porter à nous dévaloriser. L'important, c'est d'en déterminer la cause et de se dire qu'on fera mieux la prochaine fois. Si vous vous mettez trop de pression, vous risquez d'échouer encore en raison du stress. Restez calme et soyez consciente de vos forces et de vos faiblesses. Vous aurez peut-être besoin de travailler un peu plus fort au secondaire pour réussir vos cours d'arts, mais vous savez que vous êtes bonne en informatique et que c'est vers ce domaine que vous voulez vous diriger, alors prenez votre mal en patience ! Si vos échecs scolaires sont principalement liés à votre manque de motivation et à de la paresse, vous devez faire un effort supplémentaire et chercher une solution à votre problème. Demandez de l'aide à quelqu'un de votre entourage, consultez un professionnel ou participez aux séances d'étude en groupe ; plus on est de fous, plus on étudie !

## L'annoncer aux parents...

Si vous avez un échec scolaire, il se peut très bien que le professeur désire contacter vos parents pour les en informer. Si cela vous angoisse et que vous redoutez leur réaction, tentez de leur en parler calmement et soyez honnête avec eux.

Dites-leur que vous travaillerez d'arrache-pied pour vous améliorer, ou alors avouez-leur que vous avez besoin d'aide dans une matière. Ils seront sans doute inquiets parce qu'ils savent à quel point l'école est importante pour votre avenir. Quoi qu'il en soit, faites de votre mieux pour garder votre calme et trouver une solution. Vos parents vous aiment et sont toujours prêts à vous aider, alors ne sous-estimez pas leur rôle dans le processus, et ne perdez pas confiance en vous à cause d'un échec scolaire ; songez plutôt à vos forces et à vos talents, et dites-vous bien que vous ferez mieux lors du prochain examen.

## Quelques données

Le taux d'obtention d'un diplôme du secondaire chez les jeunes de moins de 20 ans était estimé en 2015 à 77,7 %. Il était de 72,5 % chez les garçons et de 83 % chez les filles[1].

## Les ressources

Le site de Jeunesse J'écoute propose une section consacrée à l'école et au rendement scolaire. Vous y trouverez de l'information, mais aussi des questions/réponses sur le sujet.

Vous pouvez aussi joindre directement des intervenants :

**Jeunesse, J'écoute :**
**<jeunessejecoute.ca>**
**Tél. : 1 800 668-6868**

1- Ministère de l'Éducation, de l'Enseignement supérieur et de la Recherche, *Rapport Diplomation et qualification par commission scolaire au secondaire*, 2015.

# Écologie

**Sujets connexes :**

Conscience p. 210
Responsabilité p. 443
Végétarisme/Véganisme p. 488

Ces dernières années, le thème de l'environnement s'est souvent retrouvé sur le devant de la scène. Les catastrophes naturelles de plus en plus nombreuses, l'épuisement des ressources et l'état préoccupant de notre planète nous inquiètent, mais il est parfois difficile d'y voir clair et de savoir ce qui se passe réellement.

Voici quelques éléments pour vous aider à mieux comprendre ce sujet important. Vous trouverez également des pistes pour vous permettre de faire une différence, à votre échelle.

L'écologie en tant que science est née dans les années 1930. Son champ d'études se situe au carrefour de nombreuses disciplines comme la biologie, la génétique et la biogéographie.

L'écologie étudie les relations entre les êtres vivants et leur milieu et pose comme principe fondamental que chaque être est en interaction continuelle avec tout ce qui constitue son environnement. Les scientifiques qui analysent ces interactions s'appellent des écologues.

Relevant au départ du domaine de la science, l'écologie a pris une tournure plus politique à partir des années 1960. C'est à cette époque que des chercheurs ont commencé à tirer la sonnette d'alarme relativement aux niveaux de pollution de plus en plus inquiétants.

Aux États-Unis, c'est un livre de la biologiste Rachel Carson sur les méfaits du pesticide DDT qui a entraîné la naissance des mouvements écologistes modernes[1]. Ces groupes ont à cœur la préservation de l'environnement et font pression sur les gouvernements pour qu'ils fassent des gestes concrets en ce sens.

Mais quels sont les éléments qui expliquent l'aggravation de la situation depuis le siècle dernier? Ils sont de plusieurs ordres.

Tout d'abord, on assiste à un phénomène de surpopulation mondiale, ce qui entraîne évidemment un accroissement des besoins en matières premières, que ce soit sur les plans de l'énergie, de l'alimentation, de l'eau potable ou même du territoire habitable.

On craint donc l'épuisement des ressources naturelles si on n'agit pas rapidement pour améliorer la situation, en encourageant par exemple le développement des énergies renouvelables, soit les sources d'énergie qu'on peut renouveler assez vite pour qu'elles ne se tarissent pas, et ce, même à l'échelle mondiale.

***Bref, on se rend maintenant compte que nos ressources naturelles ne sont pas inépuisables, et qu'on se doit d'agir rapidement pour améliorer la situation.***

Au point de vue de l'agriculture, le constat est également grave. L'homme ne cesse de défricher des terres, de couper la végétation, de raser des forêts et d'utiliser des engrais et des agents pollueurs qui nuisent aux sols et à la production agricole, et qui, en plus, accélèrent l'érosion.

1 - Rachel Carson, *Silent Spring*, Houghton Miffin, 1962.

L'accroissement de la population mondiale et de ses besoins a évidemment un effet direct sur la détérioration des sols et sur le phénomène de déforestation aux quatre coins de la planète. L'intensification de la production animale a également une influence sur la dégradation de la terre, puisqu'elle encourage le surpâturage et entraîne la réduction de la fertilité des sols, la désertification et l'érosion[2].

On entend aussi souvent parler du réchauffement climatique. Ce phénomène est principalement lié à une augmentation de la température moyenne de l'atmosphère et des océans mesurée sur plusieurs décennies.

En effet, nous sommes de plus en plus témoins de changements importants sur le plan climatique. On n'a qu'à penser aux hivers étranges qu'on connaît au Québec, aux ouragans qui frappent de plus en plus fortement le sud des États-Unis et les Antilles, aux tremblements de terre et aux tsunamis qui ont secoué gravement l'Asie, sans parler des milliers de personnes ayant péri lors de ces catastrophes qui semblent trop souvent survenir dans les régions les plus pauvres du monde.

Le réchauffement planétaire a aussi des effets désastreux sur les sols, les glaciers et la production agricole. Ce phénomène est d'ailleurs principalement dû aux émissions de gaz à effet de serre, qui deviennent de plus en plus importantes à cause de la déforestation, des décharges de déchets, du $CO_2$ produit par les voitures, par le smog, par la pollution des grandes et des petites villes, etc.

La majorité des scientifiques s'accorde aujourd'hui pour dire que la cause majeure du réchauffement climatique est l'activité de l'homme[3], et on note qu'au cours du 20e siècle, l'augmentation de la température moyenne de la Terre aurait été de 0,74 °C .

Pour contrer les actions négatives de l'homme sur son habitat, les groupes écologistes partout dans le monde travaillent d'arrache-pied pour sensibiliser la population et les dirigeants, et pour changer les façons de faire afin de préserver la Terre pour les générations futures.

La sauvegarde de l'environnement est un enjeu majeur pour la survie de l'humanité, un défi qu'il faut pouvoir relever à l'échelle mondiale. Si certains pays du tiers-monde ont beaucoup d'autres problèmes à résoudre, tels que la pauvreté, la guerre, la famine, le SIDA et le manque d'eau potable, nous sommes en mesure, grâce à la richesse de nos acquis sociaux, de nous concentrer sur les actions à adopter pour mieux nous engager dans la préservation de notre planète.

2 - Organisation des Nations Unies pour l'alimentation et l'agriculture.

3 - Groupe d'experts intergouvernemental sur l'évolution du climat. *Changements climatiques 2013: les éléments scientifiques,* 2014 répéré à <ipcc.ch/report/ar5/wg1/index_fr.shtml>. À noter que le rapport complet n'est disponible qu'en anglais.

**Voici, par exemple, dix gestes que nous pouvons faire au quotidien et à notre échelle.**

1 **Éteindre les lumières** quand on quitte une pièce. La production d'électricité est à l'origine d'une grande partie des émissions d'oxyde d'azote et de dioxyde de soufre, qui contribuent notamment à l'augmentation du smog et des pluies acides.

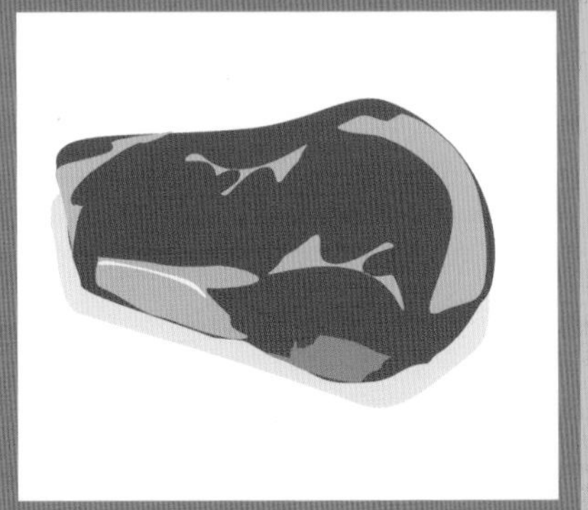

2 **Manger moins de viande rouge.** En plus d'augmenter les risques de développer certains cancers, la trop grande consommation de viande rouge est très dommageable pour la biodiversité et pour l'environnement en général. Par exemple, près de 75 % des régions déboisées de l'Amazonie l'ont été au profit de la production de viande ou de céréales nécessaires pour nourrir les animaux[4]. De plus, les antibiotiques donnés aux animaux en grande quantité se retrouvent dans les sols et dans l'eau qu'ils contaminent, contribuant ainsi à créer des virus qui leur sont de plus en plus résistants.

3 **Limiter sa consommation d'eau.** Par exemple, fermez le robinet lorsque vous vous brossez les dents ou lorsque vous lavez la vaisselle.

4 **Utiliser des sacs réutilisables plutôt que des sacs en plastique.** Les sacs en plastique sont une grande source de pollution. Leur fabrication nécessite des produits pétroliers et crée des gaz à effet de serre. S'ils ne sont pas recyclés, ils peuvent mettre jusqu'à 400 ans à se dégrader et se retrouvent trop souvent dans les cours d'eau et la mer, tuant ainsi des milliers d'animaux marins chaque année[5].

4 - Alexandre Shields, «La consommation de viande menace la planète», *Le Devoir*, 17 août 2015, en ligne: <ledevoir.com>.

5 - Verdura, *Pollution des sacs plastiques*, en ligne: <verdura.fr>.

**5** **Pratiquer le recyclage et, quand c'est possible, le compostage.** Consultez le site de Recyc-Québec[6] pour toutes les informations pertinentes.

**6** **Acheter local et de saison.** Privilégier les aliments locaux et de saison est une bonne façon d'encourager les agriculteurs québécois tout en réduisant notre empreinte écologique.

**7** **Acheter des produits biologiques.** Les produits issus de l'agriculture biologique sont soumis à des normes strictes qui s'appuient sur des valeurs comme le respect de la terre, de l'environnement et du bien-être animal.

**8** **Consommer moins en général.** Par exemple, le troc (ou consommation collaborative) permet d'échanger des biens contre d'autres biens sans faire intervenir d'argent. Il est possible de quasiment tout échanger, que ce soit des vêtements ou des outils, et il existe même des sites permettant d'échanger sa maison pendant les vacances[7]. Il est aussi possible d'acheter usagé, et il y a même souvent de très bonnes affaires à faire, notamment pour les vêtements dans les friperies!

**9** **Privilégier le transport en commun ou le vélo plutôt que la voiture.** La marche et la bicyclette sont meilleures pour la santé, et le transport en commun est une excellente façon d'encourager l'effort communautaire.

**10** **Devenir bénévole.** Que vous vous inscriviez seule ou avec une amie, devenir bénévole est une bonne façon de vous engager activement dans la sauvegarde de notre planète. De nombreuses associations ont des cellules locales dans la plupart des villes du Québec. Et si ce n'est pas le cas, pourquoi ne pas démarrer votre propre cellule?

6 - Recyc-Québec, *Quoi faire avec chaque matière?*, en ligne: <recyc-quebec.gouv.qc.ca>.
7 - <trocmaison.com>.

# Économie

**Sujets connexes :**

Politique p. 412
Responsabilité p. 443
Argent de poche p. 162

Étymologiquement, le mot économie vient des termes grecs *oikos* (maison) et *nomos* (administration) et signifiait l'administration de la maison. Dans un sens plus large, on peut la définir comme «l'ensemble des activités d'une collectivité humaine relatives à la production, à la distribution et à la consommation des richesses»[1].

L'économie touche tous les aspects de notre vie et on a l'impression que c'est un sujet dont semblent toujours parler les politiciens, quelles que soient les questions qu'ils abordent. Des taxes que nous payons sur nos vêtements au financement des écoles et même au prix des aliments que nous achetons, tout est lié à l'économie.

Je vous propose de clarifier quelques notions afin de vous aider à mieux naviguer au milieu de toutes les discussions entourant ce sujet central.

Le terme «capitalisme» revient souvent dans les discours, mais que signifie-t-il ? De façon simple, on peut le définir comme un système économique basé sur la propriété privée des moyens de production (ce sont notamment les matières premières, les outils et les usines) et la liberté des échanges.

On l'oppose généralement au communisme, qui est une forme d'organisation de la société basée sur la suppression de la propriété privée au profit de la propriété collective (tout appartient à tout le monde) et la répartition des richesses selon les besoins de chacun. Nous vivons actuellement dans un État capitaliste, et il n'existe plus d'États communistes au sens premier du terme (avec une économie planifiée d'État et l'absence totale de propriété privée), sauf la Corée du Nord.

Il ne faut pas confondre le communisme et le marxisme, qui est une théorie à la fois économique et philosophique basée sur les écrits de Karl Marx, un économiste du 19e siècle.

La pensée de Marx est très complexe. Elle se fonde notamment sur l'idée que le déroulement de l'histoire humaine s'explique par la lutte des classes sociales, c'est-à-dire la lutte constante entre une classe d'exploitants (ceux qui détiennent les richesses) et une classe d'exploités (à son époque, les ouvriers).

Selon lui, le capitalisme est un système d'exploitation de l'homme par l'homme et conduit à des contradictions qui ne seront résolues que si la classe ouvrière prend le pouvoir et abolit les classes sociales et l'État pour créer une société communiste dans laquelle il n'y aura plus de personnes exploitées.

Sa pensée est une réaction au climat économique de son époque. Comme beaucoup de ses concitoyens, il est révolté par la misère grandissante des ouvriers dans les villes industrielles.

1- Dictionnaire Larousse, *sub verbo* «économie», en ligne : <larousse.fr>.

## Pour aller plus loin :

*Pourquoi les riches sont-ils de plus en plus riches et les pauvres de plus en plus pauvres ?* Monique Pinçon-Charlot *et al*, La ville brûle, 2014

Même s'il y a beaucoup de bonnes choses à retenir de la pensée de Marx, il est important de noter que tous les régimes politiques ayant voulu mettre en pratique ses idées sont devenus des états dictatoriaux (par exemple la Russie avec le stalinisme, le Cambodge avec les Khmers rouges, etc.), supprimant les libertés individuelles, emprisonnant et massacrant leurs populations.

Pour en revenir au capitalisme, l'idée de liberté est au centre de ce système. On parle souvent de démocraties libérales pour désigner nos sociétés occidentales, mais que signifie le terme « libéralisme » ?

En fait, il peut désigner deux choses quelque peu différentes selon que l'on traite de libéralisme politique ou de libéralisme économique.

Du point de vue politique, c'est un courant de pensée qui prend sa source à l'époque des Lumières et qui défend les libertés individuelles et la démocratie.

Sur le plan économique, c'est une doctrine qui veut que l'État intervienne le moins possible dans les modes de fonctionnement. À son niveau extrême (on parle alors d'ultra ou de néolibéralisme), l'État devrait seulement s'occuper de fonctions de base (administration, police, justice et diplomatie) et laisser les lois du marché dicter la conduite des échanges. Le principe fondamental sur lequel repose cette théorie est qu'il existerait un ordre naturel (une espèce de main invisible) qui ferait en sorte d'amener le système économique vers l'équilibre.

Or, ces dernières années, les crises financières liées directement à une moindre régulation des marchés ont eu tendance à nous prouver le contraire. En fait, il ne semble pas possible aujourd'hui de donner complètement raison à un courant économique plutôt qu'à un autre, et il existe plusieurs approches qui se contredisent.

Par exemple, certains économistes sont contre les idées néolibérales et affirment que le marché ne peut pas se réguler tout seul et que l'État doit intervenir, notamment pour aider à relancer l'économie (c'est ce que proposent les approches keynésiennes, fondées sur les écrits de l'économiste John Maynard Keynes).

Il est important de lire et de se renseigner, mais il faut surtout se méfier des idées reçues et de ceux qui présentent leurs théories comme la vérité absolue, à grand renfort de chiffres et de graphiques.

Il ne faut pas oublier que l'économie n'est pas une science exacte comme peuvent l'être les mathématiques, mais bien une science humaine, et il faut essayer de comprendre, derrière les discours des économistes ou des politiciens, quels sont les intérêts qu'ils cherchent à défendre, qu'ils en soient conscients ou non.

**À vous de vous faire votre propre idée !**

# Index des termes

**CRISE ÉCONOMIQUE :**

Perturbations sur un ou plusieurs marchés financiers ou bancaires qui entraînent une dégradation brutale de la situation économique. Il y a eu de nombreuses crises économiques dans l'histoire, notamment en 1929, en 2000 et, plus récemment, en 2008.

**DÉRÉGLEMENTATION FINANCIÈRE :**

Ensemble de toutes les actions visant à réduire la réglementation des États sur le secteur financier.

**DÉFICIT BUDGÉTAIRE/DÉFICIT PUBLIC :**

Solde négatif d'un budget pour une année financière donnée (ne pas confondre avec dette publique).

**DETTE :**

Somme d'argent due à un tiers, qui doit être remboursée selon certaines conditions convenues lors de la création de la dette.

**DEMANDE :**

La quantité d'un produit ou d'un service que des acheteurs sont disposés à prendre à un prix donné.

**DETTE DE L'ÉTAT/DETTE PUBLIQUE :**

Somme des engagements financiers (emprunts) d'un État et des organismes publics.

## ENDETTEMENT :

Montant total des dettes. Il est important de distinguer l'endettement privé (des ménages) de celui de l'État, car l'endettement de l'État n'est pas nécessairement « mauvais » en soi. Celui-ci peut utiliser l'emprunt pour investir et, donc, créer des richesses futures, lesquelles pourront assurer le remboursement.

## MARCHÉ :

Système d'échanges où se rencontrent l'offre (les vendeurs) et la demande (les acheteurs). Désigne aussi l'ensemble des règles qui permettent aux échanges économiques de se faire.

## OFFRE :

Quantité de produits ou de services offerts sur le marché.

Sources :


Alternatives Économiques, L'économie de A à Z, en ligne : **<alternatives-economiques.fr>**

Encyclopédie Universalis, en ligne : **<universalis.fr>**

La documentation française, en ligne : **<ladocumentationfrancaise.fr>**

La Toupie, en ligne : **<toupie.org>**

Le Grand Robert, en ligne : **<lerobert.com>**

Perspective Monde, en ligne : **<perspective.usherbrooke.ca>**

**Sujets connexes :**

Droits humains p. 247
Respect p. 441
Tolérance p. 478

# Égalité

## Droit naturel et inaliénable de l'homme

L'égalité est une notion complexe. En premier lieu, il s'agit d'un droit naturel et inaliénable de l'homme. Tous les humains sont égaux, et ce, peu importe leur culture, leurs traditions, leurs origines, leur profession, leur sexe ou la couleur de leur peau.

Toutefois, lorsqu'on songe au racisme, à l'esclavagisme et aux hiérarchies sociales, on se rend compte que l'égalité entre les hommes est loin d'être acquise. Il est cependant important de mentionner que tout le monde a le droit de s'exprimer, d'agir, de penser et de se faire entendre. Peu importe le statut social, la profession ou le groupe ethnique auquel appartient un individu, il a droit au respect et à l'égalité. Tout le monde a le droit d'aimer et de se faire aimer. Ça peut sembler évident, mais ce n'est pourtant pas si simple.

Par exemple, bien qu'on se dise que nous sommes tous égaux et que nous avons tous des droits protégés par la Constitution et par la loi, nous faisons parfois face à des situations qui nous semblent injustes. Ne vous est-il jamais arrivé de vous insurger contre le fait que le prof ait un « chouchou », ou encore que certaines filles partent toujours en vacances et soient exagérément gâtées par leurs parents ? Pourquoi certaines personnes semblent-elles plus chanceuses que d'autres ? Pourquoi certaines sont-elles riches et d'autres pauvres ? Pourquoi des individus ont-ils droit à une deuxième chance alors que d'autres, non ? Toutes ces questions nous font inévitablement douter de l'existence d'une véritable égalité entre les hommes.

Ce que vous devez savoir, c'est que nous sommes égaux au chapitre des valeurs, des droits et des besoins primaires. Chaque personne a le droit de dormir, de manger, d'aimer et de penser, mais cela ne change pas le fait que certaines personnes atteignent des objectifs, se surpassent en

tant qu'individus ou possèdent plus de biens matériels que d'autres. Je sais que la barrière entre les riches et les pauvres peut parfois nous sembler insurmontable, mais sachez qu'il y a moyen d'agir pour atténuer ces distinctions.

Au Québec, il existe divers systèmes sociaux qui aident à répartir également les richesses et à aider les gens dans le besoin, comme les systèmes d'assurance-maladie, d'assurance-emploi et d'aide sociale. Certes, notre charge fiscale est importante, mais dites-vous que les impôts que nous payons servent justement à appliquer ce concept d'égalité et de justice entre les individus.

En d'autres mots, l'égalité relève d'un équilibre qui n'est pas facile à atteindre. Bien que tous les individus soient égaux du point de vue des droits et des valeurs fondamentales qui nous guident dans la vie, il ne faut pas ignorer le mérite de chacun. Si un artiste se surpasse, qu'un sportif gagne une compétition ou qu'un élève obtient une bonne note à un examen, il mérite d'être récompensé pour ses efforts et pour ses accomplissements. Si vous obtenez 100 % dans un cours, ce serait injuste de vous donner 65 % pour que tout le monde obtienne la même note ; vous avez travaillé fort pour obtenir cette note, et vous méritez qu'elle apparaisse sur votre bulletin !

Vous avez le droit de penser, de vous exprimer et d'agir comme bon vous semble, dans la mesure où vous respectez le principe d'égalité qui assure aux autres de pouvoir jouir de ces mêmes droits. Pour promouvoir l'égalité et ainsi favoriser la justice et l'équité au sein de la société, apprenez à partager vos talents et vos qualités. Montrez-vous généreuse avec les gens dans le besoin. Non seulement vous participerez à l'avancement de notre société, mais vous vous sentirez extrêmement fière d'avoir collaboré au bien-être collectif.

## Sujets connexes :

Narcissisme p. 374
Valeurs p. 486

# Égoïsme

### Ne penser qu'à soi

L'égoïsme se définit comme la tendance à ne chercher que son propre bien sans tenir compte de celui des autres. C'est le fait de ne penser qu'à soi et qu'à son propre bien-être sans s'ouvrir au bonheur d'autrui.

Bien qu'il s'agisse d'une attitude peu souhaitable dans nos rapports avec les autres, celle-ci est toutefois très normale chez les humains. Après tout, nous cherchons toutes à nous protéger et à nous assurer d'être bien dans la vie. C'est une sorte d'instinct de survie qu'il faut cependant apprendre à maîtriser. Il est sain de penser à soi et à son propre bonheur, mais il faut chercher un équilibre qui nous pousse à donner autant qu'à recevoir des autres, à nous montrer plus généreuse avec les gens qui nous entourent.

Vous avez certainement déjà été en présence de quelqu'un qui ne faisait que parler de lui-même, de ses réussites et de toutes les belles choses qu'il possédait. Vous devez admettre que ce n'est pas très agréable d'entendre quelqu'un parler autant de sa propre personne, de ses rêves, etc., sans tenir compte du bien-être des autres et sans jamais s'informer de leurs projets. Vous devez garder cet événement en mémoire et vous en servir comme d'une leçon; il vous rappellera de ne pas toujours placer votre bonheur avant celui des autres. Vous éprouverez une grande satisfaction à donner aux autres et à voir s'afficher un sourire sur leur visage. Quand on donne aux gens qu'on aime et qu'on leur accorde de l'importance, on se sent très fière de soi et on a envie de continuer dans cette direction. Quand on agit de façon égoïste et qu'on ne pense qu'à soi, on a souvent tendance à faire fuir les gens et à se replier sur nous-mêmes sans apprendre à partager et à nous ouvrir à tout ce que les gens ont à offrir.

En d'autres mots, vous constaterez que vous êtes beaucoup plus heureuse et mieux dans votre peau lorsque vous vous ouvrez aux autres et que vous donnez sans compter. Pour ce faire, vous devez acquérir une générosité matérielle, physique et affective qui vous permettra de rendre les autres heureux et vous procurera un immense bien-être. Si vous jugez que vous êtes quelqu'un d'égoïste, sachez qu'il n'est jamais trop tard pour changer. Apprenez à écouter les besoins des gens qui vous entourent, à leur donner de l'attention, des soins et de l'amour. La satisfaction que vous en retirerez vous poussera à poursuivre dans la même veine. Quand on ne pense qu'à soi, on se retrouve souvent seule, et on perd des gens importants en cours de route. Mieux vaut être généreuse de votre temps et de votre énergie et faire sentir aux personnes que vous aimez qu'elles sont très importantes à vos yeux.

Pour aller plus loin :
Un homme et son péché,
Claude-Henri Grignon


La générosité ne se construit pas seulement sur le plan matériel. Certes, vous pouvez apprendre à partager, à offrir des cadeaux, à faire des surprises et à prêter toute votre garde-robe à vos amies, mais vous devez aussi être généreuse de votre temps et leur montrer que vous êtes toujours là pour elles. Informez-vous sur ce qu'elles font, sur leurs joies, sur leurs peines. Offrez aussi de l'aide à vos parents et montrez-vous généreuse lorsqu'ils vous demandent un service. Ils seront touchés par votre comportement et ceci permettra certainement d'améliorer vos relations.

Combattre l'égoïsme exige par ailleurs que vous fassiez de petits efforts quotidiens pour vous ouvrir davantage aux autres et pour faire taire vos propres insécurités. Rappelez-vous qu'il est sain de penser à votre bonheur, d'apprendre à vous protéger et à être plus forte, mais vous acquerrez énormément de confiance et de satisfaction en vous ouvrant aux autres et en apprenant à les rendre heureux. Vous éprouverez un sentiment de fierté, d'accomplissement et de grande maturité, car vous aurez enfin réussi à surmonter vos peurs et à donner sans compter. Tout le monde mérite d'être heureux, alors mieux vaut s'entraider pour atteindre nos objectifs que d'agir chacun pour soi. La vie est trop courte pour rester seule dans son coin ; aussi bien en profiter avec les gens qu'on aime.

# Emploi à temps partiel

**Sujets connexes :**
Argent de poche p. 162
Gardiennage p. 300
Ambition p. 143

## Acquérir de l'indépendance

À l'adolescence, vous allez commencer à ressentir le besoin d'acquérir un peu plus d'indépendance. Vous aurez peut-être envie de vous acheter un joli chandail sans devoir demander la permission à vos parents, ou de partir en voyage en ayant les moyens de le faire.

Vous aurez donc sans doute envie de travailler à temps partiel pour pouvoir jouir d'une telle autonomie. Vos parents seront d'ailleurs peut-être les premiers à vous encourager à le faire, non pas parce que vous êtes un poids pour eux, mais plutôt parce qu'ils pensent qu'il s'agit d'un bon moyen pour vous de devenir plus responsable et d'avoir une plus grande autonomie.

Au Québec, les jeunes de moins de 14 ans ne peuvent travailler sans le consentement de leurs parents ou de leur tuteur. Il faut avoir 16 ans pour devenir apprenti dans un métier régi par la loi, et les employeurs ne peuvent demander aux jeunes de moins de 17 ans de travailler durant les heures de classe (la priorité étant évidemment donnée à l'éducation, et la loi indiquant que les jeunes doivent fréquenter l'école jusqu'à l'âge de 16 ans) ou entre 23 h et 6 h, sauf pour la livraison de journaux[1].

### Mettre les priorités à la bonne place

Même si vous désirez vraiment travailler et amasser votre propre argent de poche, il est important d'accorder la priorité à vos études. Ainsi, durant l'année scolaire, efforcez-vous de ne pas travailler tous les soirs après l'école ou toutes les fins de semaine. Gardez-vous du temps pour étudier, faire vos devoirs et vous détendre. Vous aurez toute la vie pour travailler à temps plein. Par ailleurs, si votre employeur vous demande de travailler plus souvent et que vous trouvez que c'est trop, n'hésitez surtout pas à le lui dire. Durant l'année scolaire, vous pouvez opter pour un emploi dans le cadre duquel il est possible de faire vos devoirs à temps perdu. Vous pouvez aussi demander à vos parents de vous payer pour accomplir des tâches ménagères, un travail que vous pourrez faire dans vos moments libres sans que cela empiète sur vos heures d'étude.

### Un été à temps plein

Même si vous n'avez pas le temps de travailler beaucoup durant l'année scolaire, vous pourrez amplement vous rattraper au cours de l'été. Les vacances estivales durent généralement deux mois, et plusieurs employeurs offrent des postes aux étudiants qui cherchent un emploi d'été, que ce soit dans le cadre des festivals, ou alors dans les crèmeries, les cafés, les restaurants, les établissements culturels, les camps de vacances, etc. Je vous conseille par ailleurs d'envoyer votre *curriculum vitæ* quelques semaines avant la fin des classes pour ne pas vous retrouver

1 - Gouvernement du Québec, Commission des normes, de l'équité, de la santé et de la sécurité du travail (CNESST), en ligne : <cnt.gouv.qc.ca>.

coincée à la dernière minute. Parlez-en aux gens autour de vous, appelez ou allez voir un ancien employeur ; bref, utilisez vos relations pour vous faire connaître et décrocher l'emploi qui vous convient le mieux. Choisissez un travail qui saura vous motiver et où vous pourrez vous épanouir et avoir du plaisir. Rappelez-vous qu'il s'agit d'un emploi d'été et non de votre choix de carrière !

## Le CV et l'entrevue

Lorsque vous posez votre candidature pour un emploi à temps partiel ou un emploi d'été, l'employeur vous demandera de lui remettre un *curriculum vitæ* qui contient vos coordonnées (nom, adresse, numéro de téléphone), ainsi qu'une énumération et une courte description des diplômes obtenus jusqu'à présent et de l'expérience professionnelle que vous avez acquise. S'il s'agit de votre premier emploi et que vous n'avez pas encore votre diplôme, ne paniquez pas ! Nous passons toutes par là (après tout, il faut bien commencer quelque part !).

Les employeurs sont généralement très indulgents à l'égard des jeunes qui entrent sur le marché du travail. Dans les pages qui suivent, je vous propose de vous guider un peu plus précisément dans l'élaboration de votre CV.

### Comment faire votre CV

***(merci à Océane qui m'a suggéré d'ajouter cette partie !)***

Votre *curriculum vitae,* c'est votre outil de vente personnel. En d'autres mots, c'est ce qui permettra à un employeur de voir vos forces, vos expériences professionnelles et personnelles et vos champs d'intérêt. Voici quelques indications importantes à suivre pour la rédaction de votre premier CV.

- Assurez-vous que toutes les informations que vous donnez sont vraies. Il ne faut jamais mentir dans un CV.
- Un CV doit idéalement se limiter à une ou deux pages. C'est important d'être concise dans vos explications.
- Il faut que le français soit impeccable, alors assurez-vous de le faire corriger avant de le remettre aux employeurs.
- C'est aussi super important de bien délimiter chacune des catégories dans votre CV, et de garder un ton simple et sérieux.

Voici plus précisément ce qui devrait se retrouver dans votre *curriculum vitae*:

1. Vos **informations personnelles,** incluant :
   - Vos nom et prénom ;
   - Votre adresse ;
   - Votre courriel ;
   - Votre numéro de téléphone.
2. Vos **études,** en ordre chronologique inverse, c'est-à-dire en commençant par le plus récent.
   - Il est important de préciser le nom de l'école, et le diplôme obtenu s'il y a lieu (par exemple, si vous avez déjà terminé votre secondaire 5, il est important d'indiquer que vous avez votre D.E.S.).

- N'hésitez pas à inscrire tous les cours privés et les autres formations que vous avez suivis, de même que les attestations que vous avez obtenues. (Exemple : cours de premiers soins, de guitare, etc.) Toutes ces informations ont de l'importance lorsque vous voulez décrocher un premier emploi.

3. Votre **expérience de travail,** en ordre chronologique inverse, c'est-à-dire du plus récent au plus ancien. Ici, il est important d'y mettre ces informations.
   - Nom de la compagnie ou du lieu de travail;
   - Titre de l'emploi occupé ;
   - Date de début et date de fin ;
   - Un cours résumé des tâches effectuées.

**Voici un exemple :**

mai - août 2017

Gardienne d'enfants

Montréal, Québec

- Superviser un enfant de 5 ans en encourageant les interactions positives.
- Accompagner l'enfant au parc et à la piscine et s'assurer de sa sécurité et de son bien-être.
- Superviser les repas et les collations.
- S'assurer du bon développement de l'enfant en proposant des activités ludiques et en le sécurisant au besoin.

4. Vos **compétences et mentions d'honneur.** Ici, il est important d'indiquer les langues que vous parlez et écrivez, vos connaissances informatiques, vos prix, vos bourses ou vos mentions d'honneur.

5. Vos **loisirs et champs d'intérêt.** Ici, vous devez simplement nommer les activités que vous aimez pratiquer dans vos temps libres pour que l'employeur ait une meilleure idée de votre personnalité.

Le site d'Emploi Québec vous encourage également à ajouter une section « Objectifs professionnels » avant le champ « Études », où vous inscrivez simplement ce à quoi vous aspirez dans la vie.

Enfin, il est important d'indiquer **« Références disponibles sur demande »** à la toute fin de votre CV pour que l'employeur sache qu'il peut vous demander des noms de personnes à contacter qui sauront avoir de bons mots pour vous, et ainsi vous aider à décrocher un emploi. Il peut s'agir d'un ancien employeur ou d'une personne de l'école ou de votre entourage avec qui vous avez travaillé, même si c'est bénévolement. N'indiquez pas les références directement sur le *curriculum vitae,* mais gardez une petite liste sous la main pour donner des noms si jamais l'employeur vous le demande. Il est évidemment important d'informer ces individus au préalable pour qu'ils puissent se préparer en cas d'appel.

Pour plus d'informations, visitez le site d'Emploi Québec, où des exemples de *curriculum vitae* sont mis à votre disposition pour vous aider à rédiger le vôtre :

**<emploiquebec.gouv.qc.ca/citoyens/trouver-un-emploi/organiser-sa-recherche-demploi/outils-du-chercheur-demploi/curriculum-vitae>**

Si un employeur sélectionne votre CV, vous serez normalement invitée à le rencontrer pour une entrevue. Il vous posera diverses questions d'ordre professionnel, scolaire et personnel. C'est le moment de vous «vendre» et de lui démontrer que vous êtes la candidate idéale, alors ayez confiance en vous et n'ayez pas peur d'énoncer vos principales qualités. Les employeurs aiment les candidates responsables, matures, polies et qui ont de l'entregent. Efforcez-vous ne pas avoir l'air trop coincé, mais demeurez polie et vouvoyez toujours votre employeur lors des premières rencontres. Les entrevues vous permettront d'apprendre à vous connaître et d'acquérir davantage de confiance en vous. Si vos premières entrevues se déroulent mal, ne vous en faites pas, cela fait partie de la période d'apprentissage!

Références disponibles sur demande.

**NOM ET PRÉNOM**

Adresse | Téléphone | Adresse courriel

**ÉTUDES (PLUS RÉCENTES EN PREMIER)**

► Nom de l'école, diplôme obtenu ou en cours

► Nom de l'école, diplôme obtenu

**EXPÉRIENCES DE TRAVAIL (PLUS RÉCENTES EN PREMIER)**

► Date d'occupation de l'emploi (de – à ) ou (emploi actuel)

Appellation de l'emploi (Ville, Province)

- Tâche 1
- Tâche 2
- Tâche 3

**COMPÉTENCES ET MENTIONS D'HONNEUR**

Compétence(s) pertinente(s) (ex. suite Office, photographie, travail d'équipe, etc.)

Langue(s) parlée(s)

Prix ou mention(s) d'honneur

Cours ou attestation(s) pertinent(e)(s) pour l'emploi recherché

**LOISIRS ET CHAMPS D'INTÉRÊT**

Loisir 1, loisir 2, champ d'intérêt 1, champ d'interêt 2, etc.

## Pas de sots métiers

Rappelez-vous que vous êtes encore jeune et que tous les emplois offerts vous donneront une expérience unique et vous permettront de devenir plus endurante, plus indépendante et plus mature. Ne jugez pas les emplois par le titre et ne levez pas le nez sur ceux qui vous sont proposés. Nous devons toutes commencer quelque part, et même si vous ne pensez pas qu'un emploi dans un entrepôt puisse vous aider dans votre carrière, il vous permettra au moins d'acquérir des aptitudes sur le plan personnel qui sont loin d'être négligeables. Alors, n'hésitez surtout pas à foncer!

**Sujets connexes :**

Amitié p. 145
Couple p. 220
Famille p. 275

# Engueulade

## Étincelle qui provoque cris et insultes

Quand on est en colère, qu'on se sent irritée pour tout et pour rien et qu'on habite sous le même toit que sa famille, il est normal que les engueulades éclatent.

Une engueulade, cela sous-entend souvent des cris, des insultes. L'étincelle qui provoque la dispute peut être un incident très anodin autour de la table, ou un sujet plus délicat comme le couvre-feu imposé par les parents, par exemple. Les engueulades surviennent aussi avec les amies qui n'ont pas le même point de vue que vous ou qui vous énervent sans raison.

Il y a des gens avec qui vous avez peut-être plus tendance à vous engueuler. Par exemple, certaines personnes n'ont pas la langue dans leur poche ou aiment simplement vous provoquer et vous voir piquer une crise. Même si vous êtes de nature soupe au lait, vous devez apprendre à vous contrôler et à ne pas entrer dans ce petit jeu. L'indifférence est souvent l'arme la plus efficace contre ceux qui vous narguent. Si vous avez des frères et des sœurs, je suis certaine que les engueulades surviennent assez souvent. Sachez d'abord qu'il est tout à fait normal de manquer de patience lorsqu'on cohabite avec des gens. Les membres de certaines familles s'engueulent moins que d'autres, mais cela ne veut pas nécessairement dire qu'ils se respectent davantage. C'est parfois dû à une distance qui les sépare ou à un froid qui s'est installé dans la maison. Dans d'autres familles, les gens ont au contraire l'habitude de s'engueuler à tous les repas. Encore une fois, il n'existe aucune règle générale, et cela ne signifie pas qu'ils s'aiment moins. Cela peut être lié au fait qu'ils ne parviennent pas à discuter calmement, car ils sont de nature plus explosive ou plus têtue.

### Quand les parents s'engueulent

Vous devez avant tout vous rappeler que votre père et votre mère ne sont pas seulement des parents, mais qu'il s'agit aussi d'un couple et de deux individus à part entière qui sont parfois irrités ou qui ont de la difficulté à se supporter l'un l'autre. Si vos parents se disputent, essayez de ne pas vous en mêler et de les laisser régler leur problème. Ils auront tôt fait de se réconcilier, et vous ne vous sentirez pas impliquée dans leur querelle. S'ils s'engueulent sans cesse et que cela vous dérange ou vous bouleverse, alors mieux vaut leur en parler calmement pour qu'ils prennent conscience du fait que vous êtes là et que vous ne voulez pas nécessairement assister à leurs disputes.

## Une engueulade à caractère thérapeutique

Les engueulades nous permettent parfois d'extérioriser notre peine ou notre frustration. Sachez qu'il n'est pas mauvais de s'engueuler de temps à autre avec les gens qu'on aime. L'important, c'est de ne pas dépasser les bornes et de ne pas dire des choses méchantes dans le but de blesser les autres. Quand on s'engueule pour un rien, on finit souvent par en rire de bon cœur, alors ne dramatisez pas toutes les querelles que vous avez avec les membres de votre famille ou avec vos amis. Si vous croyez être allée trop loin, excusez-vous et tentez de vous expliquer pour faire comprendre à l'autre que vos paroles ont dépassé votre pensée. Si vous jugez, par exemple, que votre sœur vous a manqué de respect et qu'elle vous a blessée, dites-le-lui calmement pour qu'elle comprenne que cela ne sert à rien de vous insulter de la sorte et que ses paroles peuvent parfois vous faire du mal.

Les engueulades font partie de notre quotidien et il est tout à fait normal d'avoir les nerfs en boule par moments. Chacun a son propre caractère, et certains peuvent être plus susceptibles que d'autres. Par conséquent, apprenez à connaître vos adversaires et à éviter que la situation ne dégénère. Rappelez-vous toutefois que cela arrive dans les meilleures familles et qu'il n'y pas toujours de quoi en faire un plat. Il suffit parfois de laisser la tempête passer et d'en rire quelques heures après.

## Quelques trucs pour survivre aux chicanes ou éviter les engueulades

- **Ne soyez pas trop soupe au lait** et apprenez à rire de vous-mêmes lorsqu'on se moque gentiment de vous.
- **Ne soyez pas trop brusque** quand on vous parle, même si vous vous sentez particulièrement irritée.
- **Ne soyez pas méchante** dans ce que vous dites. Si vous vous sentez vraiment sur le point d''éclater, allez prendre l'air, faites une promenade ou appelez quelqu'un qui n'est pas impliqué dans la querelle pour exprimer ce que vous ressentez.
- **Apprenez à vous excuser** si vos paroles ont dépassé votre pensée.
- **Apprenez à rire** durant les engueulades ou une fois qu'elles sont terminées. Ça permettra de détendre l'atmosphère et de dédramatiser la situation.

## Sujets connexes :

Cafard du dimanche p. 191
Déprime/Dépression p. 230
Solitude p. 458

# Ennui

### État d'âme déplaisant

« Sentiment d'insatisfaction rencontré, par exemple, lorsque la vie nous paraît trop uniforme. [...] L'ennui est principalement couplé avec un déplaisir ou même une incapacité intérieure à agir pour son propre compte. L'ennui apparaît si on contraint un être à un ordre rigide et monotone, et il est atténué si on lui aménage un espace ludique où il peut faire ce qu'il désire »[1].

L'ennui est un état d'âme qui se rapproche grandement de la lassitude. On a alors tendance à trouver le temps long ou à ne pas savoir quoi faire de ses dix doigts. On trouve que la vie est monotone et on a de la difficulté à trouver une activité originale qui puisse nous sortir de notre état d'insatisfaction. L'ennui peut survenir à tout moment : un lundi soir, au cours d'une fin de semaine pluvieuse, durant une semaine de vacances ou pendant un cours qu'on trouve interminable ! Il existe diverses façons de ne pas se laisser sombrer dans l'ennui. Il suffit de se secouer un peu et de trouver une activité qui nous plaise ou qui nous sorte de notre torpeur. Je sais bien que lorsqu'on s'ennuie, il peut être difficile d'être original et créatif, mais il ne suffit parfois que d'un petit effort, de téléphoner à un(e) ami(e), d'écrire dans son journal intime ou de faire une promenade pour parvenir à se changer les idées et à cesser de se morfondre.

L'adolescence est une période de la vie où les minutes semblent parfois interminables.

Les adultes ont alors tendance à vous dire : « Profites-en ! Lorsqu'on vieillit, le temps passe trop vite et on n'a parfois pas le loisir de profiter de la vie. » Sans vouloir être moralisatrice, je dois dire que ce n'est pas tout à fait faux. Avec l'âge viennent les responsabilités, le travail, l'accumulation des tâches, la famille, les amis, les petits amis... Bref, on a de moins en moins de temps à se consacrer. Les dimanches après-midi passés à ne rien faire ne sont plus ennuyeux ; ils deviennent au contraire si rares qu'on veut profiter de chaque minute ! À l'adolescence, on a

normalement plus de temps pour réfléchir, pour songer à ses rêves, à ses ambitions. Même si ça peut parfois sembler effrayant, il faut s'efforcer de passer un peu de temps seule et de faire le vide. Si vous en êtes incapable, écrivez dans votre journal intime ou confiez-vous à quelqu'un en qui vous avez confiance. Ces minutes qui vous paraissent si longues vous seront très utiles, puisqu'elles vous permettront d'apprendre à vous connaître davantage et à faire face à votre insécurité.

***Si l'ennui fait bientôt place au cafard, vous devez vraiment faire un effort pour vous secouer et vous changer les idées.***

Pourquoi ne pas aller voir un film au cinéma, faire du lèche-vitrine ou une promenade en bicyclette, passer du temps en famille ou avec vos amis ? Personne n'est disponible et aucune de ces options ne s'offre à vous ? Lisez un livre, prenez un bon bain, écoutez de la musique ou commencez une série sur Netflix. Lorsqu'on y pense bien, les activités que vous pouvez faire sont illimitées. Il ne suffit parfois que de se secouer les puces !

1 - <granddictionnaire.com>.

# États-Unis

**Sujets connexes :**


Anglais p. 152
New York p. 376
Voyage p. 496


## Salut, voisin!

Les États-Unis sont situés au sud du Canada et au nord du Mexique. Ils sont bordés par l'océan Atlantique à l'est et par l'océan Pacifique à l'ouest. Le pays regroupe 50 États, et sa capitale nationale est Washington. En juin 2017, les États-Unis comptaient plus de 325 millions d'habitants, ce qui les situe au troisième rang des pays les plus peuplés, après la Chine et l'Inde. Leur superficie de 9,4 millions de kilomètres carrés en fait le quatrième plus grand pays au monde, après la Russie, le Canada et la Chine.

Au niveau mondial, les États-Unis sont perçus comme une superpuissance. Il s'agit d'un pays riche et développé qui possède une économie très diversifiée. Qu'on aime ou ce pays, son influence mondiale est indéniable, et c'est aussi un partenaire économique très important du Canada et du Québec.

Culturellement, les États-Unis offrent un véritable panorama sur le monde. En effet, l'immigration abondante rend la population américaine extrêmement cosmopolite, et ce, tant au plan ethnique que culturel. On trouve par exemple une forte proportion de Latino-Américains dans l'ensemble du pays, et l'espagnol est la deuxième langue la plus parlée aux États-Unis. D'une côte à l'autre, on peut explorer des cultures et des décors très variés. Par exemple, la côte ouest, ce sont les plages, la chaleur, Hollywood, Los Angeles, San Francisco, les grandes vedettes de cinéma, le surf, tout ça dans une ambiance plutôt exaltée. Sur la côte est, vous trouverez bien sûr New York, la plus grande ville des États-Unis, et Miami, tout au sud, qui est reconnue pour ses plages, son ambiance festive et son influence hispanique. Bien que les États-Unis, en raison de leur proximité, ne nous semblent peut-être pas aussi exotiques que les Caraïbes, sachez qu'il y a des tas de choses à découvrir dans ce vaste pays, comme le Grand Canyon, la Nouvelle-Orléans, les déserts de l'Arizona et du Nevada, les immenses montagnes enneigées pour celles qui raffolent du ski et des centaines de villes débordantes de trésors culturels et artistiques.

### Une élection historique

Le 4 novembre 2008, Barack Hussein Obama a été élu 44e président des États-Unis. Il a défait le candidat républicain John McCain et a permis aux démocrates de reprendre le pouvoir. Originaire d'Hawaï, Barack Obama est le premier Afro-Américain de l'histoire à accéder à la Maison-Blanche. Il arrive au pouvoir dans un contexte de guerre en Irak et en Afghanistan, d'importantes tensions en Orient et d'une grave période de récession due à une crise économique mondiale. En d'autres mots, la pression est forte sur le nouveau président, mais l'accession d'Obama au pouvoir a soulevé une vague d'optimisme, tant au niveau national qu'international

## Pour aller plus loin :

- *Economix,* Michael Goodwin
- *Le lys de Brooklyn,* Betty Smith
- *Ne tirez pas sur l'oiseau moqueur,* Harper Lee
- *Elephant,* Gus Van Sant

(il a notamment reçu le Prix Nobel de la Paix en 2009 pour « ses efforts extraordinaires pour renforcer la diplomatie et la coopération internationale entre les peuples »). Réélu en 2012 pour un second mandat, Obama a accompli de grandes choses au cours de sa présidence : il a retiré les troupes américaines du territoire afghan et a établi une réforme historique du système de santé (appelée *Obamacare*), permettant à des millions d'américains d'obtenir l'assurance maladie.

## L'élection de Donald Trump

Au terme de la présidence d'Obama, Donald J. Trump remporte les élections du 8 novembre 2016 et devient le 45e président des États-Unis. Les opinions par rapport aux politiques du nouveau président sont extrêmement divisées, tant chez la population américaine que dans la communauté internationale. Peu importe ce qu'on en pense, on ne peut nier que l'idéologie résolument de droite prônée par Trump et son administration cause beaucoup de controverse. Dès son arrivée au pouvoir il s'attire les foudres et fait sortir une partie de la population américaine dans la rue avec notamment son décret (*executive order*) anti-immigration (appelé couramment *muslim ban*) en janvier 2017, décret empêchant les ressortissants de sept pays dont la population est majoritairement musulmane d'entrer sur le sol américain pendant 90 jours, et ce, même si ces personnes détiennent aussi la nationalité américaine ou encore des permis d'études ou de travail valides pour être aux États-Unis. Ce décret sera finalement bloqué en Cour fédérale et suspendu. Au moment d'écrire ces lignes, son administration a fait voter un texte de loi adopté par la Chambre des représentants et visant à abroger la réforme de la santé d'Obama ce qui aurait pour effet de priver plus de 24 millions d'américains d'assurance médicale, dans un pays où les coûts des soins et des médicaments sont extrêmement élevés.

## Sujets connexes :

Amitié p. 145
Copains p. 218
Gang de filles p. 291

# Être cool

**Pas toujours facile!**

Ce n'est pas nouveau: quand on est adolescent, on devient plus conscient du monde qui nous entoure et on accorde beaucoup plus d'importance à notre apparence physique. Plusieurs filles traversent également une période de questionnements intenses à propos de leur identité. C'est normal de se poser des questions quand on traverse une période de changements aussi drastiques.

Premièrement, votre corps se transforme, et deuxièmement, vous devez affronter un univers social très différent où vous cherchez votre place et où vous ne voulez surtout pas déplaire. Nombreuses sont les filles qui m'écrivent pour me demander des trucs pour plaire aux garçons ou pour sortir du moule. C'est une réaction normale; je me souviens qu'entre 12 et 16 ans, je lisais parfois des articles dans les magazines qui suggéraient aux filles de rester elles-mêmes, et je ne comprenais pas tout à fait à quoi ils faisaient référence. Aujourd'hui, je suis la première à prodiguer les mêmes conseils!

Ce n'est pas évident de comprendre le concept de «rester soi-même» à une étape où on se cherche et où on ne sait pas clairement qui on est, mais l'important, c'est de se baser sur nos valeurs et sur nos principes. Dès l'adolescence, vous savez au fond de vous quelles sont vos priorités, quelles sont vos principales caractéristiques, et aussi quelles sont les qualités les plus importantes à vos yeux. Ne faites rien contre votre volonté, même si vous pensez que c'est cool de le faire. Il faut savoir s'écouter et se faire respecter, car nous sommes toutes responsables de notre propre bien-être. Si une fille se retrouve dans une situation précaire avec un gars qui fait pression sur elle pour faire l'amour alors qu'elle ne se sent pas prête, il faut qu'elle sache dire non et écouter ce que lui dicte son instinct. Si quelqu'un vous propose de fumer un joint et que vous n'avez pas envie d'essayer, il faut aussi savoir vous écouter et vous assumer telle que vous êtes. «Être cool», ça ne veut pas dire de faire ce que les autres veulent que vous fassiez, ou de faire ce qui semble cool aux yeux des autres; ça veut plutôt dire être assez bien dans sa peau pour être naturelle et pour exprimer ses idées et ses opinions sans avoir peur du ridicule. Ça ne signifie pas qu'il faut imposer votre loi et ne pas être à l'écoute des autres; vous pouvez croire en vos idées et être à la fois ouverte à écouter les gens discuter des leurs. Il faut simplement trouver un équilibre entre les deux et pouvoir rire de soi-même et être ouverte aux différences.

Plusieurs sont celles qui se basent sur des caractéristiques superficielles ou physiques pour déterminer si elles sont cool ou non.

C'est une chose de vouloir suivre la mode ou de vouloir s'arranger pour se sentir belle, mais ça n'a rien à voir avec le fait d'être cool ou non. Tristement, je sais d'expérience qu'au secondaire les choses ne sont pas aussi simples et que le look compte pour beaucoup; cependant, vous pouvez adopter un look à la mode tout en restant naturelle. Il faut tout simplement apprendre à agir selon vos principes et acquérir une confiance en vous qui ne vous fasse pas douter de vous à tout instant. Si vous n'avez pas encore de poitrine, ça ne veut pas dire que vous n'êtes pas cool. Il faut simplement attendre que votre corps se développe; ça ne sert à rien de se complexer et de se sentir inférieure puisque ça ne changera rien à la situation. Si vous n'aimez pas les groupes de musique sur lesquels tout le monde «tripe», ça ne fait pas de vous quelqu'un de pas cool; vous avez simplement d'autres goûts que les autres.

Il faut aussi apprendre à vous entourer de gens qui vous font vous sentir bien et qui vous acceptent comme vous êtes. Ne restez pas dans une gang dans laquelle vous ne vous sentez pas bien simplement parce que c'est cool. Les vrais amis, ce sont ceux qui vous aiment telle que vous êtes, qui vous respectent, et avec qui vous passez de bons moments. Vous devez avoir des affinités, des choses en commun ou même vous compléter dans vos différences. Les gens qui vous poussent à agir contre votre volonté, qui vous encouragent à faire des choses que vous ne voulez pas faire ou qui vous poussent à changer qui vous êtes ne sont pas des amis et n'en deviendront probablement jamais.

En conclusion, je sais que ce n'est pas facile de trouver sa place dans un monde qu'on ne comprend pas encore et d'être bien dans sa peau sans se fier aux apparences et à des critères superficiels, mais apprenez à vous faire confiance. Soyez bien dans votre peau, et n'ayez pas peur de dire ce que vous pensez et d'exprimer vos sentiments. Au fond, c'est ça être cool: c'est être prête à s'assumer sans se préoccuper du regard et de l'opinion des autres, et adopter une attitude positive qui attire les gens vers nous. Pour le reste, vous apprendrez à mieux vous connaître au fil des années; il suffit de laisser le temps faire son œuvre!

# Évolution

**Sujets connexes :**

Laïcité p. 341
Croyances/Religions p. 222
Valeurs p. 486

## Notre origine

En 1859, Charles Darwin publie *L'Origine des espèces par le moyen de la sélection naturelle, ou la préservation des races favorisées dans la lutte pour la vie.*

Son œuvre vient littéralement révolutionner la théorie de l'évolution de l'homme puisqu'il présente un caractère scientifique et émet l'hypothèse que tous les humains sur Terre descendent d'ancêtres communs, qu'ils ont subi des transformations biologiques et qu'ils ont connu une évolution graduelle dans la nature. En d'autres mots, l'espèce humaine est une espèce animale issue d'une autre espèce animale (le singe) qui a connu des transformations biologiques au fil du temps pour s'adapter à son environnement. Cette théorie s'oppose radicalement à celle du créationnisme selon laquelle Dieu est le créateur de la Terre et des êtres qui l'habitent. Cette dualité a causé plusieurs discussions et polémiques au fil des années. Le débat entre la théorie du créationnisme (Dieu a créé la Terre) et de l'évolutionnisme (théorie de Darwin) fait encore rage aujourd'hui, bien que la théorie de l'évolution soit reconnue et prouvée scientifiquement. Certains groupes religieux refusent effectivement de croire à l'évolution et de rejeter Dieu de l'équation, et ce, malgré les preuves scientifiques qui soutiennent cette théorie.

La théorie de l'évolution de Darwin a eu un impact majeur sur toute la communauté scientifique et sur notre compréhension de l'arrivée de l'espèce humaine sur Terre et de son évolution au fil des siècles.

En résumé, cette théorie ne repose pas sur des croyances religieuses. Au contraire, elle se détache complètement des théories selon lesquelles Dieu aurait créé l'homme et la Terre. Il s'agit d'une explication scientifique et logique qui présente l'homme comme un descendant direct des singes ayant évolué à travers l'histoire pour s'adapter à son environnement et pour survivre. Le principe de sélection naturelle repose encore aujourd'hui au centre de la théorie de l'évolution, qui a, quant à elle, été adoptée et acceptée officiellement par la communauté scientifique depuis le milieu du 20e siècle.

# Exclusion sociale

**Sujets connexes :**
Droits humains p. 247
Solitude p. 458
Intimidation : p. 333

## Un fléau à combattre !

L'exclusion sociale est une « action exercée par une société qui rejette hors d'elle-même un ou plusieurs de ses membres » et c'est aussi « l'effet de cette action sur la ou les personnes à l'encontre desquelles elle s'exerce »[1] ; en d'autres termes, l'exclusion sociale est un phénomène de marginalisation qui entraîne, pour une ou plusieurs personnes, une rupture avec le reste de la société.

L'exclusion sociale peut être exercée pour des raisons culturelles, sociales ou personnelles. Par exemple, il se peut qu'une fille subisse l'exclusion sociale d'un groupe parce qu'elle est différente. En effet, nombreux sont les jeunes qui se font rejeter simplement parce qu'ils ont une apparence différente ou parce qu'ils ne correspondent pas au moule ou à l'attitude requise pour faire partie d'un groupe ou pour être acceptés socialement. Plusieurs filles m'écrivent parce qu'elles se sentent rejetées simplement parce qu'elles ont des lunettes, qu'elles sont considérées comme des « bolées » ou parce qu'elles n'ont pas de succès avec les garçons.

Ce qu'on doit savoir, c'est que l'exclusion sociale a un impact majeur sur le développement d'un individu. Une fille qui se fait rejeter sans raison valable et qui fait rire d'elle à tout bout de champ sent qu'elle n'appartient à aucun réseau social et qu'elle est seule au monde. De là, elle a tendance à se dénigrer, à se sentir mal, seule, et à perdre confiance en elle. En effet, elle doute de ses capacités, de son apparence, de ses qualités et de sa personnalité en général. Le rejet et l'exclusion sociale sont des fléaux difficiles à vivre pour ceux qui les subissent, et certains se rendent même jusqu'au suicide.

Il arrive également qu'un jeune se rejette lui-même de la société ou du groupe social auquel il appartient (par exemple à l'école) en raison de traumatismes vécus dans son enfance ou au domicile familial. Les jeunes qui ont été abusés, violentés ou rejetés dans leur enfance ont tendance à se méfier des autres et à se tenir à l'écart, car ils ont peur d'avoir mal. Si vous avez été victime d'un abus, il est donc important d'en parler et

de vous confier pour vous aider à passer au travers et à évoluer le plus sainement possible. Si vous constatez qu'une fille ou un gars s'exclut du reste du groupe, ne l'humiliez pas. Restez à l'écoute et offrez-lui votre soutien, car vous ne connaissez pas les raisons qui le poussent à agir ainsi et qu'il ne faut pas simplement se fier aux apparences. Si vous faites partie de celles qui se font exclure et que vous vous sentez mal dans votre peau, il n'est pas trop tard pour agir. Confiez-vous, sortez de votre coquille et ne perdez pas confiance en vous. Je sais que ce n'est pas facile de ne pas se laisser abattre par les commentaires mesquins ou le rejet d'autrui, mais il faut apprendre à s'entourer de gens qui vous aiment comme vous êtes, qui vous respectent, et avec qui vous vous sentez à l'aise. Il faut éviter de vous terrer dans un trou et de fuir les autres de peur du ridicule. Tout le monde est différent, et tout le monde vit du rejet à un moment ou à un autre, alors mieux vaut s'armer de patience et tirer profit des moments difficiles. Même si c'est difficile à croire pour l'instant, je vous assure que ces expériences vous feront grandir et que vous apprendrez à gérer ces moments d'angoisse. L'important, c'est d'en parler à des gens de confiance, d'apprendre peu à peu à faire confiance aux autres et à vous faire confiance, et surtout, de ne pas faire subir aux autres ce que vous ne voudriez jamais subir vous-mêmes.

1 - <granddictionnaire.com>.

## Sujets connexes :

Père p. 396
Mère p. 366
Frères et sœurs p. 286

# Famille

### Vous ne pourriez pas vous en passer

Pas besoin de vous dire toute l'importance de la famille. Même si la vôtre vous énerve souvent, vous savez que vous ne pourriez pas vous en passer .

Il y a la famille élargie, c'est-à-dire celle qui inclut les oncles, les tantes, les cousins et les cousines, et la famille nucléaire, qui est composée des parents et des enfants. Certains ont des liens très étroits avec les membres de leur famille élargie, tandis que d'autres ne les voient que pour des occasions spéciales, comme les mariages ou les enterrements. Cela varie d'une famille à l'autre, et cela dépend souvent de plusieurs facteurs comme l'éloignement, l'âge, les valeurs, etc. Cependant, c'est auprès des membres de votre famille nucléaire que vous évoluez et que vous vous épanouissez tout au long de votre adolescence. Ils ont beau vous taper sur les nerfs de temps à autre, ils jouent aussi un rôle essentiel dans votre développement personnel et social.

On ne choisit pas sa famille, et on voudrait parfois l'échanger contre celle des voisins ou de nos amies, mais dites-vous qu'aucune famille n'est parfaite et que si vous vous engueulez si souvent à table, c'est justement parce que vous avez des tas de points en commun et entretenez des liens très étroits. C'est avec les membres de votre famille que vous vivez quotidiennement. Ce sont eux qui vous voient traverser les bons et les mauvais moments de la vie de tous les jours et qui vous accompagnent depuis que vous êtes toute petite. Par conséquent, il est clair que vous entretenez des rapports très intimes avec eux, ainsi qu'une complicité que vous n'avez avec personne d'autre.

Il existe toutes sortes de familles. Les petites, les grandes, les recomposées, celles qui sont très unies et celles qui le sont moins. Cependant, la famille est l'une des choses les plus importantes dans la vie. Il faut apprendre à respecter et à chérir les gens qui la composent, car ce sont eux qui vous aiment inconditionnellement et qui seront toujours là pour vous, quoi qu'il arrive.

## Ils m'énervent !

Il faut tout de même souligner qu'il est normal de s'engueuler avec les membres de sa famille. Non seulement on les côtoie tous les jours, mais, dans la plupart des cas, on vit sous le même toit et on a les mêmes habitudes. Il est donc normal que ça explose de temps à autre. De plus, il est évident que vous partagez des traits de personnalité avec les gens de votre famille, et c'est souvent cette ressemblance qui déclenche les chicanes. On se connaît tellement qu'on sait exactement sur quel bouton appuyer pour énerver l'autre et lui faire perdre la boule! Ce sont toutefois ces engueulades et ces affrontements qui forgent votre caractère et qui vous rendent plus fortes. Non seulement vous apprenez à vous défendre et à vivre en société, mais la famille vous transmet aussi des valeurs qui sont essentielles à votre épanouissement, et elle vous enseigne l'art du compromis, ce qui vous servira tout au long de votre vie. De plus, même si votre famille vous rend parfois dingues, vous lui y êtes fidèles car vous partagez des valeurs

Sortie en famille !

et une sensibilité qui vous rapprochent et vous unissent. Il faut apprendre à rester fidèles à sa famille, malgré les conflits et les affrontements. C'est souvent lorsqu'on se trouve avec des étrangers qu'on se montre extrêmement fière de notre famille et qu'on interdit à qui que ce soit de s'y attaquer. Comme on en fait partie, on a le droit de s'en plaindre comme bon nous semble, mais, au fond, on est fière d'appartenir à sa famille, et pas question que quelqu'un ose la critiquer devant nous !

## L'importance de la famille

La famille est votre microsociété. C'est dans son sein que vous grandissez et que vous vous développez. C'est aussi avec les membres de votre famille que vous vivez des moments inoubliables dont vous vous souviendrez toute votre vie. Même lorsque vous quitterez le nid familial et que vous volerez de vos propres ailes, votre famille demeurera toujours aussi importante à vos yeux. Un jour, vous rencontrerez quelqu'un et vous formerez peut-être votre propre famille. Si vous avez des enfants, vous comprendrez encore plus l'importance de ces liens qui vous unissent et de l'amour inconditionnel que partagent les membres d'une même famille.

Avec ma grand-maman TaTa

## Famille recomposée

Au Québec, le taux de divorce étant supérieur à 50 %, il existe de plus en plus de familles recomposées. Certaines évoluent de la même façon que les familles normales, et les relations entre demi-frères, demi-sœurs, belle-mère et beau-père ne posent aucun problème. Pour d'autres, il s'agit véritablement d'un défi, car on ne sent pas qu'on appartient à la « belle-famille ». Si votre père se remarie, cela ne veut pas dire que sa nouvelle femme est votre deuxième mère; mais vous devez tout de même faire un effort pour la respecter, car elle est l'amoureuse de votre père et elle fait maintenant partie de votre famille. Il suffit de voir la chose d'un œil plus positif; votre famille s'est agrandie, et vous pouvez à présent compter sur deux entourages différents qui vous apportent tout autant l'un que l'autre. Il faut chercher à tirer le maximum de leçons de chacune d'elles. Tâchez également de respecter vos demi-frères et demi-sœurs le plus possible, car, que vous le vouliez ou non, ils font désormais partie de votre famille et vous devez les côtoyer quotidiennement. Il est normal d'avoir plus

## Pour aller plus loin :

- *Little miss sunshine,* Jonathan Dayton et Valérie Faris
- *Un air de famille,* Cédric Klapisch

d'affinités avec certaines personnes, mais vous seriez surprise de constater tout ce que vous pouvez apprendre de quelqu'un qui vous semble de prime abord très différent de vous. Bref, ne jugez pas trop vite et efforcez-vous de rendre l'atmosphère agréable, car vous ne pouvez rien changer à la situation. Qui sait, vos demi-frères et demi-sœurs deviendront peut-être de grands confidents, et même de grands amis, alors ça vaut la peine d'apprendre à les connaître. Il suffit d'un peu d'efforts et de bonne volonté.

## Un sentiment d'appartenance

La famille nous procure un sentiment d'appartenance et de sécurité qu'il ne faut pas négliger. C'est grâce à elle que nous nous formons un caractère et que nous évoluons en société. La famille nous permet de nous sentir aimées et respectées. C'est vraiment génial de pouvoir compter sur l'appui et l'amour inconditionnels de notre famille et de savoir que, quoi qu'il arrive, elle sera toujours là pour nous. C'est grâce à elle que vous pourrez apprendre à former votre propre petite famille, que ce soit avec un partenaire et des enfants, ou avec votre bande d'amies. La famille est un milieu d'apprentissage incomparable, et souvenez-vous que même si elle vous énerve souvent, vous ne la changeriez pour rien au monde.

Salut, Lou !
Désolée de ne pas t'avoir répondu avant, mais j'étais partie au restaurant avec mes parents et mon frère. Au début, j'étais un peu réticente, mais quand ma mère m'a offert d'aller à mon restaurant chinois préféré, j'ai tout de suite accepté ! Et finalement, c'était plutôt drôle. Tout le monde était de bonne humeur, et ça m'a fait du bien de sortir de la maison et de passer du temps en famille !
**Léa xox**

**Sujets connexes :**
Adolescence p. 138
Ennui p. 268
Sommeil p. 460

## Causée par toutes sortes de facteurs

La fatigue résulte d'un fonctionnement excessif de l'organisme. Qu'elle soit physique ou mentale, elle nous affecte à plusieurs niveaux.

Elle réduit nos forces, notre concentration et notre rendement général, et elle nous met souvent dans un état exécrable! La fatigue peut être causée par toutes sortes de facteurs: d'importants efforts physiques ou mentaux, une maladie, un stress, une grande sortie, un manque de sommeil, etc.

À l'adolescence, les filles grandissent et dépensent une immense quantité d'énergie. Elles bougent sans cesse, elles se développent, se transforment et sont souvent épuisées. Il ne faut donc pas confondre la fatigue biologique, normale à cet âge, avec la fatigue chronique ou la paresse.

Le stress peut lui aussi provoquer une certaine fatigue. Par exemple, si on traverse une période difficile, une peine d'amour, un deuil ou n'importe quelle autre expérience traumatisante, il est normal de se sentir au bout du rouleau. Les larmes, l'angoisse et les idées noires sont toutes susceptibles d'entraîner un sentiment de lassitude et de surmenage. Vous devez alors apprendre à vous relaxer et à vous reposer pour permettre à votre corps de reprendre le dessus avant d'être à bout. Les efforts physiques constants ou les activités sportives peuvent également causer de la fatigue. Bien qu'il soit fortement conseillé de faire de l'exercice et de dépenser son énergie, apprenez à écouter votre corps et à lui accorder le repos dont il a besoin. Et la paresse dans tout ça?

Il ne faut pas confondre la fatigue et la paresse. Par exemple, si vous n'avez pas envie de faire vos devoirs ou de passer l'aspirateur, vous pourriez ressentir une sorte de lassitude qui vous incitera à repousser ces corvées à plus tard. Il vous suffit alors de vous secouer et de vous efforcer d'accomplir vos tâches. Lorsque vous aurez terminé, vous pourrez vous reposer en ayant l'esprit tranquille. Dites-vous que vous trouverez toujours une

bonne raison pour ne pas faire vos devoirs tout de suite, mais qu'au fond, vous devrez inévitablement vous y mettre à un moment ou à un autre! Ne vous laissez pas submerger par les responsabilités et les tâches non accomplies. Cela pourrait entraîner un stress inutile qui vous empêcherait de dormir et vous ferait tomber dans un cercle vicieux.

### La fatigue chronique

Si toutefois vous éprouvez un sentiment de lassitude continu qui vous empêche de vivre normalement, ou encore des douleurs musculaires persistantes, des migraines, des vertiges et une grande faiblesse générale, il se peut que vous souffriez de fatigue chronique. Les causes sont mitigées et rendent cette maladie très mystérieuse. De façon générale, elle peut être causée par un virus, par du surmenage ou par un dérèglement de votre mode de vie. Il est alors conseillé de consulter un médecin pour déterminer les causes exactes de votre fatigue et pour tenter de trouver des solutions. Il vous suggérera peut-être de vous reposer ou d'apprendre à gérer votre stress.

## Une alimentation saine, une santé de fer

On ne le dira jamais assez: l'alimentation est un élément clé de votre développement et il est essentiel de vous alimenter sainement au cours de l'adolescence. Votre corps se transforme et a besoin de tous les nutriments nécessaires pour se développer adéquatement et vous permettre de bien fonctionner. Si vous êtes fatiguée, ne prenez pas d'excitants tels que du café, du thé ou du sucre avant de vous mettre au lit. Mangez de façon saine et équilibrée, et optez pour des fruits, des légumes et des protéines qui sauront vous fournir l'énergie nécessaire plutôt que de céder à la facilité du fast-food.

Soyez à l'écoute de votre corps et ne lui en demandez pas trop. Si vous souffrez de courbatures, reposez-vous et détendez vos muscles en prenant un bon bain chaud. Si vous sentez que vous couvez un rhume, mangez sainement et ne vous forcez pas à dépasser vos limites; vous le regretterez amèrement lorsque vous serez clouée au lit pendant des jours!

## Le meilleur remède : une bonne nuit de sommeil!

Un adolescent a besoin de dormir en moyenne de 8 à 9 heures par nuit pour pouvoir fonctionner à plein régime. Je sais que vous êtes parfois débordée par les sorties, les examens, bref, par les activités de toutes sortes qui vous empêchent de dormir de façon régulière. Sachez toutefois qu'une bonne nuit de sommeil est le meilleur moyen de remédier à la fatigue et d'offrir à votre corps le repos qu'il réclame.

### Trucs et astuces

★ Si vous êtes stressée, essayez de vous détendre en prenant un bain, en buvant une tisane et en écoutant de la musique douce. Cela vous aidera à trouver le sommeil.

★ Vous pouvez aussi lire une revue ou un bon roman pour vous changer les idées.

★ Ne faites pas d'activité physique intense avant d'aller vous coucher; cela aurait plutôt pour effet de vous exciter et de vous empêcher de vous endormir.

★ Essayez de ne pas manger beaucoup avant de vous mettre au lit. La digestion pourrait nuire à votre sommeil. optez plutôt pour une collation légère.

★ Mettez toutes les chances de votre côté en créant une atmosphère propice au sommeil: éteignez les lumières et vos téléphones, évitez la musique trop forte et maintenez une température fraîche dans votre chambre!

# Féminisme

**Sujets connexes :**

Droit de vote p. 245
Droits humains p. 247
Égalité p. 258

Le féminisme a pour but d'abolir les inégalités entre les femmes et les hommes dans toutes les sphères de la vie, en plus de promouvoir les droits et les libertés de la femme dans la société.

Quand on songe aux manifestations du mouvement féministe, la première chose qui nous vient en tête concerne bien souvent le monde professionnel. Après tout, aujourd'hui, on entend fréquemment parler d'inégalités salariales, d'iniquité dans la sphère politique ou de postes importants qui sont occupés la plupart du temps par des hommes. Ce qu'il faut savoir, c'est que ce genre d'injustice prend racine dans notre histoire et que, bien qu'il reste beaucoup de chemin à faire pour atteindre la parité entre les hommes et les femmes, plusieurs progrès ont été faits au cours du siècle dernier.

En effet, il y a cent ans, les femmes étaient recluses à la maison et devaient prendre soin de leur mari et de leurs enfants, tandis que le devoir de l'homme était de travailler et de subvenir aux besoins de sa famille. Quand on pense qu'il était alors pratiquement impensable pour une femme d'être sur le marché du travail, qu'elle n'avait ni salaire ni droit de vote, ni même de statut égalitaire dans la société, on se rend compte que les choses ont tout de même beaucoup changé.

Ces gains importants ont été réalisés grâce à des femmes comme Thérèse Casgrain et Idola Saint-Jean. Ces dernières ont non seulement contribué à l'obtention du droit de vote des femmes au Québec en 1940, mais également à la reconnaissance, en 1964, de la capacité civile des femmes mariées, laquelle leur permettait de ne plus être considérées comme des mineures devant la loi[1].

La deuxième moitié du vingtième siècle a, quant à elle, été marquée par des revendications féministes qui ont encore des échos aujourd'hui: le droit à l'avortement (finalement obtenu en 1988), l'équité salariale, la lutte contre la discrimination, l'accessibilité aux métiers traditionnels masculins, la possibilité d'œuvrer dans la sphère politique, etc. La bonne nouvelle, c'est qu'on commence à voir de réels progrès dans notre pays. En effet, en 2015, on a félicité le nouveau Premier ministre du Canada, Justin Trudeau, pour la présentation d'un Conseil des ministres paritaire. Effectivement, c'est la première fois au Canada qu'autant de femmes que d'hommes sont nommées au sein d'un cabinet ministériel.

Bien que le mouvement féministe ait remporté beaucoup de batailles au fil des années, il va sans dire qu'il existe encore beaucoup de stéréotypes bien ancrés dans notre société, et je crois que la base du problème semble être enracinée dans la mentalité d'un grand nombre de personnes.

Je vous donne un exemple bien personnel: depuis 2006, le Régime québécois

1- Mathieu Noël, sous la supervision de Dominique Marquis, *Le féminisme québécois*, Laboratoire d'histoire et de patrimoine de Montréal, Université du Québec à Montréal, Musée McCord.

## *Pour aller plus loin :*

- ***Le féminisme québécois raconté à Camille***, Micheline Dumont
- ***C'est quoi être féministe?*** Annie Sugier
- ***Nous sommes tous des féministes***, Chimamanda Ngozi Adichie

d'assurance parentale octroie aux nouveaux parents un revenu lors du congé parental qui suit la naissance d'un enfant. En termes bien simples, un couple peut disposer d'une année de congé et obtenir un bon pourcentage de son salaire. À la naissance de ma fille en février 2015, son père a pris trois mois de congé de paternité. Étant travailleuse autonome, je ne pouvais m'autoriser à arrêter d'écrire pendant un an; alors j'ai, quant à moi, cessé mes activités professionnelles durant six mois. Mais ce qui a le plus étonné les gens, c'est la «chance» que j'avais de pouvoir compter sur un partenaire présent. C'était, selon les dires, très rare qu'un papa «puisse se permettre» de prendre autant de semaines de congé parental.

Vous comprendrez que ce genre de commentaires m'a profondément troublée. Pourquoi est-ce qu'on félicite le père de ma fille qui prend du temps pour sa famille, alors que personne ne semble s'extasier devant une maman qui met sa carrière en pause pendant une année complète pour prendre soin de son enfant? Pourquoi est-ce que, dans la mentalité de plusieurs personnes, il incombe à la femme de rester à la maison? Et surtout, pourquoi va-t-il «de soi» que, lors de la naissance d'un enfant, c'est la femme, et non l'homme, qui va profiter de cette année de grâce auprès du bébé? Dans le même ordre d'idées, je parle à des amies qui doivent encore lutter pour faire leur place au sein d'une compagnie menée par des hommes pour un salaire inférieur à celui de leurs collègues masculins.

L'espoir, c'est de voir des hommes de mon entourage (dont le papa de ma fille), qui font autant de sacrifices que les femmes pour donner la priorité à leurs familles, et d'autres qui tiennent même à prendre ce congé dans toute sa totalité pour permettre à leur conjointe de retourner au travail. Je ne dis pas que tous les hommes doivent rester à la maison et que toutes les femmes doivent avoir une carrière; ce que j'ose revendiquer, c'est le droit de choisir et de ne pas tenir pour acquis que c'est la femme qui «se doit» de rester à la maison.

Et quand je vois des comédiennes, des animatrices, des médecins, des présidentes de compagnie, des femmes à la maison, des auteures, des leaders politiques et des femmes de tête qui prennent la parole pour dénoncer ces inégalités, cela me donne la possibilité de rêver à un avenir plus juste, car je sais que nos revendications nous permettront d'avancer.

Évidemment, c'est bientôt à vous qu'il appartiendra de manifester pour vos droits et de lutter pour obtenir une plus grande égalité entre les hommes et les femmes, et ce, dans toutes les sphères de notre société. Après tout, plusieurs batailles ont été remportées, mais la lutte est loin d'être terminée. La bonne nouvelle, c'est que je suis certaine que vous saurez défendre nos intérêts comme l'ont fait vos prédécesseures!

# Fidélité

Sujets connexes :

Confiance p. 206
Couple p. 220
Divorce p. 239

## Intimement liée à la confiance et à la loyauté

La fidélité est un concept qui soulève beaucoup de questions au 20e siècle. Elle est intimement liée à la confiance et à la loyauté.

Être fidèle, ça ne veut pas seulement dire ne pas tromper celui qu'on aime ; ça veut aussi dire qu'on est capable de tenir ses promesses, qu'on est là pour les autres et qu'on est digne de confiance.

Pour ce faire, il faut d'abord être fidèle à soi-même, c'est-à-dire respecter ses propres valeurs et sa propre façon de penser sans trop se laisser influencer par les autres. Quand on est fidèle à soi-même, on se respecte et on est à l'écoute de ses désirs et de ses limites. Il ne faut toutefois pas utiliser ce concept pour excuser toutes les erreurs de jugement qu'on peut commettre. C'est bien de reconnaître ses défauts et de s'assumer telle qu'on est, mais plutôt que de continuer à faire des bêtises en les imputant à ses défauts « naturels », mieux vaut tâcher de s'améliorer, ce qui nous permettra de nous épanouir davantage.

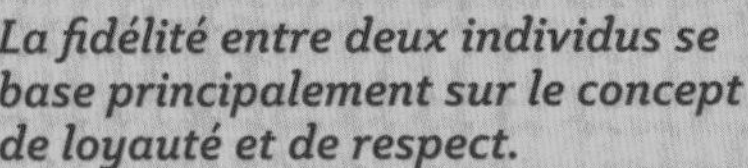

***La fidélité entre deux individus se base principalement sur le concept de loyauté et de respect.***

Quand on aime quelqu'un, on veut éviter de le tromper et de lui faire du mal. Cela va de soi. Dans une relation amoureuse, on parle donc de monogamie, soit d'une relation avec un seul conjoint. Cette relation d'exclusivité s'établit non seulement sur le plan physique, mais aussi sur le plan psychologique et émotionnel. Quand on est fidèle à quelqu'un, c'est avec lui qu'on partage notre quotidien, nos joies, nos peines et nos espoirs. Il s'agit d'une relation basée sur la confiance, sur l'ouverture et sur la communication.

Ce type de relation est aussi vrai en amitié. Être une amie fidèle, ça veut dire qu'on est loyale et qu'on est disponible. On ne trahira pas la confiance qui nous est accordée, car on respecte nos amies et

elles peuvent toujours compter sur nous. Une vraie amie, c'est quelqu'un à qui on peut se fier et en qui on a aveuglément confiance, car on sait qu'elle ne nous laissera pas tomber ; en d'autres mots, c'est une amie fidèle qui nous respecte et qui nous aime.

Beaucoup de gens ne croient pas vraiment en la fidélité, surtout dans le couple. Dans une société aussi ouverte et libre que la nôtre, le concept de monogamie peut sembler étrange, mais il n'en demeure pas moins que c'est une question de respect et de loyauté, deux notions qui ne changent pas selon les normes et les valeurs sociales ; elles sont ancrées en nous et guident nos comportements. On ne peut évidemment pas se forcer à aimer certaines personnes, ni à leur être fidèle, mais quand on aime vraiment, c'est souvent une attitude qui va de soi. La fidélité demande parfois des efforts et de la volonté, mais quand on est réellement amoureuse de quelqu'un, on ne veut pas lui faire du mal, ni même s'imaginer avec quelqu'un d'autre. Bien que les tentations soient parfois fortes, il faut s'efforcer de rester fidèle à soi-même et à sa tendre moitié, car, quand on tient vraiment à l'autre, ça vaut la peine de se battre. La fidélité est parfois une question de travail et de compromis, mais au fond, quand on aime vraiment quelqu'un, il est assez naturel de le respecter et d'être loyales. Beaucoup de gens sont tout simplement incapables de tromper les autres parce qu'ils ne pourraient pas vivre avec cela sur la conscience. Ils ne peuvent concevoir d'être malhonnêtes ou infidèles sans se sentir extrêmement déchirés à l'intérieur.

***Bref, pour être fidèle, vous pouvez commencer par être simplement là pour les autres. Soyez disponible et digne de confiance.***

Apprenez à tenir vos promesses et votre parole, et vous verrez que bien que cela demande parfois un petit peu d'effort, on se sent beaucoup mieux quand on agit en toute sincérité et quand on respecte les gens qu'on aime. Pensez au mal que vous auriez si on vous trompait, et vous n'aurez certainement pas envie de faire subir cette souffrance aux autres. La loyauté et la fidélité sont des défis beaucoup plus satisfaisants à relever, alors efforcez-vous de le faire pour vous sentir bien dans votre peau.

# Français

**Sujets connexes :**

Culture p. 226
Anglais p. 152
Québec p. 432

**Bien plus qu'une simple langue !**

Vous savez probablement que le français est la langue offlcielle du Québec, et l'une des deux langues offlcielles du Canada (avec l'anglais).

Au sein de notre pays, le français est majoritairement parlé au Québec, ainsi que dans certaines régions du Nouveau-Brunswick, de l'Ontario et des Prairies.

Nous apprenons le français depuis que nous sommes toutes petites et, pourtant, la plupart d'entre nous éprouvent encore beaucoup de difficulté à l'écrire correctement. Bien que certaines personnes ne fassent pas les efforts nécessaires pour maîtriser correctement l'orthographe, la syntaxe et la grammaire, il faut bien admettre qu'il s'agit d'une langue très complexe et assez difficile à posséder. Presque tous les immigrants qui ont dû apprendre le français vous le diront. Le vocabulaire que nous utilisons au Québec est par ailleurs très différent de celui de la France ou d'autres régions du monde. Le français que nous utilisons ici tient ses racines de l'ancien et du moyen français, en plus d'être influencé par la langue anglaise qui est omniprésente dans notre vie de tous les jours.

## Un accent bien à nous

On nous dit souvent que l'accent québécois est très particulier. Vous n'avez qu'à le demander à un Français, et il se fera un plaisir de confirmer la spécificité de notre accent, qui reflète bien l'unicité de notre culture. De plus, si on se balade aux quatre coins du Québec, on remarque par exemple que les gens du Saguenay, de la Gaspésie, de Québec et de Montréal n'ont pas du tout le même accent. Nous sommes tous Québécois, certes, et nous partageons certaines expressions et une façon bien à nous de nous exprimer, mais chaque région se distingue tout de même pas ses tonalités et par ses petites expressions

qui, mises ensemble, traduisent toute la splendeur et toute la diversité de notre patrimoine.

Quoi qu'il en soit, le français fait partie de notre identité culturelle et de notre folklore. Cette langue nous distingue du reste de l'Amérique du Nord et fait de nous un peuple tout à fait unique. Quand on y pense, il est incroyable de parler encore français après avoir vécu dans une mer anglophone pendant plus de 300 ans, et d'avoir su protéger notre langue malgré la prise de pouvoir de l'Angleterre et l'influence de nos voisins du sud !

## Un peu d'histoire

C'est en 1848 qu'il devient légal de parler français au Parlement, et c'est en 1974 que le gouvernement libéral de Robert Bourassa adopte la Loi sur la langue officielle. En 1977, le gouvernement péquiste de René Lévesque adopte la Charte de la langue française, communément appelée la loi 101. Le français devient alors la langue de la majorité et la seule langue officielle de l'État québécois. L'Office québécois de la langue française a été créé le 24 mars 1961, et on a augmenté ses responsabilités lors des modifications à la Charte en 2002. De façon générale, l'Office occupe un rôle à la fois normatif et consultatif. Il s'assure de suivre les règles communes et les normes générales du français, de suivre les règles de la Charte, de faire la promotion du français et d'encadrer notre variante nord-américaine dans le respect des règles générales du français[1]. Aujourd'hui, environ 80 % des Québécois sont de langue maternelle française[2].

## La langue de chez nous

Comme le disait Albert Camus : « [Ma] patrie, c'est la langue française. » C'est aussi vrai pour le Québec. Le français fait non seulement partie de notre histoire et de nos traditions, mais c'est aussi ce qui nous définit et nous distingue des autres nations. Par conséquent, nous devons non seulement chérir notre langue et la protéger, mais également faire un effort pour la parler et l'écrire correctement. Le français est une langue poétique. On dit souvent qu'en français, il y a des milliers de façons de dire une seule chose, alors qu'en anglais, on va directement au but. Il faut célébrer la diversité et la richesse de notre langue tout en l'étudiant avec assiduité pour apprendre ses règles afin de lui faire honneur. Je sais que ce n'est pas simple, mais le français nous définit et nous rend si fières que c'est la moindre des choses que de l'utiliser de façon adéquate. Vive la langue de chez nous !

1- Office québécois de la langue française.
2- Statistique Canada.

**Sujets connexes :**
Famille p. 275
Père p. 396
Mère p. 366

# Frères et Soeurs

## Complicité et choses en commun

Dans la vie, on veut souvent ce qu'on ne peut pas avoir. C'est la même chose dans le cas des frères et des sœurs.

Si vous êtes enfant unique, vous rêvez sûrement d'avoir des gens autour de vous avec qui partager votre quotidien, à qui vous confier ou même avec qui vous disputer. Si vous avez des frères et des sœurs, je suis certaine que, parfois, vous ne demanderiez pas mieux que de les faire disparaître pour ne plus avoir à les endurer et à partager avec eux l'attention de vos parents.

La vérité, c'est qu'on ne peut pas changer sa situation familiale. Je sais que vous n'avez pas choisi les gens de votre famille, mais c'est tout de même avec eux que vous grandissez et que vous vivez tous les jours. Allons, soyez honnête : je suis certaine que vous avez aussi une grande complicité avec vos frères et vos sœurs, ainsi que des tas de choses en commun. L'important, c'est de tirer avantage de la situation dans laquelle on se trouve et de faire en sorte que la vie soit le plus agréable possible.

### Une grande famille

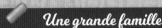

Si vous faites partie d'une famille recomposée digne de celle de la série télévisée *Ramdam*, alors vous avez des tas de frères, de sœurs, de demi-frères et de demi-sœurs avec qui vous devez partager votre vie et votre maison. Je sais qu'il n'est pas facile, dans cette situation, de trouver un peu de tranquillité et d'arriver à passer plus de 10 minutes sous la douche le matin, mais vous devez voir les bons côtés : vous êtes entourée de gens et vous pouvez compter sur eux en tout temps. Les frères et les sœurs ne sont pas seulement des rivaux ; ils peuvent aussi être de grands alliés, voire de grands confidents. Il se peut par exemple que vous ayez plus d'affinités avec votre sœur parce que vous dormez dans la même chambre, parce que

vous avez presque le même âge ou tout simplement parce que vos personnalités se ressemblent davantage. Il n'y a rien de mal à se sentir mieux avec sa sœur ou avec son frère, ou à être plus proche de l'un que de l'autre. L'important, c'est de réaliser que vous les aimez tous à votre façon et de ne pas rejeter ceux avec qui vous avez moins d'atomes crochus.

### Son rôle dans la famille

Si vous êtes l'aînée, vous sentez peut-être que vous avez trop de responsabilités et vous trouvez cela injuste. Sachez que vos parents vous donnent probablement ces responsabilités parce qu'ils ont confiance en vous et qu'ils pensent que vous êtes assez mature pour les assumer. De plus, n'oubliez pas que vos petits frères ou vos petites sœurs vous voient sûrement, en tant qu'aînée, comme leur mentor ou leur héroïne. Vous êtes en quelque sorte leur modèle et, croyez-moi, ils envient certainement votre autonomie, votre indépendance et votre liberté. Pourquoi

## Pour aller plus loin :

- *Ça va être correct,* Marie-Renée Lavoie
- *Pierre et Jean,* Guy de Maupassant

doivent-ils se coucher à 20 h alors que vous avez la permission de traîner dans la maison jusqu'à 22 h 30? Cela fait partie des privilèges de l'aînée: plus de responsabilités, mais plus de permissions et plus de liberté!

Si vous êtes la cadette, c'est probablement vous qui enviez les autres parce qu'ils ont le droit de faire plus de choses que vous, mais c'est vous aussi qui vous faites le plus cajoler par vos parents et par vos frères et sœurs. Même s'ils vous énervent par moments, ces derniers sont en quelque sorte vos modèles et vos idoles. Ils ne sont pas parfaits, mais vous pouvez apprendre de leurs erreurs, ce qui vous permettra de ne pas commettre les mêmes lorsque vous aurez leur âge. N'hésitez pas à leur demander conseil si quelque chose vous tracasse, car ils ont certainement vécu une situation similaire dans le passé. Par ailleurs, si vous vous sentez étouffée et que vous trouvez qu'ils vous traitent encore comme si vous étiez un bébé, il faut leur prouver qu'ils ont tort. Faites preuve de maturité plutôt que de claquer la porte. Apprenez à discuter et à exprimer vos sentiments pour leur faire comprendre que bien que vous soyez la cadette, vous vieillissez quand même et vous voulez qu'ils vous voient telle que vous êtes.

## L'école de la vie

Lorsqu'on vit avec des frères et des sœurs, on apprend à faire des compromis, à partager, à vivre en communauté et à s'écouter les uns les autres. Même si vous avez parfois envie d'arracher la tête des vôtres et que vous vous sentez incomprise, sachez que cette situation au sein de votre famille vous donne une expérience inestimable. Vous acquérez des traditions, des habitudes de vie et vous connaissez l'importance de la famille. Vous apprenez à vous ouvrir aux autres et à être plus altruiste. Même s'il est difficile de partager et que vous aimeriez parfois avoir toute l'attention, le fait de vivre avec des frères et des sœurs vous apprend à être à l'écoute des besoins des autres et à être moins égoïste, et toutes ces choses vous seront très utiles au cours de votre vie adulte.

## La rivalité

La complicité entre frères et sœurs se transforme bien souvent en rivalité, que ce soit parce qu'on veut attirer l'attention des parents, ou parce qu'on veut être la meilleure ou le chouchou. Vous devez être consciente du fait que, peu importe ce que vous faites, vous êtes bien différente de votre frère ou de votre sœur, et que vous avez des talents et des traits de personnalité qui vous rendent unique. Alors, tâchez de développer ces caractéristiques personnelles plutôt que d'essayer d'être quelqu'un d'autre. Il est par ailleurs normal de se disputer et de se bagarrer avec ses frères et ses sœurs, de claquer la porte de temps à autre ou de leur jouer des mauvais tours, mais, avec le temps, ces accrochages se transformeront certainement en souvenirs que vous chérirez et conserverez au fond de votre cœur. Même si la vie avec vos frères et sœurs vous semble parfois insoutenable, sachez que lorsque l'un d'entre eux quittera le nid familial, cela vous brisera quand même le cœur. N'est-ce pas votre grand frère qui venait toujours vous défendre quand on vous embêtait dans la cour de l'école? N'est-ce pas avec votre petite sœur que vous bavardiez, le samedi, en vous faisant les ongles? La bonne nouvelle, c'est

Mon grand-frère et moi à Paris!

que vos liens avec vos frères et vos sœurs n'ont pas à prendre fin lorsque l'un d'eux part habiter ailleurs. Il suffit parfois d'un peu de recul, de distance et de maturité pour développer une grande complicité avec votre frère ou avec votre sœur, et ces derniers peuvent même devenir de grands confidents et de grands amis.

Si vous avez des frères ou des sœurs, il est important que vous preniez conscience de la place que vous occupez dans la famille et que vous en tiriez profit plutôt que de jouer les victimes. Si vous êtes au milieu, vous servez peut-être de médiatrice et vous bénéficiez du respect de tout le monde. Si vous êtes la cadette, apprenez à apprécier le fait qu'on vous surprotège et qu'on vous trimballe un peu partout; cela prouve qu'on vous aime. Si vous êtes l'aînée, n'oubliez pas que vous servez de modèle et que vos petits frères et vos petites sœurs vous regardent avec admiration. C'est génial pour l'estime de soi, non? Quelle que soit votre position dans la famille, efforcez-vous d'apprendre à connaître vos frères et vos sœurs, et de les respecter tels qu'ils sont. Si vous vous disputez, ne soyez pas méchante ni rancunière, et si vous avez le cafard, n'hésitez pas à chercher refuge auprès d'eux. Quoi qu'il arrive, ils seront toujours là pour vous et vous partagerez des liens qui vous uniront pour la vie, alors autant en profiter au maximum!

## Sujets connexes :

Adolescence p. 138
Famille p. 275
Solitude p. 458

# Fugue

### Envie de disparaître

Faire une fugue, c'est quitter temporairement l'endroit où on habite. Il y a les petites fugues, qui sont généralement de courte durée et qui s'expliquent par un désir de flirter avec l'interdit ou d'attirer l'attention, et les grandes fugues, motivées par une envie de disparaître pour un temps illimité.

Il existe plusieurs raisons pour expliquer une fugue. Certains jeunes décident de plier bagage parce qu'ils se sont disputés avec un membre de leur famille ou un ami, ou encore parce qu'ils ressentent un besoin d'aventure, tandis que d'autres sont aux prises avec des problèmes plus sérieux, tels que le viol, l'inceste ou la violence verbale ou physique. La fugue représente une sorte d'échappatoire qui est souvent liée à une situation conflictuelle. Par ailleurs, l'adolescence est une période de l'existence où on est à la recherche de liberté et d'indépendance, et une fugue peut sembler être la solution. Sachez toutefois que la fugue n'est jamais une bonne façon de faire face à un problème.

Tout d'abord, on peut éprouver de la difficulté à se procurer l'argent dont on a besoin pour se nourrir et à trouver un endroit où dormir et se laver. Les fugues peuvent également être très dangereuses. On fait face à l'inconnu sans trop savoir où aller et on rencontre souvent des gens douteux qui peuvent profiter de notre naïveté et de notre situation précaire.

La plupart du temps, une fugue constitue une sorte d'appel à l'aide. L'adolescent disparaît pour exprimer son besoin de liberté ou, au contraire, pour indiquer qu'il n'est pas suffisamment encadré et qu'il manque d'attention. Certains jeunes décident de fuguer à cause de la pression exercée par leurs pairs ou parce qu'ils éprouvent de graves problèmes scolaires ou de toxicomanie, par exemple, et qu'ils ont peur de faire face à la réalité.

## L'angoisse des parents

Les fugues sont extrêmement éprouvantes pour les parents et les proches du fugueur, qui demeurent sans nouvelles. Ceux-ci ont tendance à s'imaginer et à craindre le pire, et ils ne demandent pas mieux que d'être rassurés. C'est pour cette raison que, quelle que soit la nature du problème, la fugue n'est jamais une solution souhaitable pour le résoudre.

Si vous songez à faire une fugue, il est préférable d'en parler à des gens de votre entourage ou de vous confier à des professionnels qui sauront vous aider durant vos moments de panique. Si l'idée de faire une fugue répond à un désir de liberté, mieux vaut en parler à vos parents et tenter de trouver un terrain d'entente, ou alors planifier un voyage, ce qui vous permettra de voler de vos propres ailes en toute sécurité.

Si vous faites face à des problèmes plus graves, tels que le divorce de vos parents, un échec scolaire, une peine d'amour, de la violence physique ou verbale, un viol ou de l'inceste, il est essentiel d'en parler à des gens en qui vous avez confiance ou de demander l'aide de professionnels. Il existe également plusieurs services d'aide téléphonique d'urgence, auxquels vous pouvez vous adresser en tout temps pour vous confier et pour demander l'avis d'intervenants qualifiés.

**QUELQUES NUMÉROS UTILES EN CAS D'URGENCE**

**JEUNESSE J'ÉCOUTE:**
1 800 668-6868

**TEL-JEUNES:**
1 800 263-2266

# Gang de filles

## Des hauts et des bas

**Sujets connexes :**
Amitié p. 145
Bitchage p. 183
Potins p. 417

Chère Catherine,
Ça ne va plus du tout avec mes amies. Depuis quelques semaines, elles parlent dans mon dos et me niaisent quand je dis quelque chose. Je sens que je ne peux plus leur faire confiance, et je ne sais plus quoi faire, car je réalise que ce ne sont peut-être pas de bonnes amies après tout.

Une fille toute melangée

Au secondaire, il arrive souvent que les filles forment des groupes en fonction de leurs affinités, de leurs personnalités et de leurs goûts. Une bande d'amies, c'est souvent synonyme de soirées cinéma, de journées de magasinage, d'heures passées au téléphone, de potins partagés à côté des casiers et de fêtes qu'on organise chez l'une et chez l'autre. En d'autres mots, c'est génial de pouvoir compter sur des amies proches et de sentir qu'on appartient à un groupe, mais on doit s'assurer que les amitiés restent saines et que personne ne souffre de cette alliance amicale.

### Le sentiment d'abandon

Il va sans dire que le « bitchage » fait partie de la vie d'une fille. Rares sont celles qui n'y ont jamais recours. Après, on se sent souvent mal d'avoir parlé dans le dos d'une amie, mais c'est plus fort que nous: quand on n'en peut plus, il faut que ça sorte! Quand on fait partie d'un groupe de filles, il faut toutefois faire attention à ce genre de comportement. Par exemple, quand certaines ne sont pas d'accord avec d'autres ou qu'elles jugent que leurs comportements sont inacceptables, il peut survenir des affrontements à l'intérieur même d'un groupe d'amies. Parfois, cela provoque la formation de plusieurs petits groupes à l'intérieur de la bande.

***Il est normal que vous vous sentiez plus proches de certaines amies et que vous ayez plus de facilité à vous confier à elles, mais cela ne veut pas dire que vous devez parler dans le dos de celles avec qui vous avez moins d'affinités.***

Ce n'est pas facile de se faire rejeter des autres. On se sent abandonnée et extrêmement perturbée. Quand on fait partie des filles qui décident de rejeter quelqu'un de la bande, on ne se rend souvent pas compte de l'impact que cela peut avoir sur la ou les victimes, mais sachez que le fait de rejeter quelqu'un et de lui faire de la peine ne règle pas le problème. Si le comportement d'une fille de la bande ne vous plaît pas ou que vous n'êtes pas d'accord avec ses agissements, le fait d'en parler aux autres pour former une « coalition » contre elle et la rejeter de la bande ne vous fera pas sentir mieux et ne règlera pas la situation. Comment peut-elle savoir ce qui vous dérange si vous ne lui en parlez pas? La communication est souvent la clé du problème et vous évite de blesser inutilement les autres.

## Pour aller plus loin :

*Confessions d'un gang de filles*, Joyce Carol Oates

Allô Catherine,
Je suis vraiment fâchée contre ma *best* parce qu'elle m'a trahie et a répété à tout le monde que j'aimais un gars quand je lui avais fait promettre de ne rien dire. Comment devrais-je lui faire face ?

Une fille déçue

## Éviter un conflit

Prenons un exemple précis: si une fille de la bande révèle vos secrets et que vous trouvez qu'elle est indiscrète et qu'elle ne respecte pas les autres, il vaut mieux lui en parler pour qu'elle se rende compte que son comportement vous déplaît et que vous ne pouvez pas lui faire confiance. Ce sera ensuite à elle de réagir à vos propos et de faire en sorte que la situation s'améliore. Si vous réagissez en la rejetant de la bande et en vous alliant aux autres pour l'humilier, vous entrerez dans un cercle vicieux en la blessant inutilement. Non seulement votre comportement ne sera pas plus acceptable que le sien, mais en plus, vous n'en tirerez aucun profit puisque vous saurez que vous lui avez fait de la peine sans même lui donner d'explications. En bref, la théorie de l'« œil pour œil, dent pour dent » n'attire rien de bon lorsqu'il est question d'une bande de filles. Avant de parler dans le dos des autres, mieux vaut régler personnellement le conflit avec la ou les personnes concernées. Si vraiment il y a une division dans le groupe, alors rien ne vous empêche de vous asseoir ensemble et d'en discuter. Il arrive parfois que les groupes d'amies éclatent et se reforment, mais il vaut toujours mieux aborder le problème en discutant plutôt qu'en « bitchant » et en tournant le dos aux autres.

Malheureusement, il faut parfois vivre le sentiment de rejet pour comprendre à quel point il est dévastateur. C'est facile de s'allier à la majorité et de rejeter quelqu'un quand on ne se sent pas menacée, mais quand c'est à nous que ça arrive, c'est une autre paire de manches. On ne comprend pas pourquoi nos meilleures amies nous boudent et parlent dans notre dos, ni pourquoi elles s'acharnent à nous rejeter sans même nous fournir d'explication.

***Cela entraîne souvent une perte de confiance en soi et un sentiment d'insécurité qui peut nous hanter pendant des années. Croyez-moi, rien ne justifie de faire mal à quelqu'un.***

Si vous sentez qu'une amie se détache du groupe ou que son comportement est inadéquat, mieux vaut lui en parler que risquer de la blesser. Si une fille de la bande vous énerve pour des raisons plus superficielles ou que vous sentez que ça ne clique pas beaucoup avec elle, rien ne vous empêche de vous tenir un peu plus avec celles avec qui vous avez plus d'affinités et de vous en tenir aux activités de groupe avec celle avec qui ça clique moins. Il n'est pas nécessaire de « bitcher » contre celles qui vous ressemblent moins et de rallier les autres contre elles pour prouver votre point. Quand quelque chose de la sorte se produit, demandez-vous si vous aimeriez vous faire rejeter de cette façon. En gros, les filles, ne faites pas subir aux autres ce que vous n'aimeriez pas subir vous-mêmes.

Salut Catherine,
Je sens que je n'ai pas ma place dans ma gang et que je ne peux jamais exprimer mes idées sans faire rire de moi.

Julie

## La dictature de la bande

Dans une gang de filles, il arrive aussi que certaines s'affichent comme les chefs du groupe. Sans être des dictatrices, certaines filles ont plus de facilité à mener les discussions et à prendre des décisions pour le groupe. Si vous n'êtes pas d'accord avec les «leaders», ça ne veut pas dire que vous devez vous taire de peur de vous faire rejeter. Dans les gangs de filles, on confond parfois l'admiration et la peur. Par exemple, si une fille de votre bande exerce plus d'influence que les autres et que vous la trouvez «cool», vous aurez tendance à agir pour lui plaire et pour vous attirer ses faveurs, car vous ne voulez surtout pas perdre son amitié ou vous la mettre à dos de peur de ce qui pourrait arriver. Si toutefois vous n'êtes pas d'accord avec ses agissements et qu'elle vous pousse à aller contre vos principes, vous ne vous sentirez pas mieux dans votre peau. Dites-vous que la relation la plus importante est celle que vous entretenez avec vous-même, alors restez fidèle à vos valeurs et apprenez à vous exprimer lorsque quelque chose vous déplaît. Si la fille «cool» ne peut accepter que quelqu'un s'oppose à ce qu'elle dit, dites-vous que vous n'avez pas besoin de quelqu'un comme cela dans votre vie. Vous devez trouver des amies qui vous font sentir bien dans votre peau, qui vous mettent à l'aise et avec qui vous pouvez être vous-même.

La vie est trop courte pour perdre son temps à jouer des jeux visant à blesser les autres, alors soyez vigilantes lorsque vient le temps de régler un conflit.

**CECI ÉTANT DIT,
AMUSEZ-VOUS AVEC VOS AMIES
ET PROFITEZ DE LA BANDE!**

**Sujets connexes :**

Drogues p. 241
Violence p. 492
Fugue p. 289

# Gang de rue

## Attention, danger!

Depuis les années 1980, on entend de plus en plus parler du phénomène des gangs de rue. Qui sont-ils? Que font-ils? Sont-ils tous dangereux?

Il s'agit de jeunes qui se rassemblent pour former une bande. Ils sont généralement âgés entre 12 et 30 ans, et partagent des valeurs et une idéologie qui leur donnent un sentiment d'appartenance au groupe[1]. Les membres d'un gang de rue éprouvent souvent le désir de se créer une identité, une sorte de petite famille qui leur est propre et qui leur ressemble.

Cela m'amène à parler du recrutement. Comment se forme un gang de rue? Certains sont bien organisés, et d'autres non. De façon générale, il y a, au sein du groupe, un chef, ou un leader, qui détermine les critères de recrutement. Les membres d'un gang peuvent aller traîner dans une cour d'école secondaire afin de repérer les jeunes qui leur semblent vulnérables, et ainsi d'attirer leurs proies. Ils utiliseront leurs points faibles pour les entraîner au sein de leur bande. Par exemple, ils jetteront leur dévolu sur les immigrants nouvellement arrivés, les jeunes qui se sentent exclus, ceux qui ont des problèmes familiaux, qui ont fait une fugue, qui ont des problèmes financiers ou qui cherchent simplement à appartenir à un groupe, à former une culture qui leur est propre, à se joindre à une famille ou à être libres. internet est un moyen de plus en plus courant de courtiser les adolescents et de créer des liens. Les membres des gangs abordent souvent les jeunes en leur proposant une solution à leur problème, ou tout simplement en leur procurant le sentiment de liberté et d'appartenance que la plupart recherchent. Ils utilisent donc la manipulation pour attirer les gens vulnérables, leur promettant respect, attention, protection et aisance matérielle.

Les jeunes qui souffrent de solitude, et se sentent exclus se laissent souvent tenter, puisqu'on leur propose d'appartenir à un groupe et de former une sorte de famille ou de petite société marginale qui établit ses propres règles et dont les membres doivent se serrer les coudes et peuvent toujours compter les uns sur les autres.

### Attention, danger!

Les gangs de rue ne sont pas tous dangereux, mais beaucoup d'entre eux commettent des crimes mineurs ou plongent carrément dans la violence, la drogue, le taxage, les vols, les menaces et le vandalisme. L'objectif est parfois de se renflouer financièrement, de tester ses limites, de mettre les nouveaux membres à l'épreuve ou d'affronter les gangs rivaux. Il existe différents types de gangs de rue, et certains sont beaucoup mieux organisés et structurés que d'autres. Les gangs de rue dits «majeurs» sont ceux qui commettent des crimes plus graves. Ils recrutent généralement leurs membres dans les gangs de rue «mineurs» qui traînent aux quatre coins de la ville. Bien que tous les jeunes membres de gangs de rue ne soient pas nécessairement criminalisés, il s'agit tout de même d'un univers dangereux,

1- Association des services de réhabilitation sociale du Québec, «Gangs de rue - Dossier thématique», 2014, repéré à <asrsq.ca/fr/pdf/dossiers-thematiques/gangs-de-rues.pdf>.

### Pour aller plus loin :

*8 miles,* Curtis Hanson

corrompu et violent. Les organismes communautaires, les parents, les policiers et les professeurs s'efforcent par ailleurs de faire de la prévention auprès des jeunes pour leur faire comprendre qu'ils ont tout intérêt à se tenir loin de ces groupes dont les activités criminelles sont le plus souvent liées au vol, au taxage, à la prostitution juvénile et au trafic de drogues.

Soyez donc prudentes et méfiez-vous des gens qui vous abordent pour vous proposer des solutions miracles à vos problèmes.

## Appartenance

Les membres d'un gang de rue possèdent souvent des signes qui les distinguent de ceux des autres gangs, que ce soit une couleur, un style spécial, un sigle, un tatouage ou un lieu de rassemblement particulier. Les membres d'un gang partagent donc des traits communs, des valeurs et une solidarité qui leur semble à toute épreuve. Ce sentiment d'appartenance crée souvent une forte rivalité avec les autres gangs de rue, ce qui peut provoquer des affrontements violents.

## Violence et statistiques

Bien que les membres des gangs de rue ne soient pas tous violents, la plupart des crimes commis dans les grandes villes sont liés à ces groupes.

Il y a à Montréal une vingtaine de gangs de rue importants. Ces derniers se divisent en deux groupes majeurs: les Bleus et les Rouges[2].

Les plus petits gangs ont tendance à se former et à se dissoudre, et à errer d'un bout à l'autre de la ville. Dans la métropole, on trouve un fort regroupement de gangs de rue dans les quartiers Saint-Michel, Montréal-Nord, Notre-Dame-de-Grâce, Côte-des-Neiges et Côte-Saint-Luc. Les gangs de rue étaient responsables d'environ 27,5 % des meurtres signalés à la police en 2015. Les homicides liés aux gangs de rue sont de moins en moins fréquents chaque année, ce qui est une bonne nouvelle[3].

## La prévention

La prévention demeure l'une des meilleures solutions pour freiner le problème. Il est donc normal que des gens de votre école vous en parlent fréquemment et vous expliquent les dangers relatifs aux gangs de rue. Il circule par ailleurs beaucoup d'information sur le sujet.

Si vous connaissez quelqu'un qui fait partie d'un gang de rue, tentez de lui en parler en lui expliquant les dangers et en lui démontrant que beaucoup d'autres possibilités existent pour passer du bon temps et surmonter son sentiment de solitude ou d'exclusion. Comme il s'agit d'un problème sérieux, je vous conseille également de demander l'avis d'un professionnel ou d'un membre de sa famille.

**Il existe également des lignes d'écoute téléphoniques où vous pouvez appeler pour obtenir de l'information ou des conseils sur le sujet.**

**ÉCHEC AU CRIME :**
1 800 711-1800

**TEL-JEUNES :**
1 800 263-2266

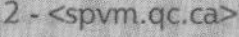

2 - <spvm.qc.ca>.
3 - *Idem.*

# Garçons

**Sujets connexes :**

Copains p. 218
Adolescence p. 138
Amoureuse p. 150

Je reçois chaque mois des dizaines et des dizaines de courriels de filles qui me demandent des conseils à propos des garçons et qui cherchent à mieux les comprendre. En vérité, il n'y a pas de manuel d'emploi, mais j'ai tout de même quelques lignes directrices à vous offrir pour vous aider à résoudre ce casse-tête!

Beaucoup de garçons disent que les filles sont compliquées et qu'ils ne les comprennent pas. L'inverse est aussi vrai! Les garçons nous semblent souvent si différents de nous qu'on a de la difficulté à croire qu'on puisse les côtoyer tous les jours et survivre à leurs attitudes qu'on pense typiquement masculines. On a tendance à croire qu'on vient de deux mondes différents. Nos priorités ne sont pas les mêmes, nos sujets de conversation non plus. Au même titre que certaines d'entre nous ne comprennent rien aux jeux vidéo et au hockey ou au sport en général, il arrive que certains garçons ne voient pas l'attrait de certaines activités qui nous passionnent.

***Soyez sans crainte: bien que les gars puissent parfois être un peu immatures et maladroits dans la façon de nous aborder, nous ne sommes pas aussi différents les uns des autres; il suffit d'apprendre à les connaitre et à les comprendre pour se rendre compte de leur sensibilité et de leur loyauté.***

Si vous ne comprenez rien aux garçons, dites-vous qu'ils sont moins compliqués qu'on ne le croit. Les filles ont généralement tendance à tout analyser et à se poser des milliers de questions. Les garçons préfèrent généralement agir de façon spontanée et dire clairement ce qu'ils pensent et ce qu'ils veulent. Chaque gars est bien sûr unique, et certains sont plus sensibles et plus complexes que d'autres, mais de façon générale, bien qu'ils n'aient pas toujours les mêmes champs d'intérêts que nous, sachez qu'il est plutôt facile d'aborder un garçon et de discuter avec lui de tout ce qui nous passe par la tête. Les gars peuvent parfois même nous aider à y voir plus clair quand nous paniquons et que tout devient confus.

Vous croyez peut-être qu'il est impossible de parler aux garçons, car vous n'avez aucune idée de la façon dont ils pensent. Vous avez peut-être l'impression qu'ils n'éprouvent rien et ne peuvent pas vous comprendre mais détrompez-vous! En fait, les garçons et les filles se ressemblent beaucoup lorsqu'il est question des apparences et de l'insécurité. En tant que filles, nous devons admettre que nous sommes souvent obsédées par le jugement des autres, par l'apparence et par la peur de déplaire. C'est la même chose pour les gars. Ils ont peur qu'on se moque d'eux et ils craignent d'être exclus, au même titre que les filles ont peur d'être jugées et de mal paraître aux yeux des autres. Bref, n'allez pas croire qu'ils ne pensent qu'au sexe et qu'il est impossible de leur parler. Les gars traversent eux aussi une crise à l'adolescence et ils se cherchent tout autant que vous. Ils se sentent souvent anxieux, perdus et ils éprouvent autant de doutes que vous face à l'avenir, alors n'allez pas croire qu'ils n'ont aucune sensibilité simplement parce que ce sont des garçons.

***C'est parfois le rôle d'une amie fille de les convaincre d'arrêter leur comédie et de s'ouvrir davantage.***

Ne soyez toutefois pas surprise si un garçon s'ouvre à vous dans l'intimité et change du tout au tout quand il est avec des amis. Il se peut qu'il vous ignore, qu'il joue au macho et qu'il agisse comme si vous n'existiez pas. Même si ce comportement peut être blessant, ne le prenez pas trop au sérieux. Lorsque vous serez seule avec lui, vous pourrez lui dire que son comportement vous blesse et vous paraît ridicule, mais il est fort possible que vous continuiez à partager une amitié plus intense avec lui lorsque vous êtes seuls que lorsque vous êtes en groupe. Sachez toutefois que, l'amitié entre les gars et les filles est bel et bien possible! Comme les garçons ont parfois moins tendance à juger, à «bitcher» et à potiner que les filles, cela rend les relations plus simples et vous permet de vous confier à eux sans aucune crainte.

## Quand la nervosité s'empare de nous

Il se peut aussi que les gars vous intimident, et que, lorsque vous vous trouvez en présence d'un spécimen masculin, vous perdiez vos moyens et que vous ne sachiez plus quoi dire. Je vous conseillerai simplement d'être naturelle, comme si vous vous adressiez à une copine. Si c'est un garçon qui vous plaît, la situation peut se compliquer si la nervosité l'emporte sur le reste, mais dites-vous bien que la meilleure façon de vous démarquer et d'apprendre à le connaître est de lui montrer à quel point vous êtes sociable et d'ouvrir la porte aux discussions. Si vous sentez que le cœur va vous sortir de la poitrine et que vous êtes beaucoup trop nerveuse pour penser à quoi que ce soit, essayez de trouver un sujet de conversation qui vous concerne tous les deux, même si ce n'est pas le plus intéressant de la planète.

Par exemple, si vous êtes dans le même cours d'anglais, vous pouvez lui poser une question sur le cours ou sur un devoir pour briser la glace. Je vous suggère aussi de choisir un domaine qui le passionne et de lui poser une question à ce sujet. Il se fera alors une joie de répondre à votre question et sera heureux de constater que vous souhaitez en savoir plus sur son sport préféré ou sur son activité favorite. Prenez votre courage à deux mains et foncez! Vous ne perdez absolument rien à essayer et vous n'aurez pas à vivre avec les regrets.

## Un corps de gars, ça change aussi!

Il se peut fort bien qu'au cours de l'adolescence, vous remarquiez des changements importants chez les gars de votre entourage. Lors de la puberté, les gars grandissent rapidement, des poils leur poussent au menton et leur voix se met à muer. Même si ça vous paraît drôle ou étrange, sachez qu'ils n'aiment pas qu'on se moque de ces changements physiques intenses, tout comme vous n'aimez pas qu'on se moque de vos nouvelles formes et de vos seins qui se développent. Au point de vue de la sexualité, les garçons commencent aussi à avoir des érections, causées par le désir ou simplement par les hormones. Les érections surviennent principalement au cours de la nuit ou au réveil et aboutissent parfois à une éjaculation, soit une expulsion du sperme.

Bref, les gars ne sont pas aussi différents des filles qu'on pourrait le croire. L'adolescence est une période intense pour eux comme pour vous, et même si vous croyez qu'ils sont grossiers, vulgaires et insensibles, je vous invite à apprendre à les connaître davantage et à regarder au-delà des apparences.

## Les conseils d'Alex Gravel-Côté

Le meilleur truc que je puisse vous donner, c'est de parler aux gars sans trop vous casser la tête et d'essayer de rester les plus naturelles possible. Je peux vous affirmer que nous ne sommes pas toujours les meilleurs pour deviner ce que vous pensez et ce que vous ressentez secrètement. C'est toujours mieux d'être directes avec nous. Ça vous tente d'aller au cinéma avec un gars ? Demandez-le-lui ! Je vous garantis qu'il sera flatté.

Aussi, sachez que même si ça peut déstabiliser un gars d'avoir affaire à une fille qui sait ce qu'elle veut, ça fait aussi souvent avancer les choses mille fois plus vite, alors n'hésitez pas à foncer !

Enfin, j'aimerais vous faire part de quelques observations qui, je l'espère, vous aideront à mieux nous comprendre.

- Contrairement à ce que vous pensez, les gars ne sont pas compliqués. C'est généralement les filles qui embrouillent la situation en se posant trop de questions.
- Les gars ont des insécurités comme les filles, alors ça fait toujours plaisir de sentir qu'on plaît.
- Les gars ont aussi des complexes. On a juste la mauvaise habitude de les refouler plus profondément que vous.
- Le dicton « tous les goûts sont dans la nature » est approprié autant pour les garçons que pour les filles. En d'autres mots, toutes les filles ont le potentiel d'intéresser certains garçons !
- Les garçons sont aussi gênés que vous de faire les premiers pas. Bref, ce n'est pas parce qu'un gars ne fait rien qu'il n'est pas intéressé. C'est peut-être simplement parce qu'il a, lui aussi, peur de se faire rejeter.

# Gardiennage

**Sujets connexes :**

Emploi à temps partiel p. 262
Argent de poche p. 162
Responsabilité p. 443

En vieillissant, on a parfois envie de gagner ses propres sous et d'acquérir plus d'indépendance et d'autonomie. C'est entre autres pour cette raison que plusieurs jeunes envisagent de faire du gardiennage. Si vous pensez devenir gardienne, vous devez toutefois être prête à assumer toutes les responsabilités qui accompagnent cet emploi et être bien consciente de la tâche qui vous attend.

Le gardiennage est une façon de ramasser des sous, mais aussi de développer votre débrouillardise et votre maturité tout en acquérant une expérience de travail qui vous sera utile durant toute votre vie. En effet, ce n'est pas une tâche à prendre à la légère puisque c'est vous qui devrez prendre soin des enfants et qui serez responsable de leur bien-être pendant l'absence de leurs parents. Vous représenterez l'autorité et deviendrez la personne-ressource aux yeux des enfants.

Tout d'abord, sachez qu'une bonne gardienne doit faire preuve de leadership, d'autorité et de jugement. Vous devez toujours songer à la sécurité et au bien-être des enfants que vous gardez et vous devez vous montrer responsables et dignes de confiance aux yeux de leurs parents, qui ont besoin de quitter leur domicile en ayant l'esprit tranquille et en sachant que leurs enfants sont entre bonnes mains. Quand vous interagissez avec les enfants, vous devez les mettre en confiance en étant sûre de vous et en assumant votre rôle de leader. Ça ne veut pas dire que vous devez vous contenter de faire la loi et d'imposer les règles; vous devez plutôt trouver un équilibre en apprenant à les écouter et à vous amuser avec eux tout en faisant preuve d'autorité.

## Trouver un emploi

Si vous cherchez à gagner plus de sous et que vous désirez acquérir plus d'expérience en gardiennage, assurez-vous de passer le mot dans votre entourage : il ne faut jamais sous-estimer la portée du bouche-à-oreille. Vous pouvez aussi visiter les voisins pour

leur proposer vos services, ou alors mettre une annonce dans le journal local, sur internet ou sur les babillards de votre quartier et des centres communautaires. Informez-vous d'abord sur le salaire moyen offert pour le gardiennage et soyez réaliste lorsque vous donnez vos disponibilités ; n'oubliez pas que vous avez aussi des devoirs, des responsabilités et des tâches à accomplir, alors évitez de trop vous en mettre sur les épaules.

## Avant de garder

Si vous vous apprêtez à garder pour la première fois, mieux vaut y aller une étape à la fois pour vous familiariser avec votre travail et pour vous sentir plus en confiance. Par exemple, il est préférable de rencontrer les parents et les enfants avant d'entamer votre travail de gardiennage. Ainsi, vous pourrez leur poser toutes les questions qui vous traversent l'esprit et connaître un peu plus votre environnement de travail. Vous pouvez également suivre le cours de Gardiens avertis de la Croix-Rouge, qui vous apprendra les principales règles de base pour devenir une gardienne hors pair ainsi que les lignes directrices de secourisme à appliquer en cas d'urgence. La plupart des parents préfèrent engager des jeunes ayant suivi le cours de la Croix-Rouge.

Prenez le temps de préparer un petit *curriculum vitae* que vous pourrez remettre aux parents pour qu'ils connaissent un peu votre parcours et vos expériences de travail. Informez-vous aussi sur les règles de la maison. À quelle heure les enfants doivent-ils se coucher ? Que doivent-ils manger ? Ont-ils des allergies alimentaires ou autres troubles de santé ? Ont-ils le droit de regarder la télé ou de lire avant d'aller dormir ? Doivent-ils prendre leur bain avant de se mettre au lit ? Ont-ils le droit de prendre une collation ? Y a-t-il des jeux et des activités à éviter ? Devez-vous superviser leurs devoirs ? S'ils sont en âge de le faire, ont-ils le droit de parler au téléphone ? Souvenez-vous qu'en l'absence des parents, c'est vous qui montez la garde et qui représentez l'autorité.

## Règles de sécurité

Assurez-vous de savoir où se trouve la trousse de premiers soins en cas d'urgence. Quels sont les numéros d'urgence ? Qui devez-vous appeler en cas de problème ? Est-ce que les parents ont un cellulaire ? Demandez-leur aussi où se trouvent les extincteurs en cas d'incendie et les bougies en cas de panne d'électricité. Demandez aux parents quelles sont les habitudes des enfants à l'extérieur de la maison. Y a-t-il un parc qu'ils ont l'habitude de fréquenter ? Jusqu'à quelle heure peuvent-ils jouer dehors ? Pouvez-vous avoir un double de la clé pour être certaine de ne pas rester coincée à l'extérieur ? Assurez-vous aussi d'avoir toutes les choses (vêtements, doudou, couches, nourriture, biberon) dont vous aurez besoin.

## Pendant que vous gardez

Vous savez déjà que pour être une gardienne hors pair, vous devez faire preuve de professionnalisme, d'honnêteté et de maturité. Respectez les directives qui vous ont été données par les parents qui vous ont engagée et assurez-vous de respecter leur intimité. Sachez aussi que les parents apprécient les gardiennes qui ramassent les jouets et la vaisselle avant de partir. N'imposez pas votre loi aux enfants et assurez-vous de leur accorder l'attention et le respect nécessaires. Enfin, si vous êtes malade ou que vous avez un empêchement, assurez-vous de prévenir les parents plusieurs jours ou heures à l'avance pour qu'ils aient le temps de trouver une solution de remplacement. Laissez aussi vos coordonnées à vos parents ou à un adulte responsable pour être joignable en tout temps. Assurez-vous d'écouter les jeunes que vous gardez et n'oubliez pas que vous représentez un exemple de comportement, alors, soyez certaine d'avoir toute votre tête pour assumer une tâche aussi importante. Pour ce qui est du reste, amusez-vous et laissez-vous entraîner par votre cœur d'enfant !

**BON À SAVOIR :**

La Croix-Rouge canadienne dispense des cours de gardiens avertis qui s'adressent aux jeunes de 11 à 15 ans.

Vous pouvez trouver un cours dans votre région en vous rendant sur le site de la Croix-Rouge canadienne : **<croixrouge.ca>**

# Gentillesse

**Sujets connexes :**
Respect p. 441
Amitié p. 145
Valeurs p. 486

**Capacité de se préoccuper des autres**

La gentillesse, c'est la capacité de se préoccuper des autres sans toujours penser à soi-même. Quand on est gentille, on est serviable, attentionnée, attentive aux besoins des autres.

C'est une sorte de bonté qui émane de nous et qui nous pousse à agir de façon agréable et généreuse.

La gentillesse peut s'exprimer de toutes sortes de façons: en gardant sa nièce à la dernière minute lorsque les parents sont mal pris, en aidant un copain à étudier pour un examen ou une personne âgée à traverser la rue, en donnant un coup de main à ses parents pour peindre la clôture, ou simplement en disant «merci» dans un café ou encore «bonjour» en entrant dans l'autobus. Ce sont des petits gestes tout simples que vous pouvez accomplir et qui vous permettront de vous sentir bien.

Être gentille, c'est aussi savoir écouter les autres et leur accorder du temps et de l'énergie sans toujours penser à soi ni s'attendre à quelque chose en retour. La vraie gentillesse, c'est la volonté d'agir en toute bonté sans compter. La joie et la reconnaissance sur le visage des gens à qui on fait plaisir suffit à nous rendre heureuse.

La gentillesse n'est pas une qualité innée chez tous les individus; vous devez la travailler et la développer, et ce, même si vous avez un fort caractère et que cela vous semble complètement ridicule. Il n'y a rien de mal à remercier les gens quand ils vous rendent service ou quand ils font bien leur travail, ni à saluer les gens dans la rue ou dans votre voisinage. Ce n'est certainement pas ridicule de prendre des nouvelles des gens que vous aimez pour vous assurer que tout va bien pour eux. Cela prouve au contraire que vous les aimez et que vous prenez leur bien-être à cœur. Pour faire preuve d'un peu de gentillesse, il suffit donc parfois d'être joviale et de vous intéresser aux autres, ou encore de vous

montrer polie et sympathique lorsque vous croisez quelqu'un.

Il existe toutefois des gens «trop» gentils qui montrent une grande naïveté et, parfois, certaines personnes malveillantes n'hésitent pas à abuser de cet excès de confiance. Je vous encourage donc à faire preuve de gentillesse tout en restant à l'affût des gens qui pourraient profiter de votre bonne volonté et de votre bonté naturelle.

De façon générale, la gentillesse n'a toutefois pas vraiment d'inconvénients. Quand on est gentille et de bonne humeur, on dégage une énergie positive qui attire les gens et qui les rend tout aussi joyeux. Aussi bien rendre les gens heureux en leur transmettant votre joie de vivre et votre bonne humeur que de les faire fuir et de les rendre maussades avec votre air renfrogné. Je vous assure qu'en faisant preuve de gentillesse, vous vous sentirez mieux dans votre peau.

## *Des trucs tout simples pour être gentille*

Soyez serviable et donnez sans compter. Les autres vous en seront extrêmement reconnaissants et vous serez fière de vous.

Souriez aux gens, montrez-leur que vous êtes une fille pleine d'entrain et partagez votre joie de vivre.

Dites merci quand on vous donne quelque chose ou qu'on vous rend service.

Dites « je t'aime » à ceux que vous aimez de temps à autre.

Ne jouez pas les dures, soyez simplement intègre. La gentillesse n'est pas un signe de faiblesse ; au contraire, il s'agit d'une immense force qui se renforce quand on se donne la peine de faire un effort.

**Sujets connexes :**

Contraception p. 212
Parents p. 384
Sexualité p. 456

# Grossesse

## Un phénomène fréquent chez les adolescentes

La grossesse chez les adolescentes est un phénomène qui est très présent dans notre société. Beaucoup de jeunes prennent des risques inutiles en n'utilisant pas de préservatif ni de méthode contraceptive complémentaire. Sous le coup du désir, il est parfois difficile de reprendre la maîtrise de soi et de s'arrêter avant qu'il ne soit trop tard, mais il est préférable de vivre un peu de frustration que d'assumer des conséquences navrantes comme une grossesse non désirée.

De plus, il est important de mentionner qu'une adolescente dont la puberté n'est pas achevée et dont le corps n'a pas fini de se former court plus de risques lors de la grossesse et de l'accouchement qu'une adulte. On observe plus de complications obstétricales, un risque plus élevé de donner naissance à un bébé prématuré ou de petit poids, et un taux de mortalité périnatale plus élevé que chez les bébés des femmes adultes. Aussi, on remarque chez ces enfants plus de cas d'hospitalisation, plus de consultations médicales, plus de maladies psychosomatiques et de troubles liés au langage[1].

Les jeunes mamans courent par ailleurs davantage de risques de souffrir d'isolement social, de dépression, de sentiment d'échec, de solitude, de sous-scolarisation, de mauvais traitements et de stress, et d'entretenir des habitudes de vie malsaines.

Certaines des adolescentes qui décident de garder leur bébé parviennent toutefois à subvenir à leurs besoins et à réussir scolairement ou professionnellement, mais, dans la plupart des cas, la situation n'est pas très rose.

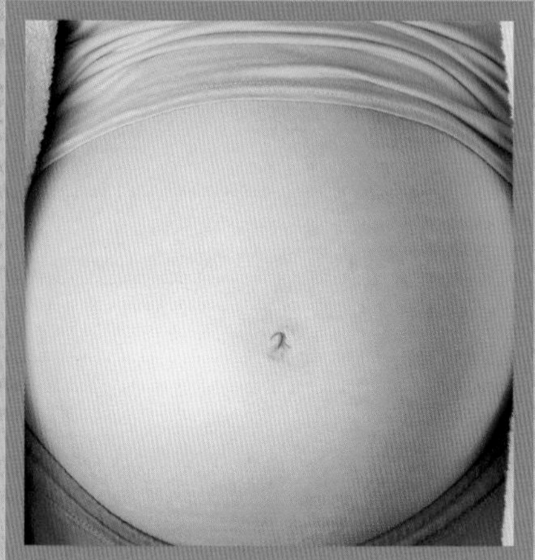

Si vous vous retrouviez dans une telle situation, vous seriez probablement la première à être surprise, car on croit toujours que ce genre de malchance n'arrive qu'aux autres. Détrompez-vous ! Certains symptômes vous mettront d'abord la puce à l'oreille : retard dans les règles, envie constante d'uriner, sensibilité des seins et du ventre, hypersensibilité émotionnelle, etc. Si vous pensez être enceintes, il faut alors passer un test. Vous pouvez vous en procurer un à la pharmacie ou même au Dollarama (il n'est pas nécessaire de payer cher pour avoir un test fiable). Normalement, il faut uriner dans un petit contenant, puis y plonger un bâtonnet qui indiquera le résultat après quelques minutes. L'important, c'est de bien suivre les instructions indiquées sur le feuillet qui accompagne le test et d'attendre patiemment le résultat. Sachez qu'il arrive qu'un résultat soit négatif, mais que vous soyez tout de même enceinte. Si le résultat est positif, il y a toutefois très

1 - Louise Charbonneau *et al.*, *Adolescence et fertilité: une responsabilité personnelle et sociale*, 1989. H. Dryburgh, *Grossesse chez les adolescentes*, Rapports sur la santé, 2000 et Kearney, M.S., Levine, P.B., *Socioeconomic disadvantage and early childbearing*, 2007.

peu de chances pour que vous ne le soyez pas. Si le résultat est négatif, mais que vos règles tardent encore à se manifester, et que vous ressentez tous les symptômes de la grossesse, consultez un médecin, qui pourra déterminer avec certitude si vous êtes enceinte ou non.

Si le résultat est positif, il se peut que vous soyez prise de panique. Pourquoi moi ? Qu'ai-je fait ? Que vais-je faire ? Dois-je me faire avorter ? Puis-je garder le bébé ? Dois-je en parler aux autres ? Dois-je le dire à mon partenaire sexuel ? Malheureusement, il n'existe pas de réponses toutes faites à ces questions, car chacune vit sa grossesse à sa façon. Comme il s'agit d'une décision extrêmement importante, je vous conseille toutefois d'en parler à quelqu'un de confiance qui pourra vous aider à prendre une décision éclairée ou simplement vous écouter si vous avez envie de vous confier. Dans tous les cas, ne traversez pas cette épreuve toute seule, même si vous avez honte d'en parler aux autres. Il s'agit de votre corps et de votre décision. Vous n'avez pas à crier la nouvelle sur tous les toits, mais il existe certainement des gens qui peuvent vous écouter et vous aider, qu'il s'agisse d'un parent, d'une amie, de l'infirmière de l'école, d'un CLSC ou d'un conseiller.

## Les parents

Ne sous-estimez surtout pas vos parents. Bien que vous ayez peur de leur réaction et qu'il soit fort possible qu'ils se montrent surpris ou bouleversés sur le coup, ils savent à quel point c'est une situation difficile à traverser et à vivre, et ils peuvent vous aider puisque, avant tout, ils veulent votre bonheur. Pouvez-vous vraiment vous imaginer traverser cette épreuve sans l'appui de votre mère ? Si vous avez peur que vos parents vous fassent la morale ou qu'ils jugent votre décision en vous rendant la tâche encore plus difficile, parlez-en au moins à une amie de confiance, à une confidente, à votre frère ou à votre soeur, pour que quelqu'un vous accompagne à travers cette épreuve.

## Le temps de la décision

Lorsque vous apprenez que vous êtes enceinte, vous devez prendre une décision extrêmement importante qui aura un impact sur le reste de votre vie. Tout d'abord, vous pouvez décider de garder votre bébé et de l'élever. Comme vous n'êtes encore qu'une adolescente, que vous n'avez pas terminé votre scolarité et que vous n'avez certainement pas les moyens de subvenir seule à vos propres besoins et à ceux d'un jeune enfant, vous devez tenir compte de tous les aspects financiers et personnels avant de prendre une telle décision. Vos parents sont-ils prêts à vous aider ? Le père du bébé vous appuie-t-il dans votre décision ? Êtes-vous prête à assumer une telle responsabilité pour le reste de votre vie ? Rappelez-vous que ce n'est pas une décision à prendre à la légère. Lorsqu'on décide d'avoir un bébé, on prend un engagement pour la vie. Vous n'êtes plus seulement responsable de vous, mais d'un autre être humain aussi. Vous devez donc penser à son avenir et à son bonheur. Bref, prenez le temps d'y réfléchir. Vous pouvez aussi opter pour l'avortement, bien que cette solution ne s'avère pas facile physiquement ni émotionnellement. Si vous décidez de vous faire avorter, je vous conseille fortement de bien vous informer sur le déroulement de l'opération et de vous faire accompagner par quelqu'un de confiance. Il se peut que vous vous sentiez complètement anéantie et que vous ressentiez un grand vide après l'opération. Je vous recommande de ne pas traverser cette étape seule. Demandez à quelqu'un de vous soutenir dans cette épreuve. (Pour plus d'information, voyez le texte sur l'avortement p. xxx). Sinon, vous pouvez décider d'avoir votre bébé et de le donner en adoption. N'allez surtout pas croire que cette option soit plus facile, car après avoir porté votre bébé pendant neuf mois, vous aurez sans doute énormément de difficulté à vous en séparer. Vous devez donc y songer intensément avant de prendre une telle décision. De plus, la grossesse n'est pas toujours une étape facile; votre corps se transforme, vous êtes fatiguée, vous ne pouvez plus vaquer à vos activités, vous pouvez avoir de la nausée et vous ressentez toutes sortes d'inconforts émotionnels et physiques dont vous devez tenir compte avant d'entreprendre une telle aventure.

## Un choix personnel

Quoi qu'il en soit, vous devez bien y réfléchir avant de prendre une décision. Il s'agit d'un secret extrêmement lourd à porter, alors je vous conseille fortement d'en parler à quelqu'un de confiance pour exprimer ce que vous ressentez et pour avoir une autre perspective. La grossesse n'est pas quelque chose qu'on peut prendre à la légère, alors mieux vaut prendre toutes les précautions pour éviter de se retrouver dans une telle situation.

Ne songez pas à tomber enceinte pour ne pas perdre votre amoureux ou pour combler un vide affectif, car c'est de la vie et du bonheur de votre futur bébé dont il est question, et il serait injuste d'utiliser sa vie pour répondre à vos propres désirs ou problèmes du moment. Avoir un bébé est une lourde responsabilité, mais il s'agit de votre corps, et c'est tout de même à vous que revient de prendre la décision qui vous semble la plus adéquate. Songez à toutes les possibilités et pensez aussi à l'avenir de votre bébé ainsi qu'à son bonheur et au vôtre. N'hésitez pas à parler à des gens en qui vous avez confiance et à demander de l'aide si vous en ressentez le besoin.

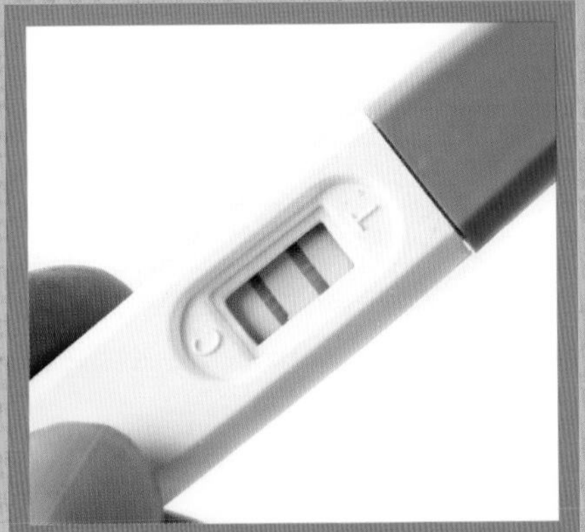

## Sujets connexes :

Violence p. 492
Droits humains p. 247
Politique p. 412

# Guerre

## Quand la violence règne

« La guerre, phénomène collectif, social et historique, est une manifestation de violence physique à caractère homicide puisqu'elle implique nécessairement l'utilisation d'armes. Qu'elle soit officiellement déclarée ou non, la guerre est une situation socialement reconnue, qui perdure dans le temps et dont les affrontements revêtent une certaine ampleur. La fin peut en être marquée ou non par un accord de paix (traité ou armistice) »[1].

Difficile de regarder les informations ces dernières années sans voir des images de pays en guerre. C'est un phénomène révoltant qui nous paraît trop souvent injuste. Que dire de toutes ces personnes chassées de leur pays, de ces familles détruites, de ces territoires dévastés et de toutes les innocentes victimes qui périssent durant des conflits armés? Il existe toutes sortes de raisons pour déclencher une guerre. Parfois, il s'agit d'une dispute au sujet de l'attribution d'un pays ou d'un territoire, ou alors d'une querelle politique, religieuse, économique ou idéologique. Il y a même des peuples qui se battent pendant si longtemps qu'ils en oublient la source initiale de leur conflit. Quoi qu'il en soit, il est attristant de constater le nombre de gens qui souffrent à cause de ces guerres, et il est normal que vous soyez révoltée et contrariée par la barbarie de ces gestes et que vous vous sentiez bien impuissante devant tant de violence. Nous avons la chance de vivre dans un pays en paix, mais cela ne veut pas dire qu'il faille se fermer les yeux sur les injustices si courantes dans le monde et sur toutes les guerres qui font rage ailleurs sur la planète.

On en vient souvent à se demander en quoi la violence peut vraiment régler un problème. Pourquoi doit-on prendre les armes et tuer pour faire valoir son point de vue? Malheureusement, il s'agit d'un phénomène vieux comme le monde. Dans plusieurs cas, la violence éclate lors d'un règlement de comptes, à cause d'une injustice qui a été commise ou du simple désir de se venger. Les peuples en guerre tombent dans un

1 - <granddictionnaire.com>.

## Pour aller plus loin :

- ***Maus, l'intégrale,*** Art Spiegelman (roman graphique)
- ***L'hiver des hommes,*** Lionel Duroy
- ***L'orangeraie,*** Larry Tremblay

cercle vicieux, car bien que la communauté internationale encourage la résolution du conflit et que les dirigeants soient prêts à entamer des discussions, il suffit parfois d'une personne pour commettre un crime isolé et remettre de l'huile sur le feu.

Lorsqu'on met fin à une guerre, on signe normalement un traité de paix ou une entente de cessez-le-feu. Même lorsque ces ententes sont signées, il suffit parfois d'un rien pour faire redémarrer le conflit et pour passer outre aux conditions de paix. La guerre est une situation extrêmement complexe, puisqu'elle est causée par une série de facteurs, alors il n'est pas rare que des gens se révoltent à la suite d'un traité de paix parce que celui-ci ne respecte pas leurs droits ou qu'ils sentent que leurs revendications n'ont pas été entendues.

Durant les conflits armés, plusieurs ONG comme La Croix-Rouge, Médecins sans frontières, etc. interviennent dans les régions en guerre pour fournir des abris temporaires, de la nourriture, de l'eau potable et des soins aux gens qui ont été chassés de chez eux et aux blessés. La violence qui règne et les risques d'attentats sont toutefois parfois si élevés que les organismes en question ont de la difficulté à atteindre ces régions ou à s'établir en toute sécurité sur un territoire donné. Quoi qu'il en soit, n'hésitez jamais à faire des dons pour les victimes de guerre et à appuyer les organismes qui viennent en aide aux victimes de ces conflits.

## Une menace grandissante

À la suite des événements du 11 septembre 2001, vous avez certainement entendu parler du perfectionnement de certaines armes et de la progression de la menace d'attaque terroriste, bactériologique et nucléaire. Il ne faut pas pour autant devenir complètement parano et se laisser emporter par un tourbillon de panique générale. Mieux vaut prôner la paix et adopter une attitude pacifique. Il faut encourager les

## *Pour aller plus loin :*

- ***La vie est belle,*** Roberto Benigni
- ***La liste de Schindler,*** Steven Spielberg

dirigeants à s'engager dans des discussions pouvant mener à des traités de paix et inciter la communauté internationale à se mobiliser contre la violence. Bien que ça puisse vous sembler un peu utopiste, une telle attitude pourrait réellement avoir une influence à l'échelle internationale, surtout si nous nous serrons les coudes pour promouvoir la paix dans le monde.

Malheureusement, il y a encore des guerres aujourd'hui, et particulièrement des guerres civiles, qui sont des conflits armés entre les habitants d'un même pays. Par exemple, dans la foulée des révoltes du Printemps arabe de 2011, des guerres civiles ont éclaté en Lybie et en Syrie. La guerre civile qui déchire la Syrie a fait à elle seule plus de 465 000 morts et disparus et plus de 5 millions de réfugiés depuis 2011[1]. On a aussi assisté au déclenchement d'une guerre civile au Mali en 2012 et au Yémen en 2015. En 2016, on comptait 18 guerres civiles ayant cours à travers le monde[2].

1 - Le Monde, repéré à <lemonde.fr/syrie/article/2017/03/13/syrie-plus-de-320-000-morts-apres-six-ans-de guerre_5093677_1618247.html> et <rts.ch/info/monde/8507753-le-nombre-de-refugies-syriens-a-ete-multiplie-par-dix-en-quatre-ans.html>.

2 - Wikipédia, repéré à <en.wikipedia.org/wiki/List_of_civil_wars#Since_2000>.

# Harcèlement sexuel

**Sujets connexes :**

Autorité p. 172
Sexisme p. 454
Respect p. 441

Le harcèlement sexuel est représenté par des attitudes, des gestes ou des paroles qui expriment de façon plus ou moins ouverte des avances sexuelles qui visent parfois à blesser la pudeur de quelqu'un[1]. En d'autres mots, il désigne des situations dans lesquelles un individu est soumis à des paroles ou à des pratiques tentant de le réduire à son identité sexuelle. C'est une façon de rabaisser, d'humilier, d'embarrasser ou de contrôler quelqu'un en ayant recours à des propos scabreux et déplacés à caractère sexuel ou concernant son orientation sexuelle. Cette attitude peut porter gravement atteinte à l'intégrité et à la dignité d'une personne, et il est extrêmement important de dénoncer le harcèlement sexuel lorsqu'il survient.

À l'adolescence, le harcèlement sexuel se produit parfois à l'école, dans un contexte d'abus de pouvoir: chantage ou promesse de meilleures notes en échange d'une faveur sexuelle venant d'un professeur ou d'une personne d'autorité; compliments sexuels proférés par un adulte à une mineure; compagnons de classe qui vous manquent de respect et vous font des avances déplacées, etc. Sachez que le harcèlement sexuel auprès d'une mineure est un délit grave. Il se peut aussi qu'un garçon vous fasse un commentaire grossier ou déplacé ou une allusion sexuelle que vous trouvez dégoutante ou dégradante, il n'est pas nécessaire pour autant de vous précipiter au poste de police mais vous n'avez pas non plus à subir ce comportement. Si cela se produit, dites-lui ce que vous pensez de son commentaire avant de courir au poste de police! Il ne réalise peut-être pas la portée de ses paroles et la gravité de son impolitesse; c'est pourquoi je vous conseille tout d'abord de le lui dire ou d'en parler à un professeur ou à un surveillant. S'il s'acharne et qu'il profère des menaces ou qu'il vous fait des avances sexuelles qui vous semblent franchement déplacées et vulgaires, alors n'hésitez pas à dénoncer son comportement. Aucune fille ne mérite d'être traitée de façon irrespectueuse.

Quoi qu'il en soit, sachez qu'il faut absolument signaler toute attitude, geste ou parole à caractère sexuel qui vise à exercer une pression sur vous ou à vous manquer de respect. Il ne faut jamais avoir honte de dénoncer quelqu'un qui veut vous réduire à votre identité sexuelle ou qui vous fait des propositions indécentes ou déplacées en abusant de sa position de pouvoir ou en échange de quelque chose. Si vous jugez qu'on profère des menaces à votre encontre ou qu'on exerce une pression sur vous, ne vous laissez pas faire. Personne ne mérite un tel traitement, et il vous incombe de réagir et de condamner ce comportement pervers. Parlez-en immédiatement au directeur, à des professeurs, aux surveillants, à vos parents ou même à la police.

1- Grand dictionnaire terminologique: <granddictionnaire.com>.

## Le consentement sexuel

Le consentement sexuel se résume au fait de donner son accord à son partenaire pour participer à une activité sexuelle. En effet, les deux personnes concernées doivent être consentantes. Ce choix doit être complètement volontaire, ce qui veut dire qu'il vous revient de décider si vous êtes prête à franchir une autre étape. C'est extrêmement important de vous sentir écoutée et respectée lorsque vous en parlez à votre partenaire.

Si vous percevez de la pression de sa part et que vous êtes mal à l'aise, c'est essentiel d'en discuter avec lui et d'aller à votre rythme. Sachez que le consentement peut être donné et retiré à tout moment.

Par exemple, vous vous retrouvez seule avec votre copain et vous commencez à vous embrasser. Vous vous sentez bien dans ses bras et vous vous laissez aller. Après quelques minutes, il se met toutefois à vouloir enlever vos vêtements, ce qui vous gêne puisque vous ne vous sentez pas prête à aller jusque là. Il ne faut surtout pas passer outre de peur de lui déplaire ou parce que vous ne voulez pas lui envoyer de messages contradictoires: embrasser quelqu'un ne vous oblige en rien à aller plus loin, et vous vous devez de mettre un frein à ses élans si vous ne vous sentez pas bien. L'essentiel, c'est de vous écouter et de respecter vos propres limites.

## Que faire en cas d'agression?

On pense souvent à tort qu'une agression sexuelle implique de la violence physique et une relation sexuelle complète. Ce que vous devez toutefois savoir, c'est qu'une telle agression concerne tout geste à caractère sexuel qui peut survenir même sans contact physique mais surtout sans le consentement sexuel de l'autre personne.

Il est également très important de rappeler que quelque soit la façon dont vous êtes habillée, maquillée, que vous soyez sous l'emprise de substances illicites ou de l'alcool et même le fait de flirter avec une personne ou d'accepter de monter dans sa voiture ou de rentrer chez elle, rien de tout cela ne vous rend responsable en cas d'agression sexuelle. Vous pouvez en tout temps retirer votre consentement sexuel et si vous êtes incapable de le faire alors c'est que vous n'avez jamais pu donner ce consentement.

Si vous avez été victime d'une agression sexuelle, la première chose à faire est de dénoncer votre agresseur à la police. Je sais que ce n'est pas facile, mais c'est une étape très importante. Si possible, demandez à une personne de confiance de vous accompagner au poste de police.

Il ne faut surtout pas garder ça pour vous, même si vous avez peur des représailles ou que vous ressentez une grande honte. Malheureusement, ce sentiment de honte est très commun chez les victimes d'agression sexuelle. Ce que vous avez subit est un traumatisme et il est très important pour votre santé mentale que vous puissiez être prise en charge par les services sociaux et de santé. Surtout, n'hésitez pas à communiquer avec les ressources ci-dessous qui vous permettent de vous confier de manière anonyme.

**LIENS UTILES:**

Ligne téléphonique pour les victimes d'agression sexuelle: **1 888 933-9007**.

Tel-jeunes: **1 800 263-2266**

Centre d'aide aux victimes d'actes criminels: **<cavac.qc.ca>**

# Hockey

**Sujets connexes :**

Québec p. 432
Sorties p. 462
Sport p. 464

Le hockey est notre sport national. Quand on se promène aux quatre coins du Québec en plein cœur de l'hiver, on est sûr de voir des jeunes pratiquer ce sport dans la rue ou dans les arénas. La popularité du hockey est non seulement liée à notre climat rigoureux qui nous force à pratiquer des sports hivernaux pendant plusieurs mois, mais également au club de hockey des Canadiens de Montréal, qui fait partie de la Ligue nationale de hockey (LNH).

De 1979 à 1995, la ville de Québec possédait elle aussi son équipe de hockey professionnel, les Nordiques de Québec, mais, en 1995, la franchise a été vendue et déménagée à Denver, au Colorado. L'équipe a alors pris le nom de l'Avalanche du Colorado. Depuis quelques années, le bruit court que Québec pourrait ravoir une équipe de la LNH. Depuis 2010, cette rumeur est devenue de plus en plus tangible, l'entreprise Québecor figurant parmi les noms des investisseurs prêts à faire l'acquisition des nouveaux Nordiques.

Un nouvel aréna a d'ailleurs été construit à Québec (financé à 50 % par la ville de Québec et à 50 % par la province de Québec) et son ouverture en 2015 a intensifié les rumeurs voulant qu'une équipe d'expansion soit bientôt introduite dans la capitale. Par contre, il se glisse à travers les branches depuis quelque temps que ce serait plutôt Las Vegas qui recevrait une équipe dans les prochaines années… C'est un dossier qui reste encore à suivre!

À l'époque, la rivalité entre les Canadiens et les Nordiques était telle que les gens se disputaient parfois durant les fêtes de famille parce qu'ils n'étaient pas partisans de la même équipe! Depuis le départ des Nordiques, plusieurs Québécois et anciens admirateurs de l'équipe québécoise se sont rangés du côté des Canadiens de Montréal, qui ont remporté leur dernière coupe Stanley en 1993.

## Quand « la ville est hockey »

Au cours des dernières années, le hockey professionnel a atteint une popularité

sans précédent. À Montréal, durant les séries éliminatoires de 2011, 2013, 2014 et 2015, tous les autobus de la ville scandaient « Go, Habs, go! » sur les tableaux d'affichage, plusieurs voitures arboraient le drapeau des Canadiens et tous les restos et les bars de la ville étaient bondés lors des matchs de l'équipe locale. Après une victoire des Glorieux, des centaines de personnes célébraient dans les rues et les klaxons retentissaient de toutes parts. Cet enthousiasme se faisait sentir aux quatre coins du Québec. Le Réseau des sports (RDS) a enregistré des cotes d'écoute de plus de deux millions de spectateurs par match pendant les séries et des gens venus de partout de partout dans la province se faisaient entendre dans la métropole pour encourager leur équipe.

Le hockey n'est pas seulement un sport; il s'agit aussi d'une importante part de notre culture et de nos traditions. Les gens profitent des soirées de hockey pour se réunir, bavarder

## *Pour aller plus loin :*

- ***Goon,*** Michael Dowse
- ***Slap Shot,*** George Roy Hill
- ***Lance et compte,*** Réjean Tremblay, Louis Caron et Jacques Jacob

et passer un bon moment entre amis. Ce sport permet également aux Québécois de se sentir unis en s'alliant pour encourager leur équipe. Bien qu'on ait souvent tendance à juger les joueurs de hockey, qui sont payés une fortune pour pratiquer ce sport, le Québec et le Canada ne seraient pas les mêmes sans leur sport national!

## Les règles

Pour celles d'entre vous qui ne connaissent rien au hockey professionnel, voici une petite description des principales règles qui vous aidera à comprendre davantage ce qui se déroule sur la patinoire au cours d'un match. Une fois que vous vous serez familiarisées avec les règles, vous prendrez goût aux matchs et vous deviendrez vite de véritables mordues de hockey!

Un match de hockey est constitué de 3 périodes de 20 minutes chacune. Deux équipes s'affrontent et doivent compter dans le but adverse autant de fois que possible au cours d'un match. S'il y a égalité à la fin d'un match, une période de prolongation de cinq minutes est ajoutée. Depuis cette année, la prolongation se joue à trois contre trois. Si aucun joueur ne parvient à compter durant la prolongation, celle-ci est suivie d'une «fusillade» au cours de laquelle, à tour de rôle, les membres de chaque équipe tentent de déjouer le gardien de but adverse. La fusillade se poursuit jusqu'à ce qu'il y ait un gagnant. Lors des séries éliminatoires par contre, en cas d'égalité, des périodes de prolongation de 20 minutes sont ajoutées jusqu'à ce que l'une des deux équipes compte un but.

Chaque équipe doit avoir six joueurs sur la patinoire: un ailier droit et un ailier gauche, un joueur de centre, deux défenseurs et un gardien de but. L'entraîneur de l'équipe effectue des changements de joueurs environ toutes les 40 secondes au cours d'un match.

Lorsqu'un joueur est puni parce qu'il a enfreint une règle (pour cause de rudesse, pour avoir retenu l'autre joueur, pour bâton élevé, etc.), il doit se rendre au banc des pénalités pendant deux minutes dans le cas d'une pénalité mineure, et pendant quatre ou cinq minutes s'il s'agit d'une pénalité majeure.

Au cours d'une pénalité, l'équipe punie se voit privée d'un joueur. L'autre équipe est donc en supériorité numérique et peut attaquer plus librement.

En ce qui concerne les hors-jeu, les joueurs d'une équipe ne doivent pas précéder la rondelle dans leur zone d'attaque. Les facteurs déterminant un hors-jeu sont:

- La position des patins du joueur: un joueur est hors jeu quand ses deux patins se trouvent de l'autre côté de la ligne bleue, dans la zone d'attaque, avant que la rondelle n'ait complètement franchi cette même ligne;

- La position de la rondelle: la rondelle doit avoir entièrement franchi la ligne bleue de la zone d'attaque.

En cas de violation de cette règle, le jeu sera arrêté et devra être repris:

- Au point de mise en jeu situé dans la zone neutre si la rondelle a été transportée de l'autre côté de la ligne bleue par le joueur attaquant;

- À l'endroit d'où provenait la passe ou le lancer quand la rondelle a été passée ou lancée de l'autre côté de la ligne bleue par un joueur attaquant;

- À l'un des deux points de mise en jeu situés dans la zone défensive de l'équipe fautive, si l'arbitre ou le juge de lignes décide qu'un joueur a intentionnellement causé un hors-jeu.

©Ryan Morgan

## La saison 2012-2013

En septembre 2012, la LNH a déclaré un *lock-out*, à défaut d'avoir pu signer un contrat de travail avec le syndicat des joueurs. Pour cette raison, la saison de hockey n'a débuté qu'en janvier 2013 ! Les Canadiens de Montréal ont été éliminés par les Sénateurs d'Ottawa en quart de finale.

## La saison 2013-2014

Lors de cette saison, le CH s'est rendu jusqu'en finale de son Association avant de se faire éliminer par les Rangers de New York, permettant ainsi à tous ses partisans de rêver à la Coupe Stanley.

## La saison 2014-2015

Ce fut toute une saison ! Il a terminé la saison régulière avec 110 points, ce qui lui a valu le deuxième rang de la ligue. Par contre, il a été éliminé en 6 matchs par le Lightning de Tampa Bay.

## La saison 2015-2016

L'année dernière, les Canadiens ont élu Max Pacioretty comme nouveau capitaine. La formation a bien entamé sa saison en accumulant 9 victoires d'affilée. Ça leur a permis de battre l'ancien record d'équipe qui était de 4 victoires de suite ! Cependant, le reste de la saison du CH a été désastreux et ils ne se sont pas qualifiés pour les séries éliminatoires pour la première fois depuis 2012. Tous les partisans espèrent que l'année prochaine sera plus florissante pour le Bleu-Blanc-Rouge.

## La saison 2016-2017

Au cours de l'été 2016, le Directeur général Marc Bergevin a procédé à une transaction qui a envoyé P.K. Subban à Nashville et qui a permis l'acquisition du défenseur Shea Weber. Le CH a par la suite connu une saison de 103 points, mais Michel Therrien a été congédié en raison du manque de constance de son équipe. Malgré l'embauche de Claude Julien, le tricolore a été éliminé en première ronde par les Rangers de New York. Des changements sont à prévoir avant le début de la prochaine saison.

# Homosexualité ★

**Sujets connexes :**

Amour p. 147
Passion p. 390
Sexualité p. 456

Un jour ou l'autre dans sa vie, presque tout le monde se questionnera à propos de son orientation sexuelle. Pour certains, la réponse viendra très rapidement; pour d'autres, elle exigera un examen de conscience plus profond.

Après ce questionnement, il est possible qu'on découvre qu'on est plus attiré par les gens du même sexe que par ceux du sexe opposé.

## Est-ce que je suis homosexuelle?

Chose certaine, s'avouer qu'on est homosexuelle est difficile. On se dit que ça serait tellement plus simple d'être comme la majorité des gens. On a peur de ce que les autres vont penser. On craint l'homophobie qui existe autour de nous. On a peur de décevoir notre entourage. De plus, on a souvent beaucoup d'idées préconçues sur le sujet. Bien que l'homosexualité existe dans toutes les sociétés depuis le début des temps, il reste que certains tabous perdurent encore.

## Essayons de démystifier un peu les choses.

### Comprendre l'homosexualité

Plusieurs études sérieuses tendent à démontrer que nous avons notre propre orientation sexuelle dès la naissance et que cette orientation n'a rien à voir avec l'éducation que nous avons reçue ou l'environnement dans lequel nous avons grandi. Ce n'est donc pas un choix. Ce qui constitue un choix, c'est de l'accepter et de la vivre. L'homosexualité ne se résume pas seulement à des rapports sexuels entre deux personnes du même sexe. C'est beaucoup plus. Ça implique des sentiments de même que des préférences affectives et sexuelles. Ce n'est pas une maladie, un caprice, un vice ou une perversion; c'est une orientation sexuelle. D'ailleurs, l'homosexualité est également présente chez plusieurs centaines d'espèces animales et particulièrement chez les mammifères, dont nous faisons partie.

### Hétéro, homo ou bi?

Tout n'est pas blanc, tout n'est pas noir; il y a des zones grises. Dans les trois cas, il se peut qu'on sache très bien où l'on se situe sans même avoir eu d'expériences. Dans d'autres cas, nous aurons besoin de faire des essais pour savoir ce qu'il en est. D'ailleurs, à l'adolescence, il arrive fréquemment que l'on se sente attiré par quelqu'un du même sexe que soi; ça ne veut pas dire qu'on est homosexuel. Il n'y a qu'un petit nombre d'adolescents qui se révéleront vraiment gais ou lesbiennes. Le plus important restera d'essayer d'être le plus franc possible envers soi-même.

★ collaboration spéciale de MICA

Il n'y a pas de honte à découvrir qu'on est attiré par quelqu'un du même sexe que soi. Il est possible que vous soyez attirée autant par des gars que par des filles; c'est ce qu'on appelle la bisexualité. Ce qui est le plus difficile dans ce cas, c'est de trouver son équilibre intérieur. La bisexualité est parfois une transition entre l'hétérosexualité et l'homosexualité, mais, chez certaines personnes, il s'agit bel et bien d'une façon d'être. Cela dit, ce n'est pas parce qu'on a une relation sexuelle avec quelqu'un du même sexe qu'on est automatiquement homosexuel ou bisexuel; c'est la répétition des rapports qui confirmera notre orientation.

### Pourquoi moi?

Découvrir son homosexualité, l'accepter et l'assumer est loin d'être facile; il faut le voir comme une démarche progressive. On note six étapes importantes: la confusion, la comparaison, la tolérance envers son orientation, l'acceptation, la fierté et, finalement, la synthèse de sa personnalité. Gros travail! Mais franchir ces étapes nous procure un sentiment de libération incroyable et nous permet enfin de se sentir bien dans notre peau.

### Allô? Il y a quelqu'un?

L'isolement est le problème numéro un des jeunes qui se découvrent homosexuels. On a l'impression que personne ne peut comprendre, que tout le monde va nous juger et que plus personne ne va nous aimer. Cet isolement peut mener à des problèmes graves si on ne se sent pas entouré et appuyé. Le suicide est la première cause de mortalité chez les jeunes homosexuels. Il ne faut pas en arriver là! C'est certain qu'il y a au moins une personne à qui on peut se confier. C'est important de le faire. Si ce n'est pas à un ou une amie, il faut consulter des intervenants ou des professionnels, mais il ne faut pas vivre seul avec ce lourd secret.

### Oui, je suis là!

Si un ou une de vos amis vient se confier à vous, soyez à l'écoute. C'est vraiment difficile de révéler ce genre de chose; on a l'impression qu'une bombe va exploser. Si cette personne vous a choisie, c'est que vous comptez beaucoup à ses yeux, alors considérez cette confidence comme une marque d'affection. Il faut l'aider à s'exprimer et lui expliquer que ce n'est pas la fin du monde; bien au contraire, c'est le début de la libération. C'est le meilleur moment pour jouer votre rôle d'amie à 100 %.

## Le « coming-out »

Personne ne peut nous obliger à parler de notre orientation sexuelle. Peu importe notre situation, on est libre de dévoiler ou non son homosexualité. Par contre, même si en parler est une chose difficile à faire, c'est aussi un des gestes les plus libérateurs qui soient. Dans le cas où l'on décide de le faire pour notre intégrité et pour notre bonheur, il faut agir avec jugement et prudence. Puisqu'on ne sait pas comment les autres vont réagir à la nouvelle, il est important d'être prêt à le faire et de choisir la bonne personne à qui se confier. Il faut essayer de le faire calmement. S'ensuivra un grand sentiment de légèreté!

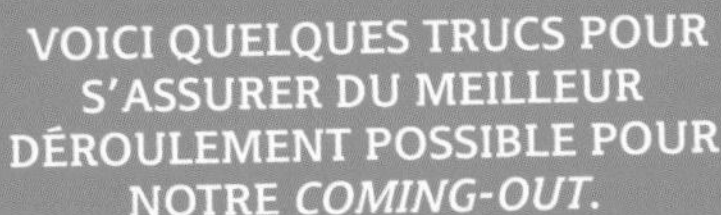

## VOICI QUELQUES TRUCS POUR S'ASSURER DU MEILLEUR DÉROULEMENT POSSIBLE POUR NOTRE *COMING-OUT*.

- Réfléchir à ce que l'on aimerait dire et à comment on aimerait le dire.
- Il est plus facile d'en parler d'abord à un ou une amie qu'avec un membre de sa famille.
- Prendre le temps de choisir le bon moment pour l'annoncer. Il est important que le climat soit le plus détendu possible et qu'on sente que la ou les personnes écoutent vraiment.
- Si on a une sœur ou un frère compréhensif, on peut lui en parler et lui demander son aide pour l'annoncer aux parents.
- Écrire une lettre est une autre façon de procéder. Cela permet de s'exprimer plus facilement, avec plus de précision et sans être interrompu.
- Finalement, il faut se rappeler qu'une orientation sexuelle ne se change pas. L'acceptation de celle-ci est aussi l'acceptation de qui on est. S'accepter, c'est s'estimer à sa juste valeur! D'ailleurs, l'estime de soi représente une des clés importantes pour accéder au bonheur et à l'épanouissement. On n'a qu'une vie à vivre, aussi bien la vivre heureux!

## *Pour aller plus loin :*

- ***Hoje eu quero voltar sozinho,*** (Au premier regard), Daniel Ribeiro
- ***Osti de fif,*** Jasmin Roy
- ***C.R.A.Z.Y.,*** Jean-Marc Vallée
- ***Les Feluettes,*** Michel Marc Bouchard

## *Les mythes de l'homosexualité*

*par Sarah-Jeanne Desrochers*

«J'ai entendu dire que…», «Est-ce que c'est vrai que?» C'est inimaginable le nombre de fois où j'entends une phrase concernant l'homosexualité qui commence par ces mots. Bien sûr, ils sont souvent suivis de propos loufoques et totalement erronés. D'accord, nous sommes en 2016-2017. Si l'on se compare à la génération précédente, on constate qu'un grand pas a été fait en ce qui concerne l'acceptation des différences. Malheureusement, je réalise qu'on parle encore beaucoup plus souvent de tolérance que de compréhension. On apprend aux autres à tolérer nos différences, mais il est rare qu'on prenne le temps de les leur expliquer. J'ai donc décidé de vous inviter dans mon salon pour que l'on se raconte les vraies choses. Ce que vous avez toujours voulu savoir, mais que vous n'avez jamais osé demander…

### Qui fait l'homme, qui fait la femme?

Mettons tout de suite quelque chose au clair: Pour former un couple, les lesbiennes cherchent habituellement à rencontrer… une autre femme. J'aime les femmes, je veux donc partager ma vie avec une personne de sexe féminin, et non avec une femme qui agit comme un homme! Bien sûr, il y a toujours dans un couple une partenaire plus féminine et une autre plus masculine, même si la ligne est parfois très mince. J'ai pour mon dire qu'il y a toujours plus féminine et plus masculine que soi. Et comme dans tous les couples, nous travaillons avec les forces et les faiblesses de chacune pour attribuer les tâches ménagères.

### Est-ce que c'est vrai qu'on peut se reconnaître entre nous?

Beaucoup de gens spéculent au sujet de l'existence d'un «gaydar», d'une espèce de radar interne qui permettrait aux gais de se reconnaître entre eux. Existe-t-il? Pour être honnête, je ne pense pas. Je me suis trompée trop de fois! J'ai réalisé que ce que je pensais être un sixième sens était plutôt un ensemble de stéréotypes peu fondés. Beaucoup de clichés existent, notamment en ce qui a trait à l'habillement ou à l'apparence physique. Malheureusement, personne n'a la mention «homosexuel» écrite sur le front. Ce serait plus simple, non? Mais la vie n'est pas un site de rencontre, et la seule façon de réellement savoir si une personne est homosexuelle est de lui poser la question. À condition d'y aller avec tact!

### Comment sait-on qu'on est attiré par quelqu'un du même sexe?

Au risque d'avoir l'air un peu vieux jeu, je dirais que c'est une histoire de papillons. Quand on est en amour, on est toute retournée, on a la tête dans les nuages, on voit l'autre dans sa soupe… Dans les cinq dernières années, je n'ai ressenti cela que pour des filles. À 23 ans, je m'identifie donc comme homosexuelle. Par contre, lorsque j'avais 18 ans et que j'ai commencé à avoir des sentiments pour des filles, j'étais un peu mélangée, et c'est quelque chose de tout à fait normal. J'ai suivi mon cœur et me suis dirigée vers la personne qui me faisait perdre tous mes moyens lorsque j'étais en sa présence, et il s'agissait d'une fille.

## Sujets connexes :

Maturité p. 359
Secret p. 452
Respect p. 441

# Honnêteté

## Une attitude à adopter

L'honnêteté ne se définit pas seulement par la capacité de dire la vérité aux autres.

Être honnête, c'est aussi une attitude qu'on adopte et qui nous pousse à agir de façon loyale et juste, c'est-à-dire à ne pas aller à l'encontre des lois et à éviter de blesser les gens qui nous entourent. Par exemple, c'est l'honnêteté qui nous incite à ne pas tricher, voler ou trahir sans avoir mauvaise conscience. Quelqu'un d'honnête, c'est quelqu'un qui fera tout ce qui est en son pouvoir pour regarder la réalité en face et qui aura le souci de ne pas tromper les autres ou de ne pas leur manquer de respect.

Quand on est honnête, les gens ont inévitablement tendance à nous faire confiance. Par exemple, si vous dites la vérité à vos parents au sujet de vos activités ou d'une sortie que vous prévoyez faire, et qu'ils savent qu'ils peuvent compter sur vous parce que vous ne leur mentez jamais, ils seront davantage portés à vous faire confiance et à vous accorder une plus grande liberté, car ils savent pertinemment qu'ils n'ont pas de souci à se faire. Certains professeurs font aussi aveuglément confiance à leurs élèves et ne restent pas nécessairement postés devant la classe tout au long des examens pour s'assurer que personne ne triche. Ils préfèrent se fier à l'honnêteté des élèves. Ces derniers ont malheureusement parfois tendance à abuser de cette confiance et à se chuchoter les réponses dès que le professeur a le dos tourné. L'honnêteté est en effet un exercice de contrôle et de respect de soi et des autres ; c'est une qualité qui se travaille et se développe avec le temps. Par conséquent, même si vous avez commis des erreurs de jugement dans le passé, il n'est jamais trop tard pour vous reprendre et pour devenir plus honnête.

Si, par exemple, vous vous rappelez que vous avez volé un jujube au dépanneur quand vous étiez petite, il ne sert à rien de vous ronger les sangs pour le reste de votre vie. Le simple fait d'avoir des remords vous prouve que vous êtes au fond quelqu'un d'honnête et que vous n'approuvez pas votre comportement. Il ne vous reste plus qu'à apprendre de vos erreurs et à ne plus jamais voler dans les dépanneurs.

***L'être humain est loin d'être parfait, et il doit parfois apprendre, alors ne croyez pas que vous êtes un monstre parce qu'il vous est déjà arrivé de manquer de jugement !***

Par ailleurs, l'honnêteté commence par soi-même. On doit apprendre à être honnête envers soi et à être capable de voir la réalité en face pour pouvoir être véritablement honnête dans les autres sphères de sa vie. Ce travail demande beaucoup de force intérieure et d'humilité, car on doit en quelque sorte faire face à ses « démons » et s'accepter telle qu'on est tout en assumant ses défauts et les erreurs qu'on a commises dans le passé afin de chercher à s'améliorer. L'honnêteté, c'est savoir assumer ses responsabilités, ses actes et ses fautes plutôt que de chercher à justifier son comportement à l'aide d'excuses futiles. Ce n'est pas parce que quelqu'un commet une erreur que vous devez suivre son exemple ; donc, l'erreur d'un autre n'excuse en rien le fait que vous ayez manqué de jugement. L'honnêteté, ce n'est pas seulement la capacité de ne pas agir contre la morale ou de ne pas tromper les autres ; c'est aussi la capacité de vous assumer telle que vous êtes, avec vos défauts et vos qualités, et d'admettre vos faiblesses. Il faut apprendre à vous connaître plutôt que de vous dissimuler derrière un masque. C'est en apprenant à être honnête envers vous-même que vous pourrez être plus sincère envers les autres et gagner leur confiance. Ce sentiment de confiance et de bien-être vous aidera probablement à vous sentir bien ou mieux dans votre peau, alors l'effort en vaut certainement la peine !

**Sujets connexes :**
Angoisse p. 154
Confiance p. 206
Timidité p. 476

# Honte

## Sentiment qui peut être violent

Avez-vous déjà eu l'impression de crouler sous l'effet de la honte ? Vous vous sentez devenir rouge comme une tomate, vos yeux sont rivés au sol, vos épaules s'affaissent et vous avez même les larmes aux yeux.

La honte est un sentiment qui peut être violent et nous placer dans un grand embarras. Rassurez-vous : bien souvent, il n'y a pas de quoi en faire tout un plat !

Dans la vie, il nous arrive parfois d'éprouver de la honte, et ce, pour toutes sortes de raisons. Parfois, on réalise qu'on a commis une erreur et on regrette amèrement ce qu'on a fait. On est alors ravagée par la honte et par les remords. Si vous avez triché, menti ou désobéi, bref, si vous savez que vous n'avez pas agi correctement, il est fort possible que vous ayez honte de vos actes et que vous ayez de la difficulté à marcher la tête haute et à faire face à la réalité.

On peut cependant éprouver de la honte dans des circonstances tout autres. Si vous vous retrouvez dans une situation gênante, par exemple si vous pétez devant la classe, si votre jupe reste coincée et que tout le monde voit votre culotte, si vous apprenez que le garçon dont vous êtes amoureuse est au courant de vos sentiments, il se peut fort bien que vous vous sentiez envahie par la honte et que vous ayez envie de disparaître de la surface de la planète.

*La honte survient lorsqu'on a peur du ridicule, lorsqu'on appréhende le regard et le jugement des autres. C'est un sentiment qui nous pousse à vouloir nous enfoncer six pieds sous terre ou à cesser de respirer durant plusieurs heures.*

Le sentiment de honte est intimement lié à un manque d'estime de soi, à la peur de ne pas être à la hauteur et de ne pas répondre aux attentes que les autres pourraient entretenir envers nous. Vous pouvez par exemple vous sentir honteuse parce que vous n'avez pas énormément d'expérience avec les garçons, parce que vous n'avez jamais été embrassée, parce que vous n'avez jamais bu d'alcool ou parce que vous n'avez jamais consommé de drogue. Dans ce cas, la honte que vous ressentez provient de l'impression de manquer d'expérience par rapport aux autres filles qui, elles, ont vécu plein de choses. Par conséquent, vous vous sentez nulle. Un peu de patience !

Qu'importe si vous n'avez jamais couché avec un garçon ou si vous n'avez jamais été rebelle! Vous êtes telle que vous êtes. L'important, c'est d'être intègre et de vous assumer en tant que fille responsable. Vous n'avez pas à avoir honte de ne pas avoir franchi d'étapes que vous n'êtes pas prête à traverser ou de ne pas avoir vécu certaines expériences si elles ne se sont pas encore présentées à vous, ou encore, si vous n'en avez carrément pas envie. Chacune évolue à son propre rythme. N'ayez surtout pas honte de ce que vous êtes, car tous ces complexes et cette hantise d'être nulle ne font de tort qu'à vous-même. C'est à vous de changer votre perception des choses. Je sais qu'on a parfois honte de ce qu'on fait ou qu'on est terrifiée par le regard des autres quand on se retrouve dans une situation gênante, mais mieux vaut garder la tête haute et assumer ses erreurs que de s'enfermer dans sa coquille et de nourrir sa propre vulnérabilité. Même les filles les plus cool commettent parfois des erreurs et sont ravagées par la honte. Tout le monde fait face au ridicule. Apprenez à vous relever lorsque vous faites une chute, à marcher la tête haute après avoir vécu une situation embarrassante et à ne pas accorder autant d'importance au regard et à l'opinion des autres. Je vous assure que tout ira mieux. Vous réaliserez alors que lorsque vous acceptez vos erreurs, que vous riez de vous-même et que vous faites face au ridicule et aux situations embarrassantes, personne ne peut véritablement se moquer de vous. La honte fait partie de la vie, et vous devez vous en servir pour former votre caractère et devenir plus forte. Alors, soyez courageuse et gardez la tête haute!

Lou! Je capote! Aujourd'hui, j'ai remarqué que tout le monde me dévisageait quand je marchais dans le corridor! Et que les nunuches me pointaient du doigt en riant (quoi que ça, ce n'est pas trop nouveau). Jeanne est alors arrivée en trombe pour me prévenir que ma jupe était coincée dans mes bas collants, et que tout le monde pouvait voir ma culotte... et pas n'importe quelle culotte: celle avec des nounours dessus. LA HONTE!
**Léa xox**

Sujets connexes :

Bonheur p. 185
Bonne humeur p. 187
Ouverture d'esprit p. 380

# Humour

## Une bonne dose de rire

On aime toutes avoir dans notre entourage quelqu'un de drôle qui est capable de nous faire rire dans n'importe quelle situation. De même, il est toujours flatteur de savoir que l'on est appréciée pour notre sens de l'humour. Humour absurde, subtil, ironie ou humour noir, il y en a pour tous les goûts

L'humour n'est pas une aptitude innée chez tous les individus. Il s'agit en fait d'un trait de personnalité et il est possible de le développer peu à peu. Certaines personnes ont plus de talent que d'autres et ont un goût plus prononcé pour l'humour.

Je suis sûre que certaines de vos amies vous font pleurer de rire tous les jours avec leurs blagues, ou qu'elles sont capables de vous faire sourire grâce à leur ton humoristique et à leur joie de vivre. Les gens qui ont moins le sens de l'humour ne sont pas moins sympathiques ou plus tristes; cela signifie simplement que, pour certains, savoir faire rire les gens est plus naturel que pour d'autres.

### L'humour, est-ce que ça s'apprend?

Si vous trouvez que votre sens de l'humour n'est pas assez développé, dites-vous qu'il n'est jamais trop tard pour changer. Il vous suffit d'être un peu plus réceptive à l'humour des autres et de faire un effort pour en comprendre les subtilités tout en gardant le sourire. Gardez un esprit ouvert. Vous verrez qu'il est possible de faire de l'humour même dans des situations qui ne semblent pourtant pas s'y prêter. Par exemple, si vous avez une peine d'amour ou que vous perdez votre portefeuille dans l'autobus, vous n'aurez certainement pas le cœur à la fête, mais si vous faites un effort et essayez de rire de la situation, vous constaterez rapidement que, finalement, ce n'est pas aussi dramatique que ça en a l'air.

L'humour n'est donc pas simplement lié aux blagues et au rire; c'est aussi une philosophie de vie et une façon de réagir aux situations qui se présentent devant vous et aux imprévus. Un bon sens de l'humour et une attitude optimiste vous permettent de tirer le meilleur de n'importe quel événement et d'éviter de faire tout un plat avec un rien.

Un bon moyen pour développer votre sens de l'humour est d'apprendre à rire de soi et d'accepter et même d'apprécier les petits défauts qui vous rendent unique. Par exemple, si vous êtes distraite, il n'est pas surprenant que vous perdiez sans cesse vos effets personnels. Il faut donc apprendre à vous accepter et à rire de votre étourderie plutôt que de faire un drame chaque fois que vous égarez votre stylo. Il est souvent plus facile et plus agréable de faire face aux embûches et à l'adversité lorsqu'on prend la vie avec un grain de sel.

## De mauvaises blagues

L'humour n'est pas toujours drôle, et vous devez veiller à ne pas blesser les gens qui vous entourent quand vous décidez de faire le clown. Quand quelqu'un fait une blague ou un commentaire qui se voulait drôle, mais qui manque de tact, il faut le lui dire; ainsi, elle/il saura faire plus attention la prochaine fois. Si vous avez vous-même tendance à faire des blagues qui choquent les gens, essayez de vous limiter à un répertoire de blagues un peu plus légères qui feront rigoler les autres sans les blesser inutilement. Tout le monde n'apprécie pas l'humour de la même façon, et une blague n'est pas toujours aussi drôle pour celui qui la reçoit que pour celui qui la dit. Par conséquent, faites preuve de jugement et optez pour la simplicité et la diplomatie plutôt que pour les blagues méchantes et un peu trop lourdes.

Il ne faut toutefois pas être trop susceptible lorsque quelqu'un fait une blague. Si vous jugez que son humour est vraiment déplacé et de mauvais goût, vous pouvez le lui faire savoir, mais si vous avez tendance à vous mettre dans tous vos états pour un rien et à ne jamais rire quand les autres font des blagues, c'est peut-être à vous de faire un effort pour être plus positive et pour sourire un peu plus.

N'oublions pas que l'humour sert à se détendre et permet de prendre la vie avec un grain de sel. Même si certaines journées sont plus difficiles que d'autres et qu'on a pas toujours envie de faire des blagues ou d'entendre celles des autres, souvenez-vous que parfois un bon éclat de rire peut retourner une situation et vous sauver d'une journée difficile!

# Hypocrisie

Sujets connexes :

Bitchage p. 183
Mensonge p. 361
Potins p. 417

## Gestes complètement opposés à ce qu'on pense

L'hypocrisie est une attitude commune dans la société, quelque soit l'âge.

Une personne hypocrite cherchera par exemple à faire semblant d'en aimer une autre alors qu'en fait, elle ne peut la supporter et déblatère sans cesse à son sujet. On fait donc preuve d'hypocrisie quand nos gestes sont complètement opposés à ce qu'on pense, et quand on joue la comédie et qu'on prétend aimer ou apprécier quelqu'un ou quelque chose alors que ce n'est pas vrai du tout.

Vous aurez malheureusement affaire dans votre vie à de nombreuses personnes hypocrites. Une fille peut sourire à une camarade et lui faire des compliments sur sa coupe de cheveux, mais se mettre à « bitcher » contre elle dès qu'elle a le dos tourné. Je sais que cette attitude est révoltante, et que c'est terriblement blessant d'avoir affaire à une personne hypocrite, puisqu'on se sent trahie et horriblement naïve. Il s'agit d'une tromperie et d'une mise en scène montée de toutes pièces pour nous faire croire qu'on nous apprécie. Au fond, on préférerait qu'on nous dise la vérité en face.

*En général, mieux vaut opter pour la franchise, l'honnêteté et la sincérité que de jouer la comédie et de se mentir à soi-même.*

Cela ne veut pas dire que vous deviez être blessante. Par exemple, si vous n'aimez pas la nouvelle coupe de cheveux de votre amie, vous n'êtes pas obligée de lui dire que c'est super pour ensuite rire d'elle dans son dos. Vous n'avez pas non plus à aller la voir pour lui dire que vous trouvez sa coiffure horrible. La meilleure solution, c'est de faire preuve de tact. Gardez vos remarques et vos pensées mesquines pour vous-même, et si elle vous demande sincèrement ce que vous en pensez, vous

pouvez simplement lui dire que ça fait changement et que vous avez besoin d'un peu de temps pour vous y faire !

En fait, il existe toutes sortes de façons d'être hypocrite. Quand une fille ne cesse de dire des méchancetés au sujet d'une autre fille, mais qu'elle se comporte comme si elle était sa meilleure amie lorsqu'elle est en sa présence, il s'agit d'hypocrisie pure et simple. Cette attitude mesquine risque de blesser profondément les gens concernés. Il ne faut toutefois pas condamner toutes les formes d'hypocrisie. Parfois, on est obligée de jouer la comédie pour faire preuve de politesse et de savoir-vivre. Si vous n'êtes pas capable de supporter les parents de votre petit ami, vous n'irez certainement pas le lui dire et vous voudrez éviter d'être désagréable en leur présence. Vous êtes obligée de rester souriante et de faire semblant de les apprécier pour faire preuve de politesse. On peut aussi être hypocrite pour éviter de blesser les gens. Si votre tante peint sa maison d'une couleur que vous trouvez sincèrement affreuse, vous ne voudrez peut-être pas le lui dire en plein visage

de peur de lui faire de la peine. De plus, on doit parfois avoir recours à l'hypocrisie pour respecter la bienséance. Si vous êtes dans une soirée et que vous êtes en colère contre une personne, il vaut parfois mieux faire semblant de rien pour éviter de faire une scène devant tout le monde et de ruiner la fête. On doit alors jouer la comédie jusqu'à ce qu'on se retrouve en tête-à-tête avec cette personne et qu'on puisse lui expliquer les raisons de notre mécontentement.

Bref, bien qu'elle soit parfois nécessaire, l'hypocrisie est généralement une attitude lâche qui ne cause que des ennuis. On se méfie souvent des gens hypocrites, car on sait qu'ils risquent de nous trahir à tout moment. On ne peut pas se fier à ce qu'ils disent ou à ce qu'ils font, car on ne sait jamais vraiment ce qu'ils pensent.

*Il s'agit par ailleurs souvent d'une attitude d'autodéfense que des gens vont adopter pour se protéger et éviter que les autres ne s'attaquent à eux.*

Quoi qu'il en soit, nous avons toutes été hypocrites à un moment ou à un autre de notre vie, et je suis certaine que l'expérience ne vous a pas rendue très fière de vous. Sans être blessante ou trop directe, mieux vaut être franche et honnête envers les gens. Efforcez-vous de limiter vos contacts avec les personnes que vous ne pouvez pas supporter plutôt que de jouer la comédie. Cela évitera bien des histoires et des malentendus !

**Sujets connexes :**
Confiance p. 206
Conscience p. 210
Être cool p. 271

# Identité

## Traits qui nous rendent unique

L'identité, ce sont les traits de personnalité et de caractère qui nous distinguent des autres.

En gros, ce sont les qualités et les défauts qui forment notre caractère et qui rendent chacune de nous si unique.

Divers facteurs façonnent notre identité : l'expérience, le bagage personnel, l'environnement social et familial, les gens qui nous entourent, la façon dont nous avons été élevées, nos amis, la société dans laquelle nous évoluons, etc.

À l'adolescence, le concept d'identité est toutefois assez ambigu. Vous êtes déchirée entre la petite fille que vous étiez et la femme que vous êtes en train de devenir. Vous êtes encore en train de cerner qui vous êtes et, la plupart du temps, vous ne comprenez même pas vos propres réactions. Comme vous êtes en train de changer et de former votre caractère, vous n'avez pas eu le temps de vous habituer à votre personnalité, ni de bien saisir qui vous êtes et ce qui vous arrive. Certes, les gens autour de vous sont capables de vous dire comment ils vous perçoivent, mais, généralement, vous ne comprenez pas vraiment pourquoi ils vous voient ainsi. Vous êtes donc déchirée entre la façon dont les autres vous voient, l'image que vous projetez en public, les attentes des gens autour de vous et la jeune femme que vous souhaitez devenir. Il n'est pas facile d'y voir clair et de bien comprendre qui vous êtes et ce qui vous distingue des autres, mais prenez votre mal en patience, car l'identité se développe tout au long de votre vie, et vous êtes en train de traverser une période de changements majeurs.

Il y a diverses façons d'apprendre à se connaître davantage. Lorsqu'une amie vous décrit ou vous explique de quelle façon elle vous perçoit, n'hésitez pas à lui demander pourquoi elle vous voit ainsi afin de mieux comprendre. Par exemple, vous vous considérez peut-être comme

une fille extrêmement sensible, alors que votre amie s'entête à vous dire que vous êtes l'une des personnes les plus fortes et les plus fonceuses qu'elle connaisse. Cela peut vous permettre de constater que lorsque vous êtes en présence des autres, vous adoptez une attitude de dure à cuire pour vous protéger ou pour cacher cette sensibilité. On peut donc apprendre à se connaître par le regard des autres (sans toutefois se laisser leurrer par leur vision), et surtout par la perception des gens qui nous connaissent le mieux.

De plus, les expériences que vous vivez, que ce soient les crises que vous traversez ou les aventures incroyables dans lesquelles vous vous lancez, sont toutes susceptibles de forger votre identité. Nous apprenons toujours de nos expériences, et surtout des erreurs que nous commettons. C'est pour cette raison qu'il ne faut pas trop dramatiser lorsque nous traversons une période difficile ; même si nous sentons que la vie n'a plus aucun sens et que nous sommes complètement découragées, ce sentiment de vulnérabilité temporaire nous pousse à devenir plus fortes et à travailler sur nous-mêmes. C'est souvent dans les moments de grande détresse personnelle que nous faisons le plus d'introspection et que nous apprenons le plus sur nous-mêmes.

Si ce que je vous raconte vous semble étrange et que vous ne comprenez toujours pas « qui vous êtes », ne vous arrachez pas les cheveux. Je me souviens qu'à 14 ans, quand je lisais une revue et qu'on me conseillait d'être fidèle à mes principes et à moi-même, j'avais de la difficulté à comprendre car je ne savais pas encore vraiment qui j'étais. Plus de 10 ans plus tard, je sens qu'il me reste encore beaucoup de chemin à faire pour bien saisir qui je suis et ce que je vis. Par conséquent, ne vous découragez pas. L'identité se forme au fil des années, et vous apprendrez énormément des expériences que vous vivrez, des connaissances que vous acquerrez, du milieu dans lequel vous évoluerez et des gens que vous côtoierez, alors, prenez une chose à la fois! Même les erreurs que vous commettrez vous permettront d'apprendre et d'agir différemment dans l'avenir.

Pour bien apprendre à vous connaître, soyez donc à l'écoute des gens qui vous aiment et efforcez-vous d'être honnête avec vous-même. Si vous savez que vous êtes têtue, assumez-vous, c'est ce qui forme votre caractère! On peut corriger ses défauts et même les faire disparaître avec le temps, mais dites-vous que ce sont eux aussi qui vous rendent humaine! De plus, ne vous laissez pas influencer par la pression ou le regard des autres et des gens que vous trouvez cool. Apprenez à fixer vous-même vos limites et à établir ce qui vous plaît et ce qui ne vous plaît pas. Trouvez votre propre style et assumez-vous telle que vous êtes, car c'est votre assurance et votre confiance qui feront de vous une meilleure personne. Ne laissez personne vous forcer la main si vous ne vous sentez pas à l'aise. C'est dans ces moments-là que vous devez prendre conscience de ce que vous êtes. Au fond, vous êtes la petite voix intérieure qui s'exprime et que vous refusez trop souvent d'écouter. Laissez-lui sa place.

Tâchez aussi de vous entourer de gens avec qui vous vous sentez bien et qui vous font grandir, plutôt que de traîner avec ceux qui vous rabaissent et qui ne vous respectent pas telle que vous êtes. Pour le reste, je vous assure que le temps fera son œuvre. Peu à peu, vous y verrez plus clair dans cette histoire d'identité et vous pourrez vous comprendre et vous décrire avec plus de certitude et de précision.

# ITSS

**Sujets connexes :**
Contraception p. 212
Première fois p. 423
Sexualité p. 456

**Maladies infectieuses**

Les infections transmissibles sexuellement et par le sang (ITSS) sont des infections qui se transmettent par voie sexuelle et sanguine. La plupart de ces maladies peuvent être contractées lors des rapports sexuels oraux, vaginaux ou anaux, que ce soit par le contact des muqueuses, de la peau, du sang ou d'autres fluides corporels.

## Les principales ITSS

On entend souvent parler du sida et du VIH à cause des conséquences désolantes qu'ils entraînent, mais sachez qu'il existe beaucoup d'autres types d'ITSS très communes chez les jeunes filles de votre âge. L'herpès génital, les condylomes, la chlamydia, la gonorrhée et la syphilis sont des infections assez répandues. La plupart de ces maladies peuvent être soignées rapidement par la prise de médicaments. Cependant, l'herpès génital (tout comme l'herpès buccal, autrement dit, les « feux sauvages ») est incurable et se manifeste sous forme d'éruptions cutanées tout au long de la vie. Pour ce qui est du sida, il n'existe à l'heure actuelle aucune façon de guérir l'infection, mais seulement des traitements pour limiter ses effets sur le système immunitaire.

## Le condom à tout prix !

Il n'existe pas des milliers de façons de prévenir les ITSS. Le port du condom est dans la plupart des cas la solution pour éviter les mauvaises surprises. Vous devez toutefois être très prudente durant les préliminaires; évitez les contacts entre les muqueuses des organes génitaux si votre partenaire n'a pas encore enfilé le condom. Comme je vous le disais plus tôt, bien que les risques soient moins élevés, un simple contact peut suffire pour transmettre une infection. Ne vous laissez surtout pas convaincre par un garçon qui insiste pour ne pas mettre de préservatif sous prétexte

qu'il n'aime pas cela, que ça l'empêche d'éprouver des sensations ou qu'il est persuadé de n'avoir aucune infection. Avant de laisser tomber le préservatif et de faire confiance à l'autre, vous devez d'abord passer tous les deux un test de dépistage pour vous assurer d'être bien en santé. Et puis, pensez-y : si ce garçon vous sert ces prétextes, c'est certainement qu'il les a servis à d'autres filles, alors ça ne vaut pas la peine de prendre des risques inutiles et de jouer avec votre santé pour un garçon en qui vous n'avez pas totalement confiance. Sachez par ailleurs que plusieurs garçons ne ressentent aucun symptôme lorsqu'ils contractent une ITSS, mais peuvent tout de même la transmettre à leurs partenaires. Il est donc conseillé de passer un test de dépistage de temps à autre pour vous assurer que tout va bien et que vous êtes bel et bien en santé.

## Les symptômes

Dans la plupart des cas, les filles atteintes d'une ITSS ont des pertes vaginales plus abondantes que d'habitude. Ces pertes sentent souvent très mauvais et peuvent être jaunâtres ou même verdâtres. Si vous ressentez des brûlures en urinant, une sensation de brûlure ou de picotement au vagin, des douleurs dans le bas-ventre (qui ne sont pas dues à vos règles!) ou si vous constatez des lésions sur vos organes génitaux (petits boutons, plaies, irritation), consultez immédiatement votre médecin. Il est important d'agir rapidement lorsque vous contractez une ITSS, car bien que les conséquences à court terme ne soient pas dramatiques, une infection non traitée peut avoir des conséquences très graves à long terme (elle peut entraîner la stérilité, par exemple).

Si vous contractez une ITSS, n'en ayez surtout pas honte. Je sais que c'est un peu tabou et que ça peut même vous dégoûter d'entendre toutes ces histoires de maladies, mais sachez que c'est assez commun chez les jeunes. Il ne suffit parfois que d'une simple malchance pour attraper une ITSS, d'où l'importance de vous montrer extrêmement prudente lors de vos rapports sexuels. Attendez avant de faire aveuglément confiance à votre partenaire et soyez responsable. Je vous assure que vous ne le regretterez pas.

Avoir une ITSS ne signifie pas qu'on soit malpropre. Si vous apprenez qu'une amie souffre ou a souffert d'une ITSS, ne la jugez pas trop vite. Ce sont des choses qui peuvent arriver à n'importe qui. Il est important d'être là pour elle et de lui faire comprendre qu'il n'y a pas de honte à cela. Ne devenez pas parano: vous ne contracterez pas son infection en la touchant ou en lui faisant un câlin! Vous pouvez par ailleurs l'encourager à faire plus attention la prochaine fois et à utiliser le condom lors de ses rapports sexuels. Quant à vous, servez-vous de cette mauvaise expérience comme d'une leçon: les ITSS peuvent frapper n'importe qui et elles n'arrivent pas qu'aux autres. Utilisez un condom, et ce, même avant la pénétration. Il ne faut pas non plus devenir psychotique en ce qui concerne les lieux publics. On n'attrape pas une ITSS en frôlant les gens ou en essayant une chemise dans un magasin. En conclusion, soyez prudente et responsable, et n'hésitez pas à vous informer auprès de l'infirmière de l'école, d'un CLSC, de votre médecin ou sur internet si vous avez des doutes ou des questions concernant les ITSS. Pour de plus amples renseignements, consultez le tableau qui suit pour connaître les symptômes particuliers, les conséquences et les traitements adéquats de chacune des principales ITSS.

**POUR PASSER UN TEST DE DÉPISTAGE**

- Appelez **Info-Santé** au **811**
- Communiquez avec l'infirmière de votre école ou CLSC
- Communiquez avec votre médecin

| | Symptômes | Mode(s) de transmission | Principales complications | Diagnostic | Traitement | Comment diminuer les risques de contamination |
|---|---|---|---|---|---|---|
| HERPÈS GÉNITAL | Inexistants ou démangeaisons, brûlures, petits boutons, plaies au niveau des organes génitaux et gonflement des ganglions de l'aine | - Par voie sexuelle, mais de simples contacts entre les muqueuses, sans pénétration, suffisent<br>- De la mère à l'enfant pendant l'accouchement.<br>- Par le baiser (on parle ici d'herpès buccal) | - Impact psychologique important en raison de la chronicité de la maladie (anxiété, dépression, perte de confiance en soi…)<br>- Conséquences graves pour le nouveau-né | - Culture après prélèvement local<br>- Prise de sang dans certains cas | - Antiviraux pour diminuer la contagiosité, pour réduire la douleur, la durée et la fréquence des crises | - Pendant les éruptions : préservatif et traitement antiviral<br>- En dehors des éruptions : préservatif et traitement antiviral (si éruptions fréquentes) |
| GONORRHÉE | Parfois inexistants ou :<br>- chez la femme, pertes blanches, inflammation du col ou du vagin, douleurs au bas-ventre;<br>- chez l'homme, brûlures importantes lors de la miction, écoulement de pus à l'extrémité du pénis | - Par voie sexuelle, transmissible même sans manifestations physiques<br>- De la mère à l'enfant | - Risques de stérilité chez la femme comme chez l'homme<br>- Complications oculaires chez le nouveau-né<br>- Salpingite.<br>- Infection des trompes | - Prélèvement local | - Antibiotiques | - Préservatif |
| SYPHILIS | - Petite lésion (chancre) non douloureuse sur le vagin, le gland, la marge anale, le rectum, la bouche ou dans la gorge | - Par voie sexuelle.<br>- De la mère à l'enfant | - Syphilis secondaire en cas d'absence de traitement du chancre<br>- Apparition de petites taches roses sur le torse et les bras<br>- Évolution grave vers la syphilis tertiaire si non traitée | - Examen sanguin possible, car passage du microbe dans le sang | - Antibiotiques | - Préservatif |
| CONDYLOMES | - Excroissances ressemblant à des verrues sur les organes génitaux et sur l'anus. Parfois non visibles à l'œil nu et non douloureuses, isolées ou groupées | - Par voie sexuelle<br>- De la mère à l'enfant | - Chez la femme : cancer du col de l'utérus | - Observation des excroissances<br>- Test à l'acide acétique<br>- Frottis du col<br>- Biopsie cutanée | - Traitement local par un spécialiste : suppression par azote liquide, par laser au $CO_2$ ou par électro-coagulation | - Préservatif tant que la contagion persiste<br>- Surveillance prolongée afin de dépister une récidive |

| | Symptômes | Mode(s) de transmission | Principales complications | Diagnostic | Traitement | Comment diminuer les risques de contamination |
|---|---|---|---|---|---|---|
| VPH | - Démangeaisons<br>- Inconfort et saignements pendant les relations sexuelles<br>- Verrues génitales | - Par voie sexuelle (pénétration ou contacts intimes comme le frottement des organes génitaux)<br>- De la mère à l'enfant (rare) | - Cancers (utérus, vulve, anus, gorge)<br>- Risque de contracter l'infection de nouveau | - Inspection visuelle (verrues)<br>- Prélèvement local | - Aucun traitement connu<br>- Crème antibiotique pour aider les verrues à se résorber | - Vaccin<br>- Préservatif |
| CHLAMYDIA | - Inexistants ou limités à des picotements urinaires, douleurs au bas-ventre ou pendant les rapports<br>- Pertes vaginales<br>- Sécrétions à l'extrémité de la verge | - Par voie sexuelle.<br>- De la mère à l'enfant | - Chez la femme : infection des trompes pouvant entraîner la stérilité ou des grossesses extra-utérines<br>- Chez l'homme : diminution de la fertilité<br>- Atteinte pulmonaire et oculaire chez le nouveau-né | - Prélèvement cervical<br>- Prélèvement d'urine<br>- Prise de sang dans certains cas | - Antibiotiques | - Pendant le traitement, rapports protégés ou abstinence sexuelle |
| VIH / SIDA | - Syndrome pseudogrippal au moment du premier contact avec le virus | - Par voie sexuelle<br>- Par le sang<br>- De la mère à l'enfant | - Stade de sida déclaré : affaiblissement des défenses immunitaires, développement de maladies infectieuses, de cancers et de tumeurs malignes touchant différents organes (cerveau, peau, poumons…) | - Prise de sang | - Antirétroviraux pour diminuer la multiplication du virus et ralentir la progression de l'infection | - Préservatif |
| HÉPATITE B | - Inexistants au niveau génital<br>- Fièvre, fatigue, jaunisse dans% des cas | - Par voie sexuelle<br>- Par le sang<br>- De la mère à l'enfant | - Maladies graves du foie (cirrhose et/ou cancer) | - Prise de sang | - Par la phase aiguë : traitement des symptômes (fièvre, jaunisse…)<br>- Pendant la phase chronique : bithérapie | - Vaccination du ou des partenaires sexuels<br>- Préservatif |

Source : Association Paramour : <paramour-asso.com>.

# Intimidation

**Sujets connexes :**

Bitchage p. 183
Potins p. 417
Solitude p. 458

## Un problème très présent

Au cours des dernières années, on a beaucoup parlé du phénomène de l'intimidation et de la cyberintimidation dans l'actualité. De plus, de nombreuses filles m'ont écrit pour me confier qu'elles étaient victimes d'intimidation et de rejet, ou alors qu'elles avaient été témoins d'actes agressifs envers des camarades de classe. Il s'agit d'une problématique qui m'affecte énormément, et c'est important que toutes les victimes comprennent qu'elles n'ont pas à endurer un tel sort et qu'elles n'ont absolument rien à se reprocher.

### Pourquoi intimider?

Il va de soi que l'intimidation est un véritable fléau dans les écoles. Ce qu'on ignore toutefois, c'est ce qui incite les bourreaux à agir ainsi. Plusieurs de ceux qui décident de s'en prendre gratuitement aux autres ne réalisent pas toujours l'impact que leurs gestes et leurs paroles peuvent avoir sur leurs victimes. Quoi qu'il en soit, vous devez savoir que personne ne mérite de se faire traiter de façon irrespectueuse, et que si vous ou une personne de votre entourage êtes victimes d'intimidation, c'est essentiel d'agir pour y mettre un terme au plus vite.

### Comment faire pour que cela cesse?

Nombreuses sont les victimes d'intimidation qui se taisent de peur des répercussions. Si quelqu'un de votre école s'en prend constamment à vous, je comprends que vous craigniez d'attirer ses foudres en le dénonçant, mais je vous assure que si vous ne faites rien, les choses ne s'amélioreront pas. La première chose à savoir lorsqu'on est témoin ou victime d'intimidation, c'est que rien ne justifie un tel comportement, et qu'il ne faut pas se laisser faire. Il se peut que la personne qui s'acharne sur vous vous en veuille pour une raison que vous ignorez et que plutôt que de vous en parler, elle réagisse en vous insultant et en vous rabaissant. Vous pourrez donc décider d'en discuter directement avec cette personne pour comprendre ce qui motive son comportement et pour lui expliquer que son agressivité vous blesse et vous dérange. Une discussion calme et honnête peut parfois suffire à régler les malentendus et mettre un terme au conflit. Si toutefois vous constatez que votre bourreau ne veut rien entendre et qu'il se moque complètement de ce que vous lui dites, alors il ne faut pas hésiter à le dénoncer à un adulte de confiance pour qu'il comprenne qu'il ne peut pas agir de la sorte sans qu'il y ait des conséquences à ses agissements.

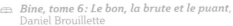

### *Pour aller plus loin :*

- *Bine, tome 6 : Le bon, la brute et le puant*, Daniel Brouillette
- *Au delà des apparences*, Isabelle Boisvert, coll. Tabou

Si vous réalisez qu'une amie ou un camarade est tombé dans les griffes d'un intimidateur, n'ayez pas peur non plus d'en parler à quelqu'un et d'agir pour que l'intimidation cesse au plus vite.

Vous pouvez aussi l'encourager à en discuter avec un adulte en qui il ou elle a confiance et à se confier pour redorer son estime de soi.

La plupart des cas d'intimidation se déroulent devant les autres. Lorsqu'une telle situation survient, il ne faut pas prendre part au spectacle ou encourager les intimidateurs. Il est préférable de s'adresser à un responsable pour dénoncer les actes déplacés et chercher à y mettre fin rapidement.

Dites-vous que tant et aussi longtemps que vous garderez le silence, les personnes qui intimident les autres resteront protégées et n'auront pas à vivre les conséquences de leurs actions. C'est donc hyper important que vous dénonciez tous les actes violents dont vous êtes témoin !

## La cyberintimidation

Depuis la création des réseaux sociaux, l'intimidation a pris une tournure encore plus vicieuse. Avant, vous pouviez en effet trouver refuge entre les quatre murs de votre maison, mais aujourd'hui, le harcèlement vous poursuit même sur vos ordinateurs.

Ce qu'il faut savoir, c'est ce que ce n'est pas parce qu'une insulte est écrite sur Facebook qu'elle fait moins mal que si elle avait été dite en face. Lorsque vous écrivez un commentaire, assurez-vous toujours de ne pas blesser autrui inutilement. Et si vous avez un doute, abstenez-vous. Je crois que la meilleure façon de savoir si vous avez dépassé les bornes est de vous mettre dans la peau de celui ou de celle qui reçoit votre commentaire.

Enfin, si vous êtes victime de cyberintimidation, il est essentiel d'intervenir pour que ça cesse au plus vite. Il ne faut pas vous renfermer ni vivre cela toute seule. Le film *1:54* de Yan England ou la série *13 reasons why* sont de bons exemples des risques que cela pourrait entraîner. Ce qu'on retient : il vaut toujours mieux parler et partager que de souffrir en silence, et surtout il faut dénoncer vos bourreaux.

Pour plus d'information ou pour du soutien, la fondation Jasmin Roy vient en aide aux victimes d'intimidation et à leurs familles : **<fondationjasminroy.com>**

# Jalousie

**Sujets connexes :**
Amour p. 147
Couple p. 220
Honnêteté p. 319

## Un sentiment pas toujours agréable

La jalousie est un sentiment normal chez l'être humain. Il nous arrive à toutes d'éprouver de la jalousie en voyant notre petit ami parler à une autre fille. Il est même sain d'éprouver un peu de jalousie de temps à autre; ça prouve qu'on tient aux gens qu'on aime et qu'on ne veut pas les perdre.

On peut éprouver un autre type de jalousie en admirant le nouveau pantalon de notre copine ou en contemplant une fille qu'on trouve vraiment jolie. On doit toutefois se méfier de ne pas tomber dans le piège de l'envie excessive et de la jalousie maladive. Il ne faut pas étouffer les gens qu'on aime à cause de notre propre insécurité, pas plus qu'il ne faut se montrer méchante envers ceux qu'on envie.

Quand on est jalouse, c'est souvent parce qu'on doute de soi-même mais aussi des gens qu'on aime. On ressent de l'insécurité et on ne veut surtout pas perdre leur amour et leur amitié. Rappelez-vous toutefois que ce n'est pas parce que vous manquez de confiance en vous que vous devez étouffer les autres. Pourquoi arrêteraient-ils de vous aimer du jour au lendemain ? Ils méritent votre amour tout autant que vous méritez leur tendresse et leurs attentions, et vous devez apprendre à faire confiance aux gens et à ne pas craindre sans cesse de les perdre. Vous devez apprendre à dominer vos peurs et à acquérir une plus grande estime de vous-même (oui, je sais c'est facile à dire mais c'est réellement possible avec du travail sur soi-même !).

### *La jalousie est aussi souvent liée à l'envie.*

Chaque fille peut se révéler envieuse de la nouvelle tenue d'une camarade, du bulletin de sa copine s'il est plus respectable que le sien, du lunch appétissant de son voisin de table et de toute la liberté dont jouit son grand frère. Bien que ce soit parfois normal d'envier quelque peu les autres, vous devez apprendre à apprécier ce que vous avez et à ne pas entretenir d'envies malsaines. Parfois, on envie tellement

une autre fille qu'on devient méchante envers elle. On se met à parler dans son dos et à la rejeter du reste du groupe alors qu'au fond, on sait très bien qu'on le fait par jalousie. Vous devez donc être très prudente et ne pas vous laisser gouverner par ce sentiment mauvais. Cessez de vous comparer aux autres et appréciez-vous telle que vous êtes. À force de faire des crises de jalousie à votre amoureux, vous risquez de créer des conflits qui ne vous rendront pas plus heureuse ! Lorsque vous agissez ainsi, vous faites preuve d'une grande insécurité, et il en déduira peut-être que vous ne lui faites pas confiance et que vous croyez qu'il lui suffit de parler à une fille pour s'en amouracher. Ça peut être très vexant pour lui de constater qu'il ne mérite pas votre confiance. Si vous apprenez à surmonter vos propres insécurités et à acquérir davantage de confiance en vous, vous n'aurez aucune raison de vous en faire puisque vous réaliserez que vous êtes aussi géniale que la fille que vous enviez, que votre style est tout aussi original et que ni votre

## Pour aller plus loin :

*La parure*, Guy de Maupassant

amoureux, ni votre meilleure amie ne vous laisseront jamais tomber sans raison.

Songez également à vos amis, à votre famille et à tous les gens qui vous entourent et qui vous aiment. Pensez à votre vie, à vos rêves, à ce que vous avez accompli et à tout ce que vous désirez faire dans l'avenir. Faites la liste de vos qualités et vous réaliserez que ce sont ces qualités (et mêmes certains défauts) qui font de vous une personne unique que vos amis ou votre copain apprécient ! Nous sommes tous différents et rappelez-vous que c'est votre unicité qui fait que les gens qui vous aiment, vous aiment !

Salut, Manu.
Sarah Beaupré m'énerve. Elle tourne autour de Thomas et je vois bien qu'elle a un kick sur mon chum. Je sais que ce n'est pas sain, mais je n'aime pas qu'elle soit proche de lui, car j'ai peur qu'elle lui mette le grappin dessus ! Je suis vraiment jalouse. Qu'est-ce que je devrais faire ?
**Léa xox**

# Journal intime

**Sujets connexes :**

Adolescence p. 138
Confidente p. 208
Secret p. 452

**Un journal ne pourra jamais vous juger.**

À l'adolescence, on vit souvent des choses difficiles ou on traverse des périodes de grande insécurité, et on ne sait pas trop vers qui se tourner. C'est à cela que sert un journal intime.

Quelle que soit l'expérience que vous viviez ou la crise que vous traversiez, il est toujours bon d'extérioriser ce que vous ressentez et d'apprendre à exprimer vos émotions. Je sais que vous vous sentez parfois seule, et que vous croyez que personne ne peut vous comprendre, mais un journal ne pourra jamais vous juger, puisque c'est vous qui en êtes maîtresse et qui décidez ce que vous désirez y raconter.

Les journaux intimes ne sont pas pour toutes les filles. Certaines n'ont aucune difficulté à se confier à leurs amies et ne ressentent pas le besoin d'écrire. Pour d'autres, la tâche est plus ardue et elles aiment pouvoir compter sur un tel confident. La fréquence à laquelle vous écrivez dans votre journal et la façon dont vous vous adressez à ce dernier sont également des aspects très personnels. Certaines filles écrivent de façon assidue, alors que d'autres préfèrent se confier à leur journal en cas d'extrême urgence. Ce confident répond à un besoin, alors vous seule pouvez décider de ce que vous voulez en faire. Il y a des filles qui ont l'âme plus créative et qui aiment coller des photos ou écrire des poèmes dans leur journal. D'autres écrivent pour confier leurs secrets les plus intimes, exprimer leurs sentiments, leurs pensées ou leurs angoisses.

Un journal intime est donc plus qu'un confident; il peut aussi servir de thérapie pour celles qui ont de la difficulté à se confier aux autres. Il leur donne la possibilité de s'exprimer sans pudeur et leur apprend à mettre le doigt sur leurs angoisses, leurs inquiétudes et leurs insécurités. Une fois que cette étape difficile sera terminée, vous aurez peut-être moins envie d'écrire quotidiennement dans votre journal, mais je vous conseille quand même de le conserver comme souvenir de jeunesse.

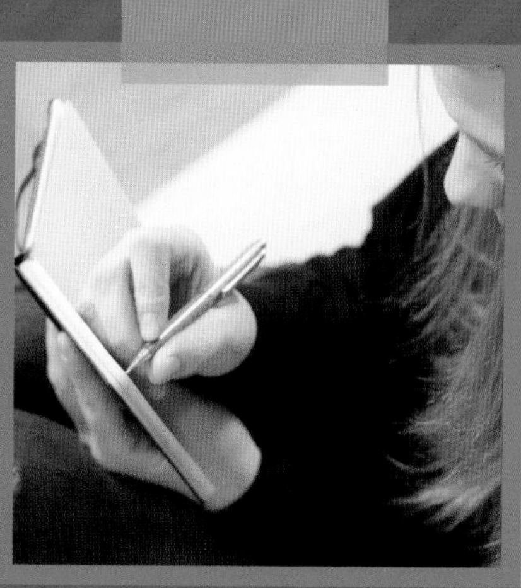

*C'est là que vous allez apprendre à vous connaître et à vous dévoiler.*

De plus, même si vous êtes plus vieille et que vos problèmes d'adolescente vous semblent complètement anodins, il se peut très bien que vos insécurités ressurgissent un jour ou que vous retraversiez une période difficile. Votre journal pourra alors vous servir de guide et vous rassurer dans vos moments de panique, puisqu'il vous rappellera ce que vous avez traversé et la façon dont vous vous en êtes sortie. Il vous confirmera peut-être à quel point vous avez changé et mûri, ce qui vous donnera encore plus de confiance en vous.

Si vous vous sentez triste, angoissée ou déprimée sans trop savoir pourquoi, un journal intime peut aussi vous permettre de faire le ménage dans vos pensées et d'y voir plus clair. En écrivant, on met souvent

## Pour aller plus loin:

- *Le journal d'Anne Frank*
- *Mon nez, mon chat, l'amour et moi,* Louise Rennison

le doigt sur ce qui nous tracasse et on se sent beaucoup mieux après, comme si un poids avait été enlevé de nos épaules. Si vous ne ressentez pas du tout le besoin d'écrire un journal ou que vous savez que vous n'aurez jamais la discipline pour écrire dedans, ne vous forcez pas à le faire, mais si vous pensez que cela peut vous être utile, n'en ayez surtout pas honte. Il s'agit d'un outil de développement personnel, et rien ne vous oblige à en parler aux autres. Veillez toutefois à le tenir loin des regards indiscrets et, dans la même veine, n'allez surtout pas fouiner dans celui de quelqu'un d'autre. Un journal intime est extrêmement personnel et confidentiel, et lorsqu'on se confie à son journal, on le fait en sachant bien que personne ne pourra le lire et nous juger. On ne doit donc pas envahir le jardin secret des autres au même titre qu'on ne voudrait pas que le nôtre soit étalé à la vue de tous. À chacune ses secrets et ses petites confidences.

# Justice

## Vivre dans l'égalité et l'impartialité

**Sujets connexes :**
Accommodement raisonnable p. 134
Exclusion sociale p. 274
Droits humains p. 247

Du point de vue de l'individu, la justice est une qualité morale qui vise la reconnaissance et le respect des droits des individus de manière impartiale. Elle permet aux gens d'obtenir ce qui leur est dû.

Dans un contexte social, c'est le système judiciaire qui est garant de la justice. Il détermine les droits de chacun et fait appliquer les lois. Pour vivre dans l'égalité et dans l'impartialité, les gens qui composent une société doivent suivre les règles et les lois qui leur sont imposées tout en respectant les droits d'autrui. Lorsque quelqu'un commet un crime ou enfreint une règle, la justice prévoit qu'il paie pour sa faute et qu'il apprenne de ses erreurs. Les conséquences qui lui sont imposées doivent être justes et proportionnelles au crime qui a été commis. Par exemple, si vous parlez en même temps que le professeur, vous privez ce dernier de son droit de parole, et vos camarades de classe des explications auxquelles ils ont droit. Il est donc juste que vous payiez pour votre faute.

*La justice est également une vertu qui encourage à la réciprocité et à l'équité.*

On doit payer le juste prix d'un vêtement pour l'obtenir, tout comme on a le droit d'exiger la parole lors d'un débat. La justice n'est pas là pour nous mettre des bâtons dans les roues; elle est là pour s'assurer que tout le monde soit sur un pied d'égalité et puisse vivre en société en faisant respecter ses droits et en respectant la liberté d'autrui. La justice permet aussi d'imposer des valeurs morales et des barèmes visant à assurer l'harmonie et la paix sociales.

Il ne faut toutefois pas confondre la justice et la vengeance. Si quelqu'un commet un crime, l'objectif n'est pas de lui faire subir la même chose ou de lui faire regretter amèrement ce qu'il a fait en ayant

recours à la violence et au chantage. La justice doit donner le bon exemple ; elle doit encourager à faire le bien et non le mal. On doit faire comprendre au fautif qu'il a mal agi en l'obligeant à réfléchir à ses actes par une sanction juste et proportionnelle au crime qu'il a commis. Il peut s'agir d'une amende ou d'une peine d'emprisonnement pour un criminel, ou encore d'une retenue ou d'une interdiction de sortir, dans le cas de fautes mineures comme celles qu'on peut commettre à l'adolescence. Par exemple, quelqu'un conduisant une voiture en état d'ébriété se verra confisquer temporairement son véhicule et retirer son permis de conduire puisqu'il n'a pas été capable d'assumer ses responsabilités, c'est-à-dire de conduire en suivant les règles et en respectant la sécurité des autres usagers de la route. La justice lui imposera donc des sanctions pour lui faire comprendre qu'il a agi de façon irresponsable et irrespectueuse des lois comme d'autrui.

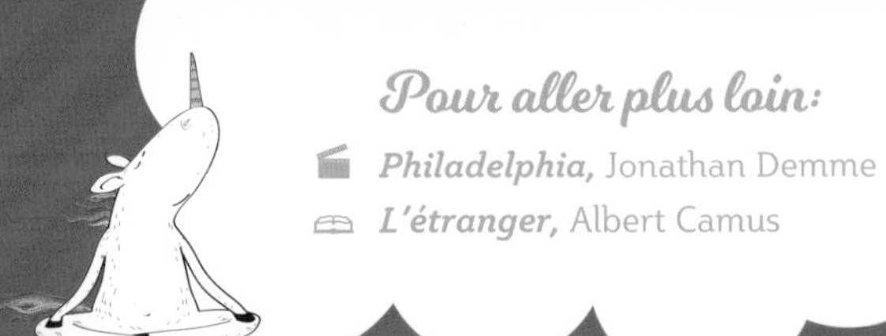

## *Pour aller plus loin:*

- ***Philadelphia,*** Jonathan Demme
- ***L'étranger,*** Albert Camus

Dans la vie, on est souvent confrontée aux injustices. Parfois, on se révolte quand un autre élève reçoit un traitement de faveur, lorsqu'il est le chouchou du prof ou lorsqu'il réussit un cours alors qu'il devrait échouer. D'autres fois, on s'insurge contre la liberté qui est accordée à notre grand frère ou contre le fait que notre sœur ait obtenu la grande chambre au sous-sol alors qu'on est encore coincée à côté de celle de nos parents. On peut également se révolter face aux grandes injustices telles que la pauvreté, la guerre, le racisme, la famine, l'esclavagisme, le sexisme, les inégalités sociales et ethniques et les maladies graves qui frappent sans prévenir. Il y a des choses qui sont au-delà de notre pouvoir, et on est souvent frustrée par notre incapacité à agir. Quoi qu'il en soit, sachez qu'il y a de petits gestes que vous pouvez faire dans votre quotidien pour réclamer la justice et pour faire valoir vos droits. Efforcez-vous d'être juste dans vos jugements et dans votre façon de penser. Apprenez à traiter les gens avec justice et impartialité, de même qu'à respecter les droits d'autrui. N'ayez pas peur de vous insurger contre les injustices et de réclamer votre droit de parole. C'est de cette façon que nous construirons une société plus juste, plus équitable et plus ouverte aux différences.

# Laïcité

**Sujets connexes :**

Accommodement raisonnable p. 134
Athéisme p. 164
Croyances/Religions p. 222

Ces dernières années, il y a eu de nombreux débats autour de la laïcité. Si la population semble en général approuver ce principe, la question porte surtout sur la façon de l'appliquer. Je vous propose quelques éléments afin de mieux comprendre ce sujet important pour nos sociétés contemporaines.

Le mot «laïcité» désigne une conception de l'organisation de la société selon laquelle il doit y avoir une séparation entre l'État et les religions. L'étymologie de ce mot vient du terme «laïc», apparu au Moyen Âge pour nommer celui qui n'appartenait pas au clergé.

Cette notion s'est développée en Occident à partir du 18e siècle, sous l'influence des philosophes des Lumières. Les penseurs de cette époque cherchaient à fonder l'organisation de la société sur autre chose que la religion. Ils faisaient également la promotion de la tolérance et de l'égalité.

**On peut définir les fondements de la laïcité en trois points :**

- **la neutralité de l'État**, c'est-à-dire que celui-ci ne favorise ni ne défavorise aucune croyance religieuse;
- **la séparation**, soit l'indépendance de l'État vis-à-vis de toutes les religions;
- **la liberté de conscience**, c'est-à-dire la liberté de pratiquer ou non une religion.

Au Canada, même s'il n'y a pas de référence explicite à cette notion dans les textes constitutionnels, notre système sépare l'État des Églises et interdit la discrimination basée sur les croyances religieuses. La majorité des pays occidentaux aussi, mais tous n'appliquent pas ces principes de la même façon. Dans tous les cas, il ne semble pas y avoir de «recette miracle».

Par exemple, en ce qui concerne la neutralité de l'État, il existe plusieurs approches:

- on peut décider qu'elle se manifeste par l'interdiction, pour les fonctionnaires, d'arborer tout signe religieux ostentatoire;

Par son combat contre l'Église, l'intolérance et la superstition, Voltaire peut être considéré comme l'un des fondateurs de l'idée laïque.

- on peut réserver cette interdiction à ceux qui sont en position d'autorité, comme les juges ou les policiers;

- on peut également considérer que la neutralité des institutions ne dépend pas de ce que portent les employés de l'État.

Quelle que soit la façon d'appliquer ce principe, le but est d'améliorer les relations entre l'État et ses citoyens et de créer un environnement où chacun peut librement pratiquer sa religion et exprimer ses idées.

«La laïcité nous permet de vivre ensemble, malgré nos différences d'opinions et de croyances. C'est pourquoi elle est bonne. C'est pourquoi elle est nécessaire. Ce n'est pas le contraire de la religion. C'est le contraire, indissociablement, du cléricalisme (qui voudrait soumettre l'État à l'Église) et du totalitarisme (qui voudrait soumettre les Églises à l'État)»[1].

1- André Comte-Sponville, *Dictionnaire philosophique, sub verbo* «laïcité», PUF, 2001, p 332.

# Liberté

**Sujets connexes :**
Autorité p. 172
Majorité p. 346
Responsabilité p. 443

## Agir à sa guise

Selon le *Multidictionnaire de la langue française*, la liberté se définit par une indépendance et un pouvoir d'agir à sa guise. Il peut s'agir d'une liberté d'action, d'esprit, de pensée, de presse, de réunion ou de culte.

Vous êtes donc libre d'avoir vos propres goûts, préférences, opinions et idées. Vous êtes libre d'agir à votre guise dans le respect des lois et des règles de la société, et vous êtes tout à fait libre d'être telle que vous êtes, de choisir votre métier, vos amis, de décider de ce que vous voulez faire de votre vie.

Tout ça semble extraordinaire, mais il peut parfois être extrêmement angoissant de jouir d'une telle liberté. Lorsqu'on est jeune, nos parents prennent des décisions à notre place et agissent en fonction de notre bien-être. Puis, peu à peu, ils nous accordent plus de liberté et d'autonomie, et parfois on ne sait pas trop quoi en faire. En effet, il y a des choix et des responsabilités qui accompagnent la liberté, et ce n'est pas toujours facile de les assumer lorsqu'on est jeune. Par exemple, vos parents ont peut-être décidé de vous laisser choisir vous-même le domaine d'études vers lequel vous souhaitez vous diriger après le secondaire. Au départ, vous êtes enchantée et vous commencez à feuilleter toutes sortes de dépliants sur les choix de carrière et les différentes professions qui s'offrent à vous. Ensuite, bien souvent, c'est la panique. Pourquoi devez-vous prendre une telle décision maintenant ? Qui sait ce que la vie vous réserve ? Il s'agit d'une décision qui influencera le reste de votre existence ! Vous n'êtes pas certaine d'être en mesure de la prendre et d'endosser toutes les responsabilités qui en découlent. C'était si simple quand vos parents prenaient des décisions pour vous et que vous n'aviez pas à vous poser de questions existentielles !

Sans vouloir vous déprimer, je me dois de vous prévenir : votre vie d'adulte sera remplie de décisions que vous devrez prendre et assumer. Vous jouirez d'une grande liberté d'action sans pour autant savoir vers où aller. Ne vous en faites pas : la liberté entraîne aussi de belles surprises, et il faut la goûter de façon positive.

De plus, qu'on éprouve souvent un grand besoin de liberté et d'indépendance au cours de l'adolescence, sachez que la liberté et l'autonomie s'acquièrent avec l'expérience et qu'on doit franchir différentes étapes avant d'y accéder. Par exemple, lorsque vous avez 16 ans, vous jouissez légalement du droit de conduire un véhicule. Vous acquérez alors une grande autonomie. À 18 ans, vous devenez majeure, donc, selon la loi, responsable de vos actes et de vos agissements. De plus, le jour où vous décidez de quitter le nid familial, vous acquérez une autonomie sans précédent, puisque plus personne n'est là pour vous dire quoi faire ou pour surveiller ce que vous faites. Quand on est jeune, on rêve de cet affranchissement, mais rappelez-vous que la liberté s'accompagne de responsabilités que vous devez être en mesure d'assumer. Vous devez être une conductrice responsable et respecter le code de la sécurité routière. Après votre 18e anniversaire, vous devez entre autres voter et répondre entièrement de vos actes. Lorsque vous partez de la maison, vous devez être capable de subvenir à vos besoins, et de payer votre loyer et vos factures, sans compter que vous devez apprendre à vous responsabiliser et à vous discipliner pour atteindre vos objectifs.

La liberté vous permet par conséquent de prendre des décisions en fonction de votre bien-être et de votre bonheur. La maturité que vous êtes en train d'acquérir vous permettra d'agir en fonction de vos convictions et de vos valeurs, ainsi que de penser à votre avenir et à votre bien-être à long terme. Quand on prend une décision, on doit non seulement songer au présent, mais aussi aux conséquences qu'elle aura dans le futur. Vous devez donc jouir de toutes les libertés et de tous les choix qui s'offrent à vous, et saisir les occasions qui se présentent tout en vous remettant en question et en cherchant à vous surpasser. Bien que cela puisse vous sembler lourd à assumer, apprenez à ne pas douter de vos capacités et de vos talents; cherchez plutôt à atteindre le bonheur en restant consciente de vos limites. Vous avez la liberté de devenir qui vous voulez et d'être foncièrement heureuse dans la vie, alors pourquoi ne pas en profiter?

# Magasinage

Sujets connexes :

Apparence p. 160
Argent de poche p. 162
Mode p. 368

**Activité très agréable**

Rares sont les filles qui ne raffolent pas du magasinage. C'est l'occasion rêvée de découvrir les nouvelles tendances de la mode, d'explorer de nouvelles boutiques, de nouveaux genres, de vous amuser avec vos copines, d'apprendre à vous créer un style bien à vous et de vous faire plaisir.

Une séance de magasinage, c'est le moment idéal pour vous réunir entre copines et pour vous amuser en faisant le tour des magasins et en essayant des vêtements différents.

## Les petits trucs

Quand on adore magasiner, on a souvent tendance à confondre l'envie de dépenser avec le besoin de le faire. C'est pourquoi je vous recommande de vous faire une liste des accessoires et des vêtements dont vous avez vraiment besoin, et de vous efforcer de respecter votre budget, surtout si vous n'avez pas les moyens de le dépasser. Quand on magasine, on se laisse souvent emporter par le moment, par les jolis tissus et par le fait que nos amies semblent dépenser sans réfléchir, mais je vous conseille de faire bien attention à votre portefeuille !

Bien qu'il soit recommandé de rester à l'affût des soldes, puisque certains rabais peuvent atteindre jusqu'à 75 % du prix régulier, prenez garde de ne pas vous faire duper : plusieurs boutiques ne veulent que vous mettre l'eau à la bouche, mais, en réalité, les rabais offerts s'avèrent beaucoup moins avantageux que vous ne le croyez, ou encore ne s'appliquent qu'à une petite partie de la marchandise. C'est à vous de juger si le prix sur l'étiquette constitue vraiment une aubaine…

Je vous conseille aussi fortement de faire le tour des boutiques avant d'acheter un vêtement, à moins d'avoir un véritable coup de foudre. Vous trouvez qu'une jupe vous va à merveille, mais vous la trouvez un peu chère ? Continuez de magasiner, vous trouverez peut-être mieux pour moins cher ailleurs. Si, à la fin de la journée, vous êtes persuadée qu'il s'agit du bon choix, alors il est temps de passer à l'acte. Rappelez-vous que la plupart des boutiques acceptent de faire des mises de côté pendant quelques heures, ce qui vous assurera que personne ne chipera le vêtement de vos rêves !

***Je vous recommande aussi de TOUJOURS essayer un vêtement avant de l'acheter, même si ça vous demande un peu plus d'efforts.***

Certaines boutiques n'acceptent pas les échanges ni les remboursements, et il n'y a rien de pire que de regretter un achat quand on revient à la maison !

## *Pour aller plus loin :*

***Confessions d'une accro au shopping,*** Paul John Hogan

***La bible du shopping intelligent,*** Laurence Bareil et Christophe Billebaud

Lorsque vous essayez un vêtement, il est important de vous sentir à l'aise et belle. N'achetez pas quelque chose pour les autres; c'est le moment de vous écouter, de vous gâter et de penser à vous! Soyez à l'écoute de votre corps, de vos besoins et de vos envies, même s'il s'agit d'un vêtement un peu plus excentrique. Après tout, c'est vous et vous seule qui le porterez!

Si vos parents paient pour vos achats, déterminez le montant avant de vous lancer dans les boutiques et respectez bien leurs limites. S'il s'agit de votre propre argent de poche, je vous suggère fortement, encore une fois, de faire au préalable un budget ainsi qu'une liste des choses dont vous avez besoin. Si vous voulez, prévoyez un certain montant pour vos achats impulsifs, ce qui vous évitera de faire des bêtises en achetant quelque chose de tout à fait inutile et de trop cher pour vos moyens.

Les vendeurs et vendeuses sont là pour vous aider et pour vous conseiller, alors soyez gentille avec eux, même si vous n'avez pas les mêmes goûts, que vous n'êtes pas d'accord avec leurs opinions ou que vous n'avez pas besoin d'aide. Ils ne sont pas là pour vous embêter; vous suivre comme une ombre à l'intérieur d'une boutique fait souvent partie de leur travail, surtout si ils sont payés à la commission.

Un dernier petit conseil personnel: mieux vaut parfois payer un peu plus cher pour un vêtement que vous aimez vraiment et que, par conséquent, vous porterez souvent que de payer un peu moins pour quelque chose qui finira au fond de votre garde-robe. On a souvent tendance à acheter plusieurs petites choses en croyant qu'on dépense moins, mais, en fin de compte, il serait peut-être plus économique d'acheter le chandail à 50$ qui vous fait craquer que d'acheter trois articles à 15$ chacun que vous ne désirez pas autant.

Même si vous êtes prise d'une envie irrésistible de dépenser et que vous raffolez du magasinage, efforcez-vous de réfléchir avant d'acheter, mais sachez vous faire plaisir de temps à autre. Si vous faites preuve de jugement dans vos achats et que vous n'agissez pas de façon compulsive, vous prendrez l'attitude idéale pour devenir la reine du magasinage!

# Majorité

## Devenir majeure et vaccinée

**Sujets connexes :**
Droit de vote p. 245
Party p. 388
Permis de conduire p. 398

À 18 ans, vous devenez majeure et vaccinée, comme le dit l'expression. Qui dit majorité dit toutefois responsabilités, et n'allez pas croire que parce que vous avez enfin atteint vos 18 ans, vous pouvez faire comme bon vous semble.

### Droit de vote

Au Québec, les femmes ont le droit de voter et de se faire élire depuis 1940. L'âge légal pour voter est 18 ans, et il s'agit non seulement d'un droit que vous acquérez lorsque vous devenez majeure, mais aussi d'un devoir que vous devez exercer en tant que citoyenne vivant dans un pays démocratique. Chacune a droit à son opinion, et chacune doit l'exprimer en votant lors des scrutins. Si vous jugez que vous n'êtes pas suffisamment informée de ce qui se passe pour prendre une décision réfléchie, il n'est jamais trop tard pour lire sur le sujet, pour vous renseigner sur les différents partis ou pour demander aux gens de votre entourage de bien vous expliquer (de façon objective, si possible) quels sont vos choix.

### Les bars et l'alcool

À 18 ans, vous pouvez aussi entrer légalement dans les bars et les discothèques, en plus de pouvoir acheter de l'alcool à la SAQ. Bien que vous sentiez qu'un monde rempli de liberté et de folies s'ouvre à vous, vous devez aussi apprendre à être responsable et à ne pas abuser des bonnes choses. Si vous avez 18 ans, vous fréquentez probablement le cégep, et vous avez certainement des tas de travaux à faire, alors ne négligez pas ces derniers pour boire et faire la fête.

### La révolte contre les parents

Je sais, vos parents n'ont cessé de vous répéter, durant votre adolescence, que vous obtiendriez plus de liberté lorsque vous deviendriez majeure, et maintenant que c'est fait, leur discours change. Maintenant, ils disent que vous devrez leur obéir tant et aussi longtemps que vous vivrez sous leur toit. Ne vous en faites pas trop avec cela ; ils n'agissent pas ainsi parce qu'ils ne vous font pas confiance, ni parce qu'ils veulent à tout prix vous rendre la vie impossible le plus longtemps possible. C'est simplement qu'ils sentent qu'ils vous perdent peu à peu. Le temps a filé si vite qu'ils ne savent plus trop comment réagir face à la jeune femme que vous êtes devenue. Et puis, soyons honnêtes: bien que vous ayez 18 ans, vous avez encore beaucoup à apprendre, et vos parents sont là pour vous montrer la voie. Ce n'est pas parce que vous êtes majeure que vous êtes frappée du jour au lendemain par un éclair de sagesse et de maturité, et il se peut très bien que vous commettiez encore des erreurs. Peu importe votre âge, vos parents sont là pour vous ramener sur le droit chemin. Après tout, c'est leur travail!

De plus, comme vous étudiez encore, votre travail à temps partiel (souvent au salaire minimum) ne vous permet sûrement pas d'être autonome, et, quel que soit votre âge, tant que vous êtes dépendante financièrement de vos parents, il est normal qu'ils fassent preuve d'autorité et qu'ils vous demandent de leur rendre des comptes. La meilleure façon de bien gérer sa majorité, c'est d'accepter les responsabilités qui accompagnent la nouvelle liberté qu'on vient d'acquérir. Votez et réfléchissez. Apprenez à être à l'écoute des autres et soyez responsable dans ce que vous entreprenez. Bref, agissez en jeune adulte et rappelez-vous que, pour la première fois de votre existence, vous pouvez réellement vous dire que vous êtes légalement libre de choisir ce que vous voulez faire de votre vie, alors aussi bien en profiter pour analyser toutes les options qui s'offrent à vous et pour faire des choix éclairés!

# Maladie

**Sujets connexes :**

Déprime/Dépression p. 230
Deuil p. 236
Mort p. 370

Avoir un ami ou quelqu'un de notre famille qui tombe gravement malade chamboule toute notre vie. Il est très difficile de faire face à la maladie d'un de nos proches et d'imaginer qu'on pourrait perdre cet être cher.

La maladie et la mort sont malheureusement des événements pénibles auxquels tous les êtres humains vont devoir être confrontés à un moment donné. Pour passer au travers de ces périodes difficiles, c'est important de vous donner le temps et le droit de vivre les émotions qui surgissent en vous.

Il est tout d'abord essentiel que vous soyez consciente que c'est normal d'avoir de la peine, de se sentir impuissante et de vivre de grands moments de souffrance. Il ne faut pas chercher à refouler vos émotions, car elles pourraient resurgir beaucoup plus tard et de façon encore plus forte.

Vivre quotidiennement avec une personne malade peut être très difficile. Vous allez sûrement avoir à faire face aux sautes d'humeur et aux idées noires de votre proche. Parfois, vous pouvez même avoir l'impression de ne plus reconnaître cet ami ou ce parent. Ces changements de personnalité chez la personne malade sont normaux, car il faut comprendre que le diagnostic d'une maladie est souvent vécu comme un véritable choc et que tous les aspects de la vie du malade sont bouleversés.

C'est très important d'être présente pour votre proche, mais il est aussi capital de prendre parfois du temps pour vous, sans culpabiliser. Si vous arrivez à vous vider la tête de temps en temps, vous aurez plus d'énergie et de patience pour soutenir la personne malade.

Il est surtout primordial de ne pas rester isolée et de pouvoir parler de ce que vous ressentez avec quelqu'un en qui vous avez confiance. Si vous n'osez pas vous confier à vos proches ou à vos amis, vous pouvez aller voir un responsable dans votre école, un psychologue, ou encore appeler les lignes d'écoute comme Tel-jeunes (des intervenants répondent 24 h/24).

Si votre proche est atteint de maladie mentale, vous pouvez également aller chercher de l'information et des ressources disponibles dans votre région sur le site de la Fédération des familles et amis de la personne atteinte de maladie mentale.

**TEL-JEUNES :**
**<teljeunes.com>**
Tél. : 1 800 263-2266
Texto : 514 600-1002

**FÉDÉRATION DES FAMILLES ET AMIS DE LA PERSONNE ATTEINTE DE MALADIE MENTALE :**
**<avantdecraquer.com>**
Tél. : 1 855 272-7837

## *Et si c'est vous qui êtes malade?*

Il nous arrive toutes d'être malades de temps à autre, mais certaines d'entre nous doivent vivre avec la maladie de façon permanente. Si c'est votre cas, voici quelques points importants pour vous aider à mieux gérer la situation :

- Assurez-vous de toujours avoir vos médicaments et d'aviser vos proches de l'endroit où ils se trouvent. Si, par exemple, vous souffrez d'une allergie, c'est primordial d'avoir un auto-injecteur EpiPen sur vous ou dans votre sac pour intervenir en cas de crise. Même chose si vous souffrez de diabète : c'est vraiment important d'aviser vos proches et les responsables de l'école de l'endroit où vous gardez votre seringue.
- C'est aussi primordial de prévenir la direction de l'école que vous fréquentez que vous souffrez d'une condition médicale pour qu'elle puisse intervenir en cas de besoin.
- Je sais que ce n'est pas drôle de vivre avec la maladie, et personne ne devrait traverser les aléas liés à sa condition sans être entouré. Bref, n'hésitez pas à vous confier à des amis, des proches ou des spécialistes si vous en ressentez le besoin.
- Il ne faut pas non plus avoir peur de demander de l'aide en cas de besoin.
- Il ne faut jamais avoir honte de souffrir d'une maladie.
- Bien que ce ne soit pas votre choix et que ça puisse vous sembler injuste que certaines soient aux prises avec la maladie, il est possible d'accepter votre condition sans vivre de colère quotidiennement. Pour ce faire, n'hésitez pas à vous confier à un psychologue qui vous aidera à faire le cheminement nécessaire.
- Quand les gens vous offrent de l'aide, ne croyez pas qu'ils le font parce qu'ils éprouvent de la pitié. Je crois sincèrement qu'ils cherchent à vous donner un coup de main.
- Évidemment, votre corps et vos choix vous appartiennent. Il vous revient donc de déterminer si vous avez envie de répondre aux questions des autres, de démystifier votre état ou d'être discrète et de n'en parler qu'à vos proches.

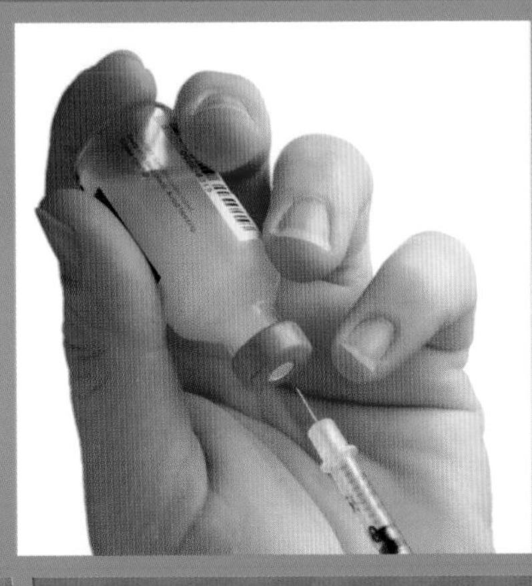

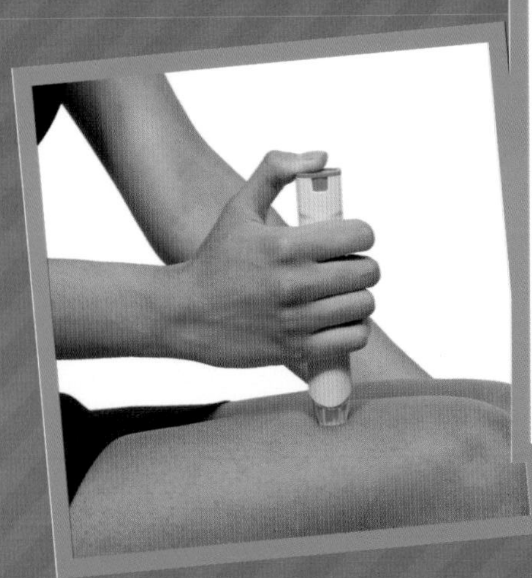

# Maquillage

Sujets connexes :
Apparence p. 160
Beauté p. 179
Mode p. 368

## Palettes de couleurs, styles et textures

Ce n'est pas un secret : à l'adolescence, on change et commence à se préoccuper davantage de notre apparence. C'est aussi le temps des premiers essais de maquillage !

C'est vraiment l'âge où on peut essayer toutes les palettes de couleurs, tous les styles et toutes les textures inimaginables. Le problème, c'est que lorsqu'on arrive à la pharmacie pour acheter ce dont on a besoin pour se maquiller, on se retrouve devant des rayons et des rayons couverts de produits, et il est difficile de s'y retrouver. Comment savoir quoi choisir si on n'est pas experte dans le domaine du maquillage et si on ne sait pas ce qui nous convient le mieux ?

Pas de panique ! Dans la plupart des pharmacies, des magasins à grande surface et des boutiques de produits de beauté, vous pouvez demander l'aide de cosméticiennes qui sauront vous conseiller sur les marques et les teintes qui vous iront à merveille. Cependant, ne soyez pas dupe : certaines tenteront de vous vendre le produit le plus cher, alors restez à l'affût des rabais !

L'art du maquillage s'apprend par essais et erreurs. Lorsque je regarde des photos de moi à 14 ans, je trouve que j'ai l'air d'un clown tout droit sorti des années 1980, mais je dois me rappeler que la mode et les tendances étaient différentes à l'époque, et que j'étais encore en période d'apprentissage ! Vous pouvez aussi choisir votre maquillage avec un groupe de copines qui sauront vous conseiller. Il existe aussi de nombreuses youtubeuses qui présentant des produits de beauté et des tutoriels de maquillage. Si vous vous sentez nulle dans le domaine du maquillage, ou que vous ne sentez pas la nécessité d'en appliquer sur votre visage, ne soyez pas gênées de vous exprimer ! Se maquiller n'est absolument pas une obligation ! À chacune son style et son visage, alors restez fidèle à vous-même ! Si vous n'êtes pas experte dans le domaine, certaines de vos amies qui s'y connaissent davantage se feront certainement un plaisir de vous aider. Vous pouvez aussi demander de l'aide à votre sœur, à votre cousine et même à votre mère ! Le maquillage, c'est une histoire de filles, pas une histoire de générations ! Si vous ne ressentez pas la nécessité de vous maquiller, soyez fière d'être naturelle ! Maquillage ou pas, l'important c'est de trouver ce qui vous plaît !

### Par où commencer ?

Lorsque vous commencez à porter du maquillage, il est préférable d'y aller progressivement. Vous pouvez commencer par le mascara, qui s'applique sur les cils et leur donne de la couleur et du volume. L'effet demeure discret, mais vous constaterez quand même une différence importante sur votre visage.

Vous pouvez aussi appliquer de l'ombre à paupières. Celle-ci sert à sculpter la paupière et à faire ressortir la forme et la couleur des yeux. Encore une fois, il faut y aller avec parcimonie. Appliquez de la couleur sur votre paupière en fermant votre œil. Comme il existe une quantité illimitée de couleurs, vous pouvez choisir la teinte en fonction de votre tenue, de votre teint ou de la couleur de vos cheveux. Les blondes choisiront souvent des couleurs plus pâles tandis que les brunes peuvent appliquer des couleurs plus foncées. Il faut cependant tenir compte du teint de votre peau. Si vous êtes brune mais que vous avez le teint très pâle, optez quand même pour une couleur claire, et si vous avez le teint foncé, vous pouvez choisir des couleurs plus chaudes. La meilleure chose à faire, c'est d'essayer devant un miroir et de choisir ce qui vous convient le mieux.

Certaines filles aiment bien souligner le bord de leurs paupières avec un crayon ou un eye-liner. On en trouve dans différentes teintes de noir, de bleu ou de brun. Le crayon et l'eye-liner servent à faire ressortir vos yeux et peuvent donner un effet éclatant, mais attention de ne pas en appliquer en trop grande quantité. Vous risqueriez de ressembler à Marilyn Manson (à moins que ce ne soit votre intention ; après tout, tous les goûts sont dans la nature !).

Le fard à joues vous permet quant à lui de mettre un peu de couleur sur votre visage et de faire ressortir votre teint. S'il fait 20 degrés sous zéro à l'extérieur et que votre peau devient de plus en plus transparente, le fard saura égayer votre visage ! Si vous êtes pâle, choisissez une teinte claire et appliquez-en un tout petit peu sur vos joues pour donner un effet naturel. Si vous avez le teint foncé, vous aurez peut-être à en appliquer davantage.

Si vous voulez essayer l'autobronzant pour reprendre un peu de couleur, faites attention à la quantité que vous appliquez pour ne pas devenir orange ! Choisissez aussi une teinte d'autobronzant qui est proche de la teinte de votre peau. On utilise de l'autobronzant pour colorer légèrement la peau et avoir l'air moins blême, mais il est essentiel de le faire de la façon la plus naturelle possible. Un conseil : n'oubliez pas de bien vous laver les mains après avoir appliqué l'autobronzant, sinon celles-ci pourraient rester tachées…

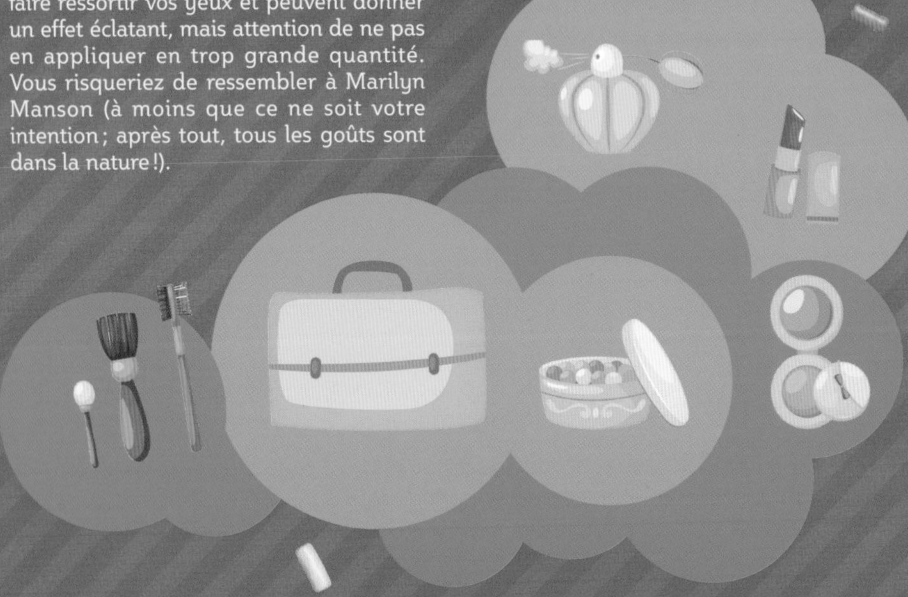

Le fond de teint est, quant à lui, conçu pour dissimuler les défauts de votre peau, et pour unifier et colorer votre visage. Ce produit se présente sous forme de poudre, de mousse, de crème ou de gel. Il est primordial de choisir la teinte qui s'apparente le plus à la couleur de votre peau pour que votre visage ne soit pas d'une couleur différente et qu'on ne puisse pas voir une démarcation dans votre cou. Appliquez légèrement le fond de teint du milieu du visage vers les côtés en utilisant une éponge légèrement humide pour obtenir un teint uniforme. Il existe aussi des BB crèmes, qui sont des crèmes hydratantes avec un peu de couleur et qui sont une bonne alternative au fond de teint car elles couvrent moins et sont plus discrètes.

Les rouges à lèvres ont eux aussi tendance à nous donner mal à la tête... Il existe une quantité illimitée de couleurs, de textures, de tubes, de bâtons et de brillants à lèvres. Vous pouvez changer de couleur selon votre humeur, votre coiffure, votre tenue et le reste de votre maquillage. Vous pouvez choisir une couleur discrète ou une teinte plus vive ; l'important, c'est de suivre votre instinct et d'être fidèle à vous-même et à vos goûts.

La plupart des filles ne se maquillent pas les sourcils, mais décident d'épiler les poils superflus afin de dessiner un arc plus uniforme et d'obtenir des sourcils parfaitement symétriques, mais attention : l'épilation des sourcils peut faire très mal ! Appliquez de la glace au besoin ainsi que de la crème hydratante après coup pour apaiser la peau.

## L'élément clé : le démaquillant

Si vous voulez conserver une belle peau, il est essentiel de vous démaquiller avant de vous mettre au lit. Le maquillage a tendance à assécher la peau et même à donner des boutons. Le produit démaquillant sert ainsi à nettoyer votre peau tout en réhydratant votre visage. Je vous conseille de compléter ce nettoyage avec une lotion, puis d'appliquer une crème hydratante pour nourrir et hydrater votre peau, ce qui lui permettra de rester belle et éclatante.

Le choix de votre maquillage demeure personnel et, comme je vous le disais plus tôt, l'apprentissage se fait souvent par essais et erreurs. Vous pouvez aussi, avant d'acheter vos propres produits de maquillage, demander à votre mère de vous prêter les siens pour les essayer et pour choisir les teintes que vous préférez. N'hésitez pas à demander l'avis des cosméticiennes qui travaillent dans les pharmacies ; elles s'y connaissent très bien dans le domaine et elles sauront vous conseiller selon votre type de peau. Choisissez un maquillage qui vous ressemble et vous représente bien, gâtez-vous et n'oubliez surtout pas de vous laver le visage avant d'aller vous coucher !

**Sujets connexes :**
Amour p. 147
Couple p. 220
Divorce p. 239

# Mariage

## Union formelle et légitime entre deux personnes

Il s'agit d'une façon de célébrer son amour avec son conjoint ou sa conjointe et d'officialiser son union.

Au Québec, l'âge légal pour se marier est de 16 ans. Avant 18 ans, on a toutefois besoin du consentement de ses parents ou de ses tuteurs pour s'unir légitimement. Les individus de sexe différent ou de même sexe peuvent se marier civilement.

Il existe deux types de mariage : le mariage civil et le mariage religieux. Les deux ont la même valeur aux yeux de la loi, et soumettent les époux aux mêmes devoirs et responsabilités. Le mariage civil doit être célébré par un greffier, un notaire, un officier municipal ou toute autre personne qui obtient au préalable l'autorisation du ministre de la Justice. Les conjoints peuvent également choisir le lieu de la cérémonie. Pour un mariage religieux, ils décident de se marier devant Dieu, et l'union est généralement célébrée dans un lieu de culte. Ils doivent la plupart du temps se conformer aux traditions imposées par leur religion. Ces traditions varient d'une religion à l'autre.

Sur le plan juridique, le mariage au Québec entraîne un principe d'égalité entre les deux époux, qui se voient dans l'obligation d'assumer ensemble les responsabilités de leur union et de prendre des décisions communes. Il existe des tonnes de principes, de règles et d'ententes à lire et à suivre lorsqu'on se marie. Il est important de bien s'informer avant de passer à l'acte ou de signer quoi que ce soit. Pour plus d'informations, consultez le site du gouvernement du Québec concernant le mariage.

Peu importe le type de mariage choisi, lorsqu'on se marie, on s'engage à partager sa vie avec son conjoint. Il ne faut donc jamais sous-estimer l'importance de cette union. Au Québec, le mariage a perdu beaucoup de sa popularité au cours des

dernières années. En 1980, on comptait 44 849 mariages au Québec. Ce nombre a chuté à 32 059 en 1990, puis à 21 918 en 2006[1]. Cette importante diminution du nombre d'unions légitimes est sans aucun doute liée à la hausse importante des cas de divorces. En 1980, on comptait 13 899 divorces au Québec, ce qui veut dire que 31,7 % des mariages se soldaient par un divorce. En 1990, le nombre de divorces était de 20 474, soit 49,6 % des mariages. En 2003, le pourcentage de divorces atteignait 53 %, ce qui veut dire que plus de la moitié des mariages aboutissaient à un divorce[2].

La séparation de l'État et de l'Église au Québec a grandement contribué à ces changements, puisque les gens ne sont plus obligés de se marier et peuvent vivre ensemble toute leur vie sans devoir s'unir formellement. Les mœurs, les valeurs et les traditions ont beaucoup changé au cours des dernières décennies, ce qui a fait perdre beaucoup d'importance au mariage. Notre société est devenue de plus en plus ouverte et moderne. Cela a eu une influence directe sur le comportement de la population qui éprouvait moins le besoin de suivre les traditions plus conservatrices.

Il ne faut toutefois pas dénigrer le mariage. Cela demeure un choix personnel basé sur le désir de célébrer son amour et son union. Au Québec, se marier représente aujourd'hui un défi et une façon de braver les statistiques. Il faut encourager les gens qui sont prêts à se marier, qui croient sincèrement en leur amour et au fait qu'ils passeront toute leur vie ensemble. Le mariage est aussi une fête, un spectacle et une façon de célébrer notre amour avec les gens qui nous sont chers.

On ne doit pas prendre le mariage à la légère, et on doit évidemment être prête et sûre de soi avant de se lancer dans cette grande aventure. À l'adolescence, les sentiments amoureux sont parfois d'une grande intensité, mais rappelez-vous que vous êtes encore très jeunes, et que bien que vous croyiez sincèrement pouvoir passer votre vie avec votre amoureux, mieux vaut attendre de voir ce que vous réservent les années qui viennent, sans brûler d'étapes. Vous avez amplement le temps de prendre des décisions. Alors, ne brusquez pas les choses.

1- Institut de la statistique du Québec.
2- *Idem.*

# Marijuana

**Sujets connexes :**

Drogues p. 241
Party p. 388
Rave p. 436

**Pas juste de l'herbe...**

Le cannabis est la drogue la plus consommée au Canada. Provenant du chanvre indien, il peut se présenter sous différentes formes : les fleurs et les feuilles séchées appelées « marijuana », « herbe » ou « pot ».

On retrouve aussi la résine, ou haschisch, dont on fait une pâte qu'on compresse pour en faire des blocs. L'huile est plus concentrée et beaucoup moins répandue.

## Effets et dépendance

L'herbe et la résine sont généralement consommées avec ou sans tabac dans une cigarette, communément appelée « joint » et qu'on roule soi-même, ou dans une pipe.

Les effets de la marijuana sont multiples mais, dans la plupart des cas, on se sent euphorique, heureux et détendu. On éprouve une sensation de flottement et on perd ses inhibitions. Plusieurs fument du pot pour essayer de se détendre, pour dormir plus facilement, pour aiguiser leurs sens, pour rire ou pour s'ouvrir l'appétit. Bien que certains prétendent avoir plus d'inspiration sous l'effet de la marijuana, il est à noter que cette drogue procure des pertes de concentration et de mémoire importantes, de l'anxiété et une lenteur accrue dans les actions. Il est également fréquent d'avoir la bouche sèche et les yeux rouges, ainsi que de ressentir de la panique, voire de la paranoïa. Bref, bien que le pot puisse sembler génial et si commun, sachez qu'il peut avoir des effets secondaires très nocifs et extrêmement désagréables.

La plupart des spécialistes s'entendent pour dire que la marijuana ne cause pas de véritable dépendance physique, mais qu'elle entraîne une dépendance psychologique. Plus on s'habitue au cannabis, moins les effets nous semblent apparents et plus on désire fumer pour s'évader de la réalité et entrer en mode d'introspection.

C'est ici que réside le danger le plus important de la marijuana. Non seulement les effets peuvent être désagréables, mais plusieurs personnes y deviennent accros pour éviter de devoir faire face à leurs responsabilités et pour retrouver l'apaisement et l'euphorie qu'ils ressentent lorsqu'ils en consomment. Même si la plupart des gens essaient la marijuana au moins une fois au cours de leur vie, et que personne ne vous considérera comme une junkie si vous prenez une bouffée de joint, sachez que le pot risque de vous rendre amorphe et de vous inciter à rester avachie dans le divan. Cette drogue tend également à déformer la réalité et peut vous faire dire des choses qui n'ont ni queue ni tête, même si vous croyez sur le coup être la personne la plus profonde et la plus ingénieuse du monde.

Fumer entre amis, en couple ou en groupe est commun au Québec et au Canada. À l'adolescence, il faut s'efforcer de ne pas le faire sous la pression ou pour avoir l'air cool. Si ce n'est pas votre genre ou que ça ne vous dit rien, ne vous gênez pas pour le faire savoir et pour faire respecter votre choix. Si, par contre, vous crevez d'envie d'essayer, je vous conseille de le faire avec des amies et des gens de confiance qui pourront vous rassurer si vous vous sentez mal et éprouvez de l'anxiété ou de la paranoïa.

## Une loi controversée

Depuis 1997, la marijuana est régie au Canada par la Loi réglementant certaines drogues et autres substances. Selon cette loi, la possession non autorisée, le trafic et la production sont considérés comme illégaux. Les sanctions varient selon la gravité du délit.

Par exemple, la possession d'un gramme ou moins de haschisch entraîne une amende de 300 $ pour un adulte et de 200 $ pour un adolescent, tandis que la possession de 15 grammes ou moins de marijuana entraîne une amende de 150 $ pour un adulte et de 100 $ pour un adolescent. (Pour plus d'informations à ce sujet, consultez le site du gouvernement du Canada.) Par contre, l'usage du cannabis à des fins médicales n'est pas considéré comme une infraction. On lui reconnaît des vertus positives dans le traitement de certaines maladies et il peut être légal de posséder du cannabis si on a une prescription médicale.

Plusieurs groupes militent toutefois, au Québec et dans le reste du Canada, en faveur de la légalisation de la marijuana. Certains partis politiques en font même le point central de leur programme, comme le Bloc pot au Québec et le Parti marijuana au Canada. Cette question suscite de nombreux débats au sein de la population. Certains croient que la légalisation rendrait l'accès à cette drogue beaucoup trop facile et inciterait les gens (surtout les jeunes) à en consommer davantage, alors que d'autres pensent qu'elle permettrait un meilleur contrôle de sa distribution et éliminerait l'aspect d'« interdit », souvent très attirant pour les adolescents. Le débat est toujours en cours à l'heure actuelle.

Quoi qu'il en soit, à l'adolescence et tout au long de votre vie, vous serez très souvent en présence de marijuana, que ce soit durant des fêtes, chez des amis ou dans la rue. C'est à vous et à vous seule de mettre vos limites et de faire preuve de jugement. Rappelez-vous que bien que la consommation de pot soit considérée comme presque normale dans notre société, il s'agit néanmoins d'une drogue dont les effets à long terme peuvent être extrêmement nuisibles (sans parler de la fumée et des dommages que cela peut causer aux poumons). Si vous jugez que quelqu'un de votre entourage fume trop et que cela a une influence négative sur son attitude générale, tentez de lui en parler gentiment et de lui proposer des activités différentes pour le sortir du cercle vicieux de la consommation. Quant à vous, essayez de faire preuve de bon sens et n'oubliez pas qu'il s'agit bel et bien d'une drogue.

**À NOTER :**

Le gouvernement de Justin Trudeau a déposé en avril dernier un projet de loi visant à légaliser et encadrer la production et la vente de cannabis au Canada. À noter que si vous avez moins de 18 ans, les dispositions contenues dans la loi quant à la possession et à la culture du cannabis ne s'appliqueront pas à vous. Comme pour l'alcool et le tabac, vous devrez attendre d'avoir 18 ans pour pouvoir vous procurer et en consommer légalement.

# Masturbation

Sujets connexes :

Plaisir p. 403
Puberté p. 428
Sexualité p. 456

## Un sujet tabou

La masturbation crée tout un émoi au cours de l'adolescence. La plupart des jeunes (et particulièrement les filles) ont très honte d'admettre qu'ils se masturbent, car cette pratique est souvent un sujet tabou.

Sachez toutefois que la plupart des jeunes le font, et qu'il n'y a absolument rien de mal à se masturber, bien au contraire. De façon générale, les garçons commencent à se masturber plus tôt que les filles. L'âge moyen est en effet d'environ 12 ans chez les garçons et 13 ans chez les filles.

Laissons tomber les tabous et faisons face au phénomène : la masturbation est normale à l'adolescence (et tout au long de votre vie). Votre sexualité se développe, votre caractère sexuel est en plein épanouissement et vous explorez votre corps. La masturbation vous permet non seulement de découvrir votre corps et ce qui vous plaît, mais aussi de développer une sexualité saine et active et de vous sentir bien dans votre peau. La plupart des filles se masturbent en se caressant le clitoris, alors que certaines préfèrent s'enfoncer un doigt dans le vagin. Quoi qu'il en soit, sachez que si vous pratiquez la masturbation, vous n'êtes ni anormale ni obsédée. Lorsque vous vieillirez, vous verrez que la plupart des filles de votre entourage finissent par admettre qu'elles se masturbent. Vous constaterez également que cela a eu une bonne influence sur l'épanouissement de votre sexualité, puisque vous connaissez mieux votre corps et que vous pouvez davantage contrôler votre désir. Sachez qu'il est tout aussi normal d'avoir des pensées et des rêves érotiques qui vous excitent et vous donnent envie de vous masturber. Ces images ou ces « scénarios » sont parfois gênants et ne révèlent pas nécessairement des orientations ou des goûts sexuels enfouis en vous ; vous êtes simplement à l'âge où vous découvrez intensément la sexualité et où votre imagination fertile vous entraîne dans des endroits parfois cocasses et inattendus. Les scénarios que vous vous jouez dans votre tête sont personnels et vous appartiennent, alors ne cherchez pas à les justifier dans votre for intérieur ; ils font partie de votre curiosité sexuelle et de votre jardin secret.

En conclusion, si vous vous masturbez, et ce, même de façon quotidienne, n'allez pas croire que vous êtes folle ou anormale parce que les autres filles prétendent qu'elles ne le font pas. Si vous ne désirez pas en parler aux autres, c'est tout à fait compréhensible, puisqu'il s'agit d'un acte personnel que vous pratiquez en toute intimité, mais ne vous sentez pas anormale pour autant ; dites-vous que la plupart des filles, en secret, font la même chose que vous !

**Sujets connexes :**
Adolescence p. 138
Confiance p. 206
Responsabilité p. 443

# Maturité

## Agir de façon adulte

À l'adolescence, on commence à être tannées de se faire traiter comme des enfants et on souhaite que les adultes nous prennent au sérieux. La maturité est un concept assez difficile à saisir, puisqu'il est plutôt subjectif et qu'il se modifie à mesure qu'on vieillit. C'est quelque chose qui s'acquiert lentement, au fil du temps, et que l'on développe avec l'âge et l'expérience. Cependant, peu importe votre âge, vous pouvez agir de façon mature. Pour ce faire, apprenez à retenir des leçons des diverses situations que vous vivez et des erreurs que vous faites. Parfois, les expériences les plus difficiles sont celles qui vous feront avancer le plus sur le chemin de la maturité et qui vous apprendront à mieux vous connaître. Quand on est ado, chacune acquiert de la maturité à sa manière et à son rythme.

### Ça veut dire quoi, « être mature » ?

Quand vos parents vous demandent d'être plus matures, c'est qu'ils aimeraient sans doute que vous adoptiez un comportement plus réfléchi et plus adulte. Agir de façon mature, c'est savoir faire des choix éclairés, prendre des responsabilités et gérer ses émotions. En d'autres termes, c'est la capacité d'être autonome tant au point de vue social qu'émotionnel. Le passage vers la maturité se fait en fonction de la personnalité, des aptitudes et, bien souvent, des conditions de vie d'une personne. Pour vous donner un exemple plus concret, si vous trouvez que vos parents ne vous accordent pas assez de liberté et qu'ils vous traitent en bébé, vous pouvez adopter une attitude mature qui les poussera sans doute à revoir leur opinion. Si vous faites une crise de nerfs chaque fois que quelque chose vous est refusé et que vous partez bouder dans votre chambre, vous montrez à vos parents que vous êtes encore une enfant et ils vous traiteront comme telle. Je sais que ces situations sont parfois frustrantes et qu'il est difficile de garder son calme quand on sent que les parents ne veulent rien entendre, mais si vous vous y prenez calmement et exposez votre point de vue de façon posée, les chances sont plus grandes pour qu'ils vous écoutent et qu'ils soient plus ouverts à négocier. Monter aux barricades n'est pas toujours la meilleure solution pour régler des conflits et obtenir ce que vous désirez. L'affrontement émotif entraîne rarement des résultats positifs. Les adultes préféreront dialoguer avec vous s'ils voient que vous êtes ouvertes à la discussion plutôt que si vous vous présentez comme une bombe d'émotions prête à exploser.

## Comment puis-je être plus mature?

J'ai déjà souligné de quelle façon vous pouvez adopter un comportement plus mature avec vos parents, mais, de façon générale, vous vous demandez peut-être comment faire pour être plus mature et pour que les autres vous prennent au sérieux. Par exemple, si un groupe de filles vous énervent à l'école et se moquent de vous sans raison, la meilleure chose à faire est de les ignorer et de ne pas entrer dans la danse de l'immaturité. Si ces filles agissaient de façon mature, elles auraient plus confiance en elles et ne ressentiraient pas le besoin d'humilier les autres pour se sentir bien dans leur peau. Si vraiment une situation vous paraît intolérable, rien ne vous empêche d'exprimer ce que vous ressentez et de montrer de quel bois vous vous chauffez, mais prenez soin d'être honnête et claire sans chercher à blesser inutilement les autres et sans vous abaisser à leur niveau. Quand on agit de façon mature, on assume ses valeurs et sa personnalité, et on reste ainsi fidèle à soi-même. Bref, si les filles vous embêtent vraiment et vous manquent de respect, vous pouvez toujours les affronter et leur demander clairement et calmement quel est leur problème. Elles ne s'attendront sûrement pas à une réaction aussi directe et franche de votre part. Par conséquent, vous arriverez à les déstabiliser et elles n'auront peut-être rien à ajouter. Si quelque chose les chicote, vous ouvrirez la porte à la discussion, et ce sera à elles de saisir la perche que vous leur tendrez.

## Maturité et confiance en soi

Si je reprends l'exemple des filles qui vous intimident, le fait de les affronter directement et calmement vous permettra aussi de vous surpasser et de prendre conscience de votre force de caractère. Quand on croit en soi et qu'on respecte ses valeurs, on acquiert plus de maturité, ce qui nous aide souvent à prendre les choses avec un grain de sel ou à affronter des obstacles sans avoir peur. Vous comprendrez que cela aura un impact direct sur votre confiance en vous puisque vous réaliserez que vous êtes capable de vous défendre, de respecter vos principes et de foncer pour obtenir ce que vous voulez. N'allez pas croire que la maturité et la confiance en soi s'acquièrent du jour au lendemain; c'est un processus assez long qui se fait peu à peu. Si vous prenez le temps d'y penser, vous trouverez certainement des exemples de situations dans lesquelles vous avez agi de façon mature, et vous réaliserez à quel point cela a entraîné des résultats positifs. Que ce soit avec vos parents, une amie, un gars ou un prof, mieux vaut aborder une situation de façon calme et mature pour essayer de trouver une solution au problème. Ne soyez toutefois pas trop dure envers vous-même : toutes les filles ont des moments de faiblesse et éclatent en sanglots ou se mettent à hurler de temps à autre. Nous sommes des êtres sensibles et nous ne pouvons pas toujours contrôler nos émotions. Quand une telle situation se produit, ne vous apitoyez pas trop sur votre sort. Retroussez vos manches et apprenez de vos erreurs : vous ferez mieux la prochaine fois ! La maturité, ça veut aussi dire être capable d'admettre ses erreurs et ses faiblesses. Personne n'est parfait, mais vous avez toujours la chance de vous améliorer et de vous épanouir davantage; c'est ça, le chemin vers la maturité !

**Sujets connexes :**
Confiance p. 206
Honnêteté p. 319
Secret p. 452

# Mensonge

## N'apporte pas les résultats voulus...

Quand vous étiez toute petite, Pinocchio vous a vite appris qu'il ne fallait pas mentir. Quand on vieillit, on se rend compte que c'est plus facile à dire qu'à faire.

Mentir, c'est nier la vérité ou simplement affirmer quelque chose de faux. Dans la plupart des cas, cela n'apporte pas les résultats voulus.

Il y a plusieurs raisons qui nous poussent à mentir. Parfois, c'est simplement parce qu'on ne veut pas admettre qu'on a tort. On invente alors une histoire de toutes pièces ou on donne de fausses informations pour justifier notre position, tout en sachant très bien que ce n'est pas vrai. Il nous arrive aussi souvent de mentir parce qu'on a honte de reconnaître la vérité. Si vous oubliez de verrouiller la porte de votre maison et qu'elle se fait cambrioler, vous n'aurez peut-être pas envie d'avouer que c'est votre faute, parce que vous avez honte de l'erreur que vous avez commise et des conséquences qu'elle a eues.

On ment aussi parfois pour éviter les affrontements et les chicanes. C'est plus « simple » de nier qu'on a dit une bêtise que d'expliquer pourquoi on l'a dite. En plus, on sait que ça fera toute une histoire. Le problème, c'est que si on garde tout ça pour soi et qu'on accumule ses frustrations, la situation n'a aucune chance de s'arranger. Comment l'autre peut-il deviner ce que vous ressentez si vous ne le lui dites pas? Bien qu'il ne soit pas toujours facile d'être honnête et franche, les résultats sont souvent plus satisfaisants que lorsqu'on cache la vérité.

On décide aussi quelquefois de mentir pour éviter de faire de la peine aux autres. Par exemple, si on apprend que l'amoureux de notre meilleure amie l'a trompée, on préfère parfois ne rien dire que de lui faire de la peine. Pourtant, même si la vérité est souvent dure à encaisser, mieux vaut que notre amie sache à qui elle a affaire. C'est notre devoir d'amie de le lui dire.

Et puis, il y a les gros mensonges, ceux qui viennent véritablement briser la confiance, et parfois même détruire une relation. Dans ce cas, celle qui ment est ravagée par la culpabilité et les remords, tandis que celle qui a été trahie n'arrive peut-être pas à pardonner ou ne peut concevoir de donner une deuxième chance à l'autre. Lorsqu'on se trouve dans une situation semblable, on réalise que le mensonge n'en vaut pas la peine.

*Mieux vaut affronter ses peurs et dire la vérité que d'être lâche et de le regretter amèrement par la suite. De toute façon, tout finit par se savoir, et même si vous croyez que votre secret est bien gardé, vous seriez surprise de voir combien de personnes finiront par l'apprendre.*

On ment parfois par facilité, simplement pour obtenir ce qu'on désire. Si vous voulez assister à une fête et que vous savez très bien que vos parents ne vous donneront

pas la permission de sortir, il pourrait vous paraître plus simple de leur mentir et de prétendre que vous allez passer la soirée à étudier à la bibliothèque. Est-ce qu'il vaut vraiment la peine de risquer de trahir la confiance de vos parents pour une simple petite fête, ou est-ce qu'il ne serait pas mieux de leur dire la vérité et de leur exposer votre point de vue? Peut-être qu'ils sont simplement inquiets de vous voir revenir tard le soir, mais que vous trouverez un terrain d'entente vous permettant de vous rendre à cette fête. Je peux vous assurer par expérience que c'est en étant honnête que vous gagnerez davantage la confiance de vos parents et que vous obtiendrez la liberté dont vous avez besoin.

***Mais attention: le fait d'être honnête ne veut pas dire que vous deviez manquer de tact et de délicatesse.***

Il y a aussi des filles qui mentent parce qu'elles manquent de confiance en elles et qu'elles éprouvent le besoin d'attirer l'attention et d'impressionner les autres. Elles se mettent alors à inventer des histoires, allant même jusqu'à se créer une autre vie parce qu'elles veulent elles aussi passer au premier rang et sentir qu'elles ont des choses intéressantes à raconter. Même si cela semble nul et que leurs fables blessent parfois les gens, il ne faut pas être trop cruelle avec elles. Dites-vous que ces filles manquent simplement d'assurance et qu'elles croient qu'elles ont besoin d'épater leurs amies pour avoir l'air cool et pour être appréciées. Il est évident qu'elles sont en même temps torturées par la culpabilité et par le fait qu'elles n'arrivent plus à se sortir du pétrin dans lequel elles se sont mises en racontant tous ces mensonges. Elles doivent sans cesse jouer la comédie et laisser de côté leur vraie nature. Si vous vous rendez compte qu'une personne ment dans le but de se valoriser, plutôt que de vous moquer d'elle, expliquez-lui que ce n'est pas nécessaire et qu'elle n'a pas à s'inventer une vie imaginaire pour se faire des amis.

Je ne crois pas avoir besoin de vous casser les oreilles en vous répétant que ce n'est pas beau de mentir. Je crois qu'au fond, vous le savez très bien, tout comme vous savez que cela entraîne quelquefois des conséquences désolantes ou des disputes déchirantes. Même si la vérité est parfois dure à dire, vous aurez le cœur beaucoup plus léger et la conscience plus claire si vous apprenez à être honnête avec les gens. Bien que ce soit dur sur le coup, on dort beaucoup mieux après et on ne regrette jamais d'avoir dit la vérité. On apprend ainsi à être plus intègre et à inspirer confiance aux gens qui nous entourent.

**Sujets connexes :**
Contraception p. 212
Puberté p. 428
Sexualité p. 456

# Menstruations

## Une nouvelle étape de la vie

Vous avez sûrement entendu parler des menstruations bien avant d'entrer dans la puberté. Certaines filles ont hâte de franchir cette étape alors que d'autres redoutent ce moment. Quel que soit votre sentiment par rapport aux règles, il est important de bien comprendre pourquoi elles se produisent et quels sont les mécanismes corporels qui les déclenchent. En vous informant adéquatement, vous pourrez apprivoiser ce phénomène naturel avec assurance.

Les filles et les femmes qui ont déjà leurs règles vous ont probablement parlé de l'inconfort lié à celles-ci. Il ne semble pas y avoir grand-chose d'excitant à l'idée de subir ce supplice tous les 28 jours jusqu'à la ménopause qui survient en général vers 50 ans.

Toutes les filles se font cette réflexion à un moment ou à un autre.

C'est un changement physique qui peut être difficile à apprivoiser au début, mais qui deviendra rapidement familier.

Il faut savoir l'accepter, puisqu'il marque vos premiers pas dans votre vie de femme.

### La première étape : les pertes blanches

Les premières pertes blanchâtres surviennent quelques mois avant l'arrivée des menstruations.

Ces pertes sont des sécrétions vaginales qui continueront d'être là entre les périodes de menstruation tout le long de votre vie. Les pertes blanches sont en fait constituées de cellules, et c'est grâce à elles que le vagin reste toujours protégé puisqu'elles préservent l'équilibre de la flore vaginale[1]. Soyez sans crainte, les pertes blanchâtres sont tout à fait normales et ne veulent pas dire que vous êtes « sale ». Au contraire, c'est le premier pas vers votre vie d'adulte.

### Comment fonctionnent les menstruations

Les règles surviennent chez une fille qui n'est pas enceinte et sont le résultat du cycle menstruel, qui dure environ 28 jours. Au cours des premiers jours du cycle menstruel (normalement, les 14 premiers), votre muqueuse utérine s'épaissit pour pouvoir accueillir un ovule. Lors du quatorzième jour, soit celui de l'ovulation, un ovule est expulsé de l'ovaire et descend peu à peu vers l'utérus par les trompes de Fallope. C'est d'ailleurs au cours de cette période que la femme devient extrêmement fertile puisque l'ovule est en mesure de rencontrer un spermatozoïde et de se développer

1- Doctissimo.

dans l'utérus pour former un embryon, et ultérieurement un petit bébé. S'il n'y a pas de fécondation de l'ovule, votre corps rejettera la muqueuse durant la deuxième phase du cycle menstruel, ce qui entraînera les saignements après les 28 jours du cycle. Les premières règles surviennent au cours de la puberté. L'âge des premières menstruations varie d'une fille à l'autre : certaines se développent très rapidement et commencent à avoir leurs menstruations dès l'âge de 10 ou 11 ans, tandis que d'autres doivent attendre la fin de l'adolescence.

De façon générale, les règles surviennent entre 12 et 16 ans, au moment où votre corps se transforme et où vous entamez intensément votre puberté.

## Les règles

Les règles durent normalement de quatre à cinq jours. Pendant cette période, il est normal de ressentir des maux de ventre, une sensibilité aux seins et au reste du corps, un sentiment de fatigue générale et une plus grande vulnérabilité émotive ou une humeur moins stable que d'habitude. Chacune ressent les changements physiques et émotionnels de façon différente, mais si vous subissez beaucoup de désagréments, je vous conseille de prendre des comprimés d'ibuprofène ou d'en parler à votre médecin pour qu'il vous prescrive un traitement adéquat. Bien que les règles nous ennuient parce qu'elles nous empêchent souvent de vaquer normalement à nos occupations, qu'elles nous fatiguent et qu'elles nous empoisonnent la vie, il est tout de même bien de savoir que notre corps fonctionne normalement. Une fois que vous avez eu vos premières menstruations, vous devenez physiquement aptes à porter un bébé et votre corps entre officiellement dans le monde adulte. Avoir ses règles n'est jamais quelque chose de particulièrement plaisant, mais vous vous y habituerez. Avec le temps, elles deviennent de moins en moins gênantes et vous apprendrez à trouver des moyens afin de gérer ces quelques jours plus ou moins agréables.

## Quelle protection choisir ?

Choisir le type de protection est à la discrétion de chacune. Certaines filles préfèrent porter des serviettes hygiéniques parce qu'elles les trouvent plus faciles à installer et plus confortables, tandis que d'autres ne jurent que par les tampons puisqu'ils se transportent mieux et qu'ils offrent une meilleure sensation de propreté. Il existe toutes sortes de serviettes (parfumées, non parfumées, avec ailes, sans ailes, etc.) et de tampons (avec applicateur en plastique ou en carton, sans applicateur, de tailles variables en fonction de votre flux menstruel). Optez pour la protection que vous trouvez la plus confortable et la plus adaptée à votre cas.

## Comment insérer un tampon

Tout d'abord, mettons une chose au clair : le fait d'insérer un tampon dans votre vagin ne vous fera pas perdre votre virginité et cela ne vous fera pas saigner davantage. Il se peut qu'il soit un peu difficile de l'insérer au début, mais vous devez bien vous détendre et l'orienter de façon à ce qu'il entre bien dans l'axe du vagin. Installez-vous en position accroupie au-dessus de la cuvette des toilettes, puis insérez le bout de l'applicateur dans le vagin, tout en tenant le tube avec vos doigts et en vous assurant de maintenir la corde à l'extérieur. Appuyez ensuite sur le tube qui se trouve à l'intérieur de l'applicateur pour qu'il propulse le tampon à l'intérieur de votre vagin, puis retirez et jetez l'applicateur. Si vous ne vous sentez pas à l'aise, c'est sûrement que vous n'avez pas enfoncé le tampon assez profondément. Je vous conseille donc de l'enlever et de recommencer. Par ailleurs, durant les premiers jours de vos menstruations, le flux sanguin sera normalement beaucoup plus abondant, et il vous faudra changer de tampon assez souvent (environ toutes les trois ou quatre heures). Si vous voyez du sang apparaître sur la corde, c'est que votre tampon est pleinement imbibé et qu'il est grand temps de le changer. Vous n'avez qu'à tirer sur la corde reliée à l'extrémité extérieure du tampon pour le retirer de votre vagin. Enroulez-le ensuite dans un mouchoir et jetez-le à la poubelle.

## La coupe menstruelle

Depuis quelques années, on entend de plus en plus parler de la coupe menstruelle. Aujourd'hui, elle est utilisée par un grand nombre de femmes comme mode de protection alternatif aux serviettes hygiéniques ou aux tampons. Écologique et économique, cette petite coupe ressemblant à un entonnoir de silicone que l'on insère dans le vagin assure une protection allant jusqu'à 12 heures. Elle est très durable et vous pouvez l'utiliser pendant environ un an. Bien entendu, si vous constatez que votre coupe menstruelle est abîmée ou se détériore (apparition d'un film collant ou en poudre, décoloration importante ou présence d'odeur très forte), vous devez cesser de l'utiliser en vous en procurer une nouvelle. Pour en apprendre davantage sur l'utilisation de la coupe menstruelle et sur les différentes compagnies qui offrent ce type de produit, vous pouvez consulter le site <coupementruelle.net>.

# Mère

**Sujets connexes :**
Famille p. 275
Frères et soeurs p. 284
Père p. 396

## Besoin de couper le cordon

En vieillissant, les filles ont tendance à se poser la question : « Pourquoi est-ce que ma mère m'énerve autant ? »

Ça fait partie de la crise d'adolescence : même si vous aimez votre mère et que vous avez été très proche d'elle pendant toutes ces années, vous sentez maintenant le besoin de couper le cordon et de vous débrouiller toute seule. Sachez qu'il s'agit d'une étape normale et tout à fait saine, mais qu'il ne faut pas dépasser les limites en blessant inutilement votre mère. Il est très difficile pour elle de se voir rejetée de votre vie et de perdre son rôle de confidente, alors essayez d'être indulgente.

Il existe toutes sortes de mères : les mères « modernes » qui jonglent entre la vie familiale et la vie professionnelle ; les mères indépendantes ; les mères confidentes ; les mères poules ; les mères cajoleuses ; les mères absentes ; les mères autoritaires ; etc. Quelle que soit la nature de votre mère, vous aurez souvent tendance à la comparer avec celle de votre amie et d'envier la relation qu'elles entretiennent. Sachez d'abord que les mères ne sont jamais parfaites, et qu'elles ont toutes leurs forces et leurs faiblesses. Votre mère est peut-être plus sévère que celle de votre amie, mais elle a peut-être aussi une meilleure écoute, et vous pouvez toujours compter sur elle lorsque vous en avez besoin.

C'est normal d'avoir besoin d'indépendance et d'autonomie lorsqu'on entre dans l'adolescence, mais on doit s'efforcer d'exprimer calmement ce besoin et de faire la transition en douceur.

Ne soyez pas trop dure avec votre mère, même si vous avez l'impression d'étouffer. Elle est habituée à assumer ce rôle et vous ne vous en êtes jamais plainte avant aujourd'hui, alors laissez-lui le temps de s'adapter à votre changement d'attitude.

À l'adolescence, on est souvent déchirée entre le besoin de sa mère et l'envie d'être seule. Cette ambivalence peut être difficile à vivre pour votre mère qui ne sait pas trop comment s'y prendre ou comment agir avec vous. Si vous la sentez distante, dites-vous qu'elle agit sûrement de cette manière pour vous laisser votre espace, et faites-lui comprendre que sa présence est encore importante pour vous. Si au contraire vous vous sentez étouffée, expliquez calmement à votre mère ce que vous ressentez et dites-lui que vous souhaitez avoir votre espace : ce n'est pas parce que vous l'aimez moins, c'est simplement parce que vous en avez besoin. Dites-vous que votre mère est passée par les mêmes étapes que vous, et que même si elle vous semble out et complètement dépassée, elle a déjà été une adolescente et elle connaît ce désir d'indépendance. Si elle se montre dure d'oreille, rappelez-lui comment elle se sentait à votre âge, ou alors expliquez-lui que vous êtes différente et que vous avez besoin d'apprendre à vous débrouiller seule.

## *Pour aller plus loin :*

***J'ai tué ma mère,*** Xavier Dolan

***Phobie douce,*** John Corey Whaley

Si vous avez besoin de parler ou de vous confier, vous pouvez aussi compter sur votre mère pour vous écouter. Vous n'êtes pas obligée de tout lui dire, mais elle est tout à fait capable de comprendre vos états d'âme, de vous consoler lorsque vous êtes triste ou de vous calmer durant les périodes de stress. Ne sous-estimez pas votre mère ; elle est avant tout une femme qui a déjà ressenti les mêmes angoisses et les mêmes inquiétudes que vous. Dans cet ordre d'idées, n'oubliez pas de lui demander comment elle va et de vous informer de ce qu'elle fait. Elle n'est pas seulement votre mère ; elle est aussi un individu à part entière qui traverse des moments difficiles à l'occasion, et qui a parfois besoin d'un peu d'attention, même si ça peut vous sembler ridicule. Si vous ne vous sentez pas vraiment à l'aise de le faire, faites-lui savoir que vous l'aimez malgré tout. Il n'y a rien qui pourra la rendre plus heureuse !

*Sujets connexes :*

Bal des finissants p. 177
Magasinage p. 344
Sorties p. 462

# Mode

## Quel est ton style ?

Vous êtes peut-être quelqu'un qui s'intéresse beaucoup à la mode. Qu'elle vous influence ou non, vous savez que la mode fait partie de notre quotidien et varie selon les saisons, les époques, les tendances, les inspirations et les styles.

De plus, la mode ne s'applique pas uniquement aux vêtements ; elle régit également l'ensemble de notre style de vie. Il y a les restos branchés, les endroits qu'on doit « absolument » fréquenter parce qu'ils sont à la mode, les coupes de cheveux, la déco, les sports, les activités, la musique, etc. C'est par ailleurs à vous de déterminer si vous vous laissez influencer par la mode ou non, et à quel point elle joue un rôle important dans votre vie.

On doit en fait chercher un équilibre avec la mode. À l'adolescence, on a parfois de la difficulté à trouver son propre style et à exprimer ses goûts personnels, et on préfère faire comme tout le monde pour ne pas se sentir *out* ou « rejet ». Il est normal d'être influençable et, malgré tout, il y a des choses vraiment jolies et cool qui sont à la mode. Mais vous pouvez tout de même créer votre propre style en vous inspirant des trucs branchés tout en y mettant votre touche personnelle. Il vaut mieux être originale que d'avoir le même chandail que cinq autres filles de votre classe, non ? Il suffit parfois de quelques accessoires qui vous paraissent spéciaux ou vraiment cool pour ajouter une touche d'originalité à votre ensemble. La mode vous sert alors de guide. Vous pouvez vous laisser influencer par certaines tendances tout en restant à l'affût des éléments originaux, ou même classiques, que vous pourrez porter pendant des années plutôt que de les balancer au recyclage dans quelques semaines, quand ils seront *out*.

Pour certaines, la mode est une véritable passion. Si vous faites partie des vraies adeptes, et que vous dévorez les magazines de mode et faites du lèche-vitrine plusieurs fois par semaine dans le but de découvrir

les nouveautés, sachez qu'il existe des professions pour vous. Vous pouvez vous diriger vers les écoles professionnelles de mode afin de vous spécialiser en commercialisation ou en design. Il existe plusieurs programmes d'études liés à la mode, au cégep et à l'université.

Une chose est sûre : la mode ne vient pas sans prix. Quand on veut toujours être au courant des dernières nouveautés ou qu'on raffole des créations de designers locaux et étrangers, on se rend vite compte que ça coûte cher d'être à la mode ! Si votre budget ne vous permet pas de dévaliser les magasins, vous pouvez apprendre à modifier vos vêtements de façon à les rendre plus branchés, ou alors visiter les boutiques moins chères et les friperies qui renferment toujours de vrais trésors, mais où on ne prend pas toujours la peine d'entrer. Ne sous-estimez pas l'importance des accessoires : peu dispendieux, ils peuvent être utilisés sous plusieurs formes et changer une tenue du tout au tout.

Restez aussi à l'affût des soldes dans les magasins. Vous pourriez vraiment faire de grandes économies. De plus, consultez les revues ou internet pour vous tenir au courant des dernières tendances et pour évaluer de quelle façon vous pourriez modifier votre garde-robe pour la rendre plus cool sans toutefois dépenser une fortune.

***Même si vous êtes une mordue, il ne faut pas devenir une victime de la mode pour autant.***

Ce n'est pas parce qu'un vêtement est à la mode qu'il est joli ou qu'il doit absolument vous intéresser. Vous devez aussi tenir compte de l'usage que vous en ferez, ainsi que de votre propre style. Tous les trucs « à la mode » ne conviennent pas automatiquement à tout le monde ! Lorsque vous essayez un vêtement, vous devez bien regarder la taille, la couleur et le style afin de déterminer s'il vous met en valeur et s'il vous va bien. Assurez-vous de vous sentir jolie et à l'aise dans vos vêtements, et ne vous laissez pas convaincre d'acheter quelque chose qui ne vous va pas bien du tout simplement parce que c'est à la mode. Il y a des trucs branchés qui sont franchement horribles, alors fiez-vous à votre jugement.

Je vous conseille aussi de ne pas vous débarrasser trop vite des vêtements que vous ne portez plus. La mode fonctionne par cycles, et plusieurs des trucs que vous trouvez vraiment *out* risquent de revenir à la mode dans les prochaines années. Par conséquent, si vous avez de l'espace, rangez le tout dans des boîtes et attendez que la vague repasse. Après tout, les années 1980 et le rétro sont bel et bien revenus à la mode, non ?

Peut-être êtes-vous déchirée entre le désir d'être à la mode et celui de créer votre propre style. Vous ne voulez pas avoir l'air ridicule aux yeux des autres, mais vous n'avez pas les moyens de vous acheter des nouveaux trucs chaque semaine. Sachez que l'important, c'est de vous assumer dans ce que vous faites. Que ce soit en matière de musique, d'habillement, d'activités ou de style de vie, vous avez vos préférences et il est important de vous écouter et de vous faire plaisir. Il n'est pas mauvais d'être un peu excentrique et d'inventer son propre style sans toujours vouloir faire comme les autres. Apprenez à vous affirmer et n'ayez pas peur de sortir du moule. Qui sait, vous lancerez peut-être une nouvelle mode !

## Sujets connexes :

Deuil p. 236
Maladie p. 348
Suicide p. 466

# Mort

## Une réalité dure à accepter

La mort est une question qui soulève des inquiétudes et des doutes auprès de tout le monde. C'est une réalité dure à accepter, et une fatalité à laquelle on ne veut pas penser.

En effet, tous les êtres vivants finissent un jour par mourir. Certes, lorsqu'on est jeunes, on ne veut pas penser à cela. On sent qu'on a la vie devant soi, que rien ne peut nous arriver, que nous sommes en quelque sorte invincibles. Il est vrai qu'il vaut mieux adopter une attitude positive et mordre dans la vie à pleines dents plutôt que d'appréhender le pire et de craindre tous les dangers de peur que la mort ne survienne, mais il est important de prendre conscience du concept de la mort pour pouvoir profiter pleinement de la vie et apprendre à la protéger.

### Vivre avec la mort

La mort frappe parfois de façon fulgurante, sans crier gare, et peut apparaître dans notre vie et nous bouleverser au plus haut point. Bien qu'on soit jeune et en bonne santé, des gens peuvent décéder autour de nous, que ce soit un oncle, un grand-père, un voisin, ou parfois même un camarade de classe. C'est alors qu'on commence à se poser toutes sortes de questions : Pourquoi est-il mort ? Que lui est-il arrivé ? Pourquoi lui ? Où est-il allé ? Pourquoi est-ce que je ressens soudain un si grand vide et une si grande insécurité ? Je peux facilement répondre à cette dernière question : la mort demeure un mystère aux yeux de tous. Nous savons que c'est le terme de la vie, mais nul ne sait ce qui arrive ensuite. Certains croient à la réincarnation, d'autres à la résurrection et au bonheur éternel. Cela dépend souvent des croyances religieuses ou personnelles. Les athées, par exemple, croient qu'il n'y a rien après la mort ; d'autres espèrent simplement qu'il y ait quelque chose sans toutefois s'attendre à rien. Bref, non seulement cette incertitude est angoissante, mais, en plus, personne ne sait à quel moment la mort surviendra. C'est ce qu'il y a de plus révoltant à ce sujet. Quand, par exemple, un proche décède dans un accident, on n'arrive pas à y croire. C'est si inattendu, si soudain. On n'a pas eu le temps de lui dire ce qu'on ressentait, ou de passer autant de temps qu'on aurait voulu en sa compagnie. Quoi qu'il en soit, ça ne sert à rien de se casser la tête et d'angoisser sans cesse au sujet de la mort. On ne sait pas ce qui arrivera, alors mieux vaut profiter pleinement du moment présent et jouir de la vie pendant que nous en avons encore la chance !

### Pour aller plus loin :

- *Chronique d'une mort annoncée,* Gabriel Garcia Marquez
- *Extrêmement fort et incroyablement près,* Stephen Daldry
- *Demain dès l'aube,* Victor Hugo

## Des risques inutiles

Bien que vous soyez jeune et que vous vous sentiez invincible, sachez que vous devez tout de même vous protéger contre les dangers et éviter de prendre des risques qui mettraient inutilement votre vie en péril. Par exemple, portez un casque lorsque vous faites du vélo. Ce n'est peut-être pas très joli, mais c'est un sacrifice qui en vaut la peine, puisque cela peut vous sauver la vie. Ne conduisez JAMAIS en état d'ébriété et ne montez pas à bord d'une voiture dont le conducteur a bu. Ne plongez pas dans un lac si vous ne savez pas nager et ne consommez pas de substances qui risquent de mettre votre vie en danger. Bref, soyez responsable et prudente. La vie est un cadeau unique, et il faut la chérir et en profiter pleinement tout en prenant bien soin de soi!

## Profitez de la vie!

Même si vous traversez parfois des moments difficiles ou que vous faites face au décès d'un proche, ce qui vous plonge inévitablement dans la dure réalité de la mort, rappelez-vous qu'il ne sert à rien de vivre en craignant sans cesse de mourir. Vous devez apprendre à profiter de la vie et adopter une philosophie où vous vivez chaque journée comme si c'était la dernière. On ne peut pas prévoir le futur, et on ne peut pas expliquer ce qui se passe après la mort, alors profitez de votre jeunesse et ne vous en faites pas trop avec ces histoires morbides. Songez plutôt à vos rêves, à vos espoirs et à vos ambitions. Apprenez à vous sentir vivante et à jouir des petits plaisirs de la vie, comme les dimanches en famille, les vendredis soir entre copines et les premières amours qui nous font battre le cœur. N'ayez pas peur de ce qui vient ou de l'inconnu. Ça ne sert à rien de vous en faire pour l'instant, alors chassez les idées noires et estimez-vous chanceuse d'être en vie. Le temps file et on ne peut pas revenir en arrière, donc aussi bien profiter du moment présent, être passionnée de la vie et nous démarquer grâce à notre joie de vivre!

**Sujets connexes :**

Culture p. 226
Scène artistique p. 446
Sorties p. 462

# Musique

## Tout le monde en raffole !

Que ferait-on sans musique ? Qu'importe le style, le genre, le rythme et la sonorité, tout le monde raffole de la musique. Il existe un nombre infini de styles, et chacune forge ses propres goûts musicaux. Il s'agit d'un choix personnel basé sur ses goûts, sur son humeur, sur sa propre personnalité.

En effet, la musique sert aussi à exprimer son identité au même titre que la tenue vestimentaire. Les gens qui partagent des intérêts musicaux ont même parfois tendance à se regrouper et à développer une forte amitié fondée entre autres sur cet intérêt commun et sur le sentiment d'appartenance à un style particulier. Il y a le genre alternatif, le grunge, le punk ou les styles plus classiques. Il existe des styles qui peuvent plaire à tout le monde, et c'est parfois un casse-tête de s'y retrouver et d'apprendre à connaître tous les styles de musique.

Pour certains, la musique est un simple passe-temps, une façon de se détendre ou de se distraire dans l'autobus. C'est aussi une manière de rêvasser dans sa chambre et d'associer ce qu'on vit aux paroles d'une chanson, ou de se défouler quand on en a besoin. Pour d'autres, il s'agit véritablement d'une passion. Vous rencontrerez certainement des gens qui vous impressionneront avec leurs connaissances musicales à tout casser. Comment font-ils pour s'y retrouver et pour connaître autant de groupes ? Et que dire des animateurs de radio, des D.J. et des disquaires ? Comment font-ils pour être au courant des dernières tendances musicales tout en connaissant très bien les classiques rétro, pop et électro ? Il s'agit d'une passion comme une autre, alors ils trouvent le moyen de se tenir au courant. Avec internet, la tâche est devenue de plus en plus facile. Par ailleurs, ces gens fréquentent souvent les magasins de musique et de disques, lisent des tas d'articles sur le sujet, écoutent la radio de façon assidue. Quoi qu'il en soit, leurs connaissances sont épatantes !

***La musique marque aussi certaines périodes de notre vie à tout jamais. Je me souviens qu'à l'adolescence, j'étais une fan inconditionnelle du groupe Nirvana.***

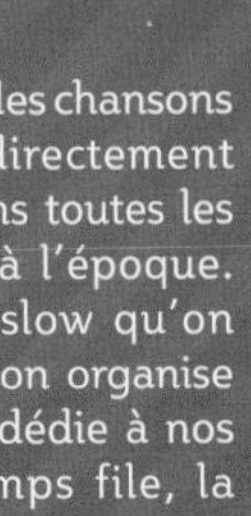

Aujourd'hui, dès que j'entends les chansons de ce groupe, je replonge directement dans mes quatorze ans et dans toutes les expériences que j'ai vécues à l'époque. C'est ainsi pour le premier slow qu'on danse, les premières fêtes qu'on organise et toutes les chansons qu'on dédie à nos petits amis. Même si le temps file, la musique reste et nous permet de revivre ces moments précieux avec intensité et nostalgie.

La musique donne aussi le rythme des générations. Certains chanteurs ou styles de musique sont associés aux années 1970, 1980, 1990 et maintenant 2010. Sachez que les genres musicaux qui ont marqué votre génération vous suivront toute votre vie et vous permettront de partager une grande complicité avec les gens de votre âge.

*Pas besoin de vous rappeler que la musique nous permet aussi de danser et de nous défouler entre copines.*

Peu importe les goûts personnels de chacun, il existe des « classiques » qu'on adore chanter à tue-tête et sur lesquels on adore danser. La musique permet aux gens de se rassembler, de batifoler, de se défouler et de faire les fous. Elle crée parfois une ambiance intime durant les soirées entre amis, ou une ambiance déchaînée dans les fêtes et les discothèques. On choisit souvent un style de musique particulier pour les différents moments de la journée. Une musique douce pour étudier ou pour s'endormir, un style plus intense pour rêvasser, un rythme énergique pour se déchaîner sur la piste de danse ou pour faire le ménage de notre chambre, etc. En résumé, la musique met toujours de la vie dans notre train-train quotidien.

## Tous les goûts sont dans la nature

Quelles que soient vos préférences musicales, vous devez apprendre à respecter les goûts des autres sans toujours vouloir imposer votre propre musique. Il en est de même pour vos parents. Même si vous en avez ras-le-bol de leur musique classique, de leurs chants grégoriens ou de leur musique pop des années 1970, apprenez à respecter leur intimité musicale au même titre qu'ils respectent la vôtre. Dans le même ordre d'idées, bien que vous ayez parfois envie de faire trembler les murs au rythme de votre chanson préférée, apprenez à respecter les autres personnes qui vivent dans la maison, ainsi que vos voisins qui doivent subir le grondement incessant de votre musique. Bref, ne montez pas trop le volume de votre radio. Si vous aimez écouter de la musique à tue-tête, mettez des écouteurs et faites comme bon vous semble, mais prenez garde de ne pas devenir sourde !

## La folie internet

Il est aujourd'hui de plus en plus facile de trouver de la musique sur internet, et même de la télécharger gratuitement (et illégalement). Sachez toutefois que lorsque vous agissez de la sorte, vous nuisez directement à l'industrie du disque et à la carrière des chanteurs que vous adorez. En effet, avec le piratage, personne ne profite de l'acquisition que vous faites, par voie de téléchargement, d'un album ou de chansons, puisque c'est du vol. Cela nuit particulièrement aux artistes qui commencent dans l'industrie et tentent de vivre de leur musique. Profitez plutôt d'internet pour faire des recherches sur les différents genres musicaux, sur les chanteurs qui vous plaisent ou que vous avez envie de découvrir et sur les groupes québécois plus *underground* qui méritent d'être entendus et appréciés. Vous pouvez également visiter les sites internet de vos artistes favoris pour télécharger légalement leurs chansons en payant, sans toutefois être obligée de vous rendre chez le disquaire.

La musique est un art et une passion qui se développent. Pourquoi ne pas aller explorer des *playlists* sur Apple music, Spotify, Tidal ou encore sur YouTube ? Il existe également des sites dédiés à la découverte de nouveaux groupes et genres musicaux, comme Music-map.com. Sur ce site, il vous suffit d'entrer le nom d'un artiste pour voir apparaître plein de propositions. Il faut par contre noter les noms pour aller les chercher ailleurs. Envoyez-moi vos autres suggestions !

# Narcissisme

Sujets connexes :
Apparence p. 160
Confiance p. 206
Réseaux sociaux p. 438

## Fascination pour soi-même et amour-propre excessif

Le mot « narcissisme » vient de Narcisse, ce personnage de la mythologie grecque d'une grande beauté qui est tombé amoureux de lui-même après avoir vu son reflet dans l'eau d'une fontaine.

Il était si obnubilé par sa propre image qu'il est tombé dans l'eau et s'est noyé. L'admiration qu'il se portait à lui-même l'a donc mené à sa perte.

Le narcissisme est une fascination pour soi-même et un amour-propre excessif qui conduisent une personne à tout ramener à elle-même et à ses propres besoins. En d'autres mots, quand on est narcissique, on a tendance à se regarder un peu trop le nombril et à ne s'intéresser qu'à soi-même. Bien qu'il soit extrêmement important d'apprendre à s'aimer et à se valoriser, il faut savoir trouver un équilibre entre l'amour de soi et l'égocentrisme, soit le fait de ne penser qu'à soi.

### Me, myself and I...

Quand on est narcissique, on ne tient pas compte des autres. On est obnubilée par soi et par ses propres émotions. Bref, on ne tend pas la main aux autres, et on refuse de prendre la main de ceux qui nous la tendent. Ce qu'il faut que vous sachiez, c'est que vous avez beaucoup à apprendre des gens qui vous entourent et qui vous aiment. Plutôt que de jouer les victimes, de vous rouler dans votre malheur et de vous regarder le nombril, laissez les autres vous donner leurs conseils et vous aider à traverser les périodes difficiles. Dans la vie, il y a toujours pire que soi, alors il suffit de mettre les choses en perspective pour réaliser qu'on n'est pas si mal en point qu'on pourrait d'abord le croire. D'autre part, les gens qui vous entourent ont des tas de choses à vous offrir, et vous avez beaucoup à apprendre d'eux. Par conséquent, apprenez à partager et à donner de votre temps et de votre énergie, et vous verrez que vous vous sentirez beaucoup mieux dans votre peau. En effet, quand on se regarde trop le nombril, on a tendance à se replier sur soi et à se fermer aux autres. Bref, on se sent souvent très seule. Imaginez que chaque fois qu'il vous arrive quelque chose ou que vous avez besoin d'un conseil, votre amie ramène tout à sa propre vie et ne fait que parler d'elle. Vous n'aurez plus envie d'aller la voir et de vous confier à elle. Il n'y a rien de plus embêtant que les gens qui sont imbus d'eux-mêmes et qui refusent de s'ouvrir un peu aux autres et de s'intéresser à autre chose qu'à leur propre personne.

C'est pour cette raison que les gens narcissiques sont souvent seuls ; ce n'est pas seulement parce qu'ils se complaisent dans leur amour-propre ; c'est aussi parce que les autres ne sont pas portés à aller vers eux.

Bien que vous deviez évidemment apprendre à vous aimer, vous devez toutefois utiliser cet amour et cette confiance en vous pour vous ouvrir davantage aux autres et pour leur tendre la main. Vous devez apprendre à donner et à recevoir tout en profitant pleinement de ce que les gens ont à vous offrir. N'hésitez pas à prendre des nouvelles des autres et à vous intéresser à eux. Quand on est vraiment bien dans sa peau, on est capable de s'assumer et de transmettre cette confiance aux autres tout en puisant dans leurs connaissances, leurs judicieux conseils, leur expérience et leur amour. Ouvrez-vous aussi à ce qui se passe ailleurs dans le monde, aux catastrophes naturelles, aux maladies et à la pauvreté. Je vous assure que cela remet toujours les choses en perspective. Si le problème est lié à un manque de confiance en vous, mieux vaut puiser dans votre énergie en vous fiant au regard de ceux qui vous aiment et qui vous entourent qu'en vous regardant le nombril et en ne pensant qu'à vous. Bref, aimez-vous telle que vous êtes sans être trop centrée sur vous-même. C'est une question d'équilibre, et sachez que l'altruisme prodigue toujours de grands bienfaits, alors n'hésitez pas à regarder autour de vous, à vous intéresser aux autres et à être généreuse de votre personne.

# New York

## La ville qui ne dort jamais

Une destination qui fait rêver !

**Sujets connexes :**

Anglais p. 152
États-Unis p. 269
Voyage p. 496

Si vous avez l'occasion de visiter la ville qui ne dort jamais, je vous conseille fortement de vous joindre à l'expédition, car vous ne regretterez pas l'expérience.

Sachez d'abord qu'il y a moyen de visiter New York sans dépenser une fortune. Plusieurs agences de voyages offrent des forfaits de quelques jours qui incluent l'hôtel, le transport en autobus et parfois même l'entrée gratuite dans certains musées ou sites touristiques. De plus, une fois à New York, il existe des tonnes de façons de découvrir la ville avec votre groupe sans vous ruiner !

Je vous propose évidemment de vous balader à pied dans la ville. New York est remplie de richesses et de petits recoins qui gagnent à être découverts. Promenez-vous dans Central Park lors d'une chaude journée d'été ou faites du patin au Rockefeller Center, si vous visitez la ville au cours de l'hiver. Je vous conseille fortement de visiter l'East et le West Village, un quartier situé tout près de l'Université de New York (NYU). Ce quartier est bondé d'étudiants, de petits cafés sympathiques, de disquaires, de boutiques originales et d'artistes qui débordent d'imagination. C'est aussi dans le Village que vous pourrez apercevoir la maison du personnage de Carrie Bradshaw dans la série *Sex & the City*, ainsi que le fameux appartement de la série *Friends*. SoHo est pour sa part un quartier huppé, rempli de galeries d'art et de lofts immenses, où vous vous sentirez en toute sécurité. Baladez-vous aussi sur la 5ᵉ Avenue; c'est là que se trouvent les plus grands designers du monde ! Même si vous ne disposez pas du budget nécessaire pour vous procurer les vêtements et accessoires qui y sont disponibles, ça ne coûte rien de faire du lèche-vitrine ! Évidemment, qui dit New York dit Broadway, alors

n'hésitez pas à découvrir le quartier des arts situé aux abords de Time Square. Si vous en avez la chance, je vous conseille d'assister à l'un des spectacles à l'affiche pour profiter pleinement de votre aventure new-yorkaise.

Il est évident que vous serez tentée de magasiner et de faire des emplettes. Canal Street est une rue bondée de gens et de vendeurs itinérants toujours prêts à négocier le prix des parfums, des bijoux et des montres. Pour les chaussures, je vous suggère Shoemania (un magasin immense à Union Square) qui offre toute une gamme de chaussures à bas prix. Pour les vêtements, je vous suggère évidemment de visiter l'immense boutique H&M de la 5ᵉ Avenue (sinon, il y a des H&M un peu partout dans New York), les magasins Macy's, Abercrombie & Fitch, American Eagle Outfitters, Strawberry, etc. En fait, il y a tellement de boutiques à New York que, peu importe votre style, vous êtes certaine d'y trouver quelque chose qui répondra à vos besoins.

Pour les restos, si votre budget est limité, je vous suggère d'essayer les petits cafés qui offrent des menus spéciaux très abordables le midi et le soir, ou alors de goûter aux fameux hot-dogs et shish-taouks qui se vendent à tous les coins de rue. Plusieurs épiceries offrent aussi des comptoirs à salades et des repas chauds délicieux et très abordables.

La ville de New York est également remplie de richesses culturelles. Je vous recommande de visiter le Metropolitan Museum of Art (MET), l'American Museum of Natural History et le musée Guggenheim. Ce dernier se spécialise dans l'art moderne et contemporain, et vous y retrouverez aussi des œuvres de peintres célèbres tels que Van Gogh et Picasso. Vous pouvez également vous rendre au sommet de l'Empire State Building pour y contempler une vue grandiose.

Comme vous pouvez le constater, la ville de New York est remplie de choses à découvrir et d'activités à faire. Il est certain que vous ne vous y ennuierez pas. Bien que New York soit beaucoup plus sécuritaire qu'elle ne l'était il y a quelques années, je vous recommande d'être extrêmement prudente et de ne pas vous promener seule pour demeurer à l'abri des dangers et pour éviter de vous égarer. Bien qu'il s'agisse d'une ville grandiose, certains quartiers demeurent plutôt risqués et il est déconseillé d'y aller seule. Restez également à l'affût des pickpockets et assurez-vous que votre sac à main soit bien fermé, surtout si vous montez à bord du métro ou de l'autobus. Si vous participez à un voyage scolaire, restez toujours avec votre accompagnateur et assurez-vous de respecter les rendez-vous et les couvre-feux. Pour le reste, je suis certaine que vous raffolerez de l'expérience new-yorkaise et que vous tomberez amoureuse de la Grosse Pomme !

# Nutrition

**Sujets connexes :**
Poids p. 405
Sport p. 464
Végétarisme/Véganisme p. 488

## Bien manger

À part les premières années de vie, l'adolescence est la période durant laquelle notre corps connaît la croissance la plus importante. Pendant ces années cruciales, il est essentiel de bien se nourrir. Mais il ne faut pas oublier que manger doit aussi être un plaisir et l'occasion de découvrir de nouvelles saveurs !

Selon le Guide alimentaire canadien, les adolescentes qui ont entre 9 et 18 ans doivent consommer de 1500 à 1750 calories par jour (pour des personnes assez sédentaires). Sachez toutefois que les besoins énergétiques varient d'une fille à l'autre, selon son métabolisme et son niveau d'activité physique.

Par exemple, une fille de 10 ans très sédentaire peut se contenter de 1500 calories par jour, alors qu'une autre très sportive du même âge aura peut-être besoin de 2050 calories. Quoi qu'il en soit, le plus important est de manger de façon équilibrée et de se nourrir d'aliments provenant des quatre groupes alimentaires.

Toujours selon le Guide alimentaire canadien, une adolescente doit consommer 6 à 7 portions de légumes et de fruits, 6 portions de produits céréaliers, 3 à 4 portions de lait et ses substituts et 1 à 2 portions de viande et ses substituts. Pour bien comprendre à quoi correspond une portion (puisque cela varie pour chaque groupe d'aliments), je vous invite à consulter le site de Santé Canada.

Je sais qu'on vous casse les oreilles depuis que vous êtes toute petite à propos du petit-déjeuner, mais sachez qu'il s'agit effectivement d'un repas essentiel qui vous permet d'être concentrée à l'école et vous donne l'énergie nécessaire pour bien fonctionner. Comme vous êtes surtout active au cours de la journée, vous dépensez rapidement ces calories. Donc, en prenant un bon petit-déjeuner, vous risquez beaucoup moins d'engraisser qu'en mangeant une poutine avant de vous coucher, au moment où le corps est au repos.

***De façon générale, il faut éviter les extrêmes; en d'autres mots, il est évident que le fait de manger du fast-food et du chocolat tous les jours n'est pas une bonne idée pour votre ligne et votre état de santé, mais rien ne vous empêche de vous faire plaisir de temps à autre.***

**Voici quelques suggestions de repas équilibrés qui vous permettront de rester en pleine forme, tout en consommant des aliments sains et nutritifs.**

### Déjeuner :

Une boisson frappée préparée avec des fruits frais et du yogourt nature ou du lait écrémé.

Du gruau servi avec des raisins secs et de la cannelle, le tout accompagné d'un bon verre de jus d'orange.

Un bol de céréales de blé entier servies avec du lait écrémé et des fruits.

Des œufs brouillés servis avec des légumes frais et une tranche de pain de blé entier.

Un bol de céréales muesli ou granola servies avec du yogourt nature et des fruits.

## Dîner :

Une salade complète avec des légumes, du blanc de poulet ou du thon, un peu de fromage, le tout servi avec une tranche de pain à grains entiers.

Une bonne soupe-repas composée de haricots, de maïs, de nouilles et de tomates.

Vous pouvez l'agrémenter d'une tranche de pain ou d'un bagel avec du fromage. Miam !

Un sandwich dans un pain pita ou une tortilla de blé entier. Garnissez le tout avec de la dinde ou de la salade de poulet, de thon ou de saumon, de la laitue, du fromage et des tomates.

Un délicieux roulé avec du houmous, de la laitue, des tomates, du fromage, du poivron et des carottes, sur un pain pita.

## Souper :

Un chili à la viande ou végétarien avec des haricots et des tomates. C'est nourrissant et super bon !

Des pâtes (préférablement de blé entier) avec de la sauce tomate et du basilic. C'est prêt en un rien de temps !

Une bonne salade repas composée de laitue à laquelle on ajoute de la viande ou du tofu.

Vous pouvez agrémenter le tout de maïs, de tomates, de concombre, d'avocat, de poivron et de fromage !

Une savoureuse omelette au jambon avec du fromage et des légumes. Qui a dit que les omelettes ne se mangeaient que le matin ?

Une pizza sur pain pita ! Il suffit d'ajouter de la sauce tomate, des légumes et tous les ingrédients qui vous font envie, puis de mettre le tout au four pendant une quinzaine de minutes !

Une bonne salade de légumineuses avec des légumes et du maïs.

Le poulet est très facile à apprêter ! Vous pouvez le déposer dans une tortilla pour en faire des fajitas ou le servir avec du riz brun ou des nouilles pour un repas de type oriental ! Miam, miam !

# Ouverture d'esprit

**Sujets connexes :**
Accommodement raisonnable p. 134
Respect p. 441
Tolérance p. 478

## Laisser tomber ses préjugés

L'ouverture d'esprit, c'est un intérêt et une curiosité pour la nouveauté et pour la différence.

C'est le fait de pouvoir tenir compte de points de vue différents des vôtres, de laisser tomber vos préjugés et vos idées préconçues pour apprendre des tas de nouvelles choses. Bref, quand on est ouverte d'esprit, on est prête à écouter l'opinion d'autrui et à partager le point de vue des autres sans imposer le sien.

Même si certaines cultures et traditions nous semblent bien différentes des nôtres, il ne faut pas chercher à les condamner et à les juger. Il vaut mieux s'ouvrir à la diversité et chercher à comprendre et à découvrir les us et coutumes de ces autres cultures plutôt que de rejeter d'emblée ces notions inconnues. Par exemple, si une amie d'origine chinoise vous invite à manger un plat typique, goûtez-y avant de dire que ça vous déplaît et ne refusez pas l'invitation sous prétexte que ça vous fait peur et que vous préférez vous cantonner dans vos propres habitudes culinaires. Vous pourriez être surprise des découvertes que vous ferez en vous ouvrant aux nouveautés et à la diversité.

***Si ça ne vous plaît pas, au moins vous le saurez, et il n'y a pas de mal à essayer!***

Cela vaut aussi pour les gens que vous côtoyez. Plutôt que de les juger rapidement en fonction de leur religion, de leur tenue vestimentaire ou de leur langue, apprenez à faire taire vos préjugés. Des gens extraordinaires se cachent derrière les apparences, auxquelles on accorde souvent trop d'importance. Évitez aussi de généraliser et de juger les gens en fonction de vos idées préconçues et de vos jugements de valeur. La nationalité, la religion et les traditions d'une personne ne devraient pas vous rendre craintive ni vous empêcher de faire leur connaissance. Apprenez plutôt à vous ouvrir à ces différences. Il y a énormément à apprendre des autres cultures et traditions, alors il faut arrêter de se regarder le nombril et de se croire meilleure que les autres. Si vous êtes si fière de vos origines et de votre identité, alors mieux vaut les faire découvrir à ceux qui la connaissent moins. C'est en partageant et en discutant de vos différences respectives, mais aussi de vos ressemblances, que évoluerez en tant qu'individu.

Il en va de même en ce qui concerne les opinions. C'est génial de prendre position et de défendre ses points de vue, mais il ne faut pas être tyrannique et imposer sa façon de voir les choses. L'ouverture d'esprit vous pousse à écouter le point de vue des autres et à respecter leurs choix. On ne peut pas être d'accord sur tout. Par ailleurs, il est très stimulant d'aborder des thèmes et d'en débattre. Laissez les autres s'exprimer ; ils ont droit à leur opinion autant que vous, et leurs raisons sont tout aussi justifiables que les vôtres, et ce, même si vous ne partagez pas leurs points de vue.

En d'autres mots, montrez-vous ouverte à tout ce qui est différent et ne jugez pas sans savoir, car c'est souvent très formateur de côtoyer des gens différents, voire marginaux. Laissez tomber vos préjugés et embrassez les différences de culture, de traditions, de langue, de religion, d'orientation sexuelle et d'opinions, même si la discussion peut parfois soulever des thèmes délicats et des sujets tabous. N'hésitez pas à apprendre des autres, même si ce qu'ils vous apportent peut s'avérer inattendu et surprenant. Soyez tolérante et respectueuse envers les autres, et je vous assure que vous apprendrez énormément de votre expérience et de votre curiosité pour tout ce qui a trait à la diversité et à la nouveauté. Après tout, il y a tant de choses à découvrir et à apprendre dans la vie, pourquoi se limiter à ce qu'on sait déjà ?

**Sujets connexes :**

Honte p. 321
Maturité p. 359
Responsabilité p. 443

# Pardon

## Pas facile de demander pardon

Il nous arrive à toutes de commettre des erreurs ou de dire des choses qui dépassent notre pensée. Ce qui est compliqué, c'est de s'excuser pour ce qu'on a fait, ou de pardonner à celui ou à celle qui nous a blessée.

Pour se faire pardonner, on doit employer des paroles ou des gestes pour faire comprendre à l'autre qu'on regrette sincèrement ce qu'on a fait. Ce n'est pas facile de demander pardon. On est souvent rongée par la honte et par les regrets, et on ne sait pas trop comment s'y prendre pour que l'autre sache qu'on est vraiment désolée. Je vous assure que, dans la plupart des cas, si on est sincère, le simple fait d'affronter ses peurs et d'aller voir directement la personne pour lui dire qu'on est désolée suffit à lui faire entendre raison. Cela ne signifie pas qu'elle soit prête à oublier, ou même qu'elle puisse oublier le mal que vous lui avez fait, mais elle ne peut nier que vous soyez sincère et que vous regrettiez amèrement votre faute.

D'autre part, si vous êtes celle qui doit pardonner, vous devez parfois apprendre à mettre l'orgueil et la rancune de côté, et à donner une deuxième chance à la personne qui vous le demande. Par exemple, si vous venez d'apprendre que votre meilleure amie vous a trahie et qu'elle a dévoilé l'un de vos secrets, il se peut que vous vous sentiez blessée et que vous ayez perdu confiance en elle. Même s'il vous faut un certain temps pour rebâtir cette confiance, donnez-lui la chance de s'expliquer et essayez de la comprendre. Votre amitié en vaut sûrement la peine. Dites-vous que l'erreur est humaine et que tout le monde mérite une deuxième chance. Quand on pardonne à quelqu'un, on fait preuve de générosité, puisqu'on passe par-dessus le mal qu'on éprouve au profit de l'amour qu'on ressent pour l'autre ou de l'importance qu'on accorde à cette relation. Lorsque vous décidez de pardonner, je vous recommande de laisser l'autre vous dire comment elle se sent. De votre côté, il vaut

mieux que vous lui expliquiez clairement ce qui vous a blessée pour qu'il n'y ait aucun malentendu et pour qu'une telle chose ne se reproduise plus.

***Lorsque vous décidez de pardonner à quelqu'un, vos intentions doivent être sincères. Ne le faites pas pour vous venger par la suite ou pour lui rappeler sans cesse ses erreurs.***

Si vous choisissez de pardonner, c'est parce que vous êtes vraiment prête à passer à autre chose et à renouveler vos « vœux » d'amitié ou de confiance avec cette personne. Mais si vous sentez que votre pardon ne serait pas tout à fait sincère, mieux vaut lui dire que vous avez besoin de plus de temps pour réfléchir et laisser passer la tempête. Croyez-moi, ce n'est pas en vous vengeant ou en lui faisant mal à votre tour que vous vous sentirez mieux dans votre peau.

Il y a parfois des choses qui sont plus difficiles à pardonner, et certaines blessures prennent beaucoup plus de temps à cicatriser. Si vous êtes celle à qui on a fait du mal, il faut savoir exprimer cette peine et dire à la personne que vous avez besoin de temps. Il se peut que les choses ne redeviennent jamais comme avant, selon la gravité de ce qu'on vous a fait. Si vous êtes celle qui cherche à se faire pardonner une faute, faites comprendre à l'autre personne à quel point vous êtes désolée et faites-lui part de votre peine et de vos regrets, mais respectez également ce qu'elle vous demande et laissez-lui le temps de digérer. Vous pouvez aussi essayer de lui écrire une lettre, puisque les mots permettent parfois d'exprimer toutes les choses qu'on n'ose pas dire de vive voix.

***Enfin, quoi qu'il arrive, mieux vaut admettre vos torts et être tout à fait honnête avec la personne que vous avez blessée.***

Si elle n'est toujours pas prête, faites-lui bien comprendre que vous ne répéterez pas votre erreur et dites-lui à quel point elle est importante pour vous. Quand on est blessée, le meilleur remède est souvent de se sentir aimée, alors n'hésitez pas à le lui dire.

Le pardon est un cadeau qu'on offre, une deuxième chance pour tout effacer et repartir à zéro.

Même s'il n'est pas facile d'oublier le mal qu'on nous a fait, il vaut souvent la peine d'accorder cette chance aux gens qu'on aime. Dites-vous qu'ils ont certainement appris de leur erreur et qu'ils ne prendront pas de nouveau le risque de vous perdre. Le pardon est un acte de bonté et de générosité dont il faut savoir gratifier les gens qu'on aime et qui en valent la peine. Rappelez-vous qu'aucun être humain n'est parfait, et que vous avez certainement déjà commis vous aussi des erreurs qu'on vous a pardonnées, alors donnez à cette personne la chance de vous prouver qu'elle vous aime. Je suis certaine que si elle est importante à vos yeux, vous ne le regretterez pas.

**Sujets connexes :**

Famille p. 275
Mère p. 366
Père p. 396

## Relation complexe

À l'adolescence, les parents ne représentent pas seulement l'autorité ; on les voit aussi comme l'ennemi, comme l'entrave majeure à notre liberté.

On a l'impression qu'ils font tout pour nous rendre le quotidien impossible et qu'ils ne comprennent absolument rien à ce qui se passe dans notre vie. Les adolescents ne font pas toujours bon ménage avec leurs parents, mais la bonne nouvelle, c'est qu'il existe des moyens pour rendre la situation moins pénible !

Les parents sont là pour nous éduquer, pour prendre soin de nous et pour nous surveiller. Je sais, ils prennent souvent ce dernier rôle un peu trop au sérieux, mais l'autorité parentale les force, non seulement sur le plan juridique mais également sur le plan humain et affectif, à nous protéger et à veiller à notre bien-être. En d'autres mots, il ne faut pas croire que les parents nous imposent des couvre-feux, des règles et des tâches uniquement pour nous casser les pieds ; ils le font parce que cela fait partie de leur rôle, et parce que c'est de cette façon qu'ils pourront nous responsabiliser et nous faire prendre conscience des dangers qui nous entourent. Ils ont tendance à dire que tant qu'on habite sous leur toit, on doit se conformer à leurs règles et agir en conséquence. C'est habituellement à ce moment qu'on a envie de plier bagage et d'acquérir plus de liberté et d'indépendance. Bien que cette solution paraisse idéale, sachez que les responsabilités qui accompagnent l'autonomie sont immenses, et qu'à l'adolescence, on est souvent loin d'être prête à assumer toutes ces obligations, ne serait-ce que sur le plan financier. Il faut donc vous efforcer de trouver un terrain d'entente pour rendre votre vie avec vos parents, qui vous semblent de plus en plus exigeants, agréable au quotidien.

On doit d'abord prendre conscience que tout n'est pas la faute des parents. Soyons honnêtes : à l'adolescence, nous devenons beaucoup moins tolérantes envers nos parents, trouvant leur attitude dépassée et complètement ridicule. Vous devez être consciente de vos propres défauts et faire un effort pour vous améliorer et rendre la situation moins pénible. Même si vos parents vous énervent et que vous les trouvez nuls comparativement à d'autres, sachez que personne n'est parfait et qu'ils sont mieux que vous ne le croyez (dites-vous que vos amies les trouvent sûrement plus cool que les leurs).

*Il est normal d'éprouver un nouveau besoin d'indépendance et d'autonomie, et de vous sentir incomprise.*

Vous sentez qu'ils sont complètement *out* et qu'ils ne comprennent rien à ce que vous vivez, mais, en même temps, vous savez que vous avez encore besoin d'eux et vous demeurez dépendante à cent pour cent. Vous êtes donc déchirée entre le désir de les rejeter et celui de les garder près de vous. C'est pour cette raison qu'il faut trouver un compromis.

## *Terrain d'entente*

Les parents ne sont pas aussi dépassés et nuls qu'on a souvent tendance à le croire. Ils ont eux-mêmes déjà été adolescents et ont traversé la même période, alors vous devez vous armer de patience et tenter de leur expliquer calmement ce qui vous tracasse et vous déplaît. Soyez indulgente avec vos parents ; après tout, ce n'est pas facile pour eux de vous suivre à travers tout ce que vous vivez. Essayez de les respecter, de gagner leur confiance et de discuter tranquillement avec eux, même si c'est parfois difficile et que vous sentez qu'ils ne comprennent rien. La meilleure façon de leur faire comprendre que vous vieillissez, c'est d'agir en conséquence et de faire preuve de maturité. Je vous assure que cela vous aidera à trouver un équilibre et à avoir un peu plus de liberté.

Salut Lou,
Aujourd'hui, mes parents m'ont demandé de passer du temps de qualité avec moi. Comme je ne voulais pas qu'ils commencent à me poser des questions personnelles, j'ai décidé de regarder un film avec eux. Ils n'avaient jamais vu Hunger Games ! Ma mère a adoré, mais mon père a trouvé ça violent. Pfff ! Il m'a ensuite suggéré de regarder un reportage sur l'Égypte. Il avait l'air tellement heureux que je n'ai pas osé dire non ! Qu'est-ce qu'on ne ferait pas pour ses parents !
**Léa xox**

### CONSEILS :

**Lorsque vous voulez demander une permission à vos parents, ne soyez pas agressive. Tentez plutôt de rester calme et d'être patiente avec eux.**

**Si vous sentez qu'ils ne vous comprennent pas, rappelez-leur comment ils se sentaient à votre âge.**

**Dites-leur que vous ne cherchez pas à être rebelle et à leur désobéir, mais que vous avez simplement besoin d'un peu plus d'autonomie et que, jusqu'à preuve du contraire, ils peuvent vous faire confiance.**

**Soyez honnête avec eux et prévenez-les si vous rentrez tard ou si vous découchez. Soyez responsable et respectueuse, et tout devrait bien aller.**

**Même s'ils vous énervent, efforcez-vous de passer un peu de temps avec vos parents, de leur demander comment ils vont et ce qu'ils font, et de partager un repas avec eux de temps à autre. Les éviter ne ferait qu'agrandir le fossé qui vous sépare ; vous vous sentiriez alors encore plus incomprise.**

# Paresse

**Sujets connexes :**

Fatigue p. 278
Sommeil p. 460
Volonté p. 494

## Fort penchant à flâner

Si vous avez toutes les peines du monde à vous motiver pour faire vos devoirs ou pour accomplir vos tâches quotidiennes, et que vous avez un fort penchant à traîner de la patte et à flâner plutôt que de faire ce que vous devez faire, alors vous souffrez sans doute de paresse.

En effet, la paresse se caractérise par la difficulté de faire des efforts pour respecter ses engagements ou s'acquitter des tâches qu'on n'a pas envie d'accomplir. On se laisse plutôt convaincre par une force intérieure qui nous dit de rester couchée, de ne rien faire et de remettre ça à plus tard. Bref, la paresse survient quand l'oisiveté l'emporte sur le désir d'assumer ses responsabilités, ou en d'autres mots, quand on manque de volonté pour faire ce qu'on doit faire.

Plusieurs facteurs peuvent expliquer la paresse. Tout d'abord, il y a le manque de motivation. Si vous devez faire un devoir de mathématiques, mais que vous détestez cette matière, vous ne sauterez certes pas de joie à l'idée de vous asseoir devant vos cahiers, mais vous avez tout de même la responsabilité de faire vos travaux. Le manque de motivation et d'intérêt permet ainsi parfois à la paresse de prendre le dessus et de vous convaincre de ne pas faire votre travail. Il y a aussi cette tendance à tout remettre à plus tardaussi appelée « procrastination ». Après tout, pourquoi faire maintenant ce qu'on peut faire plus tard ? La réponse est simple : parce que lorsqu'on remet tout à plus tard, on se sent vite submergée par le travail et les obligations, ce qui nous fait perdre notre motivation et tomber dans un cercle vicieux. Si vous n'avez pas la volonté d'accomplir ce qu'on vous demande, personne ne le fera à votre place. C'est donc à vous et à vous seule de vous secouer et de puiser un peu d'énergie et de motivation pour éviter de vous laisser entraîner par la paresse. La volonté, c'est la capacité d'accomplir vos tâches, et c'est votre meilleure arme contre la paresse.

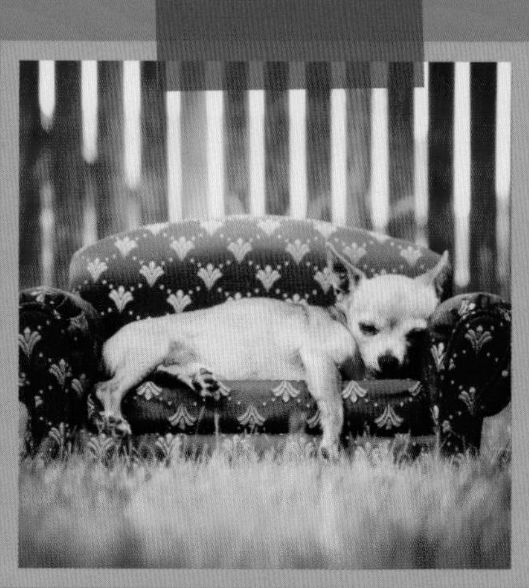

Quand on est paresseuse, on en subit rapidement les conséquences. Non seulement le travail s'accumule, mais le stress occasionné par les échéances qui se rapprochent n'aide en rien à corriger la situation.À l'école, vous risquez de prendre beaucoup de retard sur vos camarades de classe et de ne plus être capable de suivre le rythme. Cela risque évidemment d'entraîner des échecs scolaires qui nuiront d'autant plus à votre motivation et à votre estime personnelle. À la maison, si la paresse vous mène et que vous ne faites jamais ce que vos parents vous demandent, il se peut qu'ils réagissent en limitant vos sorties ou en restreignant votre liberté, puisqu'ils sont insatisfaits de votre rendement et que vous êtes incapable de vous secouer les puces et de les aider.

Souvenez-vous qu'on récolte ce qu'on sème! Si vous vous reconnaissez dans cette description et que vous jugez que vous êtes paresseuse, il n'en tient qu'à vous de remédier à la situation et de faire tout votre possible pour combattre ce penchant pour la fainéantise! Tout d'abord, si vous manquez de motivation, fixez-vous des objectifs à court, moyen et long terme qui vous stimuleront davantage. Par exemple, même si vous n'aimez pas les maths, vous savez que vous devez avoir de bonnes notes pour être acceptée dans le programme de votre choix au cégep, et éventuellement pour accéder à la carrière qui vous intéresse, alors mieux vaut vous appliquer dès maintenant dans vos travaux. C'est un sacrifice à faire pour réaliser votre rêve. À court terme, vous pouvez aussi vous accorder une récompense lorsque vous terminez quelque chose. Par exemple, vous pouvez vous dire que quand vous aurez fini de laver la vaisselle, vous pourrez enfin aller rejoindre vos amies, mais que vous devez d'abord terminer ce qu'on vous a demandé de faire. Accordez-vous aussi des pauses lorsque vous travaillez pour vous stimuler davantage. Si vous étudiez, dites-vous par exemple qu'après tel chapitre, vous aurez droit à 20minutes de pause avant de recommencer.

***Si vous avez encore de la difficulté à vaincre votre paresse et à démontrer suffisamment de volonté pour accomplir vos tâches, songez au fait que lorsque vous aurez terminé, vous aurez le cœur beaucoup plus léger et la conscience plus tranquille.***

Quand on remet sans cesse les choses à plus tard, on est consciente qu'il nous reste des tas de trucs à faire, et on a souvent de la difficulté à profiter du moment présent et à relaxer parce qu'on y pense sans cesse. Quand on termine quelque chose, on ressent une fierté et un sentiment d'accomplissement inégalables qui nous permettent de nous changer les idées et de vaquer à nos occupations en toute liberté. Non seulement on a la conscience tranquille, mais on est aussi fière d'avoir accompli quelque chose et d'avoir vaincu la paresse. Par exemple, même si votre travail d'économie vous semble ennuyeux, une fois que vous vous plongez dans le vif du sujet, vous constatez que vous apprenez des tas de nouvelles choses, et que c'est extrêmement stimulant pour vous. De plus, plus vous avancez, plus vous êtes fière de ce que vous avez accompli, et plus vous êtes motivée à continuer dans cette direction.

La volonté se travaille, et il n'en tient qu'à vous de vous motiver suffisamment pour combattre la paresse. Dites-vous bien que lorsqu'on accomplit quelque chose, on se sent réellement fière et en pleine maîtrise de soi, et qu'il n'y a rien de plus satisfaisant que le sentiment de d'accomplissement et de réussite personnelle, alors l'effort en vaut grandement la peine.

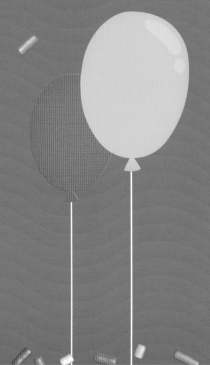

**Sujets connexes :**
Alcool p. 140
Drogues p. 241
Sorties p. 462

# Party

## Occasion idéale pour s'amuser entre amis

À l'adolescence, on commence à vouloir organiser des partys. C'est une occasion idéale pour s'amuser entre amis, célébrer, discuter, danser, se faire belle et flirter avec les garçons.

En tout premier lieu, vous devez déterminer à quel moment vous voulez organiser la fête. Si possible, choisissez un moment où vous n'êtes pas dans les examens et les devoirs jusqu'au cou, et optez pour une soirée de fin de semaine ou pour un jour de vacances. Vous devez ensuite déterminer l'endroit où aura lieu la fête. Si vos parents vous le permettent et qu'il y a suffisamment de place chez vous, c'est génial. S'ils sont hésitants, établissez des règles que vous devrez respecter pour préserver leur confiance en vous. Dites-leur par exemple à quelle heure le party débutera et à quelle heure il se terminera, et qui participera à cette fête. Si vous ne pouvez pas organiser la fête chez vous, vous pouvez le faire chez un ou une amie dont les parents sont d'accord et dont la maison est assez grande pour accueillir plusieurs invités. Vous pouvez aussi organiser une soirée à l'école et demander au directeur ou au responsable la permission d'utiliser une grande salle ou le gymnase.

Vous devez ensuite songer aux invitations. Je vous conseille d'inviter les gens en qui vous avez confiance et qui savent s'amuser tout en étant responsables. Ne négligez pas les gens à qui vous parlez moins, puisque les fêtes sont l'occasion parfaite pour créer des liens et apprendre à mieux se connaître. Ne vous fiez pas aux apparences et ne faites pas trop de discernement entre les « cool » et les « rejets ». Les groupes d'amis les plus cool sont ceux qui se situent entre les deux, ceux dont les membres savent être amis avec tout le monde ! Évitez d'inviter les personnes qui causent toujours des ennuis et en qui vous n'avez pas confiance. Vous n'avez pas envie de perdre le contrôle et que la soirée se termine mal. Le but de la

fête est de se faire plaisir et de se détendre, alors évitez les trouble-fêtes et les stress inutiles.

Vous devez ensuite choisir l'ambiance que vous désirez pour votre fête. Vous pouvez opter pour une fête costumée, pour une soirée thématique ou pour une fête surprise pour l'anniversaire de quelqu'un. Pensez aussi aux boissons, aux crudités, aux croustilles et autres trucs que vous voudrez consommer (en toute légalité, bien entendu !). Bref, vous constaterez bientôt que vous devez faire un budget pour être certaine de pouvoir y arriver. Vous pouvez demander à vos parents de vous aider, ou alors demander une petite contribution à vos invités, que ce soit de la nourriture, des boissons, des décorations ou un peu d'argent. Vient ensuite le moment de choisir la musique que vous voudrez pour la soirée. Vous ne voulez sans doute pas courir dans tous les sens tout au long de la fête, alors prévoyez plusieurs *playlists* de styles différents. Certains de vos amis sont peut-être excellents dans ce domaine et s'offriront pour planifier la musique ou faire les D.J. tout au long de la soirée!

Il est bientôt l'heure de vous préparer pour la fête. Choisissez des vêtements dans lesquels vous vous sentez belle et à l'aise. Maquillez-vous de façon à vous sentir jolie et bien dans votre peau. Bref, faites-vous plaisir! Après tout, c'est une occasion spéciale. Si vous êtes l'hôtesse ou l'organisatrice principale de la fête, efforcez-vous de discuter un peu avec tous vos invités. Souriez, amusez-vous! Votre attitude aura une influence directe sur l'ambiance de la fête et sur les invités. Les fêtes sont une occasion idéale pour danser, discuter, écouter de la musique et créer des liens avec des amis ou des personnes qui nous plaisent plus que d'autres. Flirtez sans dépasser vos limites personnelles et amusez-vous sans détruire la maison ni trahir la confiance de vos parents. Vous savez que tout est question d'équilibre, alors lâchez votre fou en toute lucidité, et bon party!

# Passion

Sujets connexes :

Amoureuse p. 150
Désir p. 232
Jalousie p. 335

## Mordre dans la vie

La passion est un concept souvent très controversé. On ne sait pas s'il s'agit d'un bonheur ultime à atteindre ou plutôt d'un danger à éviter.

Est-ce bien d'être passionnée, ou est-ce que ça nous mène inévitablement à notre perte ? Que dire de l'amour ? Est-ce vrai que la passion ne dure jamais ? Doit-on opter pour une relation basée sur la confiance et la tendresse, ou devons-nous nous laisser guider par notre instinct passionné et profiter entièrement du moment présent sans penser au lendemain ? Toutes ces questions sont tout à fait pertinentes lorsqu'on aborde le thème de la passion. Il s'agit d'un sentiment très intense qui nous fait planer, nous enivre et nous pousse souvent à dépasser nos limites. Quoi qu'il en soit, la passion comporte des avantages et des inconvénients à considérer.

### Le feu de la passion

Quand on est passionnée par quelque chose, on est souvent portée à se surpasser et à tout faire pour atteindre ses objectifs. Par exemple, si vous êtes une passionnée de danse, vous ferez tout ce qui est en votre pouvoir pour être admise dans un programme d'études spécialisé et pour parvenir à en faire une carrière. C'est la passion que vous éprouvez pour cette activité qui vous pousse à faire des efforts et à donner tout ce que vous avez pour réussir. La passion peut donc nous servir de guide, nous encourager à nous dépasser et à réaliser nos rêves. De plus, une personne passionnée est souvent quelqu'un qui mordra dans la vie et qui savourera pleinement toutes les occasions qui s'offrent à elle. La passion peut donc s'avérer très saine puisqu'elle donne de la couleur à la vie et nous fait sentir extrêmement vivante.

Quoi de plus exaltant qu'une première passion amoureuse ? Il ne faut toutefois pas confondre passion et amour. La passion a parfois tendance à nous aveugler, à nous faire ressentir des choses intenses et à nous inciter à brûler la chandelle par les deux bouts. Dans une relation, il s'agit d'un sentiment extrêmement vif et d'une forte intensité qui nous transporte au septième ciel. À force de connaître la personne et de la côtoyer, il se peut que ce sentiment s'atténue et qu'il se transforme en véritable amour. On ressent alors un sentiment de plénitude, de tendresse et de bonheur en présence de l'autre, mais on a l'esprit plus tranquille.

## Pour aller plus loin :

- ***Fanfan,*** Alexandre Jardin
- ***Anna Karénine,*** Léon Tolstoï

## Les dangers de la passion

La passion peut parfois s'avérer dangereuse. Comme il s'agit d'un sentiment qui peut affecter le jugement, vous pourriez commettre des actes sur un coup de tête et le regretter par la suite. De plus, la passion peut vous pousser aux extrêmes et vous entraîner à vouloir l'autre à tout prix et en toute exclusivité. Vous risquez alors de tomber dans le piège de la jalousie, des crises de larmes, des déchirements inutiles et de vous livrer à des comportements d'une extrême violence émotionnelle. D'accord, vous vous sentez vivante, mais il ne faut pas devenir folle ! La passion nous rend souvent aveugles et nous incite à agir sans prendre conscience de nos actes. Tout est si intense et torride qu'on y devient accro et qu'on n'arrive plus à prendre du recul. Il arrive aussi que les passions s'éteignent brusquement, ce qui peut nous bouleverser pendant très longtemps. Souvent, ce n'est pas parce qu'on aimait tellement l'autre, mais plutôt parce qu'on vivait quelque chose de si intense que la chute est beaucoup plus abrupte que ce à quoi on s'attendait.

***La passion nous pousse aussi parfois à vouloir atteindre un objectif à tout prix, et la déception de ne pas l'avoir atteint nous ébranle encore plus que le reste.***

Néanmoins, il est important d'être passionnée dans la vie. Utilisez donc ce caractère passionné qui vous définit si bien pour transmettre aux autres votre amour de la vie et votre joie de vivre. Ouvrez les yeux sur ce qui vous entoure et apprenez à dompter vos passions pour qu'elles demeurent saines et vous poussent à vous surpasser sans vous écraser. Pour ce qui est de l'amour, si vous vivez une grande passion et qu'elle ne s'avère pas viable à long terme, dites-vous que vous avez de la chance d'avoir ressenti quelque chose d'aussi intense et apprenez de votre expérience !

# Patience

**Sujets connexes :**
Angoisse p. 154
Maturité p. 359
Ouverture d'esprit p. 380

## Une qualité rare

La patience est une qualité qui se développe souvent avec le temps. En effet, à l'adolescence, on est souvent pressée de vieillir, d'en avoir terminé avec l'école, de finir l'année scolaire, d'obtenir son permis de conduire, d'avoir 18 ans, etc.

La patience, c'est la capacité d'attendre sans précipiter les choses. Je sais que c'est parfois difficile de se maîtriser et que les filles ont la fâcheuse habitude de tout vouloir tout de suite, mais la patience évite souvent bien des conflits, et elle permet d'éprouver un véritable sentiment d'accomplissement lorsqu'on récolte enfin le fruit de ses efforts.

Songez par exemple au manteau incroyable que vous avez aperçu dans une vitrine il y a quelques semaines. Il est assez dispendieux et vous savez que vous ne pouvez pas l'acheter tout de suite. Ça ne vous empêche pas d'y rêver la nuit et de songer à toutes les façons dont vous pourrez l'agencer avec vos vêtements, mais vous savez pertinemment que vous devrez travailler fort pour l'obtenir. Après trois semaines de tâches ménagères ingrates, vous pouvez enfin vous rendre jusqu'à la boutique et acheter le manteau avec votre propre argent de poche. Vous sentez alors qu'il est bien mérité. Vous n'avez d'ailleurs jamais été aussi heureuse de porter un manteau.

Vous avez pris votre mal en patience et vous en récoltez aujourd'hui les fruits. vous êtes fière de vous, et vous devez admettre que l'attente en a grandement valu la peine.

***Bien que vous soyez impatiente de franchir certaines étapes, il y a des choses que vous ne pouvez pas précipiter.***

Il ne sert donc absolument à rien de songer à l'avenir et de compter les jours, car ça ne fera pas passer le temps plus vite. Si vous avez 14 ans, le fait d'avoir hâte d'en avoir 16 ne fera pas filer les

années plus rapidement, alors mieux vaut profiter du moment présent plutôt que de vivre dans le futur. C'est une erreur commune que de vouloir que les années passent rapidement et que le temps file au plus vite. Je sais que, quand on est jeune, les semaines s'écoulent souvent à pas de tortue, mais, croyez-moi, plus les années passent, plus elles nous glissent entre les doigts sans même qu'on s'en rende compte, alors il faut savoir profiter du moment présent, même si ça nous semble insoutenable. Songez qu'il y a deux ans, vous aviez très hâte d'arriver là où vous en êtes aujourd'hui, alors pourquoi ne pas en profiter pour jouir de ce qui s'offre à vous en ce moment et pour passer du temps de qualité avec les gens qui vous entourent ?

Après tout, il faut savoir persévérer, car lorsqu'on atteint ses objectifs, on se sent vraiment fière de soi. On a le sentiment du devoir accompli et on sent qu'on est capable de surmonter tous les obstacles qui se dressent devant soi.La vie est faite de différentes étapes que vous allez franchir peu à peu. Vous apprendrez énormément en cours de route. Vous devez apprécier tout ce que la vie vous réserve et apprendre le plus possible de ce que vous vivez en ce moment, car il est impossible de revenir en arrière. Pour le reste, vous verrez que les années filent extrêmement vite et que vous aurez tôt fait d'atteindre certains des objectifs que vous vous étiez fixés. Pour l'instant, prenez votre mal en patience et profitez du moment présent. N'hésitez pas à persévérer et à travailler pour atteindre vos buts, mais usez de patience, car tout vient à point à qui sait attendre !

# Peine d'amour

**Sujets connexes :**

Amour p. 147
Couple p. 220
Passion p. 390

## Sentiment de tristesse et de grande solitude

Certaines d'entre vous ont certainement eu la chance de connaître le grand amour, ce sentiment euphorique qui vous donne l'impression de flotter sur un nuage. Lorsque cette relation prend fin, vous vous retrouvez en proie à un sentiment de solitude, de rejet et d'abandon.

Eh oui, vous faites malheureusement face à un chagrin d'amour. Lorsqu'on connaît une peine d'amour, on a souvent l'impression que le monde s'écroule et que la douleur qu'on éprouve ne partira jamais. Le sentiment de tristesse et de grande solitude qu'on ressent alors est difficile à décrire. Certaines filles pleurent; d'autres sont en colère, frôlent les excès ou ne parviennent plus à fermer l'œil. Bref, les peines d'amour ne sont pas une période de tout repos, mais, d'un autre côté, elles nous permettent de grandir, d'apprendre et surtout de ressentir toutes sortes de choses qui, étrangement, nous font sentir vivantes.

***Le deuil qui suit une peine d'amour se fait en plusieurs étapes.***

Beaucoup ressentent d'abord de la tristesse, puis un sentiment d'abandon, de rage et de solitude. Chaque relation est différente et la guérison s'effectue à un rythme différent. Certaines relations nous touchent plus que d'autres, et il y a des peines d'amour qui prennent plus de temps à cicatriser. Quoi qu'il en soit, il n'existe aucune recette magique pour apaiser cette souffrance, mis à part le temps. Je sais que c'est la dernière chose qu'on veut entendre quand on a une peine d'amour, et je sais que les heures semblent souvent s'écouler avec une lenteur exaspérante, mais il faut savoir que, peu à peu, la douleur deviendra moins intense et que les choses finiront par s'arranger. Les réveils seront bientôt moins difficiles et les crises de larmes, de moins en moins fréquentes.

Bien qu'il n'existe aucune solution miracle pour vous débarrasser de ce désespoir,

sachez qu'il y a plusieurs façons de vous changer les idées et de rendre cette période un peu moins difficile. Lorsqu'on a une peine d'amour, on est souvent tenté de se recroqueviller sur soi-même, de pleurer toutes les larmes de son corps et parfois même de s'apitoyer sur son sort.

***Il faut au contraire s'efforcer de reprendre confiance en soi, de s'occuper, de se changer les idées et de reprendre le contrôle de sa vie et de son quotidien.***

Profitez-en pour passer du temps avec vos amies. Elles sont là pour vous écouter, vous conseiller et vous changer les idées lorsque vous en avez besoin. Vous pouvez aussi vous confier à vos parents et à vos proches, ou alors écrire tout ce que vous avez sur le cœur dans votre journal intime. Écrire ce qu'on ressent aide à se libérer de la boule qui nous serre la gorge, et lire sur le sujet nous rappelle que nous ne sommes pas les seules à passer par là. Songez aussi à faire des activités qui vous mettront dans un meilleur état d'esprit. Les sports et le gym peuvent vous aider à vous défouler et

### Pour aller plus loin :

- *Un certain sourire*, Françoise Sagan
- *Les enfants qui s'aiment*, Claire France
- *Love Story*, Erich Segal

à évacuer le surplus d'émotions négatives. Celles d'entre vous qui ont l'âme plus artistique peuvent s'inspirer de ce qu'elles ressentent pour développer leur art. Il est aussi recommandé d'essayer de nouvelles activités, de prendre des risques, d'apprendre à cuisiner, à danser, à jogger, à dessiner, bref, de faire tout ce qui est nécessaire pour se sortir de sa torpeur. Les peines d'amour sont aussi une belle occasion de penser à vous et de vous gâter. Allez magasiner, faites-vous couper les cheveux ou passez la journée dans un spa! Relaxez, respirez et vivez... La peine que vous ressentez vous prouve au moins que vous avez connu le grand amour, et être capable d'éprouver un tel sentiment indique que vous êtes bien vivante.

## Une première peine d'amour

La première vraie peine d'amour est souvent considérée comme la pire, car on ne sait pas du tout à quoi s'attendre, ni comment surmonter le sentiment d'abandon et la nostalgie qui accompagnent souvent le chagrin. Plusieurs voient aussi la première peine d'amour comme une sorte de perte d'innocence, puisqu'on se sent blessée pour la première fois et qu'on réalise que l'amour ne dure pas toujours pour l'éternité. Quoi qu'il en soit, il s'agit tout de même d'une expérience de vie qui nous permet de grandir et d'apprendre.

## Les semaines qui suivent la peine d'amour

Un chagrin d'amour nous donne souvent l'impression que plus rien n'a d'importance, que le bonheur n'existe plus, qu'on ne trouvera jamais quelqu'un qui nous rendra aussi heureuse et qu'on ne pourra plus jamais aimer de la même façon. Détrompez-vous: bien qu'une peine d'amour soit une période difficile à traverser, vous avez tout de même la vie devant vous et une tonne de gens à rencontrer. C'est vrai, ce ne sera peut-être pas comme avec le premier garçon qui vous a fait craquer et qui vous a brisé le cœur, mais votre prochain amoureux sera quelqu'un de différent, qui vous fera vivre une toute nouvelle histoire et qui vous rendra peut-être beaucoup plus heureuse.

Après une déception amoureuse, il est bon de faire le point, de prendre le temps de réfléchir à ce que vous voulez et à ce que vous recherchez, ainsi que de penser à vous-même. Rappelez-vous à quel point vous êtes spéciale et n'oubliez pas que vous ne méritez rien de moins que d'être heureuse. Certaines en profiteront donc pour rester célibataires durant un certain temps, histoire de tâter le terrain, de se changer les idées et de bien cicatriser, tandis que d'autres préféreront passer rapidement à autre chose pour oublier et ne pas se laisser crouler sous les larmes.

## Faites bien attention

Bien qu'il ne soit pas mauvais d'explorer ses possibilités, si vous ne prenez pas le temps de guérir, la peine et la nostalgie reviendront vous hanter tôt ou tard. Comme je le disais auparavant, le temps arrange bien des choses, et même s'il semble passer trop lentement, dites-vous qu'en bout de ligne, cette peine d'amour vous fera grandir et que la douleur fait bien souvent partie de l'amour. Estimez-vous chanceuse dans votre malchance: plusieurs filles rêvent de tomber amoureuses comme vous l'avez été. L'important, c'est de ne pas devenir cynique et de ne pas perdre espoir: vous êtes encore jeune et vous avez plusieurs grandes amours devant vous, alors gardez vos yeux et votre cœur grands ouverts!

# Père

**Sujets connexes :**
Famille p. 275
Mère p. 366
Parents p. 384

## Une relation compliquée

La relation père-fille est bien plus complexe qu'on pourrait le croire. Pour certaines, un père est une figure d'autorité et, pour d'autres, il est un modèle ou un véritable papa poule.

Quoi qu'il en soit, la plupart des pères ont tendance à surprotéger leurs filles et ont souvent de la difficulté à les voir grandir et à accepter qu'elles ne sont plus des fillettes, ce qui cause parfois des malentendus, des chicanes ou des problèmes de communication.

Il faut d'abord comprendre que les pères sont issus d'une autre génération, et qu'il leur est souvent plus ardu de dire ce qu'ils ressentent et ce qui les tracasse. Ils auront ainsi tendance à l'exprimer en surprotégeant leurs filles ou en réagissant de façon excessive. Lorsque les filles deviennent des adolescentes, les pères doivent apprendre à accepter leur puberté et à ne plus les considérer comme des enfants. Ils doivent aussi apprendre à discuter d'une autre façon avec leurs filles et à s'adapter au fait qu'elles deviennent des femmes et que leurs champs d'intérêt sont différents. C'était si simple de passer le samedi après-midi à faire les courses avec votre père lorsque vous n'aviez pas encore de vie sociale ! Mais maintenant que vous préférez passer des heures à parler avec vos amies, en tête-à-tête ou au téléphone, plutôt que de vous asseoir et de lire près de votre père, vous devez comprendre que la situation n'est pas facile pour lui non plus. Si vous avez un amoureux, il se peut très bien que votre père devienne plus sévère ou même qu'il soit réticent à l'idée de vous voir passer du temps en sa compagnie. Il ne fait pas cela pour vous rendre la vie impossible (même si vous êtes convaincue du contraire) ; il réagit de cette façon parce qu'il veut vous protéger. Il se peut même que le fait qu'un garçon qu'il connaît à peine prenne la relève et s'occupe de vous provoque chez lui un sentiment de jalousie. Je sais que ça peut sembler ridicule, mais la majorité des pères réagissent de cette façon lorsque leurs filles commencent à

voler de leurs propres ailes et à couper le cordon ombilical.

Vous devez aussi être consciente que, à l'adolescence, vous changez du tout au tout. Votre apparence, votre attitude, vos intérêts, vos goûts et vos priorités ne sont plus les mêmes et vous rêvez maintenant de liberté, d'autonomie et d'indépendance. Dites-vous bien que votre père doit s'adapter à tous ces changements et que la transition n'est peut-être pas facile à faire pour lui. Il ne sait plus comment vous prendre, comment vous parler, ni comment vous considérer. Ne soyez pas trop dure avec lui ; ce n'est pas facile de voir sa fille grandir et se détacher peu à peu de ses parents.

Si vous voulez conserver une bonne relation avec votre père – ce que je vous recommande fortement si vous ne voulez pas avoir l'impression que vous vivez sur une planète différente de la sienne –, trouvez des activités qui vous plaisent à

## *Pour aller plus loin :*

📖 ***Les trois lieues,*** Sylvie Desrosiers

tous les deux, ou alors prenez du temps pour partager vos champs d'intérêt communs. Si votre père vous pose des questions sur votre vie, ne soyez pas trop brusque en lui répondant, même si vous n'avez aucune envie de lui révéler certaines choses. Expliquez-lui simplement que vous préférez ne pas en parler et dites-lui qu'il n'a aucune raison de s'inquiéter.

***Dites-vous que votre père se fera toujours un sang d'encre pour vous et qu'il aura longtemps du mal à s'habituer à vous voir vieillir.***

Pour rendre la transition plus facile, discutez d'actualités avec lui ou de sujets qui vous intéressent. Montrez-lui que son opinion est encore importante à vos yeux tout en lui expliquant qu'il est normal pour vous de voler de vos propres ailes. Il s'adaptera peu à peu à ce changement d'attitude et vous pourrez quant à vous continuer de passer des bons moments en sa compagnie. Même si ça vous complique parfois la vie ou que vous n'en avez pas vraiment envie, faites quand même un effort pour lui consacrer du temps et lui montrer qu'il occupe encore une grande place dans votre vie. S'il vous est difficile de communiquer ou si vous sentez que le fossé qui s'est creusé entre vous est infranchissable, discutez-en avec votre mère, qui peut être une excellente médiatrice, ou avec l'un de vos proches qui pourra vous aider. Vous pouvez aussi écrire à votre père pour lui dire en toute franchise ce que vous ressentez, mais n'oubliez pas d'être indulgente et de faire attention à ne pas le blesser inutilement. Expliquez-lui calmement que vous vieillissez et que vous changez, que cela ne veut pas dire que vous l'aimez moins, mais que vous avez simplement besoin de votre indépendance et de votre intimité. Proposez-lui de faire une activité à l'extérieur ou d'écouter un film plutôt que de lui tourner complètement le dos. Même si votre père vous étouffe et vous énerve, je vous assure que si vous entretenez une bonne relation avec lui au cours de l'adolescence, vous vous en féliciterez dans l'avenir. Votre père sera toujours important à vos yeux, et n'oubliez pas que c'est génial de pouvoir compter sur son amour et son soutien inconditionnels.

# Permis de conduire

**Sujets connexes :**
Liberté p. 342
Maturité p. 359
Voyage p. 496

## Offre un sentiment de liberté

Si vous avez déjà 16 ans, ou que vous les aurez bientôt, il se peut très bien que vous désiriez obtenir votre permis de conduire au plus vite. Après tout, conduire offre un sentiment de liberté et de maturité vraiment intense.

Tout d'abord, il y a l'approbation des parents. Si vous n'êtes pas encore âgée de 18 ans, vous aurez besoin d'une autorisation écrite de vos parents ou de votre tuteur pour pouvoir passer l'examen théorique et l'examen pratique. L'obtention du permis est un sujet de négociation dans la plupart des familles. Si vos parents sont réticents, ce n'est certainement pas pour vous rendre la vie difficile. Au contraire, ils ont sûrement peur des risques que peut entraîner une conduite irresponsable. On compte plus de 30 000 victimes de la route chaque année au Québec. Les routes sont souvent enneigées et glissantes durant l'hiver, certains conducteurs ne respectent pas le code de la route et plusieurs conducteurs inexpérimentés s'avèrent souvent trop téméraires, ce qui donne des résultats désolants. Bref, il est normal que vos parents soient inquiets quand ils vous imaginent en train de conduire seule le soir. Ce n'est pas nécessairement parce qu'ils ne croient pas en vos talents de conductrice; ils sont plutôt méfiants à l'égard des autres conducteurs. Ce sont des parents, alors ils pensent avant tout à votre sécurité.

Un bon moyen de les convaincre est de vous entraîner avec eux durant les mois d'apprentissage. Ils pourront ainsi constater vos progrès et se sentir plus tranquilles à l'idée de vous voir conduire. Vous pouvez aussi trouver un compromis en limitant la conduite au cours des premiers mois qui suivent l'obtention de votre permis. Par exemple, si vous prenez la voiture, vous devez rentrer à la maison à une heure précise et téléphoner avant de prendre la route. Quoi qu'il en soit, vous ne pourrez pas désobéir à vos parents, puisque leur consentement est obligatoire.

Par conséquent, mieux vaut en discuter calmement avec eux et savoir exactement ce qui les inquiète pour tenter de les rassurer et de trouver un terrain d'entente qui vous offre une certaine liberté tout en les mettant en confiance.

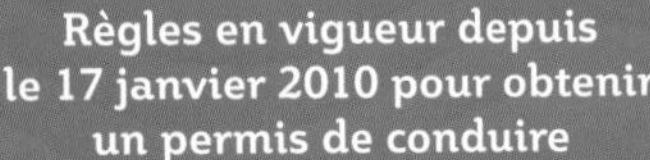


### Règles en vigueur depuis le 17 janvier 2010 pour obtenir un permis de conduire

Pour obtenir un permis de conduire, vous devez d'abord vous inscrire à un cours de conduite théorique et pratique dans une école reconnue par l'Association québécoise du transport et des routes, puis passer un examen théorique contenant 64 questions à choix multiples qui sont divisées en 3 parties. La note de passage est de 75 % pour chacune des parties. Si vous échouez à l'examen, vous devez attendre 28 jours avant de vous présenter de nouveau pour recommencer la partie que vous avez ratée (et non pas tout l'examen). Il existe plusieurs guides que vous devez bien lire et étudier pour vous préparer avant l'examen. Les questions sont parfois assez ardues et demandent de la préparation. Vous devez aussi vous entraîner en ligne sur le site de la Société de l'assurance automobile du Québec, qui offre des tests préparatoires interactifs et précise ce que vous devez étudier. Si vous réussissez l'examen, vous obtiendrez un permis d'apprenti conducteur valide pour une période de 18 mois. Avec ce permis, vous ne pourrez conduire qu'en étant accompagnée d'une personne qui a son permis de conduire régulier depuis au moins deux ans. Vous ne pouvez donc pas conduire seule lorsque vous obtenez le permis d'apprenti, mais vous pouvez vous entraîner avec un conducteur expérimenté. Vos parents vous offriront certainement de vous aider. Il se peut que vous soyez nerveuse à l'idée de conduire avec l'un d'eux à vos côtés, mais c'est un bon exercice pour vous préparer à l'examen pratique.

Si tout se passe bien, que vous vous entraînez adéquatement et que vous vous sentez à l'aise, il sera bientôt temps de songer à l'examen pratique. Pour ce faire, vous devez être titulaire d'un permis d'apprenti conducteur depuis au moins 12 mois. Vous devez ensuite prendre un rendez-vous à la Société de l'assurance automobile du Québec par internet ou par téléphone pour passer l'examen et pour réserver un véhicule. Ce dernier coûte environ 25 $, et vous devez prévoir des frais additionnels pour l'obtention de votre permis de conduire. Pour l'examen, l'instructeur vous fera conduire en pleine ville, avec une multitude d'autres voitures autour. Je sais que l'examen pratique peut être terriblement stressant, mais efforcez-vous de prendre une grande respiration et d'avoir l'air confiante. La note de passage est aussi de 75 %. Si vous échouez à cet examen, vous pouvez le repasser après 28 jours (durant lesquels vous avez tout intérêt à vous entraîner davantage), et, si vous réussissez, vous serez titulaire d'un permis de conduire probatoire d'une durée de 24 mois, qui vous accorde 4 points d'inaptitude et vous interdit de conduire si vous avez consommé de l'alcool (tolérance zéro). Bref, soyez prudente, car si vous commettez une infraction, votre permis sera suspendu pendant trois mois et vous devrez payer une grosse amende. Lorsque vous obtenez votre permis de conduire régulier, vous avez droit à 14 points d'inaptitude. Si vous consommez de l'alcool, votre taux d'alcoolémie ne peut être supérieur à 0,08 (ce qui veut dire 80 mg d'alcool par 100 ml de sang). Si c'est le cas, non seulement votre permis sera suspendu, mais vous risquez en plus de subir des conséquences assez graves comme une amende extrêmement élevée et, dans certains cas, un casier judiciaire.

Depuis le 15 avril 2012, une nouvelle loi concernant l'alcool au volant est entrée en vigueur au Québec : c'est désormais tolérance zéro pour les conducteurs de 21 ans et moins, peu importe le type de permis, probatoire ou régulier. Si vous enfreignez cette loi, les conséquences seront les mêmes que celles listées ci-haut. Par contre, à partir de 22 ans, vous pouvez consommer un peu d'alcool avant de conduire, à condition que votre taux d'alcoolémie ne dépasse pas 0,08 (ce qui équivaut à 80 mg d'alcool par 100 ml de sang). Habituellement, ce taux correspond à une ou deux consommations, mais ça peut varier selon votre taille et votre poids.

Dans la plupart des cas, ça oscille plutôt autour d'une seule consommation. On ne vous le dira jamais assez : ne risquez pas votre vie ou celle des autres. Si vous avez bu, soyez responsable et ne touchez pas au volant. Prenez un taxi ou le transport en commun. Demandez à une amie qui n'a pas consommé d'alcool de vous raccompagner ou téléphonez à vos parents pour leur demander de venir vous chercher, mais ne prenez pas de risques inutiles.

Sachez également que conduire coûte beaucoup d'argent. Non seulement l'essence est de plus en plus chère, mais vous devez aussi penser aux réparations, aux assurances, au stationnement, etc. Par ailleurs, lorsque vous obtenez votre permis de conduire, ce dernier est bon pour une période de quatre ans, mais sachez que vous devez payer des frais de renouvellement chaque année (s'il y a des infractions enregistrées à votre dossier et que vous avez perdu des points d'inaptitude, le montant sera plus élevé).

Bref, même si l'idée de conduire vous enchante, sachez que tout n'est pas rose. Vous devez être très prudente, mature et responsable. C'est votre vie qui est en jeu, et aussi celle des autres conducteurs. N'ayez pas honte de vous entraîner durant des heures en compagnie d'un conducteur expérimenté, ne consommez pas d'alcool, ne textez pas ou ne téléphonez pas lorsque vous conduisez et respectez le code de la route et les limites de vitesse. Même si vous vous sentez nulle au début, vous deviendrez de plus en plus habile au fil des années, avec l'entraînement et l'expérience.

## ATTACHEZ VOTRE CEINTURE, ET BONNE ROUTE !

Léa : Sais-tu que tu es mon grand frère préféré ?
Félix : Euh... C'est parce que je suis le seul !
Léa : Oui, mais même si j'en avais deux, tu serais mon préféré !
Félix : Qu'est-ce que tu veux ?
Léa : Que tu me conduises chez Jeanne ! S'il te plaît, grand frère chéri !
Félix : Avoir su que mon permis de conduire m'obligerait à te conduire partout, j'aurais attendu avant de le passer !
Léa : Ça veut dire oui ?
Félix : Sois prête dans cinq minutes ! Sinon, tu marches !

**Sujets connexes :**
Maquillage p. 351
Mode p. 363
Tatouage p. 472

# Piercing

**Hygiène et propreté sont les règles d'or.**

Les piercings sont souvent à la mode au cours de l'adolescence. On désire parfois se faire percer une partie du corps pour suivre la tendance, pour faire comme ses amies, par pur esthétisme, pour marquer un moment de sa vie ou simplement pour provoquer les gens de son entourage.

On peut se faire faire un piercing à plusieurs endroits du corps : les sourcils, le nez, les lèvres, le nombril, la langue, les oreilles et même le dos, les seins et les organes génitaux. Certains endroits sont évidemment beaucoup plus sensibles à la douleur, et les risques de rejet sont plus élevés. Sachez d'abord que si vous décidez de vous faire percer, l'hygiène et la propreté sont les règles d'or de l'opération. Il faut éviter les boutiques de piercing qui semblent insalubres, et opter plutôt pour les professionnels qui travaillent en suivant à la lettre les règles de propreté et d'hygiène. Il est par exemple essentiel que l'aiguille utilisée pour le piercing soit neuve afin d'éliminer tous les risques de transmission de maladies comme le sida ou l'hépatite. Il est aussi extrêmement important que le professionnel désinfecte bien l'endroit de votre corps que vous voulez faire percer avant d'y planter l'aiguille. Une fois que le piercing est en place, c'est à vous qu'il incombe de suivre les indications et de bien nettoyer la région percée en suivant les recommandations du professionnel.

Sachez aussi que même quand le piercing est effectué de façon professionnelle, et même si vous suivez toutes les étapes recommandées pour le nettoyage, la cicatrisation peut parfois prendre plusieurs semaines, voire plusieurs mois, en fonction de l'endroit où vous vous faites percer. Même lorsqu'on croit que le trou est guéri et que ses bords sont bien cicatrisés, il n'est pas rare de ressentir une légère douleur durant quelques semaines supplémentaires (par exemple, pour un piercing dans le nombril, il se peut très bien que vous ne puissiez pas dormir sur le ventre pendant près d'un mois).

Pour aider la guérison, il est capital de bien laver la région de votre corps qui a été percée et de la désinfecter tous les jours. Je vous recommande aussi de choisir des bijoux en métal antiallergène pour réduire les risques d'infection. Notez que les réactions allergiques ne sont pas rares. Comme il s'agit d'un corps étranger, il se peut très bien que votre corps réagisse mal et que vous ressentiez des brûlures et des irritations, en plus de voir apparaître des rougeurs, des fibromes bénins, des petits boutons ou des plaies plus graves.

Il se peut aussi que votre corps décide de rejeter complètement le piercing, et que vous soyez obligée de renoncer à votre nouveau bijou. Notez également que les trous se referment souvent très vite (parfois même en quelques minutes ou en quelques heures), alors si vous ne tenez pas à perdre votre piercing, évitez de changer le bijou à tout bout de champ, et faites faire le changement par un professionnel qui s'assurera de bien désinfecter le tout.

L'important, c'est que vous soyez consciente des risques que vous prenez et des étapes à suivre avant de vous faire percer. Les professionnels vous remettront dans la plupart des cas une feuille, que vous devrez lire avant de vous faire faire le piercing, où figurent les risques inhérents à l'opération, ainsi qu'une autre feuille où sont précisées les indications pour laver et désinfecter votre piercing dans les semaines suivantes. Il est très important de lire ces documents et de suivre les indications de nettoyage et les recommandations à la lettre.

Si vous êtes mineure, il se peut très bien que vos parents ne vous donnent pas la permission de vous faire percer le corps et vous demandent d'attendre vos 18ans. Je vous conseille évidemment de les écouter et de ne pas leur désobéir. Dites-vous bien que cela vous donnera le temps de réfléchir et d'être bien certaine que vous voulez vraiment un piercing. Si vous y tenez mordicus et que vous pensez avoir de bonnes raisons pour le faire, tentez de leur expliquer calmement votre point de vue et de trouver un compromis. Proposez à votre mère de vous accompagner si elle ne fait pas confiance aux boutiques où on effectue les piercings. Certaines sont extrêmement propres, voire luxueuses, et elle pourrait être surprise. Cela vous donnera également une autre bonne raison pour vous rendre dans un magasin où on vous offrira des services de qualité.

Rappelez-vous toutefois qu'il est important de prendre soin de votre corps et que la mutilation n'a rien de bien attirant. Prenez le temps de réfléchir. Commencez par les lobes d'oreilles pour voir comment vous vous sentez. Si vous êtes sensible à la douleur, les piercings ne sont probablement pas pour vous. Non seulement la cicatrisation est longue et parfois pénible, mais le perçage en soi est assez douloureux. Si vous êtes curieuse de savoir de quoi vous auriez l'air avec un piercing, que vous n'êtes toujours pas certaine de vouloir passer à l'action ou que vous ne désirez pas marquer votre corps à vie, je vous recommande les bijoux aimantés qui ne nécessitent aucune aiguille, qui ne laissent aucune trace et qui ne font pas mal du tout! Prenez vraiment le temps de peser le pour et le contre avant de prendre une décision, et ne faites rien que vous pourriez regretter amèrement plus tard.

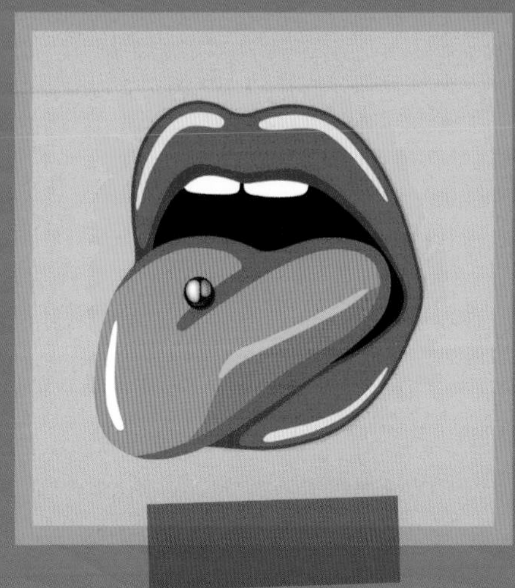

**Sujets connexes :**
Bonheur p. 185
Désir p. 232
Masturbation p. 358

# Plaisir

## Sentiment très agréable de satisfaction et de joie

Le plaisir est un état de plénitude, de bonheur intense et de bien-être physique ou émotionnel. Il peut être lié à la satisfaction d'un besoin physique ou affectif, ou encore à un sentiment de réussite et de devoir accompli.

Dans la vie, toutes sortes de petits plaisirs peuvent nous rendre heureuse. Par exemple, le simple fait de magasiner de temps à autre, de partager un bon repas avec des gens qu'on aime, de se détendre après une longue journée, de regarder un film en famille ou entre amis, de s'amuser, de rire et de profiter de la vie nous réjouit et nous procure du plaisir. Aussi, les grandes réalisations liées à l'amour, au travail, à l'école ou au dépassement de soi ont toujours tendance à nous procurer un sentiment de bonheur et de bien-être étroitement lié au plaisir.

Évidemment, quand on parle de plaisir, on fait aussi allusion au plaisir sexuel. Ce dernier peut être ressenti à plusieurs degrés et dans toutes sortes de circonstances. Non seulement le fait de se retrouver avec quelqu'un de spécial qu'on peut toucher et découvrir nous procure du plaisir, mais la découverte de son corps et des sensations qui nous plaisent entraîne également une satisfaction physique très intense.

Sachez d'abord que, lorsqu'il est question de plaisir sexuel, il faut être patiente. Évidemment, votre corps va réagir au toucher de l'autre et va s'exciter, ce qui vous fera éprouver une sensation très agréable, mais vous devez quand même apprendre à écouter votre corps pour savoir ce qui lui plaît davantage, et ainsi donner la chance à votre partenaire d'apprendre à le connaître aussi. À l'adolescence, on vit souvent nos premières expériences sexuelles, et c'est normal d'être maladroit quand on ne sait pas trop comment s'y prendre. C'est pour cette raison qu'il est important d'apprendre à connaître votre corps et d'être à l'écoute de vos sentiments. N'ayez pas peur de partager ce que vous ressentez avec votre partenaire pour qu'il apprivoise votre corps et agisse en fonction de votre plaisir. La masturbation devient ici très utile, car elle vous permet de découvrir vos zones érogènes et de déterminer ce qui vous plaît.

Le plaisir sexuel est une question de méthode, de complicité avec l'autre, de sensualité, de contacts physiques et d'exploration. On ne connaît pas l'extase du jour au lendemain ; on doit d'abord apprendre à toucher, à embrasser, à apprivoiser son corps et celui de l'autre et à prendre bien son temps pour ressentir le plaisir et en offrir à son partenaire.

## L'orgasme

L'orgasme est l'état d'excitation sexuelle ultime que vous ressentez parfois lorsque vous jouissez et lorsque le garçon éjacule. C'est durant l'orgasme que l'on ressent un plaisir sexuel ultime et un laisser-aller sans précédent. Durant quelques secondes, vous sentez que votre esprit se détache de votre corps et vous éprouvez un plaisir physique des plus intenses. Si vous n'avez jamais connu l'orgasme, il ne faut pas désespérer. Vous pouvez par ailleurs commencer par la masturbation pour chercher à l'atteindre et pour savoir quelle technique fonctionne le mieux pour vous. Avec un partenaire, ce n'est pas aussi simple. Les plaisirs physique et émotionnel sont étroitement liés. Pour atteindre l'orgasme, il vous faut être extrêmement détendue et vous trouver en présence de quelqu'un que vous aimez, que vous respectez et qui vous connaît bien. Pour atteindre le septième ciel, il faut se laisser aller et se sentir en confiance, et c'est souvent avec quelqu'un qu'on aime et qu'on apprécie au plus haut point qu'on peut atteindre cet objectif.

## Plaisir du corps, plaisir du cœur

Ainsi, rappelez-vous que le plaisir physique est étroitement lié à celui du cœur. Vous devez non seulement apprendre à connaître votre corps, mais aussi apprendre à écouter et à respecter les besoins de votre partenaire pour ne pas penser qu'à vous. Le plaisir sexuel est affaire de communication et, avant d'atteindre l'orgasme, il y a diverses étapes à franchir qui vous procureront énormément de plaisir. La découverte de la sexualité est par ailleurs un moment important de votre vie, et il est essentiel de ne pas négliger ces étapes et d'être à l'écoute de votre corps et de votre cœur. Si vous aimez quelqu'un, l'intimité et la complicité que vous partagez avec lui vous aideront certainement à vous sentir à l'aise, à vous laisser aller et à ressentir une immense satisfaction physique et émotionnelle. N'oubliez pas de partager avec l'autre ce que vous ressentez et d'être aussi à l'écoute de son plaisir et de ses besoins. Le plaisir se construit peu à peu, alors ne cherchez pas à brûler les étapes. Profitez plutôt de chacune d'elles pour apprendre à connaître davantage votre corps et vos sources de plaisir. Vous n'en serez que plus épanouie !

Sujets connexes :

Complexes p. 204
Nutrition p. 378
Troubles alimentaires p. 482

# Poids

## Très souvent un complexe

En tant que filles, le poids nous complexe souvent. On dirait qu'on ne peut jamais atteindre le poids désiré. On se trouve toujours trop grosse, trop mince, trop ronde, trop maigre.

À l'adolescence, le corps se développe et se transforme du tout au tout. Il faut plusieurs années avant qu'il se définisse et qu'on s'habitue vraiment à ses nouvelles formes. Bien que cela puisse être parfois difficile de voir vos fesses grossir, vos hanches s'élargir, vos seins pousser et vos cuisses se raffermir, sachez que vous êtes en train de devenir une femme, qu'il s'agit d'un processus naturel et que les formes sont très jolies.

De plus, n'oubliez pas que nous avons toutes des corps différents. Donc, si vous êtes plutôt pulpeuse, ne cherchez pas à devenir maigre. Cela risque de nuire à votre santé physique et mentale, et vous n'obtiendrez probablement pas les résultats voulus. Vous pouvez raffermir votre corps en faisant de l'exercice physique, ou alors mieux surveiller votre alimentation pour éviter les aliments gras. Apprenez quand même à apprécier votre corps et à le mettre en valeur sans attraper de complexes inutiles. Je sais qu'à l'adolescence, on bouge sans cesse et on dépense beaucoup d'énergie, ce qui fait qu'on a souvent très faim. Plutôt que d'opter pour du fast-food, du chocolat ou des chips, choisissez des aliments qui vous feront sentir bien dans votre peau et qui ne font pas grossir inutilement. Mangez des fruits, des légumes, des barres tendres, des yogourts, du fromage faible en gras, etc. Faites preuve de jugement, mangez sainement et de façon équilibrée, et faites du sport. C'est vraiment la meilleure façon de contrôler votre poids. Par ailleurs, ne tombez pas dans les régimes excessifs ou trop frustrants. Évitez de jeûner ou de sauter le petit-déjeuner en vous disant que vous évitez des calories. Le déjeuner est

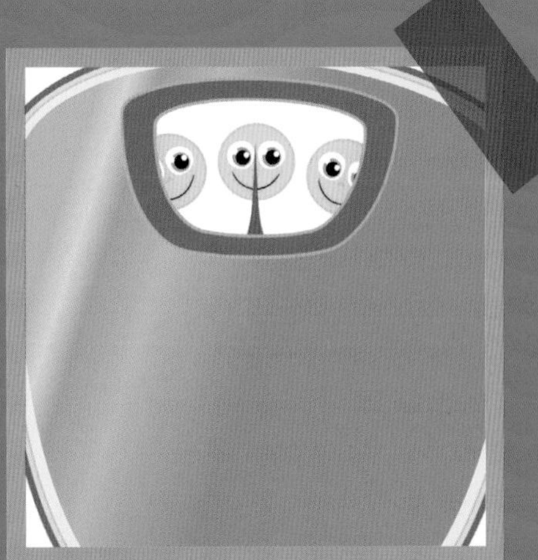

très important, et il est conseillé d'ingérer la plupart de vos calories en début de journée, puisque vous les dépenserez rapidement en pratiquant toutes vos activités et en vous concentrant durant vos cours. Il faut aussi apprendre à vous faire plaisir de temps à autre. Si vous ne vous permettez aucun aliment gras, aucune sucrerie ni aucun féculent, non seulement vous souffrirez de carences nutritives importantes pouvant vous rendre malade, mais vous connaîtrez des frustrations intenses, voire des troubles alimentaires très nocifs pour votre santé mentale et physique.

***L'important, c'est de trouver un équilibre, de manger sainement et en quantité normale.***

On vous casse sans cesse les oreilles en vous répétant à quel point il est important de faire du sport. Il s'agit en effet d'une excellente façon de dépenser votre énergie, de vous défouler et de prendre soin de votre corps. Même si vous vous sentez paresseuse, je vous assure que vous vous sentirez mieux après avoir fait de l'exercice physique. Il suffit de trouver l'activité ou le sport que vous aimez pour vous stimuler davantage. Il n'y a rien de mieux que le sport pour contrôler le poids et muscler son corps.

## Mon corps, c'est mon corps, ce n'est pas le tien !

Règle très importante à suivre : ne vous comparez pas aux autres. C'est tout à fait inutile, car votre corps est unique et ne pourra jamais être pareil à celui d'une autre. Apprenez à vous aimer telle que vous êtes.

***Nous avons toutes des complexes et des défauts physiques, mais concentrez-vous plutôt sur vos atouts pour les mettre en valeur.***

Vous avez des yeux magnifiques, alors pourquoi ne pas porter des vêtements dont la couleur les fait ressortir ? Vos jambes font l'envie de toutes les filles de la classe ? Eh bien, ne vous gênez pas pour les montrer ! Les gens ne cessent de vous faire des compliments sur vos cheveux ? Mettez-les en valeur et soyez-en fière : ils ne sont qu'à vous ! Ne vous comparez pas non plus aux mannequins des revues de mode ou aux photos retouchées qui circulent sur Instagram. Vous vivez dans le vrai monde et vous êtes belle au naturel. Il est donc essentiel que vous soyez bien dans votre peau. Je sais qu'il peut être ardu au cours de l'adolescence de voir votre corps changer et d'accepter vos nouvelles formes, mais ce n'est qu'une étape à passer. Ne vous en faites pas si vous avez quelques kilos en trop : il s'agit parfois des hormones qui s'emballent et qui auront tôt fait de se calmer, ou alors du « gras de bébé » que vous perdrez avec les années.

Sachez également que le poids n'est pas toujours un bon indicateur. Comme les muscles pèsent plus que le gras, une fille mince et musclée peut peser plus qu'une fille un peu plus rondelette. Ne vous laissez pas leurrer par la balance. Laissez-vous plutôt guider par vos vêtements pour savoir si vous avez vraiment pris du poids ou perdu quelques kilos. Si vous n'entrez plus dans vos jeans, c'est que votre corps est en train de se développer, ou alors c'est un petit avertissement à l'effet que vous avez pris quelques kilos. Si vous flottez dans vos pantalons, vous avez sûrement perdu du poids.

## L'indice de masse corporelle

L'indice de masse corporelle permet de déterminer la quantité de matière grasse que contient le corps d'un individu, ainsi que sa corpulence en général. Vous pouvez ainsi voir si votre poids se trouve dans la moyenne. Il se calcule en fonction de votre poids et de votre taille. Vous devez diviser votre poids par le carré de votre taille.

**IMC = poids ÷ taille$^2$**

Par exemple, si vous pesez 50 kg et que vous mesurez 1,63 m, vous devez diviser 50 par (1,63 x 1,63). Cela donne un IMC de 18,80, qui est considéré comme normal. Un IMC inférieur à 18,5 indique un poids insuffisant. L'IMC normal se situe entre 18,5 et 25. Un IMC qui se situe entre 25 et 30 indique un surpoids ; entre 30 et 35, de l'obésité modérée ; entre 35 et 40, de l'obésité sévère ; et supérieur à 40, de l'obésité morbide.

# Poils

**Sujets connexes :**

Apparence p. 160
Cheveux p. 198
Puberté p. 428

## Apprendre à vivre avec les poils

Considérés comme des intrus par beaucoup d'entre nous, ils apparaissent au moment de la puberté et ne disparaissent que lorsqu'on le décide.

En effet, on doit apprendre à vivre avec les poils, et à s'en débarrasser soi-même lorsqu'on ne veut plus les voir.C'est normalement entre 11 et 13 ans qu'on voit apparaître les premiers poils. Ils surgissent de façon éparse sur le pubis, sur les jambes et sous les aisselles. Certaines filles en ont plus que d'autres, puisqu'il existe différents types de poils : ils peuvent être plus ou moins fournis, plus ou moins foncés, etc. Il s'agit non seulement d'une question d'hormones et de croissance, mais aussi d'hérédité.

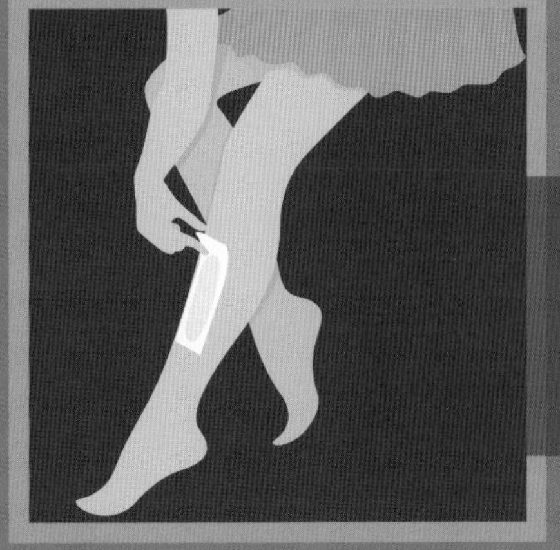

### Comment s'y prendre?

Il existe plusieurs techniques pour se débarrasser des poils, et c'est à vous de choisir laquelle vous convient le mieux, en fonction évidemment de la densité de votre pilosité, de la partie du corps ciblée et de votre sensibilité. L'usage du rasoir est sans contredit la technique la plus simple, la plus rapide et la plus économique. Rasez-vous lorsque vous êtes sous la douche. Mouillez généreusement votre peau avant de procéder, afin de bien l'assouplir. Appliquez ensuite du savon, de la mousse ou du gel à raser sur votre jambe, puis passez le rasoir en un seul mouvement en partant de la cheville jusqu'au genou. Répétez l'étape pour toute la jambe, et terminez par les retouches plus délicates, comme le contour de la cheville. Attention, il se peut fort bien que vous vous coupiez lors de vos premières tentatives. Je vous préviens : ça chauffe et ça saigne beaucoup, mais ça ne dure que quelques secondes. Je vous conseille par ailleurs de vous acheter un bon rasoir et de changer la lame régulièrement pour obtenir de meilleurs résultats. Rincez aussi votre rasoir après chaque épilation pour que les poils ne restent pas collés sous la lame, et évitez bien sûr d'emprunter le rasoir des autres membres de votre famille, pour des raisons de santé et d'hygiène.

Le plus grand désavantage du rasage est le fait que les poils repoussent plus rapidement et plus dru que lorsqu'on les épile à la cire. Je vous conseille l'usage du rasoir pour vos aisselles (on se fiche un peu plus des repousses à cet endroit, et vous devrez peut-être répéter l'opération plusieurs fois par semaine, alors la technique du rasoir demeure la plus rapide et la plus efficace), mais n'utilisez surtout pas le rasoir pour vous débarrasser des poils qui poussent sur votre visage !

Vous pouvez aussi avoir recours à la cire pour enlever les poils. En les emprisonnant dans la résine, la cire chaude les arrache sans laisser de trace. Suivez les indications inscrites sur la boîte pour faire chauffer la cire (que ce soit au four, dans une casserole ou au four à micro-ondes), mais prenez garde de ne pas la faire chauffer trop longtemps, car vous pourriez vous brûler. Étalez ensuite les bandes de cire avec une petite spatule sur toute la surface de la jambe, en commençant par le genou et en descendant jusqu'à la cheville. Appuyez sur la bande de cire à l'aide de la spatule et, lorsque vous constatez que la cire ne colle plus, arrachez la bande d'un seul coup en tirant vers le haut. Recommencez pour toute la surface de la jambe. Encore une fois, je vous préviens : l'épilation peut être assez douloureuse. Elle vous donne toutefois un répit plus long que le rasage. Vous serez en effet débarrassée des poils pour plusieurs semaines. Si vous avez la peau irritée après l'épilation, je vous recommande d'y appliquer une bonne crème hydratante. Il est aussi conseillé d'attendre que vos poils mesurent au moins 5mm pour vous épiler à la cire afin que celle-ci puisse bien les emprisonner. Vous pouvez aussi avoir recours à de la cire froide ou tiède, mais la cire chaude est souvent plus efficace, puisqu'elle dilate les pores de la peau, ce qui facilite le processus.

Il existe également des épilateurs électriques qui vous permettent de vous débarrasser de vos poils pour plusieurs semaines, car ils en arrachent la racine. Mouillez d'abord votre peau avec de l'eau chaude pour ouvrir les pores, puis passez l'épilateur sur vos jambes pour bien faire disparaître tous les poils.

De plus, vous pouvez vous rendre chez une esthéticienne pour vous faire épiler, ou simplement pour demander des conseils sur la meilleure façon de vous débarrasser de vos poils. Sachez par ailleurs que même si certaines filles n'ont pratiquement pas de poils, nous devons toutes apprendre à vivre avec ; c'est un problème universel. De nombreuses filles ont des complexes parce qu'elles se trouvent trop poilues ou que des poils poussent sur des parties de leur corps où elles ne désirent pas les voir (autour des mamelons, sur le ventre, près des oreilles, près des lèvres). Pour le visage, l'usage d'un décolorant suffira souvent à faire disparaître vos complexes. Sinon, utilisez de la cire ou un épilateur électrique. Si vos poils vous complexent beaucoup, sachez aussi qu'il existe l'épilation au laser, qui est beaucoup plus dispendieuse, mais qui vous permet de vous débarrasser des poils pour une très longue durée.

***Féminine et poilue ?***

De plus en plus de personnalités féminines s'affichent fièrement avec leurs poils, comme par exemple Miley Cyrus, Madonna ou encore Lady Gaga. On les remercie de briser les codes et de nous montrer qu'on peut être féminine et garder ses poils !

**Sujets connexes :**

Adolescence p. 138
Complexes p. 204
Puberté p. 428

# Poitrine

**Apparition de ses atouts féminins**

Les adolescentes sont souvent perturbées lorsque leurs seins commencent à pousser. En effet, ce changement physique entraîne toutes sortes de questionnements qui ont tendance à complexifier davantage cette période de métamorphose. Tentons donc de démystifier ensemble l'apparition de ces atouts féminins…

## Chacune à son propre rythme

Certaines filles commencent leur puberté à un très jeune âge, tandis que d'autres doivent attendre la fin de l'adolescence avant de constater de vrais changements physiques. Le développement des seins se produit normalement entre 8 et 14 ans, mais, là encore, tous les corps sont différents et évoluent à leur propre rythme. Quoi qu'il en soit, le développement de la poitrine peut souvent entraîner une légère douleur, ou du moins une sensibilité dans cette région du corps. Un sein peut commencer à pousser avant l'autre. Je sais, c'est étrange, mais cela arrive à beaucoup de filles. Si c'est votre cas, ne vous en faites surtout pas, le second ne saurait tarder à apparaître à son tour ! La poitrine prend un certain temps à se développer (cela se termine normalement à 16 ans), mais vos deux seins seront ultimement de la même taille ! Il arrive également que le mamelon se forme en premier lieu. Il devient alors dur, gonflé et souvent très sensible. Encore une fois, ne vous inquiétez pas : il ne s'agit que de la première étape, et les seins rattraperont bientôt leur retard.

## Un complexe bien commun

Que ce soit parce qu'ils sont trop gros ou pas assez développés, les seins ont souvent tendance à nous complexer. Lorsqu'on a de petits seins, on ferait tout pour en avoir de plus proéminents et pour se sentir plus adulte. On est alors portée à se comparer aux filles de notre âge qui connaissent un développement plus rapide, et même à rembourrer notre soutien-gorge pour se

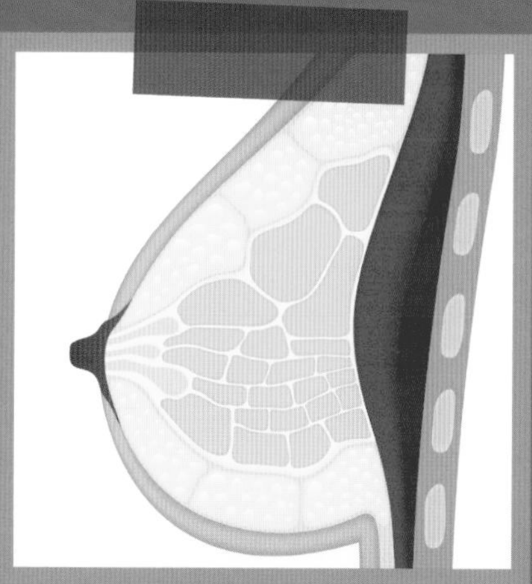

sentir mieux. Sachez que même si vos seins prennent plus de temps à se développer, cela n'indique en rien la taille qu'ils auront à la fin de leur croissance. Et même s'ils devaient être de plus petite taille que vous ne l'espériez, apprenez à apprécier votre corps et à y voir les avantages plutôt que de vous comparer à d'autres qui n'ont pas le même développement que vous.

Les jeunes filles qui ont une grosse poitrine sont aussi souvent complexées par leur apparence physique. En effet, le corps se développe parfois un peu trop vite à notre goût, et il n'est pas facile d'accepter tous ces changements physiques et l'impact que cela peut avoir autour de nous. Les garçons nous regardent d'une autre façon, les yeux se tournent vers nous, et nous ne nous sentons pas bien dans notre corps. Les filles dont les seins se développent plus rapidement ont ainsi tendance à vouloir ralentir ce processus et à porter des vêtements amples qui cachent leurs atouts.

Encore une fois, toutes les adolescentes du monde franchissent cette étape, alors il serait sûrement plus simple d'apprendre à vous accepter telle que vous êtes et à être fière de votre nouveau corps de femme! Les autres filles ne sauraient tarder à vous rattraper!

## Le soutien-gorge

Qui dit développement des seins dit soutien-gorge, mais comment s'y retrouver dans toute cette gamme de sous-vêtements inconnus? Le port du soutien-gorge peut causer un léger inconfort au début; il faut parfois un certain temps pour s'y habituer. Le choix du soutien-gorge est très personnel: les filles actives opteront pour un soutien-gorge sport qui assure un meilleur soutien, d'autres choisiront plutôt un joli modèle en dentelle alors que d'autres préféreront ne pas en porter du tout! C'est à vous de voir dans quoi vous êtes le plus à l'aise: certaines préfèrent les bonnets avec armature, tandis que d'autres aiment bien les élastiques. La forme, le style et la couleur sont des choix très personnels. Vous avez l'embarras du choix, alors amusez-vous!

## La bonne taille...

La taille du soutien-gorge est évidemment un critère très important du confort. Saviez-vous que près de 80 % des femmes ne portent pas la bonne taille de soutien-gorge? On est souvent à l'aise dans une taille sans chercher à aller plus loin. Je vous recommande donc fortement de demander à une vendeuse de prendre vos mesures lorsque vous magasinez dans une boutique de sous-vêtements, ou alors d'essayer différents modèles pour voir lequel est le plus confortable. Sachez que le numéro (32, 34, 36) correspond à votre tour de poitrine, qui ne devrait pas trop changer au fil des années, tandis que la lettre (A, B, C, D) correspond à la taille du bonnet de votre soutien-gorge.

## Tous différents

La forme, le poids et la taille des seins varient pour chaque femme. Alors, apprenez à apprécier les vôtres: ils sont uniques! Il se peut que des poils apparaissent autour des aréoles. Ne vous inquiétez surtout pas, puisque cela se produit chez beaucoup de filles. Vous n'avez qu'à vous épiler pour vous débarrasser de ces intrus. Si vous sentez une masse sous votre sein, il s'agit certainement d'un kyste bénin, très fréquent chez les jeunes filles. Ne paniquez pas, mais consultez votre médecin pour en savoir davantage et vous assurer que tout va bien.

## De nouveaux atouts...

En général, les seins ont tendance à attirer les garçons; aussi, ne soyez pas surprise si les regards se tournent vers vous lorsque survient votre puberté. Les seins sont une zone érogène qui possède un fort caractère sexuel. Les seins sont également très sensibles. Alors, faites-y bien attention. La peau de la poitrine n'étant jamais exposée au soleil, soyez prudente lorsque vous enfilez votre bikini et assurez-vous d'appliquer une couche supplémentaire d'écran solaire. De plus, certaines filles ont parfois mal aux seins lorsqu'elles dorment sur le ventre. Tout dépend du degré de sensibilité de votre poitrine. Donc, soyez bien à l'écoute de votre corps!

Salut Catherine!
Je voulais te demander si c'est normal que mes seins poussent différemment... Mon sein droit est différent du sein gauche (le mamelon est plus gros!). Est-ce que ça va s'arranger avec le temps?

Anonyme

Salut Catherine!
J'ai 11 ans et toutes mes amies commencent à avoir des seins, mais moi non. Je suis d'une grandeur normale et, jusqu'à présent, j'évoluais comme les autres. Je suis la seule à ne pas en avoir.

Anonyme

## CONSEILS :

Le sport permet souvent de garder un maintien naturel au niveau de la poitrine. La natation, les poids légers et le tennis, par exemple, musclent les pectoraux qui soutiennent les seins.

Si votre poitrine nécessite beaucoup de soutien ou que vous sentez une irritation au niveau des mamelons, le port d'un bon soutien-gorge pendant la journée vous permettra de vaquer à vos occupations sans ressentir d'inconfort.

Ôtez toutefois votre soutien-gorge pour dormir. Cela permet d'enlever la pression exercée sur votre dos et vous permet de dormir en étant beaucoup plus à l'aise.

**Sujets connexes :**

Droits humains p. 247
Économie p. 254
Québec p. 432

## Les relations Québec-Canada

Les relations entre le Québec et le Canada sont généralement assez tendues et ne sont pas comprises de la même façon par tous. C'est ce qui explique que ce sujet entraîne parfois chez les adultes des discussions enflammées et des prises de bec aux soupers de famille du temps des fêtes.

Pourquoi est-ce que la province du Québec ne jouit pas des relations plutôt cordiales que l'Ontario, par exemple, entretient avec Ottawa ? Les raisons sont nombreuses, j'en soulignerai seulement quelques-unes.

### L'identité : c'est pas seulement personnel !

Chose certaine, on revient souvent à la question de la langue : le Québec est majoritairement francophone – et souhaite le rester – , tandis que les autres provinces sont majoritairement anglophones – et n'ont aucune difficulté à le rester. Mais au-delà de la langue, il y a aussi une question d'orgueil. On remarque, en effet, que pour certains Canadiens français, le problème remonte à la Conquête de 1759, lorsque les Britanniques ont envahi la Nouvelle-France. S'il est vrai que pendant presque deux siècles, les Canadiens français ont vécu sous la domination économique et politique des anglophones, il est difficile d'affirmer aujourd'hui que les Canadiens français au Québec sont opprimés par les anglophones.

Néanmoins, sur le plan linguistique et identitaire, la situation n'est pas aussi simple. Ce qui crée le malaise de bien des Québécois lorsqu'ils se promènent dans le reste du Canada, ce n'est pas une bataille perdue il y a 250 ans sur les plaines d'Abraham, mais plutôt le sentiment d'être différents des autres Canadiens et de ne pas être pleinement acceptés avec cette identité francophone, de langue et de culture.

Il faut ajouter à cela la crainte que la toute petite minorité que représentent les francophones en Amérique du Nord ne disparaisse un jour dans la masse d'anglophones. Pour bien des parents, il est insupportable de penser que leurs enfants ou leurs petits enfants ne pleureront pas en lisant *Les Misérables* en français et ne riront pas devant Louis-José Houde. C'est peut-être ce qui explique pourquoi l'identité culturelle est si importante pour les Québécois. Toujours est-il que l'identité québécoise est certainement au cœur des tensions entre le Québec et le reste du Canada, dont Ottawa est le symbole par excellence.

## Les solutions politiques

Ce sentiment d'incompréhension et d'être assiégé s'est depuis longtemps traduit en action politique. Afin d'assurer la survie de la langue française au Québec et de la culture québécoise, tous les gouvernements du Québec revendiquent depuis des décennies une plus grande autonomie politique de la belle province. Si le Parti québécois prône l'indépendance du Québec pour protéger l'identité québécoise, les autres partis politiques n'hésitent pas à se mesurer à Ottawa lorsqu'il s'agit de défendre le partage des compétences entre le fédéral et les provinces et lorsqu'il s'agit de répartir les richesses entre les provinces. Cette attitude des différents gouvernements québécois à réclamer toujours plus de pouvoir, d'argent et d'autonomie a encouragé, dans le reste du Canada, l'idée que les Québécois sont les « enfants gâtés du Canada » ; ce qui, en retour, n'améliore pas les relations !

## L'histoire

Comme si ça n'était pas assez, l'histoire récente du pays n'a rien fait pour apaiser les tensions entre Ottawa et Québec. En effet, tandis que le Québec cherche à obtenir une plus grande autonomie, le gouvernement fédéral cherche au contraire à centraliser les pouvoirs des provinces à Ottawa. Concrètement, cela veut dire que le gouvernement fédéral essaie d'intervenir dans des domaines normalement réservés aux provinces, comme l'éducation, les services sociaux, etc. Cette ingérence politique s'est produite souvent sous le couvert de ce qu'Ottawa appelle son « pouvoir de dépenser », c'est ainsi qu'il a créé la Fondation des Bourses du millénaire alors que l'éducation est une compétence provinciale.

Pour ajouter à cela, le Québec a tenu deux référendums sur l'avenir de la province dans le Canada. Le camp fédéraliste a remporté le premier référendum de 1980 par une large majorité de 60 %, mais il a bien failli perdre le deuxième tenu en 1995, où le camp souverainiste a perdu par une marge de seulement 54 000 voix.

Ce regain de la cause souverainiste entre le premier et le deuxième référendum s'explique en partie par la dégradation des relations Québec-Canada après le « rapatriement de la Constitution » en 1982. Lors de cet épisode, le gouvernement fédéral ainsi que la plupart des provinces canadiennes ont accepté de modifier la Constitution canadienne sans l'accord du Québec. Ce coup bas porté au Québec a mené le pays dans une crise constitutionnelle. Les gouvernements qui ont suivi ont bien essayé de raccommoder le Québec avec le reste du Canada, mais sans succès : ce sont les accords ratés du Lac Meech (1987-1990) et de Charlottetown (1992-1993).

Les problèmes que rencontre le Québec dans ses négociations constitutionnelles avec Ottawa et le reste du Canada reviennentsouvent à une différence d'opinions sur la place du Québec dans la fédération. Pour les gouvernements québécois, les Canadiens français représentent l'un des deux peuples fondateurs du Canada, ce qui devrait donner au Québec une place particulière dans la fédération canadienne. Ce point de vue n'est pas partagé ailleurs au Canada où l'on préfère considérer que le Québec est une province comme une autre.

## La Constitution

La Constitution canadienne est la loi suprême du pays. C'est en fait plusieurs textes de loi qui établissent le fonctionnement général du Canada et des provinces. On y trouve par exemple, la composition du Sénat et de la Chambre des communes, le partage des compétences entre le fédéral et les provinces, la protection des minorités linguistiques, la procédure de modification de la Constitution et, pièce majeure ajoutée en 1982, la Charte canadienne des droits et libertés.

Contrairement aux lois fédérales ordinaires, la Constitution ne peut pas être modifiée unilatéralement par le Parlement du Canada. Pour la modifier, il faut passer par un processus particulier qui nécessite un certain consentement des provinces.

## Le fédéralisme canadien

Pour bien comprendre les relations entre le Québec et le Canada, il faut d'abord comprendre que le Canada est une fédération composée de 10 provinces et de trois territoires. Une fédération est un type d'État dans lequel plusieurs ordres de gouvernement (ex. le fédéral, le provincial et, dans une certaine mesure, le municipal) se partagent des pouvoirs ou des « compétences ». Au Canada, c'est la Constitution de 1867 qui établit le partage des compétences. Par exemple, tout ce qui touche à l'éducation est, en théorie, de la compétence exclusive des provinces. En revanche, tout ce qui touche aux relations internationales revient exclusivement au gouvernement fédéral qui siège à Ottawa. Bien des tensions entre le Québec et le Canada découlent du fait qu'en pratique la frontière entre les pouvoirs des gouvernements provinciaux et les pouvoirs du gouvernement fédéral n'est pas facile à tracer.

## La péréquation

Certaines tensions entre Québec et Ottawa proviennent aussi souvent de la péréquation. La raison d'être du fédéralisme canadien est d'assurer un équilibre entre l'autonomie des provinces et le bien-être des Canadiens d'un océan à l'autre. Une façon d'y parvenir est de redistribuer l'argent des provinces les plus riches vers les provinces les plus pauvres : c'est la péréquation. Évidemment, en pratique la chose est complexe et chacun veut se tailler la plus grosse part du gâteau. Le calcul de la péréquation fait sans cesse l'objet de querelles entre Québec et Ottawa, mais aussi entre les autres provinces canadiennes et Ottawa qui a la tâche difficile de décider de la taille des parts du gâteau et... de la taille du gâteau lui-même.

À titre d'exemple, le Québec a reçu 21,4 milliards de dollars au titre des principaux transferts en 2016-2017. L'Ontario a reçu quant à lui 21,3 milliards de dollars[1].

1 - Gouvernement du Canada, ministère des Finances Canada, *Soutien fédéral aux provinces et aux territoires*, en ligne : <fin.gc.ca>.

# Pornographie

**Sujets connexes :**
Harcèlement sexuel p. 310
Sexisme p. 454
Sexualité p. 456

## Sexualité très explicite

La pornographie est un phénomène à la fois banal et extrêmement inquiétant. Vous avez sans doute remarqué qu'elle se trouve partout autour de nous : dans les magazines, sur internet, à la télévision, etc.

De plus, vous savez sans doute que les garçons éprouvent beaucoup de curiosité et d'intérêt à l'égard de la pornographie. Plusieurs d'entre eux en regardent sur internet, ou encore dissimulent des magazines sous leur lit. Même les filles sont parfois curieuses de regarder des films pornographiques et d'en savoir un peu plus sur cette sexualité très explicite. Ce n'est pas parce qu'un adolescent regarde un magazine ou un film pornographique qu'on doit le considérer comme un obsédé sexuel. Il est normal d'éprouver de la curiosité à l'adolescence, de découvrir et d'explorer sa sexualité. Ce qui est déplorable avec la pornographie, c'est la facilité avec laquelle les jeunes peuvent y accéder, et l'image tordue qu'elle renvoie de la sexualité.

Sachez d'abord que la pornographie est loin d'être représentative des rapports sexuels normaux et que la plupart des gens ne cherchent pas à avoir des rapports sexuels ressemblant à ce qu'on voit dans ces films. Les œuvres pornographiques ont trop souvent tendance à représenter la femme comme un simple objet sexuel soumis aux désirs de l'homme. Les filles y semblent toutes aguicheuses, faciles et extrêmement perverses. Bien que ce genre de scénario troublant et de réalité tordue puisse exciter certaines personnes, sachez qu'il est normal qu'il vous semble difficile de concevoir en quoi cela peut procurer du plaisir. La pornographie a tendance à dépeindre les actes sexuels à l'état brut, comme si les partenaires n'étaient que des animaux et n'éprouvaient aucune émotion, mais lorsque vous avez des rapports avec votre amoureux ou que vous explorez votre sexualité pour la première fois, il est primordial que cela se fasse dans le respect et dans l'intimité. Si vous êtes avec un garçon qui se laisse apparemment trop influencer par la pornographie, n'ayez surtout pas honte de le lui faire remarquer et de le remettre à sa place ! Son comportement est certainement provoqué par l'image perverse que projette la pornographie et, surtout, par son manque d'expérience.

Il va sans dire que certaines images pornographiques sont tout simplement sordides et extrêmement choquantes, particulièrement pour une fille. Les personnages font parfois preuve de violence et ont recours à des clichés pour attiser le désir des spectateurs. Il est déplorable que les femmes y soient perçues comme des objets sexuels. La sexualité représente bien plus que cela. La pornographie a tendance à évacuer toute la candeur, la pudeur et l'intimité que partagent deux personnes au cours d'une relation sexuelle. Il ne s'agit plus que d'une technique brute et de gestes mécaniques qui font abstraction du sentiment de bonheur, de la complicité, de la douceur, etc. En d'autres mots, sachez que la pornographie ne représente en rien la sexualité complice entre deux partenaires qui s'aiment et se respectent, et qu'il est tout à fait normal que vous soyez révoltée par l'image perverse qu'elle véhicule.

## Le danger d'internet

Si vous naviguez sur internet, vous avez certainement déjà atterri sans le vouloir sur un site pornographique ou sur une publicité à caractère sexuel très explicite. En effet, la pornographie est omniprésente sur internet, et il est extrêmement difficile d'en limiter la prolifération. Je vous encourage toutefois fortement à ne pas vous exposer à de tels sites et à ne pas encourager la pornographie sur internet. Pour ce faire, vous pouvez installer un bloqueur de fenêtres intempestives qui vous aidera au moins à réduire le nombre de pages publicitaires à caractère pornographique qui apparaîtront sur votre écran. De plus, naviguez sur les sites que vous connaissez bien et où vous ne courez aucun risque. Je parle ici de risque parce que la pornographie sur internet attire beaucoup de pédophiles, de prédateurs sexuels et de gens pervers. L'accès rapide et facile à des sites pornographiques incite ces individus à influencer les jeunes pour qu'ils participent à des activités pornographiques et ainsi à profiter de leur naïveté pour les entraîner dans un milieu malsain. Bien que ce soit révoltant, sachez que la pornographie infantile, soit celle qui met en scène des enfants et de jeunes adolescents, est très présente sur le web. Je vous mets donc en garde contre les sites inconnus et contre les dépravés qui consomment et encouragent ces représentations sexualisées des jeunes. Selon une étude, les sites internet pour pédophiles représentent 30 000 pages web sur plus de 4,3 millions de pages recensées[1]. Soyez donc très vigilante lorsque vous naviguez et ne vous laissez pas convaincre de faire des choses à caractère sexuel par des gens que vous ne connaissez pas. Évitez aussi de consulter les sites pornographies qui contiennent des images et des informations troublantes, déviantes et violentes.

On ne peut pas nier la place qu'occupe la pornographie dans la société. Bien qu'elle soit partout et qu'il s'avère difficile de la gérer sur internet, je vous conseille de vous tenir loin des sites, des émissions et des magazines à caractère pornographique qui tendent à projeter une mauvaise image de la femme et de la sexualité.

1 - Parry Aflab, « Guide à l'usage des parents pour protéger les enfants dans le cybermonde », *Courrier de l'UNESCO.*

## Sujets connexes :

Bitchage p. 183
Intimidation p. 333
Secret p. 452

# Potins

## Déformation de la réalité

Le mot « potin » est un synonyme de « commérage ». Il s'agit d'un racontar ou d'une rumeur qui se transmet de bouche à oreille et qui n'est souvent fondé que sur un mensonge ou sur une déformation de la réalité.

Les potins sont un phénomène plutôt commun durant l'adolescence, et particulièrement au sein d'une école secondaire.

Pour quelle raison les gens décident-ils de propager une rumeur, de « potiner » ? Il n'existe pas de réponse universelle, mais il ne s'agit souvent que d'une façon de passer le temps et de rendre la réalité plus « intéressante ». Les clans qui se forment à l'adolescence s'affrontent souvent sur le terrain des valeurs, de l'apparence ou de la popularité. Potiner sur les gens est par conséquent un moyen plutôt mesquin de se rapprocher de ses camarades en inventant des ragots sur les autres groupes d'amis qui semblent si différents du nôtre. Les potins peuvent également se propager au sein de notre propre groupe d'amis. On tente ainsi de se rapprocher de certaines personnes ou de tisser des liens plus étroits, puisqu'on partage des secrets et des confidences que les autres ne connaissent pas. Les adolescents peuvent faire cela pour tromper l'ennui, ou pour essayer de se valoriser en se racontant des histoires sans fondement.

Certains potinent aussi simplement pour se divertir, sans aucune intention de blesser qui que se soit. Lorsqu'ils entendent une rumeur, ils servent de maillon à la chaîne et transmettent rapidement l'information aux autres dans le but de rigoler et de placoter entre amis.

Les potins font également partie de la réalité du monde adulte. On n'a qu'à regarder les émissions de télé ou à jeter un coup d'œil à tous les sites internet consacrés aux potins des vedettes d'ici ou de Hollywood. Bien que nous sachions

que ces ragots ne sont souvent que des fabulations ou des altérations de la réalité, nous continuons tout de même à regarder ces émissions pour la simple raison qu'elles nous distraient et nous permettent, durant quelques instants, d'oublier nos propres problèmes.

Les potins blessent cependant trop souvent les gens qui en sont la cible ; il est donc important de faire preuve de maturité et de freiner la diffusion des commérages. Les gens qui propagent les potins le font souvent parce qu'ils sont jaloux ou qu'ils souffrent d'insécurité. Blesser ses camarades n'est pas une solution pour combler ses propres faiblesses. Si on vous raconte un ragot, vous avez le choix entre interrompre sa diffusion et la poursuivre. Il vaut alors la peine de faire un effort et d'agir de façon mature. Efforcez-vous de partager vos propres secrets avec vos amis plutôt que de répandre de rumeurs sur les autres.

Si quelqu'un lance des potins à votre sujet, vous devez également vous rappeler qu'il est probablement jaloux et qu'il souffre d'insécurité, et que ce n'est absolument pas votre cas. La meilleure chose à faire est certainement d'ignorer les potins et d'attendre que cela passe. Ces histoires sont une façon d'attirer l'attention et de faire réagir les gens qui vous entourent. Si vous ne vous laissez pas atteindre par les potins, ceux-ci auront tôt fait de s'estomper et de sombrer dans l'oubli. La maturité et l'indifférence sont donc les meilleurs atouts face aux potins, que ce soit quand on se trouve devant la possibilité de diffuser de fausses informations ou quand on apprend que des rumeurs circulent sur soi. Dites-vous bien que vous valez plus que cela, et qu'il est toujours mieux d'éviter de blesser les gens; vous savez bien que ce n'est pas une façon de vous sentir mieux face à vous-même. Prônons donc la discrétion et la maturité à tout âge!

Sujets connexes :

Culture p. 226
Québec p. 432
Hockey p. 312

# Poutine

## Tradition culinaire québécoise

« Plat composé de frites et de fromage fondu en sauce »[1].

« Mets de restauration rapide fait d'une portion de pommes de terre frites agrémentées de fromage en grains et arrosées d'une sauce chaude. Ce mets québécois semble avoir été spontanément créé en milieu populaire, dans l'environnement de la restauration rapide »[2].

La poutine est sans contredit l'une des traditions culinaires les plus importantes au Québec. D'ailleurs, rares sont les Québécois qui ne raffolent pas de cette espèce de ragoût de frites, de sauce brune et de fromage en grains ! On sait que la poutine provient du milieu rural québécois et qu'elle a fait son apparition au cours des années 1960, mais son origine exacte demeure très controversée, puisque plusieurs villes et villages revendiquent la paternité de ce mets typiquement québécois ! L'histoire la plus répandue veut que la poutine ait fait son apparition au Lutin qui rit, un petit restaurant de Warwick, dans la région des Bois-Francs. Un client nommé Jean-Guy Lainesse aurait demandé à Fernand Lachance, le patron du restaurant, de lui servir un plat de frites avec du fromage en grains. M.Lachance lui aurait alors répondu : « Ça va faire toute une poutine », puisque, à l'époque, le mot « poutine » était utilisé pour désigner un drôle de mélange ! Le restaurateur aurait ensuite ajouté ce plat à son menu.

La poutine qu'on connaît aujourd'hui contient également de la sauce brune, et on dit souvent que ce mets est plus savoureux lorsqu'il est préparé avec du fromage frais du jour. L'origine du mot « poutine » n'est pas prouvée, mais plusieurs croient qu'elle provient du mot anglais « pudding », ou alors d'une adaptation de termes issus des

patois de certaines régions du Québec ou des dialectes de France.

La poutine a évolué au cours des années et elle est maintenant servie sous différentes formes qui sont offertes dans la plupart des restaurants rapides, d'un bout à l'autre du Québec. On trouve par exemple la poutine italienne, où la sauce brune est remplacée par de la sauce à spaghetti, la galvaude, à laquelle on ajoute du poulet et des petits pois, le dulton, auquel on ajoute des morceaux de saucisse ou de bœuf ainsi que des oignons, et le frite sauce qu'on sert sans fromage. Les restaurants se spécialisant dans la poutine offrent également toute une gamme de variantes d'ingrédients ; les choix sont donc devenus infinis !

1 - Multidictionnaire de la langue française.
2 - *Idem.*

## Où manger la meilleure poutine?

À la suite d'un à un petit sondage effectué sur ma page Facebook, voici les meilleurs endroits où manger une poutine au Québec, ainsi que le nom de celles qui m'ont fait la recommandation!

- **Fromagerie Lemaire**, région de Drummondville (Méganne J.)
- **Cantine Pitch**, Pohénégamook (Roxanne B.)
- **Chez Morasse**, Rouyn-Noranda (Julie P.)
- **Casse-croûte Marcotte**, Sainte-Catherine-de-la-Jacques-Cartier (Amélie H.)
- **Jos Patate**, Grenville (Sophie P.)
- **Fromagerie Victoria**, Victoriaville (Lydia H.)
- **Le Roi de la patate**, La Tuque (Katy G.)
- **La Banquise**, Montréal (Noémie R.)
- **Cantine de la mer**, Saint-Fabien (Annabelle C.)
- **Chez Belgo**, Saint-Jean-sur-Richelieu (Maggie T.)
- **Restaurant Caillette**, Maskinongé (Maika L.)
- **Restaurant Le Chaumière**, Mont-Laurier (Kamylle L.)
- **Restaurant Midas**, Saint-Félicien (Élodie P.)
- **Ashton**, région de Québec (Emilie P.)
- **Restaurant chez Henri**, Joliette (Karel G.)

**Sujets connexes :**

Amoureuse p. 150
Caresse p. 193
Couple p. 220

# Premier baiser

## Un moment magique

Les filles se posent toutes des questions au sujet de leur premier baiser. Est-ce vraiment censé être un moment magique? Y a-t-il un mode d'emploi? Comment savoir si on embrasse bien ou mal?

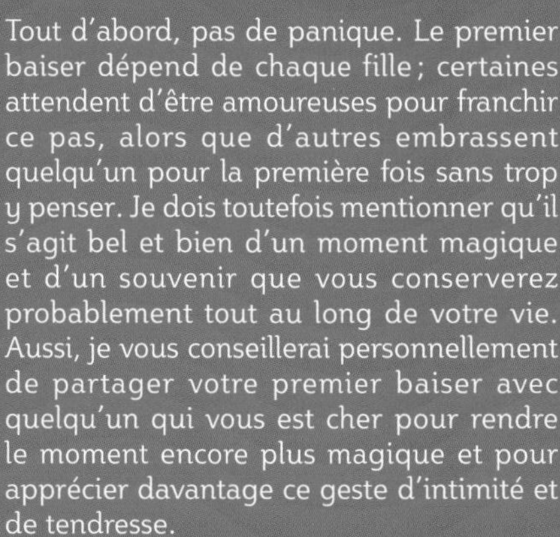

Chère Catherine,

J'ai un chum depuis quelques semaines! Il s'appelle Antoine et je l'aime beaucoup, mais je sens qu'il veut m'embrasser.

Je ne l'ai jamais fait auparavant et j'ai peur que ça se passe mal! Est-ce qu'il existe un truc pour bien embrasser?

Cassandra

Tout d'abord, pas de panique. Le premier baiser dépend de chaque fille; certaines attendent d'être amoureuses pour franchir ce pas, alors que d'autres embrassent quelqu'un pour la première fois sans trop y penser. Je dois toutefois mentionner qu'il s'agit bel et bien d'un moment magique et d'un souvenir que vous conserverez probablement tout au long de votre vie. Aussi, je vous conseillerai personnellement de partager votre premier baiser avec quelqu'un qui vous est cher pour rendre le moment encore plus magique et pour apprécier davantage ce geste d'intimité et de tendresse.

Il existe divers types de baisers, mais lorsqu'on parle du « premier baiser », on fait généralement allusion au « french », c'est-à-dire au premier baiser avec la langue. Il se peut que votre premier baiser vous paraisse dégoûtant, surtout s'il survient dans un contexte où vous n'en avez pas vraiment envie, avec quelqu'un qui ne vous plaît pas tellement ou dans le cadre d'un jeu comme la bouteille. Vous trouverez peut-être qu'il y a trop de salive, que le contact de la langue n'est pas très agréable ou que cela n'attise en rien votre désir; ne vous découragez pas!

***Un baiser est une sorte de connexion qui se crée entre deux personnes, et le jour où vous embrasserez quelqu'un dont vous êtes amoureuse, vous comprendrez davantage tout l'attrait émotif, sensuel et même sexuel d'un baiser.***

Il s'agit aussi de quelque chose qui se développe entre deux personnes. Chacun embrasse à sa façon, alors il est normal qu'il y ait une période d'adaptation durant laquelle vous devez apprendre à vous habituer à la « technique » de l'autre, et vice-versa. Après quelques baisers, la technique deviendra commune, car vous aurez inventé ensemble une façon très intime de vous embrasser.

Plusieurs se demandent s'il y a un âge pour recevoir son premier baiser. Encore une fois, il n'existe aucune règle générale. L'important, c'est d'y aller à votre rythme et de le faire quand vous vous sentez prête et que vous en avez réellement envie. Ne vous laissez pas influencer par la pression sociale ou les histoires des autres filles. Mieux vaut que votre premier baiser soit un peu tardif, mais que vous le partagiez avec quelqu'un qui en vaut la peine et dans un contexte où vous vous sentez tout à fait à l'aise. Par ailleurs, il est tout à fait normal de se sentir nerveuse lors du premier baiser, mais je vous assure que lorsque vos lèvres se touchent, que vos bouches s'ouvrent légèrement et que vos langues se joignent, les choses finissent par s'enchaîner de façon naturelle. Un baiser ne doit pas être trop technique ; vous devez vous laisser guider par vos émotions et par votre désir tout en restant à l'écoute de votre corps. Si vous êtes amoureuse, je vous garantis que vous y prendrez vite goût et que vous et votre amoureux passerez sûrement de longues heures à vous embrasser passionnément.

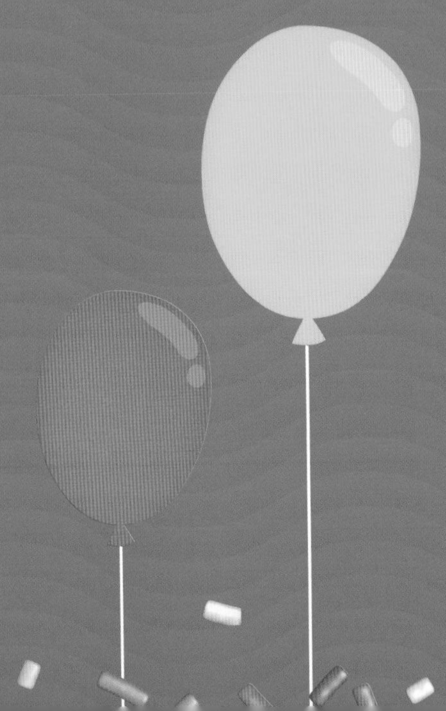

# Première fois

## Moment de grande intimité

**Sujets connexes :**
Amoureuse p. 150
Caresse p. 193
Couple p. 220

La première relation sexuelle est un moment très important dans une vie. Quand on parle de la « première fois », on fait allusion à la première vraie pénétration et à cet instant de grande intimité entre deux individus.

Bien que plusieurs filles perdent leur virginité au cours de l'adolescence, il n'y a pas d'âge pour franchir cette étape importante. L'essentiel, c'est de se sentir prête tant sur le plan physique que psychologique. Comment sait-on si on est prête ? Physiquement, on ressent un désir de l'autre qui nous donne envie d'aller plus loin et, psychologiquement, on sait qu'on ne regrettera pas de l'avoir fait, car personne n'exerce de pression sur nous. C'est notre choix, notre rythme et notre décision.

Il est en effet essentiel que vous ne franchissiez pas cette étape pour répondre aux attentes de l'autre alors que, vous, vous ne vous sentez pas prête à le faire. Vous devez respecter votre corps et aller à votre propre rythme, et si votre partenaire vous aime et vous respecte, il saura attendre sans exercer de pression sur vous. Sinon, c'est qu'il n'en vaut pas la peine. Le choix du partenaire est par ailleurs très important. Si vous êtes amoureuse, alors vous n'aurez peut-être aucune difficulté à vous imaginer en train de faire l'amour avec votre petit ami. Vous savez que vous ne regretterez jamais d'avoir partagé ce moment avec lui, et vous lui faites entièrement confiance. Il est évidemment préférable d'avoir votre première relation sexuelle avec un garçon qui vous respecte, qui vous aime, qui est à l'écoute de votre corps et de vos besoins et qui ne pense pas qu'à lui. La première fois est une étape déterminante à franchir, puisqu'il s'agit d'un pas important vers le monde adulte. Vous découvrez votre corps et votre sexualité.

Il ne faut donc pas prendre ce moment à la légère et perdre sa virginité simplement pour s'en débarrasser. C'est le genre de décision que vous regretteriez amèrement plus tard, car il y a de forts risques pour que vous ne vous sentiez ni respectée ni désirée. Une relation sexuelle est un rapport extrêmement intime durant lequel on se dévoile et on s'offre à l'autre, et vice-versa. Ce n'est pas uniquement une relation physique qui vous unit à votre partenaire ; c'est aussi un lien émotif où vous pourrez établir une connexion intense et apprendre à vous connaître davantage.

### Une ambiance appropriée

Si vous vous sentez prête à avoir votre première relation sexuelle, je vous conseille par ailleurs de vous aider en créant une ambiance qui vous permettra de vous détendre, et de le faire dans un contexte où vous vous sentirez à l'aise. Évitez par exemple de le faire dans la chambre de votre petit ami lorsque ses parents se trouvent tout près, ou lorsque vous êtes pressés par le temps. Choisissez un moment propice où vous pourrez prendre votre temps en toute intimité sans ajouter une source de stress inutile qui risque de vous nuire. Rappelez-vous qu'il s'agit d'un moment magique et inoubliable et que ça vaut la peine d'attendre un peu plus

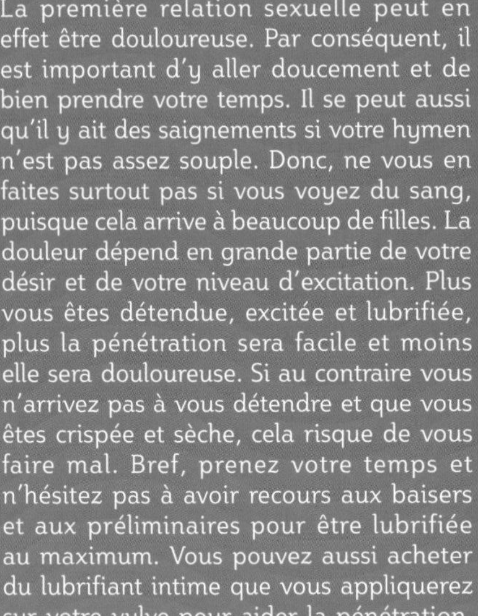

pour que les choses se déroulent le mieux possible. Optez pour un éclairage tamisé ou romantique qui vous mette bien à l'aise, ainsi que pour une musique qui se prête bien à ce moment d'intimité. Choisissez un endroit confortable et détendez-vous !

## Est-ce que ça fait mal ?

La première relation sexuelle peut en effet être douloureuse. Par conséquent, il est important d'y aller doucement et de bien prendre votre temps. Il se peut aussi qu'il y ait des saignements si votre hymen n'est pas assez souple. Donc, ne vous en faites surtout pas si vous voyez du sang, puisque cela arrive à beaucoup de filles. La douleur dépend en grande partie de votre désir et de votre niveau d'excitation. Plus vous êtes détendue, excitée et lubrifiée, plus la pénétration sera facile et moins elle sera douloureuse. Si au contraire vous n'arrivez pas à vous détendre et que vous êtes crispée et sèche, cela risque de vous faire mal. Bref, prenez votre temps et n'hésitez pas à avoir recours aux baisers et aux préliminaires pour être lubrifiée au maximum. Vous pouvez aussi acheter du lubrifiant intime que vous appliquerez sur votre vulve pour aider la pénétration, si besoin est, et je vous recommande fortement d'opter pour des préservatifs lubrifiés qui rendront la chose plus facile.

## Problèmes de gars

Il se peut que, lors de la première relation sexuelle, la nervosité et l'intensité du désir causent de petits problèmes à votre partenaire. Il se pourrait par exemple qu'il ait de la difficulté à contrôler son désir et qu'il éjacule très rapidement, ou encore qu'il ne parvienne pas à contrôler son érection et que la nervosité l'empêche de passer à l'acte. Si c'est le cas, il est important que vous le mettiez à l'aise sans lui poser des milliers de questions ni lui faire des reproches qui risqueraient d'accroître son anxiété et d'empirer la situation. Vous devez tous deux être à l'écoute de vos corps et vous respecter mutuellement. Que vous soyez tous deux vierges ou non, la communication entre votre partenaire et vous est extrêmement importante. Allez-y à votre rythme, n'hésitez pas à le lui dire si vous ressentez de la douleur ou si vous voulez arrêter en cours de route. Si votre partenaire a un peu plus d'expérience, il comprendra peut-être davantage votre situation et saura vous mettre bien à l'aise. Mais si c'est la première fois pour lui également, il est tout aussi essentiel que vous lui disiez ce que vous ressentez et que vous franchissiez cette étape ensemble, en toute sincérité et en toute intimité.

## Quand ça ne fonctionne pas

Encore une fois, pas de panique ! Plusieurs filles doivent essayer à plusieurs reprises avant que le pénis puisse pénétrer complètement dans le vagin. Il se peut donc que vous deviez y aller peu à peu, ce qui vous permettra d'apprendre à connaître davantage votre corps et de discerner ce qu'il aime de ce qu'il aime moins. Il se peut aussi que la première fois soit désagréable et que vous soyez un peu déçue. En quoi est-ce que ça fait du bien ? Comment pourrai-je un jour éprouver du désir en faisant l'amour ? En quoi est-ce si « spécial » ? Ces questions et ces doutes sont tout à fait normaux ; vous êtes en train d'explorer votre corps et votre sexualité. Il s'agit d'une période d'apprentissage où vous découvrirez peu à peu ce que vous aimez et où vous apprendrez à contrôler votre désir et à apprivoiser le corps de votre partenaire. Même si la première fois est décevante, les choses se replaceront au fur et à mesure ; vous connaîtrez de mieux en mieux votre corps, et vous découvrirez peu à peu ce qui vous excite.

Quoi qu'il en soit, allez à votre rythme, respectez vos limites et soyez à l'écoute de votre corps. La première fois ne doit pas être prise à la légère ; ce n'est pas quelque chose dont on se débarrasse pour être comme les autres.À chacune son rythme et ses propres expériences, alors ne vous comparez pas aux autres. Si vous vous sentez prête à franchir cette étape et à partager ce moment d'intimité avec votre amoureux, n'oubliez surtout pas de vous protéger pour éviter les mauvaises surprises, comme les grossesses et les ITSS. Soyez toujours à l'écoute de votre corps, de votre esprit et de votre désir, et n'hésitez pas à exprimer vos émotions à votre petit ami pour vous sentir mieux et plus confiante.

# Professeur

**Sujets connexes :**

Autorité p. 172
Cégep p. 195
Secondaire p. 450

Dès la maternelle, nous devons faire face aux professeurs. Après la garderie, il s'agit d'une transition très importante vers le monde des grands.

On sent un peu qu'on coupe le cordon ombilical qui nous relie à nos parents, qu'on devient plus indépendantes et qu'on fait soudain partie d'un grand réseau social à l'école. La figure autoritaire du professeur devient très importante, parce que c'est un peu lui qui joue le rôle des parents quand ceux-ci ne sont pas là. Au primaire, on a habituellement le même professeur pour plusieurs matières, ce qui nous paraît très réconfortant. On passe tellement d'heures avec le même prof qu'on tisse des liens étroits et qu'on se sent de plus en plus en confiance avec lui, ce qui fait qu'on se sent presque chez soi en classe. Au secondaire, c'est un peu différent puisqu'on a un professeur différent pour chaque cours, chacun se spécialisant dans une matière précise. Quand on va dans une grande polyvalente avec des centaines d'élèves, ce n'est pas toujours évident pour les profs d'apprendre tous les noms et de pouvoir se familiariser avec chaque élève, alors vous devez être indulgentes si vous sentez que les liens ne sont pas les mêmes qu'au primaire. De plus, vous allez passer beaucoup moins de temps avec chaque prof, et c'est une transition qui exige une certaine période d'adaptation.

## Bon prof, bad prof

Que ce soit au primaire ou au secondaire, il arrive parfois qu'on ne s'entende pas avec son professeur. Il se peut qu'il y ait des malentendus, que vous soyez turbulentes en classe, que vous ayez de la difficulté avec le cours ou simplement que vos personnalités soient très différentes. Si vous ne vous entendez pas avec un prof et que vous sentez qu'il est souvent sur votre dos ou qu'il est injuste envers vous, le mieux à faire est souvent de lui en parler directement. Arrangez-vous pour prendre rendez-vous à son bureau ou pour lui en glisser un mot après le cours. Quand on est élève, on croit à tort que les profs sont toujours sur notre dos et qu'ils ont la vie facile, mais ce n'est pas simple pour un professeur de faire régner la discipline auprès d'une trentaine d'ados qui décident parfois de se rallier contre lui ! Le professeur veut avant tout transmettre son savoir et vous en apprendre plus sur un sujet précis. Pour ce faire, il doit gagner votre respect, attirer votre attention et aussi s'affairer à ne pas perdre le contrôle. En effet, nombreux sont les jeunes qui ont tendance à défier l'autorité et à dépasser les limites d'un professeur. C'est une sorte de test que fait passer l'élève au maître, mais le travail du professeur consiste à enseigner aux jeunes tout en agissant comme leader, et il se doit parfois d'intervenir, de faire la discipline, et même de punir certains élèves pour ramener le calme et se faire respecter. En d'autres mots, même si vous trouvez votre prof sévère parce qu'il tend à réagir et à sévir lorsque les élèves lui désobéissent ou ne l'écoutent pas, ça ne fait pas de lui un mauvais prof ; un bon prof, c'est quelqu'un qui parviendra à attirer votre attention et à vous apprendre des tonnes de choses sur la matière qu'il enseigne. Si vous sentez que votre prof est passionné par son travail, qu'il connaît sa matière, qu'il sait comment transmettre son savoir en vous stimulant et en vous divertissant, alors ne vous plaignez pas trop vite ! De toute façon, chaque personne peut avoir un avis différent sur un même prof puisqu'il s'agit d'une préférence très subjective. Sachez toutefois que si vous ne sentez pas d'affinités avec votre prof ou que vous ne comprenez pas son cours, c'est aussi à vous de participer davantage, de lui poser des questions et de vous montrer intéressées. Si vous faites les efforts nécessaires, je suis certaine que la situation s'améliorera.

## Pousser les limites

Il va sans dire que certains professeurs sont plus sévères que d'autres, et que certains dépassent parfois les limites. Si vous trouvez qu'il y a abus de pouvoir, que vous vous sentez menacée ou que vous croyez avoir été victime de harcèlement physique ou sexuel, il est important que vous dénonciez les abus pour que cela cesse. Sachez toutefois que ce n'est pas une accusation à prendre à la légère et que vous ne pouvez pas attaquer un prof sans raison valable.

Faites preuve de jugement et dites-vous que si vous accusez un prof à tort, vous risquez non seulement de nuire à sa carrière et de lui causer de l'angoisse inutilement, mais vous n'aurez pas la conscience tranquille. Le mieux à faire lorsque vous éprouvez un petit problème avec votre prof, c'est de lui en parler directement ou d'en glisser un mot à vos parents pour qu'ils interviennent. En cas d'abus grave, n'hésitez pas à le dénoncer au directeur et à vos parents.

## Amoureuse d'un prof

Même si, quand on est ado, on pense que les profs sont super vieux, il arrive parfois qu'un professeur jeune et cool nous enseigne et qu'on développe une sorte d'admiration pour lui. Ce sentiment se transforme même parfois en désir, et on croit éprouver des sentiments amoureux à son égard. Plusieurs filles expérimentent une attirance ou plus envers leur prof à un moment ou à un autre. Si tel est le cas, rassurez-vous, ça finit généralement par passer. C'est normal d'avoir de l'admiration pour une figure autoritaire, mais vous devez vous rappeler que vous êtes mineures et qu'un monde vous sépare ; alors, ne dépassez pas les limites. Il s'agit d'un amour impossible, donc, aussi bien vous en tenir à un petit béguin et passer à autre chose. Ne vous acharnez pas sur votre prof et ne cherchez pas à l'aguicher, car vous ne ferez qu'empirer la situation et le mettre dans une situation inconfortable. Concentrez-vous plutôt sur un gars de votre âge et dites-vous qu'avec un prof, c'est impossible.

## Un prof, un ami

Quoi qu'il en soit, n'oubliez pas qu'un professeur est aussi un être humain et qu'il a déjà eu votre âge, alors n'hésitez pas à lui parler si vous avez un problème. Une bonne relation avec un professeur se joue à deux ; par conséquent, il est important d'y mettre du vôtre !

Je déteste mes cours d'anglais ! Aujourd'hui, le prof m'a demandé de me lever pour répondre à une de ses questions ! J'étais rouge comme une tomate. À la fin du cours, il m'a fait venir à son bureau. « Il né faut pas que tou ailles honte Léa. Tou parles twès bien en English, et avec la practice, tou vas devenirrr encore meilleure. »
Ma réponse ? : I wish !

**Sujets connexes :**
Adolescence p. 138
Complexes p. 204
Identité p. 327

# Puberté

## Un enchaînement de changements physiques majeurs

Quand vous étiez plus jeunes, les choses vous semblaient peut-être plus simples : votre corps ne subissait pas toutes sortes de transformations et vous ne vous posiez pas autant de questions sur la vie, la famille, l'amour, la sexualité et votre corps. Depuis quelque temps, vous remarquez toutefois de grands changements. Que ces transformations vous terrifient, vous mystifient ou vous enchantent, vous ne pouvez pas faire autrement que d'y faire face et chercher à mieux comprendre l'étape de votre vie dans laquelle vous venez d'embarquer : la puberté.

### La puberté, c'est quoi ?

En quelques mots, la puberté, c'est quand votre esprit et votre corps d'enfant se transforment peu à peu pour que vous deveniez une adulte. Non seulement vous observez des changements physiques, comme vos seins qui se mettent à pousser, vos premières règles, des poils qui apparaissent un peu partout sur votre corps et une poussée de croissance qui fait en sorte que vous n'arrivez plus à rentrer dans vos vêtements, mais votre esprit acquiert aussi de la maturité au fil du temps. La puberté est intimement liée aux hormones de croissance qui provoquent le développement des formes de votre corps, de vos organes génitaux, de votre caractère sexuel et de vos premières menstruations. Vous commencez à vous questionner de plus en plus sur vos nouvelles formes, sur votre sexualité, sur votre apparence physique et sur les mystères de la vie. En d'autres mots, vous êtes en pleine transition, et il se peut que ça vous terrifie. Quoi qu'il en soit, souvenez-vous que vous n'êtes pas seule, car toutes les filles et tous les garçons du monde passent par cette étape. Il vaut donc mieux s'armer de patience, apprendre à accepter ce qui vous arrive et chercher à vous informer sur les changements que vous vivez et sur les questions qui vous tourmentent.

### La puberté, c'est quand ?

Chaque fille se développe à un rythme différent et la puberté peut survenir à des moments distincts, selon chacune. Par exemple, une fille peut avoir ses premières règles à 9 ans, tandis qu'une autre ne commencera à se développer qu'autour de 13 ans. De façon générale, la puberté fait son apparition entre 9 et 15 ans, mais certaines filles peuvent être plus précoces ou plus tardives ; alors, ne vous en faites pas si vous faites partie de cette catégorie. Vous devez aussi savoir que la puberté arrive bien souvent sans crier gare et sans vous donner le temps de vous préparer aux premiers signes, mais qu'elle s'étend souvent sur plusieurs années, vous donnant ainsi la chance de vous adapter peu à peu aux changements que vous traversez et de vous informer davantage sur les doutes et les questionnements qui vous tracassent.

## Pour aller plus loin :

📖 ***L'ABC de la santé,*** Claudie Beauséjour

## La puberté, ça dure combien de temps?

Tel que mentionné précédemment, la puberté s'étire souvent sur plusieurs années. Certaines filles vont vivre la majorité de leurs changements physiques entre 10 et 13 ans, alors que d'autres les connaîtront entre 12 et 16 ans. Il n'existe pas de période ou d'âge précis pour toutes les filles.

Au cours de ces années, les hanches, les cuisses et les fesses se développent et s'élargissent. C'est le passage de l'enfance au monde adulte, et c'est l'une des étapes les plus marquantes chez une fille. C'est aussi durant cette étape que vous commencerez à avoir des seins et à éprouver du désir sexuel. Les changements physiques peuvent s'avérer troublants au début, car vous sentez que vous n'avez plus le contrôle sur votre corps, en plus d'éprouver de l'inconfort, mais avec le temps, vous vous ajusterez à vos nouvelles formes et à votre corps de femme.

D'autre part, la puberté s'avère plus facile si vous prenez soin de vous et de votre corps. Par exemple, efforcez-vous de pratiquer des sports et de faire des activités physiques pour vous mettre en forme, vous défouler et pour dépenser de l'énergie. Aussi, ne négligez pas l'importance d'une hygiène personnelle impeccable. Vous avez peut-être déjà constaté que vous transpirez plus qu'avant et que vous avez davantage besoin de prendre soin de votre corps et de vous laver pour éviter de sentir mauvais. L'hygiène personnelle est extrêmement importante tout au long de votre vie. Songez à vos cheveux, à vos ongles, à votre visage, à vos oreilles et à vos parties génitales.

Aussi, n'oubliez pas de bien vous nettoyer les mains après être allée aux toilettes ou avant de faire à manger pour éviter la transmission de germes et de maladies. Efforcez-vous d'avoir de bonnes nuits de sommeil pour vous permettre d'être en super forme tout au long de la journée et n'oubliez pas de manger sainement et de façon équilibrée. Limitez la malbouffe et les boissons gazeuses. En d'autres mots, vous devenez de plus en plus responsable de votre propre bien-être, alors c'est à vous de mener une vie équilibrée pour vous ajuster aux changements que vous subissez et pour entretenir un esprit sain dans un corps sain.

# Punition

**Sujets connexes :**
Autorité p. 172
Parents p. 384
Violence p. 492

## Sanction déplaisante

Une punition est par définition une «sanction déplaisante à l'égard de l'auteur d'un comportement inapproprié ou désapprouvé»[1].

En d'autres mots, c'est une sanction qu'on impose à ceux qui ne respectent pas les lois ou les règlements. Il s'agit de la conséquence directe d'un geste qu'on commet et qui est désapprouvé. Par exemple, si vous copiez durant un examen, le professeur vous donnera un zéro. C'est la conséquence ou la punition, du plagiat que vous avez commis. Si vous êtes impolies envers vos parents ou que vous leur désobéissez, il se peut très bien qu'ils vous infligent une punition, comme l'interdiction de sortir pendant une semaine.

Les punitions sont prescrites un peu partout dans notre société: à l'école, à la maison, dans les endroits publics, au travail et même au hockey! Lorsqu'un joueur commet un acte qui va à l'encontre du règlement, il doit aller s'asseoir sur le banc des pénalités pour au moins deux minutes!

### Les punitions, ça sert à quoi?

Une punition sert non seulement à punir un manquement au règlement, mais elle permet aussi aux gens qui commettent une faute de devenir plus responsables, d'assumer leur geste et de prendre conscience du fait que toute mauvaise action a des conséquences. Par exemple, si vous parlez en classe en même temps que votre professeur et que ce dernier vous donne une retenue, cette punition vous permet de comprendre qu'il est impoli de parler en même temps que le professeur et que vous avez effectivement désobéi au règlement. Plutôt que de dramatiser, je vous suggère d'accepter la sanction qui vous est imposée (lorsqu'elle est juste), d'assumer vos responsabilités et d'apprendre de votre erreur pour ne pas la commettre une seconde fois. C'est aussi à cela que servent les punitions: à décourager ceux qui seraient tentés d'agir de façon inappropriée. Ainsi, vous savez que si vous volez quelque chose, des sanctions seront prises contre vous, sans parler du sentiment de culpabilité qui vous rongerait pour avoir commis un tel délit. Vous savez aussi que si vous trichez à l'école, vous risquez d'échouer le cours, ou même d'être renvoyées de l'école.

*La peur de la punition suffit souvent à décourager les gens de commettre la faute.*

Si vous avez un moment de faiblesse et que vous commettez une erreur qui entraîne une punition, comme la confiscation de votre téléphone, iPad ou iPod pendant plusieurs jours pour avoir été impolie envers vos parents, je vous recommande d'en profiter pour réfléchir à ce que vous avez fait et pour essayer de vous améliorer

1 - Le grand dictionnaire terminologique: en ligne: <granddictionnaire.com>.

plutôt que de vous rebeller davantage et d'envenimer la situation. Personne n'est parfait; il est normal que vous commettiez des erreurs de temps à autre, et les sanctions sont là pour vous encourager à vous améliorer, pour vous faire prendre conscience de vos écarts de conduite et pour empêcher qu'ils ne se reproduisent. Mieux vaut apprendre de ses erreurs et se dire qu'on fera mieux la prochaine fois.

## Et la justice dans tout ça?

Il est par ailleurs important que la sanction soit proportionnelle à la faute. Si, par exemple, quelqu'un fait du mal à une autre personne, la sévérité de la sanction doit être adaptée à la gravité du délit. Si vous parlez en même temps que votre professeur, il ne serait cependant pas logique que vous vous retrouviez en prison. Si vous croyez réellement qu'il y a injustice et que la sanction qu'on vous impose est trop sévère pour la faute que vous avez commise, vous devez absolument le dire en toute honnêteté, tout en demeurant polie et respectueuse. Expliquez que vous êtes consciente que votre comportement mérite une punition, mais que vous trouvez que celle qu'on vous inflige n'est pas proportionnelle à ce que vous avez fait. Il est important d'apprendre à respecter les règles et les lois, mais il est tout aussi important de dénoncer les abus de pouvoir.

# Québec

## Sujets connexes :

Culture p. 226
Français p. 284
Politique p. 412

### Plus qu'une simple province !

Le Québec est l'une des 10 provinces du Canada. Situé à l'est du pays, il est bordé au nord par le Nunavik, à l'ouest par l'Ontario, au sud par les États-Unis et à l'est par le Nouveau-Brunswick, l'Île-du-Prince-Édouard et Terre-Neuve-et-Labrador.

La capitale de la province est la ville de Québec, et son agglomération principale est Montréal.

Le Québec compte aujourd'hui plus de huit millions d'habitants. C'est la province ayant le plus grand territoire (environ six fois la superficie de la France !) et la deuxième province la plus peuplée du Canada, après l'Ontario. La langue officielle du Québec est le français. En effet, environ 80 % des Québécois sont de langue maternelle française. L'anglais est la langue maternelle de près de 8 % de la population, et 71 % des Québécois anglophones se considèrent comme bilingues, c'est-à-dire qu'ils maîtrisent suffisamment le français pour entretenir une conversation. Les allophones (c'est-à-dire ceux dont la langue parlée à la maison ou la langue maternelle est différente de la langue officielle du Québec ou de celles du Canada) représentent quant à eux près de 12 % des Québécois[1].

Le drapeau du Québec est composé d'une croix blanche représentant la foi chrétienne et de quatre fleurs de lys sur fond azur symbolisant les souches françaises. Il a été adopté en 1948[2].

La fête nationale du Québec est le 24 juin, et on l'appelle communément la Saint-Jean-Baptiste. Plusieurs célébrations sont alors organisées partout au Québec, que ce soit au parc Maisonneuve à Montréal, sur les plaines d'Abraham à Québec ou dans les parcs de pratiquement toutes les villes et tous les villages du Québec. On en profite pour célébrer notre culture et nos traditions, bref, ce qui nous distingue du reste du monde. On chante, on danse, on mange des mets traditionnels et on se détend en regardant les feux d'artifice. C'est la fête, et c'est aussi le début de l'été, alors aussi bien en profiter !

1 - Recensement 2006, Statistique Canada.
2 - Gouvernement du Québec.

### Petite chronologie de l'histoire du Québec

**1534** - Jacques Cartier plante une croix dans le sol de la péninsule de Gaspé et prend ainsi possession du territoire au nom du roi de France.

**1608** - Samuel de Champlain fonde la ville de Québec.

**1642** - Paul Chomedey de Maisonneuve et Jeanne Mance fondent Ville-Marie (Montréal).

**1663** - La Nouvelle-France devient une province royale sous Louis XIV.

**1670** - Fondation de la Compagnie de la baie d'Hudson à Londres pour la traite des fourrures sur le nouveau continent.

**1712** - La Nouvelle-France est à son apogée et s'étend de Terre-Neuve jusqu'en bas des montagnes Rocheuses, et de la baie d'Hudson jusqu'au golfe du Mexique.

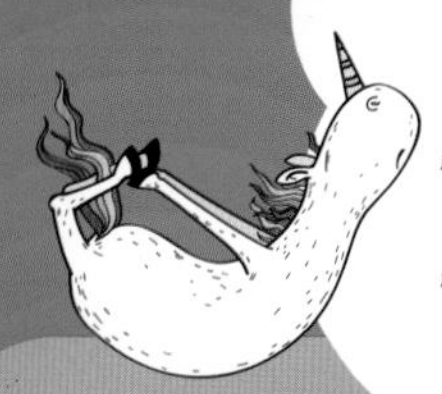

## Pour aller plus loin :

- ***Magasin général*** (Série BD), Régis Loisel et Jean-Louis Tripp
- ***L'état du Québec 2017,*** Institut du Nouveau Monde

**1759** - Le 13 septembre, les troupes britanniques de James Wolfe remportent la bataille des plaines d'Abraham contre les troupes du marquis de Montcalm.

**1763** - La guerre de Sept Ans prend fin lors de la signature du traité de Paris le 10février. Avec ce traité, la Nouvelle-France est démantelée. Le Canada et toutes ses dépendances appartiennent désormais à la Grande-Bretagne. La France perd donc le contrôle du Canada.

**1837 à 1838**

- Rébellion des Patriotes.

**1838** - Robert Nelson proclame l'indépendance du Bas-Canada.

**1840 à 1841**

- L'Acte d'Union crée le Canada-Uni. Le Haut-Canada et le Bas-Canada sont réunis pour ne former qu'une seule colonie.

**1848** - Il est maintenant légal d'utiliser la langue française au Parlement.

**1867** - L'Acte de l'Amérique du Nord britannique est adopté au Parlement britannique. Le Québec devient une province de la fédération canadienne.

**1916 à 1940**

- Les femmes obtiennent le droit de vote dans toutes les provinces canadiennes ainsi que sur la scène fédérale en 1917. Seule la province de Québec fait exception jusqu'en 1940.

**1960** – L'élection des libéraux de Jean Lesage marque le début d'une décennie de grands changements qu'on appelle aujourd'hui la Révolution tranquille.

**1970** - Création de l'assurance maladie au Québec.

**1974** - Le gouvernement libéral de Robert Bourassa adopte la Loi sur la langue officielle qui fait du français la seule langue officielle du Québec.

**1980** - Premier référendum où le projet d'indépendance du Québec est rejeté par 59,44 % des votants.

**1990** - Crise d'Oka.

**1995** - Deuxième référendum sur la souveraineté du Québec, qui est rejetée par 50,58 % des votants.

**1998** - Une tempête de verglas s'abat sur la région de Montréal et sur la Montérégie au début du mois de janvier et fait d'importants dégâts, en plus de passer à l'histoire.

**2008** - 400e anniversaire de la fondation de la ville de Québec.

**2012** - Au printemps 2012, une crise sociale ébranle le Québec : les étudiants se révoltent contre la hausse des frais de scolarité annoncée par le gouvernement Charest. Le « Printemps érable » dure près de six mois. Il s'agit de la plus grosse grève étudiante de l'histoire du Québec. Après neuf ans au pouvoir, le gouvernement libéral de Jean Charest est défait par le Parti québécois aux élections du 4 septembre 2012. Pauline Marois est officiellement la première femme à prendre la tête du gouvernement québécois à titre de première ministre.

**2014** - Le Parti québécois est défait par les Libéraux aux élections d'avril.

# Racisme

**Sujets connexes :**

Exclusion sociale p. 274
Respect p. 441
Tolérance p. 478

## Phénomène à combattre à tout prix

Selon le *Multidictionnaire de la langue française*, le racisme est une « attitude qui favorise un groupe racial en particulier et qui est hostile à d'autres groupes ».

Cette notion d'hostilité envers les groupes ethniques différents du nôtre se trouve au cœur du concept du racisme. Il s'agit d'une attitude déplorable, propre à un individu qui établit des différences en fonction de la couleur de la peau, de la culture, de la religion ou des origines d'un autre individu. Cela va par conséquent à l'encontre des concepts de liberté et d'égalité prônés dans notre société et selon lesquels chaque personne a le droit de penser, d'agir, de s'exprimer et de se faire entendre, et ce, peu importe la couleur de sa peau ou son origine ethnique.

Il est donc tout à fait normal de s'insurger ou de se révolter contre le racisme. On ne peut juger les gens en fonction de la couleur de leur peau, de leur religion ou de leurs traditions. Le racisme fait malheureusement partie intégrante de l'histoire de l'humanité, et plusieurs se laissent encore influencer par une présumée hiérarchie raciale. D'un point de vue historique, il suffit de penser à la Deuxième Guerre mondiale pour comprendre toute l'ampleur que peut prendre le racisme. Les nazis n'ont-ils pas assassiné des millions de Juifs sous le pur prétexte de la ségrégation raciale ? Et que dire de l'esclavage des Noirs aux États-Unis avant son abolition en 1865 ? et de la ségrégation raciale très marquée dans les années 1960 au sud du continent nord-américain ?

Aujourd'hui, l'idée de racisme perd un peu de son sens puisqu'on a établi le principe d'inexistence des races. En d'autres mots, on a déterminé que tous les humains font partie de la même race, soit la race humaine, et que nous partageons tous les mêmes racines et les mêmes ancêtres préhistoriques. De plus, on a déterminé que nous avons en commun des groupes sanguins qui varient en fonction de chaque individu, et non en fonction de la couleur de la peau. Autrement dit, nous sommes tous fondamentalement semblables. Les traditions, les valeurs et les coutumes qui nous distinguent ne justifient pas qu'on établisse une hiérarchie raciale, puisque tous les humains sont égaux et ont droit au respect.

***Vous devez donc apprendre à vous ouvrir aux différences culturelles et à ne pas juger les gens en fonction de leur couleur de peau et de leur apparence.***

Les gens ont tendance à avoir une attitude raciste parce qu'ils se laissent influencer par l'image projetée dans les médias ou par les clichés que véhiculent certains groupes ou personnes. Nous avons souvent peur de ce qui est différent de nous.

## Pour aller plus loin :

- ***Orphelins,*** Dennis Kelly, trad. de Fanny Britt
- ***La femme noire qui refusa de se soumettre,*** Éric Simard
- ***Le racisme expliqué à ma fille,*** Tahar Ben Jelloun

Or, plutôt que de percevoir les différences culturelles comme une menace, il est préférable d'apprendre de cette diversité. Sous les apparences se cachent des gens comme vous et moi, qui ont des tas de choses à vous faire découvrir. Nous sommes au 21e siècle, à l'ère de la communication et de la mondialisation. Il est grand temps de s'ouvrir aux gens et aux différences culturelles. Faites-en l'expérience, et vous constaterez que vous avez beaucoup à apprendre des gens qui vous entourent, et ce, peu importe leurs origines et leurs traditions. Ne jugez pas les gens selon les apparences. L'ouverture d'esprit permet d'apprendre des tas de choses qui vous seront bénéfiques tout au long de votre vie.

## Sujets connexes :

Drogues p. 241
Musique p. 372
Party p. 388

# Rave

### Fête musicale extrême

Le mot « rave » est un emprunt de la langue anglaise et désigne une sorte de fête musicale (en général techno), où les gens se rassemblent en grand nombre dans un endroit vaste et souvent abandonné, ou alors en plein air, pour danser durant plusieurs heures.

Il existe divers types de raves : les petites fêtes privées organisées dans des locaux désaffectés ou dans des lofts inhabités ; les raves de grande envergure qui ont lieu dans d'immenses entrepôts ou des salles vides, généralement à l'écart du centre-ville ; les raves en plein air qui peuvent durer plusieurs jours et où les gens ont la possibilité de faire du camping ; ainsi que les after, soit les fêtes qui débutent à la fermeture des bars, généralement vers trois heures du matin, et se poursuivent jusqu'à midi.

## Attention, danger !

Bien que les raves soient tentants à première vue (après tout, ça semble génial de pouvoir danser pendant des heures avec d'autres adeptes), je dois vous prévenir tout de suite : ces rassemblements ne sont pas aussi roses et pacifiques qu'ils en ont l'air. C'est bien connu, les drogues coulent à flots durant les raves. Nombreux sont ceux qui consomment du pot, du haschisch, de l'ecstasy, du speed et même de la cocaïne. Les gens n'agissent pas de la même façon lorsqu'ils sont sous l'influence d'une drogue et, dans les raves, l'effet de groupe et de rassemblement peut les amener à se comporter de façon bien étrange. De nombreux vols sont commis, les rapprochements physiques et sexuels deviennent plus faciles, et on a rapporté plusieurs cas d'agressions et de viols survenus au cours de raves. En effet, les personnes qui organisent les fêtes raves s'arrangent habituellement pour qu'elles aient lieu dans des endroits isolés, loin des yeux indiscrets… et de la police.

Même si les raves sont bien souvent organisés de façon légale, les participants sont généralement tentés de faire des excès et de flirter avec le danger et les drogues, alors demeurez bien prudentes. De plus, bien que la plupart de ces événements soient interdits aux mineurs, il n'y a parfois aucune surveillance durant les raves plus *underground*, ce qui pousse les gens à consommer encore plus de substances illicites et à profiter de l'inexpérience de jeunes tels que vous. Les *after* ont quant à eux souvent lieu dans les discothèques prévues à cet effet. Ils sont plus contrôlés par la loi, et les agents de sécurité en interdisent généralement l'accès aux jeunes âgés de moins de 18 ans.

## *De la musique dans le tapis*

En plus des individus louches, de la drogue, des armes à feu et du comportement irrationnel des gens, je dois vous avertir que la musique qui gronde dans les raves n'est pas de tout repos. Si vous avez l'oreille sensible, évitez ces lieux de rassemblement, car vous risquez d'avoir des acouphènes pendant plusieurs jours. La musique est si forte qu'il est habituellement impossible de discuter avec les autres. Je vous préviens également que la propreté des lieux laisse souvent à désirer et qu'il ne faut pas s'attendre au grand luxe.

## *En conclusion*

Les raves sont devenus un phénomène social de grande importance au Québec. Bien que certains fréquentent vraiment ces fêtes pour le simple plaisir de danser toute la nuit et de faire partie du rassemblement, je ne recommande pas aux mineurs d'y mettre les pieds. Ces fêtes sont souvent dangereuses, puisque tout y semble permis et qu'il est extrêmement facile de s'y perdre (et de perdre ses amis dans la foule, donc de se retrouver seule). Je n'ai pas besoin de vous répéter que les mineurs ne peuvent normalement pas y avoir accès, alors il serait bien étonnant que vos parents vous donnent la permission de participer à un tel événement. Si vous crevez d'envie de tenter l'expérience ou que vous vous retrouvez dans l'une de ces fêtes sans trop savoir pourquoi ni comment, alors soyez prudente et ne faites pas confiance aux inconnus qui vous offrent des substances étranges ou vous tendent des trucs à boire. Ils contiennent souvent de la drogue qui aura pour effet de vous désorienter et de vous faire perdre vos inhibitions. Plusieurs risqueraient alors d'abuser de la situation. Ne perdez pas vos amis de vue et prenez garde à vos effets personnels. Je vous conseille donc d'éviter ce genre de rassemblement, du moins jusqu'à vos 18 ans!

# Réseaux sociaux

**Sujets connexes :**

Copains p. 218
Identité p. 327
Intimidation p. 333

## Toujours connectés

Il va sans dire que les réseaux sociaux font maintenant partie de notre quotidien. En effet, la plupart des filles attendent impatiemment le jour où leurs parents leur accorderont enfin la permission d'obtenir un compte Facebook ou Instagram.

Même si l'attente vous semble interminable, c'est important de savoir qu'ils ont raison d'être sur leur garde. Effectivement, il existe des personnes malintentionnées (prédateurs sexuels, pédophiles, proxénètes, gens liés aux gangs de rue, etc.) qui se servent des réseaux sociaux pour entrer en contact avec des jeunes et cibler leurs prochaines victimes. Si vous lisez les journaux et regardez les nouvelles, vous savez d'ailleurs que des dizaines de jeunes filles tombent dans les griffes de ces individus chaque année, et c'est pourquoi il faut que vous soyez hyper prudente quand vous naviguez sur le web.

Lorsque vous vous joignez à un site de réseautage personnel, soyez à l'affût des informations que vous révélez sur vous-même et qui pourraient attirer des regards indiscrets et malveillants. Par exemple, Facebook, Twitter et Instagram offrent une option de sécurité qui vous permet de choisir qui peut consulter votre profil et qui peut avoir accès aux informations (photos, statuts, babillard) que vous publiez sur votre page personnelle. Prenez soin de bien lire et de sélectionner les options qui vous conviennent le mieux. Évitez aussi d'accepter comme amis des gens que vous ne connaissez pas et de publier des informations trop personnelles ou des photos compromettantes sur votre page.

N'oubliez pas que les réseaux sociaux ont pour but de vous permettre de donner des nouvelles aux gens de votre entourage, d'interagir avec vos amis, de rester en contact avec de vieilles connaissances et de partager des informations utiles, mais qu'il ne faut en aucun cas les utiliser comme sites de rencontres ni comme moyen d'établir un lien avec des inconnus.

Si vous voulez restreindre l'accès à certaines informations, il vous est d'ailleurs possible de façonner des listes et de modifier votre profil en consultant les paramètres de sécurité des réseaux sociaux de façon à ce que ceux qui ne vous connaissent pas n'aient accès qu'à un profil extrêmement limité.

## Facebook, toujours aussi populaire !

Ce site de réseautage social a vu le jour à l'Université Harvard. Au départ, il a été conçu pour permettre à ses étudiants de communiquer entre eux, mais sa popularité l'a très vite rendu accessible aux autres universités américaines. À l'époque, l'étudiant devait entrer son adresse courriel pour s'identifier. C'est finalement en septembre 2006 que Facebook est devenu ouvert à tous.

L'objectif principal de Facebook était de permettre aux gens d'établir un réseau de relations interpersonnelles sur internet. Encore aujourd'hui, ses utilisateurs (près de 1,86 milliard d'utilisateurs mensuels en 2016[1]) peuvent ainsi agrandir leur réseau social par l'intermédiaire de leurs amis ou en adhérant à des groupes populaires avec lesquels ils ont des affinités. Facebook permet également de reprendre contact avec de vieux amis ou avec des connaissances qu'on a un peu perdus de vue. De plus, il facilite la publication d'albums de photos où il est possible d'identifier les gens de notre entourage. Ce site de réseautage est aussi très utile pour organiser des événements et lancer l'invitation à nos amis et à nos proches.

1 - Facebook, 2017.

## Instagram

Lancée en 2010, cette application de partage de photos et vidéos connaît un succès grandissant dans le monde avec plus de 700 millions d'utilisateurs actifs en avril 2017. L'un des éléments qui a sans conteste contribué à son succès sont les filtres qui permettent de magnifier les photos.

En plus de pouvoir parcourir des centaines de milliers de photos et vidéos, il est aussi possible de s'abonner à des comptes pour voir leurs publications en premier dans notre fil d'actualité. Il existe également un service de messagerie interne pour permettre d'envoyer des messages privés.

Depuis le rachat d'Instagram par Facebook en 2012, l'application multiplie les ajouts de nouvelles applications comme Boomerang ou Layout ou Hyperlapse. Ces derniers mois, on constate qu'Instagram va de plus en plus chercher des fonctionnalités chez son concurrent Snapchat avec notamment les Stories, ces images ou vidéos qui ne durent que 24 h et les filtres pour le visage.

Instagram est vraiment une application populaire, chez les jeunes... et les moins jeunes ! Elle permet de s'évader en parcourant des photos de gens partout dans le monde et nous donne l'occasion de présenter notre vie sous un angle, avouons-le, très flatteur. En effet, il est important de savoir que la plupart de photos des stars qui vous suivez sont très rarement prises avec un téléphone, sur le moment. Elles sont en général très réfléchies, souvent prises par des professionnels et la majorité du temps retouchées.

© Jirapong Manustrong

## Snapchat

Je dois vous avouer que je trouve Snapchat un peu difficile d'utilisation et cela ne fait pas longtemps que je suis capable d'envoyer des messages et d'en ouvrir! Et c'est peut-être pour ça qu'à la différence de Facebook, Twitter et même d'Instagram, cette application est surtout populaire chez les plus jeunes!

Créé en 2011 par deux étudiants de l'université Stanford aux États-Unis, Snapchat permet d'envoyer et de recevoir des photos et vidéos éphémères qui s'effacent au bout de quelques secondes et de créer des *stories*, une juxtaposition de plusieurs photos et vidéos qui disparaît au bout de 24 h.

Il est possible de rajouter des filtres sur les photos, d'écrire, de dessiner et d'ajouter des informations sur la température ou le lieu géographique. C'est vraiment une application ludique et désormais je m'amuse beaucoup avec les différents filtres!

Depuis 2015 il existe une nouvelle fonctionnalité, appelée « Discover » et qui permet de visionner des informations et du contenu créés par des grands magazines et des chaines comme *Buzzfeed*.

Snapchat est une application vraiment amusante et une bonne façon de communiquer avec ses amis. Je ne peux par contre que vous conseiller d'être prudente avec le contenu que vous envoyez via Snapchat, car bien que le contenu soit éphémère et s'efface en quelques secondes, il n'y a rien de plus simple que de prendre une capture d'écran! Soyez donc bien sûre de la personne à qui vous envoyez des photos de vous et ne donnez pas votre nom d'utilisateur à des gens que vous ne connaissez pas. Sachez également que vous pouvez bloquer des personnes qui vous ont ajoutées en faisant glisser vers la gauche leur nom dans la section « Ils m'ont ajouté ».

## Utile, mais dangereux

Ce qui est paradoxal, c'est que même s'il faut s'en méfier, les réseaux sociaux sont parfois extrêmement utiles dans les situations d'urgence. Par exemple, lors des attentats de Paris en novembre 2015 et de Bruxelles en mars 2016, les gens vivant dans les quartiers visés par les terroristes ont pu indiquer qu'ils étaient en sécurité sur Facebook ou sur Twitter pour rassurer leurs proches.

Comme dans la vie en général, certaines recommandations s'imposent pour une saine utilisation des réseaux sociaux :

- Ne parlez pas à des inconnus.
- Ne donnez pas d'informartions personnelles à des inconnus.
- Évitez de faire des « live » sur Instagram, Facebook ou Périscope qui permettent de deviner où vous êtes.
- N'envoyez pas de photos de vous ou des personnes de votre entourage à des personnes qui ne sont pas dignes de confiance.
- N'insultez pas les gens gratuitement et traitez les autres comme vous aimeriez qu'on vous traite.
- Amusez-vous et élargissez vos horizons! 🙂

**Sujets connexes :**
Ouverture d'esprit p. 380
Tolérance p. 478
Valeurs p. 486

# Respect

## Avoir de la considération pour les autres

Le respect est une attitude qui nous pousse à accorder une attention particulière aux gens qui nous entourent afin de ne pas les blesser inutilement.

C'est une attitude qui se développe grâce à l'ouverture d'esprit et à une certaine considération de l'autre, sans égard à la position sociale, aux opinions, aux valeurs humaines et au caractère d'autrui.

Le respect n'est pas une qualité acquise. Il faut apprendre à l'intégrer à chacun de ses gestes et à chacune de ses paroles tout en l'exigeant de la part des autres. Il arrive à tout le monde de manquer de respect envers une personne ou un groupe de personnes. Par exemple, il vous est certainement déjà arrivé d'être impolie envers vos parents ou un professeur, ou encore de vous moquer de quelqu'un. Bien que ce soit chose courante, vous devez apprendre de vos erreurs et faire un effort pour vous améliorer afin d'être respectueuse des gens qui vous entourent. Songez à la façon dont vous vous sentez révoltée lorsque quelqu'un ne respecte pas votre façon de penser, vos opinions ou votre bien-être. Vous vous sentez révoltée et même brimée dans vos droits. Il ne faut alors pas hésiter à dire aux gens que vous vous sentez blessée et que vous n'aimez pas qu'on vous manque de respect. Vous devez agir en fonction de vos convictions tout en vous montrant juste envers les autres. Ils méritent autant de respect que vous et ils ont aussi le droit d'être entendus. Apprenez à vous ouvrir aux droits et au bien-être des gens qui vous entourent.

Pour nous aider à agir de façon respectueuse, il y a des règles de bienséance. Par exemple, efforcez-vous de vouvoyer les adultes que vous ne connaissez pas, de remercier les gens lorsqu'ils vous rendent service et de laisser parler les autres lorsqu'ils ont

quelque chose à dire plutôt que de leur couper la parole. Soyez respectueuse envers vos parents, vos professeurs, vos amies et tous les gens qui vous entourent. Pour se faire respecter, on doit d'abord apprendre à respecter les autres et à s'ouvrir aux différences. Tout le monde a le droit de penser à sa façon et d'avoir sa propre opinion sur certains sujets; laissez les gens s'exprimer et exigez qu'ils vous écoutent en retour. En effet, respecter les gens ne veut pas dire que vous deviez vous taire et les laisser parler à votre place, ni que vous deviez vous faire imposer une façon de penser et une philosophie de vie. Le respect doit être mutuel: les autres doivent vous accorder une attention particulière et être ouverts à vous écouter, au même titre que vous devez apprendre à les accepter tels qu'ils sont, et ce, même s'ils ne pensent pas de la même façon que vous.

Vous devez donc vous soucier du bien-être des gens qui vous entourent sans les juger trop vite. Ce n'est pas parce qu'ils ne pensent pas comme vous qu'ils sont stupides, et ce n'est pas parce que quelqu'un appartient à une autre nationalité qu'il est incapable de vous comprendre. Ouvrez-vous à la diversité et acceptez les différences sociales, ethniques, culturelles et politiques.

Les autres ont des tas de choses à offrir et à partager, et vous avez beaucoup à apprendre de ceux qui vous entourent. C'est en étant ouverte aux autres que vous imposerez le respect. Apprenez aussi à respecter la vie privée, l'intimité et les biens d'autrui.

N'ayez jamais peur de demander qu'on vous respecte, mais n'oubliez jamais qu'on récolte ce que l'on sème, alors agissez en conséquence et soyez aussi à l'écoute des autres.

***Le respect est étroitement lié à la justice, à l'égalité et aux valeurs morales et sociales ; il suppose une attention particulière accordée aux autres, à leurs qualités et à leurs biens matériels.***

# Responsabilité

Sujets connexes :

Liberté p. 342
Majorité p. 346
Maturité p. 359

## Assumer ses actes

En vieillissant, vous devrez apprendre à gérer davantage de choses par vous-même ; vous voudrez plus de liberté. Avec ce lot viennent cependant les responsabilités. En entrant dans l'adolescence et dans l'âge adulte, vous deviendrez de plus en plus responsable de vos actes et de vos décisions et vous devrez en assumer les conséquences, qu'elles soient positives ou négatives.

Vous demandez sûrement à vos parents de vous accorder plus de liberté. Vous les trouvez trop sévères et vous rêvez d'avoir plus d'autonomie et d'indépendance. Si c'est le cas, vous pouvez vous asseoir avec eux pour discuter de la situation. Tentez de trouver le moyen de leur montrer que vous êtes fiables et que vous méritez leur confiance. Ce faisant, vous devez aussi assumer vos responsabilités, c'est-à-dire vous assurer que vous serez capable de tenir vos promesses et de vivre avec les conséquences de vos actes.

Être responsable, ce n'est pas seulement savoir assumer ses actes. C'est aussi savoir se comporter correctement quand on est en groupe, se conduire convenablement en société et assumer ses responsabilités de fille, d'amie, d'élève et de citoyenne. Par exemple, si vous avez 16 ans et que vous voulez absolument obtenir votre permis de conduire, il vous revient de conduire de façon responsable et de respecter le code de la sécurité routière pour ne pas mettre votre vie ou celle des autres conducteurs en danger. Votre rôle de citoyenne est de respecter les lois, notamment en ce qui concerne les limites de vitesse, et de ne pas consommer d'alcool au volant, sans quoi vous risquez de subir de graves conséquences. Pour être réellement responsable, il ne suffit pas d'assumer les conséquences de nos actes lorsque nos décisions tournent mal ; cela demande beaucoup plus. Si vous voulez assister à une fête chez une amie, vous devez agir de façon responsable pour que vos parents aient confiance en vous et pour que la soirée se déroule bien. Si vous avez l'âge de voter, c'est votre responsabilité en tant que citoyenne de vous informer et d'exprimer votre opinion. Si vous voulez participer à un voyage scolaire, il est de votre devoir de suivre les règles qui vous sont imposées et d'être responsable de vos actes tout en respectant vos camarades.

Prendre ses responsabilités ne se fait pas du jour au lendemain. Il s'agit d'un cheminement qui s'effectue au fur et à mesure que vous acquérez de l'expérience et de la maturité.

Même si l'idée d'avoir plus de liberté peut paraître alléchante, le fait de devoir assumer du même coup plus de responsabilités n'est pas toujours attrayant. On peut parfois sentir qu'un grand poids repose alors sur nos épaules. Après avoir passé des années à réclamer plus de liberté à vos parents et à vouloir acquérir plus d'autonomie, vous vous rendez compte de l'importance du rôle parental dans votre vie. Il faut garder en tête que vos parents sont là pour vous aider. Au fur et à mesure que vous grandirez, ils vous guideront et vous conseilleront lorsque vous devrez prendre certaines responsabilités. Cela arrivera de moins en moins souvent, mais ils prendront parfois certaines décisions à votre place s'ils considèrent que vous n'êtes pas encore en mesure de faire un choix éclairé. Vous êtes jeune, et il est tout à fait normal que vous commettiez des erreurs de jugement. Il se peut que vous abusiez de l'alcool lors d'une première fête bien arrosée entre amis, ou alors que vous séchiez un cours et que vous vous fassiez pincer. Plutôt que de vous laisser abattre par vos égarements, assumez-en les conséquences et apprenez de vos erreurs. Si vous sentez que vous n'avez pas l'expérience ou la maturité nécessaire pour assumer une décision, n'hésitez pas à mentionner que vous ne vous sentez pas à l'aise de prendre cette responsabilité. Il n'y a rien de mal à prendre son temps, et c'est même très responsable

de votre part de refuser de faire quelque chose parce que vous savez que vous n'êtes pas prête à en assumer les conséquences. Par exemple, il se peut que vous ne soyez pas prête à garder un enfant, à avoir un petit ami ou à faire un voyage sans vos parents. Et alors? C'est aussi ça, être responsable: savoir admettre que vous ne vous sentez pas prête à entreprendre certaines choses qui vous semblent trop lourdes ou dont vous avez de la difficulté à comprendre les conséquences qui pourraient en découler.

Bref, pour être responsable, vous devez non seulement respecter vos engagements et faire preuve de maturité en prenant conscience de tout ce qu'impliquent vos actions, mais vous devez aussi être capable d'être responsable de vous-même et d'être consciente de vos limites. Pour être responsable, vous devez développer votre maturité et agir selon votre intégrité. Vous devez donc être en mesure de prendre des décisions par vous-même et pour vous-même sans vous laisser influencer.

Apprenez aussi à écouter vos parents lorsqu'ils vous préviennent d'un danger ou lorsqu'ils vous expliquent ce qu'une décision implique. Si vous décidez de partir dans un camp de vacances et d'y travailler en tant que monitrice, vous devez être consciente que vous serez non seulement responsable de votre bien-être, mais aussi de celui de jeunes campeurs qui auront parfois besoin d'être rassurés. De plus, vous devez songer au fait que vous passerez des semaines loin de vos parents, de votre chambre et de vos amies. Si vous êtes capables d'assumer le tout et de foncer, alors n'hésitez pas à prendre des risques ainsi qu'à tester vos limites et votre autonomie. Si vous vous trompez, vous n'aurez qu'à en assumer les conséquences et à apprendre de vos erreurs. Si vous jugez que vous n'êtes pas prête à accepter autant de responsabilités et que vous avez trop peur de vous ennuyer, alors prenez votre temps; vo us serez peut-être prête l'année prochaine!

Il ne faut cependant pas confondre jugement et prudence avec insécurité. Parfois, il n'est pas mauvais d'affronter ses peurs et de pousser un peu ses limites pour avancer et se surpasser. Vous réaliserez alors que vous pouvez accomplir des choses que vous pensiez hors de votre portée et cela vous aidera à affirmer davantage votre autonomie et votre maturité.

***Soyez donc à l'écoute de ce que vous dicte votre cœur et n'hésitez pas à demander conseil à vos parents si vous ne savez pas quelle décision prendre.***

À l'adolescence, on se sent parfois un peu dépassée par les événements et par cette nouvelle autonomie qui nous est accordée. Les parents ne sont pas seulement là pour vous faire la morale lorsque vous vous trompez; ce sont aussi eux qui prennent soin de vous depuis votre naissance et qui vous connaissent mieux que quiconque. N'hésitez pas à leur demander conseil lorsque vous vous trouvez face à une situation problématique. Ils seront heureux de vous aider et de voir que vous prenez les moyens qu'il faut pour faire les bons choix et les assumer.

# Scène artistique

**Sujets connexes :**

Culture p. 226
Musique p. 372
Sorties p. 462

Depuis des décennies, la scène artistique québécoise est reconnue pour produire des spectacles de grande qualité, et ce, qu'il s'agisse de danse, de théâtre ou de musique. Plusieurs troupes rayonnent même jusqu'à l'extérieur du pays. Il serait difficile de parler de toutes les compagnies et de tous les groupes existant au Québec. Toutefois, un survol général de ce qui est présenté dans nos salles de spectacles pourra vous donner une idée de l'activité artistique québécoise.

On a souvent l'impression que pour voir un spectacle, il faut débourser des sommes faramineuses. Comme on n'en a pas toujours les moyens, on se prive de faire de belles découvertes. Mais ce ne sont pas tous les spectacles qui coûtent cher. Il suffit de savoir où aller et à quel moment.

## Théâtre

Au Québec, on retrouve énormément de théâtres et de compagnies qui présentent toutes sortes de dramaturgies différentes. Les théâtres les plus connus, ceux que l'on appelle les théâtres institutionnels, sont le Théâtre du Nouveau Monde, le Théâtre du Rideau Vert, la Compagnie Jean Duceppe, le théâtre Espace Go, la Société de la Place des Arts, le Théâtre d'Aujourd'hui et le Théâtre de Quat'Sous, tous situés à Montréal, en plus du Trident qui se trouve à Québec. Ce sont les théâtres dont vous pouvez voir les publicités à la télévision. Mais d'autres compagnies et d'autres salles sont tout aussi productives. À Montréal, par exemple, le Théâtre Denise-Pelletier offre souvent des forfaits aux écoles désirant assister aux représentations. Juste à côté se trouve la salle Fred-Barry, où l'on présente le plus souvent des spectacles de jeunes compagnies émergentes. On retrouve aussi la Maison Théâtre, spécialisée dans le théâtre pour enfants, le Gesù, le théâtre La Chapelle, le Théâtre de la Licorne (où sont jouées beaucoup de pièces de jeunes auteurs d'ici ou d'ailleurs) et Espace Libre.

D'autres salles présentent autant de spectacles de danse que de théâtre, par exemple, l'Usine C et le Monument-National.

Le Festival TransAmérique se déroule aussi à Montréal.

Il existe aussi de petites salles sur la scène desquelles de jeunes compagnies ont l'habitude de se produire ; entre autres, l'Espace Geordie et le Théâtre Ste-Catherine. Et si vous ne voulez pas débourser trop d'argent, il est possible d'assister aux productions des finissants des écoles de théâtre (UQAM, Conservatoire d'art dramatique de Montréal et de Québec, Cégep Lionel-Groulx, Cégep de Saint-Hyacinthe et École nationale de théâtre), qui sont des spectacles de grande qualité dont les droits d'entrée vous coûteront entre 5 et 10$. Il n'y a qu'à visiter le site internet de chacune des écoles pour connaître les productions à venir.

Question d'économiser, la plupart des théâtres offrent des journées « 2 pour 1 » sur les billets de spectacle achetés sur place. Renseignez-vous directement sur leur site internet.

À Québec, il y a les théâtres plus institutionnels, comme le Trident et le Théâtre de la Bordée. La salle de répétition du dramaturge Robert Lepage, Ex Machina, se trouve aussi dans cette ville. Pour du théâtre de création, il y a le théâtre Périscope, Niveau Parking et le Théâtre Blanc qui sont déjà bien installés depuis plusieurs années. L'une des salles de répétition de ce théâtre sert aussi à présenter des créations de la plus jeune relève. Pour ce qui est du théâtre émergent (c'est-à-dire, produit par des compagnies composées de comédiens ayant terminé leurs études depuis peu), il est surtout présenté au Premier Acte. De plus, tous les deux ans, la Ville de Québec organise le festival du Carrefour international de théâtre, qui présente les pièces de compagnies de partout dans le monde. Les Chantiers du Carrefour, quant à eux, servent à présenter les créations des jeunes artistes de Québec.

Ailleurs au Québec, on trouve le Théâtre du Bic près de Rimouski, le Théâtre Parminous à Victoriaville, le théâtre La Rubrique à Saguenay ainsi que plusieurs autres. Un peu partout dans la province, des théâtres d'été offrent de très bons divertissements en saison estivale. Sans compter que de nombreuses villes possèdent des salles de spectacles qui, si elles ne présentent pas toujours des productions locales, reçoivent plusieurs spectacles en tournée.

## Danse

Les Grands Ballets canadiens est sans doute la compagnie la plus connue. Elle présente la plupart du temps ses spectacles à la Place des Arts. D'autres troupes de danse offrent aussi d'excellents programmes, parmi lesquelles O Vertigo et les Ballets jazz de Montréal. L'Agora de la danse, appartenant au département de danse de l'UQAM, présente aussi de nombreux spectacles de danse de toutes sortes. Et, comme pour le théâtre, les écoles offrent aussi des présentations : Ladmmi et le département de danse de l'UQAM en sont deux exemples.

## Musique

Chaque ville possède ses grandes salles qui présentent divers spectacles de musique. À Montréal, on retrouve la Place des Arts, le Centre Bell, le Medley et le Métropolis. Comme pour le théâtre et la danse, il est possible d'assister aux spectacles créés par les écoles de musique : le Conservatoire de musique ainsi que les départements de musique de l'UQAM, de l'Université de Montréal et du Collège Lionel-Groulx.

En ce qui concerne les autres villes, vous pouvez vous référer au site 'subquebec.com', qui fournit une information très complète sur toutes les salles et sur tous les groupes qui y donnent des performances.

Presque chaque ville possède aussi une Maison de la culture. Celles-ci n'imposent jamais de prix d'entrée exorbitants et présentent des spectacles variés tout au long de l'année. Vous pouvez vous informer auprès de la Maison de la culture de votre ville ou de votre quartier.

Lorsqu'on parle de spectacles de musique, on ne peut passer à côté des différents festivals. À chaque été à Montréal, on peut assister gratuitement à plusieurs spectacles extérieurs lors des FrancoFolies, du Festival International de Jazz de Montréal et du Festival Nuits d'Afrique. Ils offrent aussi des représentations en salle, mais il faut acheter des billets pour y assister. À Québec, il y a le Festival d'été de Québec qui présente des spectacles de plusieurs artistes connus. Vous pouvez consulter leur programmation sur leur site internet.

Il n'en tient qu'à vous de découvrir cette mine d'or artistique qu'est le Québec. Ouvrez le journal, fouillez sur internet, choisissez un spectacle et partez à l'aventure. Ce n'est pas plus cher que d'aller au cinéma, vous encouragerez les artistes d'ici et vous ferez de magnifiques rencontres. Qui sait, peut-être vous découvrirez-vous une nouvelle passion !

## Sujets connexes :

Copains p. 218
Responsabilité p. 443
Sport p. 464

# Scoutisme

**Scout toujours !**

Le scoutisme est un mouvement éducatif basé sur des valeurs d'égalité, d'entraide, de respect et de dépassement de soi. Ses membres sont des garçons et des filles de toutes les croyances et de toutes les nationalités.

On peut rentrer dans le mouvement scout dès l'âge de 7 ans et, par la suite, comme on le dit si bien : « Scout un jour, scout toujours ! »

## Les débuts du mouvement scout

Le mouvement a été fondé en 1907 par un général anglais, Robert Baden-Powell, héros de la Deuxième Guerre des Boers, qui fut par la suite nommé lord. Celui-ci avait entrepris d'utiliser de jeunes Sud-Africains comme éclaireurs et messagers. Avec leur aide, il réussit à sauver la ville de Mafeking (Afrique du Sud) qui avait été assiégée par de trop nombreuses troupes ennemies. Cette expérience lui apprit que les jeunes pouvaient accomplir de grandes choses si on leur en laissait la chance. De retour en Angleterre, Baden-Powell se rend compte que beaucoup de jeunes, surtout dans les quartiers défavorisés, ont besoin de modèles positifs à suivre et d'activités constructives à faire, afin de les aider à s'élever au-dessus de leur condition et de les éloigner des tentations de la drogue et de la délinquance. C'est alors qu'il décide d'utiliser ses connaissances auprès des jeunes dans un objectif de paix et d'entraide. Le premier camp scout a donc lieu en août 1907, sur l'île de Brownsea en Angleterre. Par la suite, le scoutisme s'est développé à une vitesse fulgurante. Olave, la femme de Baden-Powell, fonda le guidisme, le scoutisme pour les filles. Et seulement un an après le camp de Brownsea, des groupes de scouts et de guides s'étaient formés au Canada et dans une dizaine d'autres pays.

## Les scouts du monde

Présentement, dans le monde, il y a environ 40 millions de scouts, répartis dans 217 pays, qui sont enregistrés auprès de l'Organisation mondiale du mouvement scout. Si on ajoute à cela tous les pays où il y a des scouts, mais pas d'organisation reconnue mondialement, il n'en reste que six où il n'y a pas de scouts. Dans ces pays, le scoutisme est interdit par des gouvernements totalitaires.

En 2015-2016 on recensait plus de 61 000 jeunes Canadiens parmi les scouts[1].

## C'est quoi être scout aujourd'hui ?

Être scout aujourd'hui, ça veut dire être dynamique, imaginatif, curieux, sportif, créatif. Ça veut dire aller au bout de ses rêves. C'est aussi être un citoyen du monde ouvert au changement et

1 - Scouts Canada, *Rapport annuel 2014-2015*, en ligne : <scouts.ca>.

collaboration spéciale D'AVRIL MORIN

sensible aux enjeux de notre planète. Être un scout aujourd'hui, c'est vouloir changer le monde, mais surtout pouvoir changer le monde en faisant des gestes concrets et inspirants pour les autres.

## Les activités

Les scouts sont des pionniers en matière de plein air depuis leurs débuts. Au Québec, dans les années 1930, le scoutisme a grandement contribué à l'essor du camping. Encore aujourd'hui, les scouts sont des modèles dans le domaine du plein air. Ils n'ont pas froid aux yeux et savent transmettre leur savoir et leur passion de la nature. Ce sont des aventuriers qui savent atteindre leurs objectifs. Les scouts encouragent les jeunes à relever des défis qu'ils choisissent eux-mêmes. Que ce soit sauter en parachute, descendre une rivière en canot, faire des ateliers de cirque ou voyager à l'autre bout du monde, le mouvement scout, avec sa philosophie d'ouverture, permet de le faire. Les scouts se rencontrent régulièrement (en général une fois par semaine) pour s'amuser, faire du sport et des jeux créatifs, grâce auxquels ils apprennent à se connaître et à se dépasser. C'est aussi lors de ces réunions qu'ils découvrent et organisent les éléments nécessaires à l'accomplissement de défis toujours plus grands.

## Le totem

Une particularité des scouts bien connue est le totem. C'est une pratique inspirée par les Amérindiens qui consiste à donner un nom le plus descriptif possible à la personne qui fait partie des scouts depuis un certain temps. Le totem est composé de deux parties. La première est un élément de la nature qui représente le mieux possible la personne. Le plus souvent, c'est un animal, mais cela peut aussi être une plante, un nuage, un vent, etc. On y ajoute ensuite un qualificatif qui vient compléter la description, si possible la qualité la plus forte de sa personnalité, ce qui la rend unique. Un totem bien choisi reste vrai pour toute la vie. Bien que chez les scouts le totem ait un caractère officiel, rien ne vous empêche d'en trouver un pour les personnes que vous connaissez bien. Faites-en l'expérience avec vos ami(e)s. Vous pourriez être étonnée des résultats.

**POUR EN SAVOIR PLUS :**

Pour de l'information sur tout ce qui a trait au scoutisme : **<fr.scoutwiki.org>**

Pour trouver les scouts de votre région, le site officiel des scouts du Canada est : **<scouts.ca>**

Si vous êtes intéressée à ce que les scouts font ailleurs dans le monde, vous pouvez visiter le site de l'Organisation mondiale du mouvement scout (OMMS) : **<scout.org/fr/>**

### QUELQUES SCOUTS BIEN CONNUS :

- Jean-René Dufort, animateur de l'émission *Infoman*
- Guillaume Lemay-Thivierge, acteur
- Patrick Huard, humoriste et acteur
- Guy Lafleur, joueur de hockey
- Hergé, auteur de bandes dessinées (*Tintin*)
- Dakota Fanning, actrice
- Daniel Radcliffe, acteur
- Taylor Swift, chanteuse
- Julie Payette, astronaute
- Abigail Breslin, actrice
- Steven Spielberg, réalisateur

# Secondaire

Sujets connexes :

Ambition p. 143
Amitié p. 145
Cégep p. 195

## La peur de la nouveauté

Votre primaire tire à sa fin, et même si vous avez souvent clamé haut et fort que vous aviez hâte de commencer le secondaire, voilà que vous êtes soudainement prise d'une angoisse et d'une crainte face à ce que l'avenir vous réserve. Ne vous en faites pas, puisqu'il s'agit d'une réaction super normale, avec l'arrivée imminente du secondaire et le saut que vous devrez faire dans les prochains mois.

### Où sont mes amis?

Le passage du primaire au secondaire marque un moment très important dans votre vie. Il se peut que vous ayez fréquenté la même école pendant les sept dernières années et que, pour la première fois de votre existence, vous deviez vous inscrire dans un nouvel établissement scolaire. Comme vous êtes entourée d'une bande d'amis que vous connaissez depuis longtemps et que vous vous sentez très à l'aise auprès de vos camarades de classe, c'est normal que vous soyez nerveuse à l'idée de repartir à zéro dans une grande école, sans pouvoir compter sur la présence de vos copains. En effet, il arrive souvent qu'au secondaire, on décide de fréquenter un établissement différent de celui de nos amis, et la peur de se retrouver seule est hyper fréquente et tout à fait normale. Si vous vous reconnaissez, laissez-moi tout de suite vous rassurer : même si vous avez peur d'être rejet ou de ne pas vous faire d'amis, sachez que tout le monde se trouve un peu dans le même bateau que vous et que c'est assez facile de rencontrer des gens et de se lier d'amitié avec les autres au début du secondaire. En effet, la plupart des gens qui se retrouveront dans votre classe se sentiront aussi un peu esseulés et perdus et ne demanderont rien de mieux que d'apprendre à mieux vous connaître.

### Comment me faire de nouveaux amis?

La première chose à faire est de vous ouvrir aux autres et de ne pas avoir peur de leur montrer votre personnalité. Il ne faut pas que vous hésitiez à sortir de votre coquille et à vous montrer ouverte et souriante à votre nouvel entourage. Dites-vous que vous avez tout à découvrir à propos de vos camarades, alors il ne faut pas que vous hésitiez à leur poser des questions pour mieux les connaître. C'est ainsi que vous pourrez déterminer avec qui ça clique davantage. L'essentiel, c'est que vous trouviez des personnes avec qui vous pourrez être complètement vous-même et qui vous aimeront et vous respecteront telles que vous êtes. Je crois que la participation scolaire est aussi une super bonne façon de se faire de nouveaux amis. N'hésitez donc pas à vous inscrire dans une activité parascolaire, une équipe sportive ou un comité qui vous intéressent et qui vous permettront de rencontrer des gens avec qui vous aurez des tonnes de choses en commun.

## Comment garder contact si on ne va plus à la même école ?

Même si votre *best* et vous ne fréquentez pas la même école secondaire, rien ne vous empêche de vous parler le soir ou de vous voir pendant la fin de semaine pour tout vous raconter. Dites-vous que vous pourrez maintenant compter sur quelqu'un pour vous écouter et vous donner une opinion objective sur ce que vous traversez à l'école. Je sais que c'est difficile de ne plus la voir tous les jours et de ne pas partager tous les petits moments de votre quotidien avec elle, mais je crois que c'est aussi génial de pouvoir compter sur une amie à l'extérieur de l'école. Évidemment, vous apprendrez de votre côté à mieux connaître vos camarades et vous tisserez sans aucun doute des liens forts dans votre nouvelle école, tout comme votre *best* se liera aussi d'amitié avec les gens qui l'entourent, mais il ne faut pas que ces nouvelles relations vous fassent peur. Ces nouvelles amitiés ne changent rien à ce qui vous unit, au contraire, vous aurez plus de choses à vous raconter maintenant que vous vivez dans un univers différent.

## Savoir s'accorder du temps

C'est normal que les premières semaines de secondaire vous angoissent et que vous vous sentiez un peu perdue et désorientée lors de la rentrée, mais je vous assure qu'on finit par s'y faire. L'important, c'est simplement de vous accorder un peu de temps pour vous familiariser à votre nouvel environnement et aux nouveaux camarades qui vous entourent. Je sais que le secondaire est une étape importante et que ça peut être assez terrifiant de repartir à zéro, mais c'est aussi génial d'apprendre à connaître de nouvelles personnes, de fréquenter de nouveaux professeurs et de sentir que vous évoluez dans un monde de grands où vous pourrez vous épanouir en jouissant d'une plus grande liberté. Le tout en apprenant à assumer de nouvelles responsabilités qui vous aideront à vous former un caractère unique !

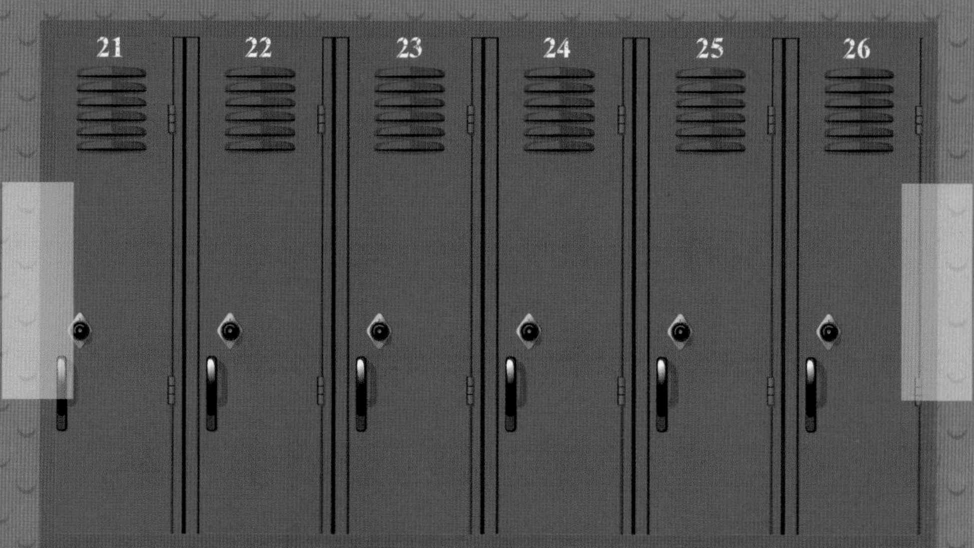

Sujets connexes :
Amitié p. 145
Confidente p. 208
Journal intime p. 337

# Secret

## Vos secrets vous appartiennent.

Un secret, c'est une information personnelle qu'on ne veut pas divulguer à la terre entière. Cela peut être un sentiment qu'on ressent, quelque chose qui nous est arrivé, une confidence faite par autrui, une trouvaille incroyable ou une profonde blessure du passé.

Bref, vos secrets vous appartiennent, et vous seule pouvez déterminer si vous voulez les partager et, si c'est le cas, à qui vous désirez en parler.

### Les types de secrets

Il existe différents types de secrets. Il y a les secrets de Polichinelle qui sont connus de tous – ils peuvent être liés à des rumeurs qu'on entend et qu'on s'empresse de répéter à ses amies (tel gars sort avec telle fille, tel prof a engueulé tel élève, etc.) –, et les secrets plus importants qu'on vous a confiés ou encore que vous gardez scrupuleusement pour vous, sans même en parler à votre meilleure amie. Lorsqu'on vous confie un secret, vous devez faire preuve de beaucoup de jugement pour faire la distinction entre les ragots propagés dans les corridors, qui ne feront de mal à personne, et les secrets plus importants que vous a confiés votre meilleure amie.

### Soyez discrète

Lorsque quelqu'un vous confie un secret, il s'agit d'une preuve de confiance de sa part. La personne juge que vous saurez vous montrer suffisamment discrète pour qu'elle puisse vous en parler et se vider le cœur. Il est donc extrêmement important que vous respectiez cette confiance et que vous ne trahissiez pas une personne qui vous voit comme sa confidente, même si vous pensez qu'il ne s'agit pas d'un secret important. Chacun possède son petit jardin secret, et ce n'est pas à vous d'évaluer l'importance de la confidence qui vous est faite. Par exemple, si une

amie vous confie qu'elle a un faible pour un garçon et que vous le répétez à tout le monde, non seulement vous trompez sa confiance, mais vous risquez aussi de lui faire de la peine. C'est à elle de juger à qui elle veut en parler, et si elle vous fait suffisamment confiance, vous devez la respecter et accepter cette marque de loyauté comme un grand honneur. Ne prenez pas le risque de briser votre amitié parce que vous êtes incapable de garder un secret. Rappelez-vous que c'est génial que les autres vous voient comme une grande confidente et qu'ils puissent vous faire confiance de cette façon.

### À qui dois-je en parler?

Si vous désirez confier un secret à une amie, c'est à vous d'apprendre à faire confiance aux gens de votre entourage et à reconnaître ceux à qui vous pouvez parler en toute confidentialité. Je suis sûre que vous avez des amies qui sont dignes de cette confiance. Précisez-leur que votre secret est important et que vous ne voulez pas qu'elles en parlent aux autres. Je sais que c'est un risque de confier une partie de son jardin secret à ses proches, mais apprendre à faire confiance et à vous ouvrir aux autres vous permettra de vous épanouir davantage.

S'il s'agit d'un secret plus important ou plus lourd à porter et que vous ne savez pas à qui vous confier, n'oubliez pas qu'il existe des services téléphoniques, comme Tel-jeunes ou Jeunesse, J'écoute, ainsi que des professionnels qui sont là pour vous aider. S'il s'agit par exemple d'un secret de famille aux conséquences sérieuses, ou d'une blessure d'enfance liée au viol, à l'inceste ou à la violence, ne gardez pas ces secrets à l'intérieur. Il est indispensable que vous parliez de ces problèmes et de ces traumatismes avec des gens qualifiés, pour vous en libérer et pour éviter qu'ils vous empêchent d'avancer dans la vie ou qu'ils vous laissent des séquelles nuisant au développement de votre estime personnelle.

Chaque famille a ses fantômes et ses petits secrets, mais c'est à vous de déterminer leur importance et leur gravité.

De plus, si une amie vous confie un terrible secret et que vous jugez qu'il est de votre devoir d'intervenir pour la protéger (par exemple, si elle est victime d'abus ou de violence), dites-lui qu'elle doit en parler et agir pour changer la situation. Si elle refuse catégoriquement, c'est à vous qu'il revient de discuter du problème avec un professionnel qui vous écoutera en toute confidentialité, ou même avec vos parents qui pourront vous aider sans divulguer l'information dans toute l'école. Si le but est de protéger votre amie et de l'aider à régler son problème, il faut lui dire que vous agissez pour son bien-être et parce que vous l'aimez. N'allez surtout pas révéler son secret à d'autres jeunes à qui elle n'a pas voulu se confier ; parlez-en plutôt à un adulte responsable qui pourra vraiment vous aider et intervenir pour régler la situation.

## En conclusion

Lorsqu'on confie un secret à une personne de son entourage, on crée des liens de confiance et une grande complicité avec elle. C'est un privilège d'être la confidente de quelqu'un, et il faut veiller à ne pas trahir cette confiance qui vous unit. Apprenez donc à faire confiance aux gens qui le méritent, mais aussi à respecter l'importance qu'on vous accorde. Si vous avez de la difficulté à vous exprimer ou à faire confiance aux gens, vous pouvez vous confier à votre journal intime. C'est une excellente façon d'exprimer ce que vous ressentez en étant certaine que personne ne répétera vos confidences. Il suffit de bien ranger votre journal dans un endroit qui soit loin des regards indiscrets ! Tenir un journal intime est une bonne façon d'exorciser ses peines et ses angoisses, et de ne pas tout garder à l'intérieur. Apprenez toutefois à faire confiance aux autres et, surtout, apprenez à respecter la confiance qu'on vous fait en vous livrant des secrets !

# Sexisme

**Sujets connexes :**

Égalité p. 258

Féminisme p. 280

Harcèlement sexuel p. 310

Quand on parle de sexisme, on fait allusion à une discrimination basée sur le sexe d'un individu. Par exemple, le directeur d'une chaîne sportive qui n'embauche pas une femme pour animer une émission en raison de son genre sera accusé de faire du sexisme, au même titre qu'un homme qui se verra refuser l'accès à un club de lecture à cause de son sexe pourra lui aussi dire qu'il a été victime de sexisme.

Si vous regardez autour de vous, vous vous rendrez compte que le sexisme existe même dans la cour d'école : certaines activités sont réservées aux garçons, alors que d'autres leur sont pratiquement interdites. Derrière ce concept subsiste une sorte d'idée préconçue de la société qui attribue un rôle, un caractère et même des aptitudes affectives et physiques aux genres masculin et féminin, ce qui limite un individu aux attentes qu'on peut avoir de lui en vertu de son sexe.

Par exemple, on dira souvent à tort qu'un homme qui pleure est sensible, alors qu'une femme qui s'émeut est « hormonale ». À l'inverse, on prétendra qu'un garçon qui fait le ménage est un faible, tandis qu'une fille qui range la maison ne fait que son devoir. Je sais qu'il s'agit là de stéréotypes, mais le but est de vous donner une meilleure idée des préjugés sexistes que l'on peut véhiculer sans même s'en apercevoir !

La vérité, c'est qu'on colle souvent une identité préconçue aux genres masculin et féminin. Par exemple, on voit rarement un petit garçon porter du rose et jouer avec une poupée, au même titre qu'on ne s'attend pas à ce qu'une petite fille s'habille en bleu et s'amuse avec des camions. Le problème derrière tout ça est ancré bien au fond de nous, et lorsque quelqu'un s'éloigne des barèmes préétablis, on sursaute devant la différence et on encourage les comportements sexistes.

Prenons l'exemple de Julie, une petite fille de cinq ans. Lorsqu'elle demande à jouer au hockey avec les garçons de sa rue, on

lui répond qu'il ne s'agit pas d'un sport de fille. Donc, non seulement on véhicule le préjugé que le hockey est réservé aux garçons, mais en plus, on encourage Julie à croire que certains sports et certaines activités sont réservés aux filles et d'autres aux garçons, et qu'il vaut mieux ne pas s'affranchir de ces catégories.

Or, bien que les filles ne pensent pas toujours comme les garçons (la preuve, c'est qu'on a trop souvent de la difficulté à se comprendre), il est prouvé qu'à la naissance, on ne retrouve aucune différence cognitive (mémoire, intelligence, raisonnement) et sensorielle (odorat, vision, etc.) entre les cerveaux masculin et féminin, et que ce qui a le plus d'impact à long terme est le lien affectif, le développement social et culturel ainsi que l'interaction de l'enfant avec son environnement après sa naissance[1]. En d'autres termes, il est faux

1 - Catherine Vidal, neurobiologiste et directrice de recherche en neurosciences à l'Institut Pasteur.

de croire que les filles et les garçons sont différents dès qu'ils sortent du ventre de leur mère. Ce sont plutôt les stéréotypes que l'on formule et que l'on véhicule qui ont un effet sur notre comportement et qui nous poussent parfois à avoir des attitudes et des discours sexistes.

Le féminisme et le masculinisme (mouvement pour la défense des droits de l'homme) sont nés pour dénoncer ces stéréotypes ainsi que les inégalités et les discriminations envers l'un ou l'autre des sexes ou, en d'autres mots, tous les problèmes engendrés par le sexisme.

Afin de lutter contre la propagation de stéréotypes et de caractéristiques liés au sexe d'une personne dans notre société, il ne faut donc pas hésiter à dénoncer les inégalités et les comportements sexistes lorsque vous en êtes témoins. Sachez qu'ils peuvent se manifester autant chez les garçons que chez les filles et qu'il ne faut pas non plus avoir peur de se lancer à la défense d'un gars si on est persuadée qu'il fait face à une injustice.

Personnellement, je pense que c'est en faisant un effort individuel et en y mettant du nôtre que nous parviendrons à nous défaire de certains préjugés et à vivre dans une société plus juste, plus égalitaire et surtout plus ouverte aux différences.

Statue de la *Fearless Girl* de l'artiste Kristen Visbal installée en mars dernier face au célèbre taureau de Wall Street créé par l'artiste Arturo di Modica. Cette installation se veut un symbole de la lutte contre les inégalités et pour le droit des femmes.

# Sexualité

Sujets connexes :
Contraception p. 212
ITSS p. 329
Plaisir p. 403

## Reproduction, pratiques sexuelles et identité sexuelle

La sexualité fait non seulement référence au concept de reproduction entre l'homme et la femme, mais aussi à toutes les pratiques sexuelles, de même qu'à votre identité sexuelle comme telle.

Au cours de l'adolescence, votre corps devient peu à peu celui d'une femme et vous commencez à éprouver du désir et à développer une curiosité sexuelle. Les hormones de votre corps se développent et votre caractère sexuel se définit de plus en plus, ce qui vous fait éprouver de l'attirance envers les garçons et/ou les filles et une plus grande curiosité à l'égard de vos désirs et de votre corps.

En ce sens, l'homme est un animal, car il éprouve un besoin instinctif de se reproduire. Toutefois, au contraire des autres animaux, nous avons aussi une sensibilité et nous éprouvons des sentiments qui rendent l'acte sexuel très intime. On cherche à se sentir près de l'autre, à lui communiquer notre désir et à fusionner avec lui. Ce ne sont pas seulement nos instincts sexuels qui nous guident, mais bien notre sensibilité et nos émotions. Par exemple, quand vous êtes amoureuse d'un garçon et que vous faites l'amour avec lui, vous ne percevez pas cet acte comme étant purement physique. Il s'agit aussi d'une communion des corps et d'une volonté de se sentir près de l'autre et de partager une intimité avec lui.

La sexualité concerne aussi toutes les pratiques sexuelles que vous pouvez explorer, seules (grâce à la masturbation) ou avec un ou une partenaire. En effet, lorsque vous commencez à avoir des rapports sexuels, vous apprenez peu à peu à découvrir votre corps et celui de l'autre. Tout ceci s'effectue en différentes étapes, d'où l'importance d'apprendre à être à l'écoute de votre corps et à respecter vos limites.

***Vous pouvez commencer par embrasser votre amoureux et par le toucher avant d'avoir des rapports complets.***

Vous pouvez vous exciter mutuellement en touchant vos organes génitaux et en apprivoisant vos corps. Vous pouvez aussi pratiquer l'amour oral en faisant une fellation au garçon. Ce dernier peut aussi pratiquer l'amour oral en vous faisant un cunnilingus ou en vous embrassant les parties génitales. Quoi qu'il en soit, allez-y à votre rythme. Ne faites rien que vous n'êtes pas prêtes à faire. Respectez vos limites et prenez votre temps pour découvrir votre sexualité, et pour explorer votre corps et celui de votre partenaire. Dites-lui ce que vous ressentez et prenez le temps de bien analyser vos émotions lors de vos contacts physiques et sexuels.

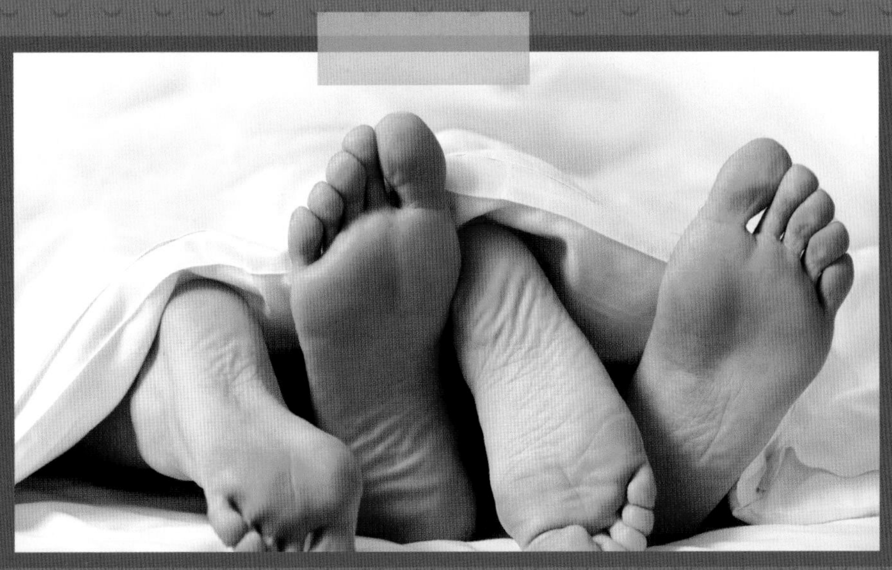

Rappelez-vous qu'il est bon de prendre votre temps et de communiquer vos émotions à l'autre. De plus, n'ayez pas honte de vous masturber et de vous informer au sujet des pratiques sexuelles et de vos désirs. Vous acquerrez ainsi une sexualité plus épanouie qui ajoutera à votre joie de vivre et vous fera sentir bien dans votre peau.

## Sujets connexes :

Adolescence p. 138
Journal intime p. 337
Timidité p. 476

# Solitude

## Apprendre à l'apprivoiser

Il est normal de vous sentir parfois seule au monde, comme si vous étiez isolée et incomprise de tous. La solitude fait partie de l'adolescence et du développement humain.

Lorsque vous vous sentez seule, il se peut que vous ayez envie de pleurer, car personne n'est à côté de vous pour vous écouter et pour prendre soin de vous. Vous craignez peut-être aussi le rejet et l'exclusion sociale. Sachez d'abord que le sentiment de solitude surviendra sporadiquement tout au long de votre vie, et que vous pouvez apprendre à l'apprivoiser.

Il vous arrive peut-être même de vous sentir seule lorsque vous êtes entourée des membres de votre famille ou de vos amis. Vous avez l'impression d'être dans un autre monde, seule dans votre bulle, et vous sentez que personne ne comprend ce qui vous arrive. Au cours de l'adolescence, votre corps et votre personnalité se développent sans cesse, ce qui peut être très angoissant et vous faire croire que personne au monde ne ressent la même chose que vous. Rassurez-vous, il arrive à toutes les filles de se sentir seules. Il faut toutefois déterminer si votre problème survient seulement de temps à autre, ou si la solitude vous accable de façon plus permanente.

### Un cercle vicieux

Lorsque vous vous sentez seule, efforcez-vous de sortir de votre torpeur et d'aller vers les gens de votre entourage qui ne demandent pas mieux que d'être là pour vous. Si vous expliquez à votre amie que vous vous sentez seule, elle pourra vous écouter et vous changer les idées. Vous devez toutefois faire un effort personnel pour vaincre le sentiment de solitude. Par exemple, si vous vous considérez comme

une grande solitaire et que vous passez le plus clair de votre temps seule dans votre coin, les gens seront peut-être moins portés à venir vous voir à cause de l'attitude que vous adoptez et de l'énergie que vous dégagez. Je sais qu'il peut être très angoissant de faire les premiers pas et de vous montrer sociable si cela ne fait pas vraiment partie de votre nature, mais si vous ne luttez pas contre vos points faibles, vous risquez de vous enfoncer encore plus profondément dans votre solitude.

***Apprenez à sourire à vos camarades d'école, à les saluer quand vous les croisez dans le corridor, à discuter en classe, à participer aux réunions et à vous ouvrir aux autres.***

Vous pouvez aussi vous inscrire à une activité parascolaire qui vous encouragera à parler aux gens et à passer du temps avec ceux qui partagent vos champs d'intérêts. Participez aux activités organisées par votre école, aux sorties de groupe ou aux comités étudiants. Il existe des milliers de façons de s'impliquer davantage et de sortir de son isolement.

## Pour aller plus loin:

- ***Into the wild,*** Sean Penn
- ***Isolement,*** Lamartine

### Je me sens différente

Même si vous vous sentez différente et que vous ne vous identifiez à aucun groupe, sachez que certaines personnes vous ressemblent plus que vous ne le croyez, et qu'il ne faut surtout pas se fier aux apparences. C'est pour cette raison que je vous suggère de vous inscrire à des activités qui vous intéressent; vous pourrez au moins rencontrer des gens avec qui vous avez des points communs.

### La solitude, c'est temporaire!

Lorsqu'on se sent seule, on est portée à croire que cela durera toute la vie. Ne vous en faites surtout pas; en vieillissant, vous rencontrerez des gens qui vous ressembleront davantage. Un jour, vous changerez de classe, d'école ou peut-être même de groupe d'amies, ou alors vous ferez la connaissance d'un garçon qui vous rendra folle de lui. La solitude est angoissante et parfois lourde à porter, mais sachez qu'elle est temporaire et que vous pouvez essayer de la vaincre en sortant un peu de votre coquille.

### Pour celles qui aiment la solitude

Il se peut aussi que vous appréciiez la solitude et que vous préfériez être seule plutôt qu'entourées de gens. C'est très bien de ne pas avoir peur d'être seule et de passer un peu de temps avec soi-même pour réfléchir ou vous recentrer sur vous-même. Même si vous aimez votre solitude, apprenez à vous ouvrir aux autres en discutant avec des copines qui vous paraissent sympathiques, ou avec des gens de votre entourage en qui vous avez confiance et avec qui vous partagez des goûts, et ce, même s'ils fréquentent une autre école, qu'ils sont d'une autre culture ou qu'ils n'ont pas le même âge que vous.

### QUELQUES TRUCS

Si vous vous sentez seule, essayez de vous changer les idées en téléphonant à une amie, en discutant avec vos parents, en écrivant dans votre journal intime ou en faisant une activité qui vous plaît. Sortez de votre chambre et allez faire une promenade, pratiquez un sport ou participez à une activité qui vous fera voir du monde.

Organisez une fête ou une activité avec des copines pour apprendre à les connaître davantage. N'ayez surtout pas peur de foncer! Vous êtes géniale et ces filles seront chanceuses de vous avoir pour amie.

Si vous vous sentez encore plus seule durant les fins de semaine, tentez de prévoir des activités qui sauront vous divertir sans vous donner le cafard ni vous angoisser.

Sachez que la vie est remplie de hauts et de bas, et que même les personnes les plus cool de votre école vivent parfois des moments de solitude.

Salut, Lou.
Je me sens seule aujourd'hui. J'ai passé la soirée d'hier à écouter des films et aujourd'hui, j'aurais aimé passer du temps avec mes amis. Le problème, c'est que mes amis habitent à des centaines de kilomètres d'ici et que je me sens seule et rejet à Montréal. Soupir.
**Léa xox**

## Sujets connexes :

Fatigue p. 278
Puberté p. 428
Sport p. 464

# Sommeil

## Bien dormir est essentiel

On vous répète à quel point il est important de bien dormir depuis que vous êtes toute petite. En vieillissant, vous vous rendez certainement compte que vos parents avaient raison de vous casser les oreilles avec cette histoire de sommeil!

Un adolescent a besoin de dormir de huit à neuf heures par nuit pour pouvoir fonctionner à plein régime. Avec la croissance, les devoirs, l'école et toute l'énergie que vous dépensez, n'allez pas croire que ce soit excessif.

Le sommeil est essentiel, tant au point de vue physique que mental. Vous avez besoin de sommeil pour pratiquer vos activités préférées, sportives ou autres, et pour être capable de vous concentrer en classe. Lorsqu'on est fatiguée, on traîne de la patte, on éprouve de la difficulté à faire nos devoirs, à étudier et à passer au travers de la journée. On se sent toujours mieux quand on déborde d'énergie et qu'on se sent prête à relever tous les défis qui se présentent à nous. Sur le plan physique, le manque de sommeil a tendance à nous donner un teint blême et des cernes sous les yeux. Ainsi, non seulement nous sentons-nous épuisées, mais nous avons aussi l'impression d'être moches, et puisque nous sommes des filles, nous attrapons vite des complexes. Au lieu de dramatiser et de vous imaginer que plus personne ne vous trouve jolie, passez une bonne nuit de sommeil et vous constaterez que votre état physique et mental changera du tout au tout.

### Une ambiance de rêve...

Lorsque vous vous apprêtez à dormir, efforcez-vous de créer une ambiance propice au sommeil. Éteignez la télévision et la lumière, et gardez votre chambre au frais plutôt que de monter excessivement le chauffage. Vous pouvez mettre de la musique douce, mais évitez les rythmes trop intenses. Le silence et le calme sont

de mise pour permettre à votre corps et à votre esprit de se reposer. Enfilez un pyjama confortable et dormez dans des draps propres et douillets. Installez-vous confortablement et tentez de ne pas penser aux choses que vous devez faire le lendemain ; le stress risque de vous empêcher de dormir. Faites plutôt le vide, détendez-vous et vous sombrerez bientôt dans le sommeil.

### Les choses à faire et à éviter

Il est conseillé de prendre un bain ou de boire une tisane avant de vous coucher pour vous détendre. Vous pouvez aussi lire un bon roman ou votre magazine favori, mais évitez les activités qui stimuleront votre corps et votre esprit, et qui vous empêcheront de dormir. Veillez à ne pas trop manger avant de vous mettre au lit; optez plutôt pour une collation légère si vous avez un petit creux. Si vous écoutez un film, il vaut mieux éviter les longs métrages sanglants, les histoires d'horreur ou les drames qui vous traumatiseront ou vous feront faire des cauchemars. Faites preuve de jugement et choisissez des activités qui sauront vous détendre. Évitez aussi de faire un exercice physique intense juste avant de vous coucher. La lumière bleue qui émane des écrans de téléphones ou de tablettes peut également nuire à votre sommeil. Essayez d'éteindre vos appareils électroniques au moins une heure avant de vous coucher (je sais que c'est difficile!).

## Les bras de Morphée

Le sommeil est constitué de plusieurs cycles qui durent environ 90 minutes chacun. Le premier cycle est celui du sommeil léger. Le cerveau sécrète alors de la sérotonine, soit une hormone qui crée la somnolence et les bâillements. Votre pouls ralentit et votre corps est parfois secoué par de petits tremblements musculaires. Différentes images traversent votre esprit, mais vous ne rêvez pas encore et votre sommeil demeure très fragile. Au cours de la deuxième phase, vous entrez dans une étape transitoire entre le sommeil léger et le sommeil profond. L'activité cérébrale est réduite, et votre corps est beaucoup moins sensible aux stimuli extérieurs. Vous entrez ensuite dans la troisième phase, soit celle du sommeil profond, où il devient ardu de vous réveiller et où vous vous isolez du monde extérieur. Vos muscles sont complètement détendus. C'est au cours de la quatrième étape, soit celle du sommeil paradoxal, que votre corps s'agite, que votre pouls augmente et que l'activité cérébrale s'accélère, ce qui vous permet de rêver de façon plus intense. Si on vous réveille durant ce cycle, vous serez plus en mesure de vous souvenir de vos rêves. Sachez que votre corps traverse ces cycles à plusieurs reprises au cours d'une même nuit.

## Et les rêves dans tout ça?

Les rêves occupent environ 20 % de notre nuit de sommeil. Il s'agit d'une succession d'images qui proviennent de l'inconscient ou qui sont liées à des choses qu'on a vécues. Un grand mystère entoure encore les rêves, et plusieurs spécialistes se sont penchés sur leurs interprétations. Vous pouvez par conséquent consulter des livres ou des articles dans internet si vous souhaitez trouver un sens à vos rêves, ou vous pouvez les noter dans votre journal et le consulter pour voir si vous faites souvent les mêmes rêves et pour écrire les différentes interprétations proposées.

## N'abusez pas des bonnes choses!

Bien que le sommeil soit extrêmement important pour le bien-être physique et mental, et bien qu'il soit très agréable de dormir, tâchez de ne pas exagérer en passant vos journées entières au lit et en négligeant toutes les autres sphères de votre vie. À l'adolescence, les sorties, les activités et les travaux scolaires s'accumulent souvent à un rythme effréné, ce qui vous oblige à vous coucher tard et parfois même à vivre la nuit plutôt que le jour. Essayez quand même de conserver un mode de vie normal et sain et de ne pas vivre à l'envers du reste du monde! Efforcez-vous de trouver un équilibre et apprenez à profiter de ce plaisir de la vie.

# Sorties

**Sujets connexes :**
Copains p. 218
Gang de filles p. 291
Scène artistique p. 446

## Ne rien manquer

L'adolescence, c'est la période de la vie durant laquelle on commence à acquérir une certaine indépendance, et où on ne demande pas mieux que de passer du temps avec ses copines ou avec son amoureux. On commence à fréquenter les cafés, les salles de billard, les parcs, les cinémas, et parfois même les bars.

Il existe toutes sortes d'activités : les sorties plus tranquilles, les balades en voiture, les activités sociales, les danses, les discothèques, les films, les cafés, les restos et même les sorties plus culturelles (les musées, les galeries d'art, etc.). Bref, c'est le moment où on veut tout explorer, tout expérimenter et surtout ne rien manquer.

### Le consentement des parents

À cet âge, on doit encore souvent demander la permission à ses parents pour sortir, et on doit respecter un couvre-feu. Je sais bien que ça peut être casse-pieds de quitter une fête qui bat son plein parce que vos parents vous y obligent, ou de rater l'anniversaire de votre meilleure amie parce que vos parents vous forcent à passer du temps en famille, mais sachez qu'on passe pratiquement toutes par là. Vos parents ne font pas ça pour vous rendre la vie impossible ; c'est souvent parce qu'ils sont inquiets et qu'ils veulent vous protéger, ou alors parce qu'ils vous voient encore comme une petite fille. Si vous trouvez qu'ils sont trop sévères, rien ne vous empêche de discuter calmement avec eux pour essayer de trouver un compromis. Il est toutefois essentiel de ne pas abuser de leur confiance et de ne pas leur mentir (même si c'est souvent tentant et que presque toutes les filles le font à un moment ou à un autre), car cela risquerait d'empirer les choses. Je vous conseille donc de prévenir vos parents lorsque vous découchez ou lorsque vous rentrez plus tard pour qu'ils ne s'inquiètent pas. Soyez honnêtes avec eux, et ils verront tôt ou tard qu'ils n'ont aucune raison de ne pas vous faire confiance. Laissez un numéro où ils peuvent vous joindre et essayez de respecter le couvre-feu qu'ils vous imposent. Si vous savez d'avance qu'une sortie risque de s'éterniser, prévenez-les ou alors profitez-en pour dormir chez une copine afin de leur éviter de vous attendre dans la cuisine en imaginant les pires scénarios.

### Les hauts et les bas de votre nouvelle vie sociale

Les sorties vous permettent d'expérimenter toutes sortes de choses, d'avoir du plaisir, de passer du temps entre amis et, bien souvent, de faire de nouvelles connaissances. Sans vouloir vous faire la morale, je vous recommande tout de même d'être prudente avec les nouvelles personnes que vous rencontrez. Certaines d'entre elles ne partagent peut-être pas les mêmes valeurs que vous et pourraient essayer d'abuser de vous. Faites confiance à votre instinct si vous avez des doutes, car mieux vaut rester prudente et attendre un peu avant de faire entièrement confiance à ces nouveaux amis. Aussi amusantes soient-elles, les sorties nous amènent souvent à dépenser de l'argent, alors faites attention de ne pas tomber dans les excès, surtout si vous n'en avez pas les moyens. D'un point de vue plus positif, les sorties permettent toutefois de se changer les idées, de s'amuser, de passer du bon temps seule ou avec ses amis et de profiter de la vie. Si vous n'êtes pas encore tout à fait certaine du genre d'activités qui vous plaît le plus, faites des essais et restez fidèles à vous-même. Vous connaissez tout de même votre nature et vous apprendrez tôt ou tard quelles activités correspondent le mieux à vos intérêts.

## Les fins de semaine

Que ce soit parce que leurs parents ne le leur permettent pas ou parce qu'ils ont des devoirs à faire, les adolescents ne sortent pas, habituellement, les soirs de semaine. Ils le font plutôt durant les fins de semaine, qui sont faites à la fois pour travailler et pour s'amuser. Certaines en profitent pour terminer leurs travaux scolaires, d'autres pour passer du temps en famille ou avec leurs amis. Quoi qu'il en soit, il est important de prendre le temps, durant la fin de semaine, de relaxer, de décompresser et de s'amuser. Même si vous êtes stressée pour un examen, que vous êtes bouleversée par une dispute ou que vous avez simplement le cafard, efforcez-vous de vous changer les idées, seules ou avec les gens que vous avez envie de voir. L'important, c'est d'avoir du plaisir en demeurant responsable et en n'abusant pas de la confiance de vos parents. C'est une question d'équilibre et de bon sens, alors vous n'avez qu'à en discuter avec eux pour trouver un terrain d'entente!

Sujets connexes :

Hockey p. 312
Scoutisme p. 446
Sorties p. 462

# Sport

## Bienfaits pour la santé physique et psychologique

Je n'ai pas besoin de vous énumérer tous les bénéfices de l'activité physique. Vous savez sûrement déjà que les activités sportives entraînent toutes sortes de bienfaits pour vous! Le sport sert à vous mettre en forme en musclant et en raffermissant votre corps.

Bien que ça demande un peu d'efforts et qu'on doive parfois lutter contre la paresse, une fois qu'on s'y met, qu'on sue à grosses gouttes et qu'on dépense son énergie de façon aussi saine, on peut rapidement en mesurer les retombées. Le sport sert à vous faire sentir bien dans votre peau, et permet à votre corps de rester en forme et de maintenir un poids santé. Sur le plan psychologique, le sport vous permet de vous défouler et de vous laisser aller sans penser à rien d'autre. Quand on pratique un sport, on s'amuse, on se surpasse et on décroche de la réalité et des petits tracas du quotidien. En fait, ça remet souvent les choses en perspective. On se sent beaucoup plus posée et beaucoup plus calme après s'être dépensée physiquement.

## De tout, pour tous les goûts

Il existe toutes sortes de sports que vous pouvez pratiquer en équipe ou individuellement. Certaines filles sont adeptes du gym, du jogging ou de la marche. Elles en profitent pour passer un peu de temps seules, pour écouter de la musique et pour prendre du recul face au reste du monde. D'autres préfèrent les sports d'équipe où elles peuvent rigoler entre amies et développer leur esprit sportif. Dans des sports collectifs, il est important de jouer de façon à respecter les autres et à suivre les règles du jeu. Par ailleurs, le fait de jouer en équipe vous force à devenir une bonne gagnante et une bonne perdante, et ainsi à vous surpasser en tant qu'individu. Vous apprenez à côtoyer des gens et à respecter vos coéquipiers, en plus de rencontrer des tas de nouvelles personnes qui ont sans doute beaucoup de choses à offrir.

Ne soyez toutefois pas trop compétitive et apprenez à être bonne joueuse. Vous êtes là pour aider votre équipe, certes, mais aussi pour vous amuser. Profitez donc de la présence des autres pour en connaître davantage sur eux, sur les techniques de jeu, et pour oublier vos problèmes du même coup.

## Pour celles qui méprisent le sport

Certaines filles détestent les sports. Le simple fait d'enfiler un pantalon de course ou de voir des chaussures de sport leur donne envie de vomir. Si c'est votre cas, sachez d'abord qu'il s'agit parfois d'un goût qui se développe au fil du temps. Si vous donnez la chance à un sport, vous découvrirez tous les bienfaits et avantages que cela vous procure, et vous constaterez à quel point vous vous sentez mieux dans votre peau. C'est de cette façon que le sport devient un besoin, car il vous permet vraiment de décrocher, de vous surpasser, de vous défouler et de vous sentir bien dans votre corps. Si vous êtes toujours sceptique et que vous avez de la difficulté à vous imaginer qu'un sport puisse réellement contribuer à votre épanouissement, efforcez-vous tout de même de faire un minimum d'exercice physique. Il existe des moyens très agréables d'être active, et cela ne demande pas nécessairement de faire partie de l'équipe de basket de votre école. Vous pouvez commencer par la marche ou le jogging, seule ou avec une copine. Lors d'une chaude journée d'été, prenez votre téléphone ou iPod et allez faire une balade dans les rues de votre ville. Ça ne demande pas beaucoup d'efforts, ça vous permet de faire du lèche-vitrine, et vous faites alors de l'exercice sans même vous en apercevoir. Vous pouvez aussi demander à une amie de se joindre à vous pour courir dans le parc, pour faire une balade en nature ou pour vous promener dans la ville. Vous pouvez aussi vous déplacer à bicyclette, à pied ou en patins à roues alignées tout au long de l'été. Non seulement c'est bon pour l'environnement, mais ça vous permet aussi de faire de l'exercice! Bref, choisissez une activité qui vous plaît et tentez d'intégrer le sport à votre vie quotidienne. Vous constaterez rapidement la différence. Vous vous sentirez mieux dans votre peau, et je vous assure que vous serez fière de vous!

**Sujets connexes :**

Déprime/Dépression p. 230
Troubles alimentaires p. 482
Solitude p. 458

# Suicide

## Phénomène alarmant au Québec

Le suicide chez les jeunes est un phénomène alarmant au Québec. La province présente en effet des statistiques désastreuses et l'un des taux de suicide les plus élevés parmi les nations industrialisées de la planète.

En 2014, ce sont 1125 personnes qui se sont enlevé la vie au Québec[1].

Bien qu'élevé, ce nombre représente une amélioration par rapport aux années antérieures et reflète une diminution moyenne de 4 % par année répertoriée depuis 10 ans. La baisse du taux de suicide la plus marquée est notée chez les jeunes, alors que les adultes de 35 à 40 ans constituent le groupe le plus à risque »[2].

Chez les jeunes, les adolescents souffrant de troubles mentaux et affectifs, les jeunes autochtones et les jeunes homosexuels sont les plus touchés par le phénomène. Le gouvernement a instauré toutes sortes de programmes dans les écoles et les communautés pour venir en aide aux jeunes en détresse, et pour tenter de contrer ce fléau. Selon Bruno Marchand, directeur général de l'Association québécoise de prévention du suicide (AQPS), la légère baisse du taux de suicide qui a été enregistrée au cours des dernières années est justement liée au pouvoir de la conscientisation.

Lorsqu'un jeune se suicide, il décide de mettre un terme à sa vie, de tout abandonner pour échapper à sa souffrance intérieure et à sa détresse. La plupart du temps, il le fait non pas parce qu'il souhaite mourir, mais parce qu'il veut arrêter de souffrir. Sa détresse et son désespoir sont si grands qu'il n'arrive pas à voir la lumière au bout du tunnel. Les suicides peuvent être liés à un sentiment de solitude extrême, à une fragilité émotionnelle, à un

échec personnel (amoureux, professionnel, scolaire, etc.), à des conflits ou à un sentiment de tristesse très intense. Il faut par ailleurs distinguer les tentatives de suicide, où les jeunes ne cherchent pas véritablement à mettre fin à leur vie, mais plutôt à envoyer un appel à l'aide à leurs proches. On doit alors intervenir rapidement et les rassurer. Il existe divers moyens de venir en aide aux gens en détresse et, parfois, le simple fait de se sentir aimé et soutenu peut les aider à reprendre le dessus.

Le suicide demeure souvent inexpliqué, ce qui rend le deuil encore plus difficile pour l'entourage. Les parents, amis et camarades de classe sont plongés dans

1 - INSPQ, La mortalité par suicide au Québec : 1981 à 2014 - Mise à jour 2017, repéré à <aqps.info/media/documents/Portrait_statistique2016_suicide_Quebec_INSPQ.pdf>.

2 - Bruno Marchand, directeur général de l'Association québécoise de prévention du suicide (AQPS) dans le journal *Métro*, 1er février 2010.

la tristesse et l'incompréhension. Certains sont parfois ravagés par les remords et la culpabilité, puisqu'ils ne peuvent plus rien faire pour intervenir et se sentent complètement impuissants. Ils se reprochent de ne pas avoir vu de signes avant-coureurs. Le suicide d'un proche est un traumatisme important, et il est essentiel d'en parler aux gens de son entourage ou à des professionnels pour ne pas se laisser emporter par la tristesse et le désespoir.

Les causes du suicide sont multiples, et plusieurs cherchent des moyens de le prévenir afin de contrer le fléau au Québec. Certains pensent qu'il faut encourager la présence d'intervenants sociaux ou de professionnels de la santé dans les écoles, ou tout simplement éviter de parler des jeunes qui se suicident dans les médias. Cela peut en effet avoir un effet boule de neige et encourager d'autres jeunes à se suicider.

Si vous vous sentez désespérée ou au bord du précipice, il faut absolument en parler à quelqu'un en qui vous avez confiance, un psychologue, un médecin ou un intervenant qui pourrait vous aider. L'adolescence est une période de grande fragilité émotionnelle et il est parfois facile de se laisser submerger par les obstacles ou les difficultés qui se dressent devant vous. Même si votre problème vous semble insurmontable, sachez que vous êtes encore jeune et qu'il existe toujours de meilleures solutions que la mort. Il s'agit seulement d'une étape ou d'un moment difficile à passer, et les choses vont forcément finir par s'arranger. Quel que soit le problème – peine d'amour, conflit familial, intimidation ou échec –, vous devez en parler et chercher une solution qui vous fera grandir et évoluer sans sombrer dans la dépression ni avoir recours au suicide. La vie vaut la peine d'être vécue, et ce, malgré toutes les difficultés et les obstacles qu'on peut rencontrer sur notre route.

Par ailleurs, si vous sentez qu'un ou une ami/e a des pensées suicidaires ou souffre d'un sentiment de détresse intense, il faut absolument faire quelque chose. Vous pouvez en parler à quelqu'un qui saura vous aider et intervenir avant que la situation ne s'aggrave. Il existe aussi des centres d'appel que vous pouvez joindre en tout temps pour vous confier et demander des conseils.

**LIENS UTILES
EN CAS DE DÉTRESSE :**

Association québécoise
de prévention du suicide :
**1 866 APPELLE**
(ligne anonyme et confidentielle,
disponible 24 heures par jour,
7 jours par semaine)

ou **<cpsquebec.ca>**
ou **<aqps.ca>**

## Sujets connexes :

Drogues p. 241
Majorité p. 346
Maturité p. 359

# Tabac

### La cigarette, un fléau dans notre societé

Bien que l'usage du tabac chez les jeunes soit moins populaire qu'il ne l'était il y a quelques années, il n'en demeure pas moins que la cigarette reste un fléau et qu'il vaut mieux s'en tenir loin!

Selon l'Enquête québécoise sur le tabac, l'alcool, la drogue et le jeu chez les élèves du secondaire, réalisée en 2013, la consommation du tabac chez les jeunes de 12 à 17 ans se situe autour de 12,2 %. Entre 2005 et 2013, il y a eu une baisse significative du tabagisme chez les jeunes. Il est passé de 19 % à 12,2 %, ce qui est une bonne nouvelle en soi.

Il faut toutefois mentionner qu'au cours des dernières années, plusieurs mesures ont été prises dans les écoles et auprès des jeunes pour les encourager à « écraser » ou à ne pas commencer à fumer. De plus, la Loi antitabac, entrée en vigueur le 31 mai 2006, interdit maintenant de fumer dans les endroits publics comme les bars, les restaurants, les discothèques, les centres commerciaux et les salles communautaires. Elle interdit aussi aux gens de fumer dans un rayon de neuf mètres d'un établissement de santé et de services sociaux, d'un établissement d'enseignement de niveau postsecondaire et d'un endroit où se déroulent des activités destinées aux personnes mineures. Il est évidemment interdit de fumer sur les terrains des CPE, des garderies, des écoles primaires et des écoles secondaires durant les heures où des jeunes fréquentent ces établissements. De plus, il est formellement interdit aux commerçants de vendre des cigarettes à une personne mineure, sous peine d'amendes majeures[1].

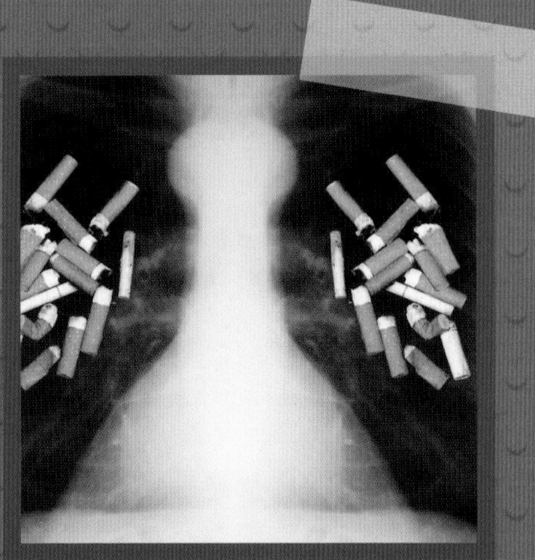

### Les méfaits de la cigarette

Vous savez évidemment que la cigarette est mauvaise pour la santé. Elle contient de nombreuses substances toxiques et cancérigènes. Le tabac est responsable de plusieurs maladies pulmonaires, cardiaques, coronariennes et vasculaires, et serait à la base du développement de plus de 12 types de cancer ayant causé la mort de 167 805 personnes dans l'année 2014-2015[2]. La cigarette augmente non seulement les risques de cancer du poumon (85 % des cas, jusqu'à 20 fois plus de risques), mais aussi des cancers de la vessie, du col de l'utérus, de l'œsophage, du rein, du larynx, de la bouche, du pharynx, du sang, du pancréas et de l'estomac[3]. Par ailleurs, la cigarette peut réduire la fertilité, en plus d'entraîner la mort. Selon l'Organisation mondiale de la santé, environ la moitié des jeunes

1 - Gouvernement du Québec.

2 - Radio-Canada.ca, « La cigarette serait responsable de la moitié des décès causés par 12 cancers » 16 juin 2015, repéré à <ici.radio-canada.ca/nouvelle/725713/cigarette-deces-12-cancers-poumons-bronches-larynx>.

3 - Santé et services sociaux du Québec.

fumeurs vont mourir d'une maladie causée par la consommation de tabac. La moitié d'entre eux décéderont avant d'avoir atteint 70 ans, perdant ainsi 21 ans de vie en moyenne.

## Pourquoi arrêter ?

Si vous êtes une fumeuse, vous devez l'admettre : ce n'est vraiment pas génial de sentir le mégot, de sortir à –30 degrés sous zéro pour fumer, de se détruire les poumons et de dépenser autant d'argent pour des paquets de cigarettes. Ces raisons devraient vous suffire pour décider d'arrêter. Songez qu'en arrêtant, vous respirerez mieux, vous aurez plus de souffle, plus d'énergie et plus d'entrain. Votre peau retrouvera son teint d'antan et vos papilles gustatives vous feront savourer les aliments d'une autre façon. En effet, le tabac nuit beaucoup à l'odorat et au goût et, quand on arrête, on redécouvre l'odeur et la saveur de nos aliments préférés. Songez aussi à ceux qui vous entourent. Bien que la loi vous empêche maintenant de fumer à l'intérieur des endroits publics, la fumée secondaire a tout de même des effets nocifs sur les gens qui vous entourent. Vous avez peut-être décidé de fumer et de prendre des risques avec votre santé, mais ce n'est pas le cas des non-fumeurs autour de vous, alors apprenez à les respecter et à penser à eux lorsque vous allumez votre cigarette.

La meilleure suggestion que je puisse vous faire, c'est de ne pas commencer à fumer. Je sais qu'au secondaire, on commence souvent à cause de la pression des amis, ou simplement de façon « sociale » dans les fêtes ou après l'école. Une bouffée par-ci, une bouffée par-là, et pouf ! on est accro. Dites-vous que les premières fois qu'on fume, c'est loin d'être agréable. On trouve que ça pue, que ç'a mauvais goût et on ne comprend pas vraiment le plaisir que les gens éprouvent à fumer des cigarettes. C'est là que vous devez vous prendre en main et décider que le tabac n'est pas pour vous. Songez au goudron et à la nicotine qui auront tôt fait de vous piéger et de vous entraîner dans la dépendance ; songez aux centaines de dollars que vous devrez débourser pour fumer ; pensez à tous les vêtements et à toutes les gâteries que vous pourriez vous offrir à la place. Bref, ne faites pas l'erreur de commencer, car je vous assure que vous le regretterez amèrement par la suite.

## Qui dit cigarette dit dépendance

Ce n'est pas facile d'arrêter de fumer. Tous les anciens fumeurs vous le diront. Lorsque vous fumez, vous consommez de la nicotine qui libère de la dopamine, au même titre que la cocaïne et l'héroïne. La nicotine est par ailleurs une drogue qui stimule le « système de la récompense » et qui procure une sensation de grande satisfaction. C'est pour cette raison que la dopamine est perçue comme l'hormone du plaisir. L'effet antidépresseur de la cigarette renforce également la dépendance qu'elle crée à la base. L'arrêt de la cigarette provoque donc une grande tristesse chez la plupart des individus. La dépendance à la cigarette est comparable à celle qui peut lier un toxicomane aux drogues dures comme l'héroïne ou la cocaïne. La présence d'additifs dans le tabac contribue également à accroître la dépendance.

## J'arrête!

Je sais que ce n'est pas facile, mais il faut absolument arrêter de fumer. Lorsque votre sevrage sera terminé (physiquement, cela ne dure que quelques jours) et que vous aurez terminé la phase de « deuil », je vous assure que vous serez fière de vous et que vous n'aurez plus envie de recommencer. Il existe plein de petits trucs pour arrêter de fumer. Lorsque vous avez envie d'une cigarette, prenez un verre d'eau, mangez des graines de tournesol ou des carottes, mais occupez votre bouche et votre cerveau pour qu'ils cessent de réclamer une cigarette. Si vous fumez beaucoup, je vous conseille par ailleurs de parler à votre médecin pour qu'il vous prescrive des timbres de nicotine qui vous permettront de réduire peu à peu votre consommation. Il existe aussi des gommes et des pastilles pour vous aider à arrêter. Certaines personnes essaient même l'hypnose pour cesser de fumer!

Quoi qu'il en soit, sachez que la plus grande dépendance est maintenant dans votre tête. Il y a un plaisir nocif à fumer. Par habitude, vous associez la cigarette à certaines activités ou à certains moments de la journée. Vous devez vous départir de ces habitudes. La cigarette après le repas, celle en buvant un café et celle que vous fumez en discutant avec des amies doivent disparaître. Récompensez-vous de façon saine: allez magasiner, lisez un bon livre ou faites une activité qui vous plaît et grâce à laquelle vous réalisez les bienfaits du sevrage. Si vous pratiquez un sport, vous constaterez par exemple que vous avez plus de souffle; si vous savourez votre gâteau préféré, vous serez étonnée par la nouvelle puissance de vos papilles gustatives! Aidez-vous en vous tenant loin des endroits fréquentés par les fumeurs. Si certains de vos proches fument encore, demandez-leur de ne pas fumer en votre présence. Vous les encouragerez peut-être ainsi à arrêter à leur tour! Il existe aussi toutes sortes d'organismes qui aident et encouragent les jeunes à arrêter de fumer; le simple fait de vous y impliquer vous stimulera peut-être davantage et vous convaincra que vous avez pris la bonne décision. Parlez à des gens qui ont déjà arrêté de fumer et qui ont traversé la même épreuve que vous; vous réaliserez non seulement que vous n'êtes pas seule, mais vous pourrez aussi constater tous les bienfaits d'une vie sans fumée.

Quand on décide d'arrêter de fumer, notre arme la plus précieuse est la volonté. Vous êtes maîtresse de vos actions et vous devez tenir bon sans faiblir. N'allez surtout pas croire que le simple fait de prendre une bouffée ne vous fera pas retomber ! Songez à tous les efforts que vous avez faits et à tout le chemin parcouru jusqu'ici. Pourquoi tout recommencer à zéro alors que vous vous êtes enfin débarrassée de votre vice ? Plus vite vous arrêterez, plus ce sera facile de vous habituer à votre nouveau mode de vie sans cigarette et de constater tous les avantages que cela vous apporte. Ayez un peu de volonté, et n'hésitez pas à écraser !

## LA CIGARETTE ÉLECTRONIQUE

La cigarette électronique (ou vapoteuse) fait beaucoup parler d'elle ces dernières années. Ce petit appareil alimenté par une batterie est de plus en plus utilisé au Québec. Au lieu de consumer du tabac, la cigarette électronique vaporise du liquide (contenant ou non de la nicotine) qui est ensuite inhalé.

Si l'utilisation de la vapoteuse peut paraître cool et les parfums très attirants, elle n'est pas pour autant inoffensive. Si d'un côté certains tabacologues en recommandent l'utilisation dans le cadre d'une démarche de sevrage, elle est déconseillée par de nombreux professionnels de la santé pour les personnes non fumeuses. En effet, si elle contient de la nicotine, la cigarette électronique risque tout autant de vous rendre dépendante, alors mieux vaut vous en tenir loin !

## RESSOURCES UTILES :

Défi j'arrête, j'y gagne :
**<defitabac.qc.ca>**

Info-tabac, bulletin pour un Québec sans tabac
**<info-tabac.ca>**

Site J'arrête
**<jarrete.qc.ca>**

La ligne j'arrête, service d'entraide offert du lundi au vendredi :
**1 888 853-6666**

# Tatouage

Sujets connexes :
Apparence p. 160
Maquillage p. 351
Piercing p. 401

Marque votre corps de façon permanente

Il s'agit parfois d'une façon de se remémorer à tout jamais une période de notre vie, ou alors d'un désir de marquer notre corps d'une image ou d'un sigle particulier qui représente beaucoup à nos yeux. Pour certaines filles, les tatouages constituent une façon de se démarquer et de s'exprimer tandis que, pour d'autres, c'est une œuvre d'art ou une touche d'esthétisme dont elles veulent orner leur corps. Quoi qu'il en soit, il est important de bien réfléchir avant de vous faire tatouer, car, contrairement au maquillage, ou même aux piercings, cet ornement marquera votre corps de façon permanente.

## La peur des aiguilles

Les dessins ou les inscriptions apparaissent sous la peau grâce à l'introduction de substances colorantes effectuée au moyen d'une aiguille. Plusieurs (comme moi) ne songeraient donc jamais à se faire tatouer, car elles ont une peur bleue des aiguilles. Si ce n'est pas votre cas, je vous recommande fortement de choisir un salon de tatouage qui soit extrêmement propre et sanitaire, et de vous assurer bien sûr que l'aiguille utilisée soit neuve afin d'éviter les risques de transmission de maladies. Si, par contre, vous êtes terrorisée juste à l'idée de voir une aiguille mais que vous rêvez d'avoir un tatouage, vous pouvez essayer de contrôler votre phobie en vous faisant accompagner par quelqu'un qui puisse vous rassurer, ou alors opter pour un tatouage non permanent au henné.

## Choisir son tatouage

Si vous êtes vraiment convaincue de vouloir un tatouage, prenez bien le temps de choisir l'inscription ou l'image que vous désirez, car vous allez la voir durant de longues années. Pour ce faire, vous pouvez visiter des salons de tatouage où des cahiers complets d'images vous sont présentés, ou alors faire des recherches sur internet pour trouver celle qui vous convient le mieux. Pour ce qui est de l'endroit où vous désirez vous faire tatouer, sachez que les parties de votre corps où vous n'avez pas beaucoup de graisse seront évidemment plus sensibles à la douleur. Évitez aussi de choisir une partie du corps qui soit trop visible, car vos futurs employeurs n'apprécieront pas nécessairement l'immense papillon qui orne votre avant-bras. Bien que cela puisse vous sembler superficiel, sachez que les tatouages peuvent être très mal vus dans certaines professions ou dans certains milieux. Par conséquent, tant et aussi longtemps que vous ne savez pas où la vie vous mènera, mieux vaut vous faire tatouer dans un endroit discret qui ne soit pas à la vue de tous. Vous ne devez pas non plus ignorer que les tatouages peuvent parfois avoir l'air un peu vulgaires, alors réfléchissez bien à ce que vous désirez vous mettre sur le corps, et à quel endroit précis vous voulez le faire.

## Le consentement des parents

Il se peut fort bien que vos parents refusent de vous donner la permission de vous faire tatouer avant vos 18 ans. Même si la tentation est forte, je vous conseille fortement de ne pas leur désobéir, et plutôt de profiter de ce délai pour bien y penser. Qui sait, vous changerez peut-être d'idée au fil des années, et dites-vous que le motif que vous voudrez vous faire tatouer lorsque vous aurez 18 ans ne sera certainement pas le même que celui que vous vouliez à 14 ans, alors mieux vaut attendre d'être certaine de votre décision.

## Ne pas prendre le tatouage à la légère

Je connais personnellement beaucoup de gens qui se sont fait tatouer au cours de l'adolescence et qui le regrettent aujourd'hui. Bien qu'il existe des méthodes pour pâlir ou décolorer les tatouages, sachez que ceux-ci laissent des cicatrices et qu'il s'agit bel et bien d'une inscription

permanente que vous imprimez sur votre corps. Je ne dis pas qu'il vaut mieux ne jamais avoir de tatouage si c'est réellement quelque chose dont vous avez envie, mais je vous suggère de bien y réfléchir et de peser le pour et le contre avant de passer à l'action. La mode aura tôt fait de changer, alors il se peut très bien que vous regrettiez de vous être fait tatouer un dessin sur un coup de tête simplement parce que vous l'aviez trouvé joli. Optez plutôt pour une inscription ou pour une image qui a une signification particulière pour vous, et si vous êtes curieuse de savoir de quoi cela aura l'air, commencez par un tatouage non permanent avant de prendre une décision définitive. Notez aussi qu'après un tatouage, vous devrez compter près d'un mois pour la cicatrisation, et vous devrez éviter les contacts avec le soleil et l'eau salée.

# Terrorisme

Sujets connexes :
Droits humains p. 247
Guerre p. 307
Violence p. 492

Le dictionnaire *Larousse* définit le terrorisme comme étant « un ensemble d'actes de violence (attentats, prises d'otages, etc.) commis par une organisation pour créer un climat d'insécurité, pour exercer un chantage sur un gouvernement, pour satisfaire une haine à l'égard d'une communauté, d'un pays, d'un système »[1].

© Dan Howell

Les actes terroristes sont en général le fruit d'un petit groupe, souvent secret, organisé selon des principes militaires ou quasi militaires.

Ces dernières années, nous avons été confrontés à plusieurs attaques terroristes qui ont marqué les esprits. De la destruction des tours du World Trade Center le 11 septembre 2001 aux attentats de Paris en novembre 2016, en passant par la prise d'otages meurtrière dans une université du Kenya en février 2015, en passant par les attentats de Paris en novembre de la même année et des nombreux actes terroristes ayant eu lieu en 2016, ces évènements nous ont tous profondément choqués.

Même si la majorité des actes terroristes dont nous sommes témoins aujourd'hui sont le fruit de groupes se réclamant de la religion musulmane et disant pratiquer

1 - Dictionnaire Larousse, *sub verbo* « Terrorisme », en ligne : <larousse.fr>.

le *djihad* (la guerre sainte), la plupart des religions ont servi, à un moment ou l'autre, de justification à des actes violents.

Il existe également des mouvements terroristes athées, par exemple des organisations à tendance marxiste-léniniste (on peut notamment penser aux FARC en Colombie qui ont mené une guerre de guérilla contre le gouvernement jusqu'en 2016).

Même si les journaux parlent énormément de la violence commise par ces groupes, il ne faut pas céder à la panique. La probabilité d'être victime d'actes terroristes au Canada est très faible, plus faible que le risque d'être frappé par la foudre, qui est de moins de 1 sur 1 million.

Mais le terrorisme fait néanmoins beaucoup de victimes dans le monde, malheureusement surtout dans des pays déjà en proie à beaucoup d'autres problèmes.

Sujets connexes :

Confiance p. 206
Honte p. 321
Solitude p. 458

# Timidité

## Quand on éprouve une gêne incontrôlable

Quand on est timide, on éprouve une gêne incontrôlable lorsqu'on doit parler en public. On n'est pas à l'aise en présence de gens qu'on connaît moins, et on ne sait pas trop comment agir quand on se retrouve sur la sellette.

On peut être timide parce qu'on a peur du ridicule ou du jugement des autres, ou alors parce qu'on manque de confiance en soi. Certaines personnes sont aussi plus réservées et timides de nature, ce qui les pousse à être plus discrètes lorsqu'elles se retrouvent en groupe.

Physiquement, quand on éprouve de la timidité, on sent que notre visage s'enflamme, que nos mains deviennent moites. On peut aussi avoir des sueurs froides, ou se mettre à trembler ou à bégayer sans pouvoir se maîtriser. Au secondaire, les exposés oraux ont souvent tendance à nous mettre dans tous nos états. On est si nerveuse de se retrouver devant une foule et de sentir tous les regards rivés sur nous qu'on en oublie parfois ce qu'on doit dire. Tout devient flou et on a des trous de mémoire. Pour vaincre cette intense timidité qui vous afflige, lorsque vous vous retrouvez devant un groupe, efforcez-vous de faire face à vos camarades de classe en les balayant du regard plutôt qu'en les fixant droit dans les yeux. Gardez vos notes près de vous, mais ne passez pas tout l'exposé à lire ce que vous avez écrit sans lever les yeux. Les soutiens visuels tels que les acétates ou les présentations informatiques (PowerPoint) peuvent ici se révéler très utiles, car ils vous permettront de pouvoir détourner le regard de vos camarades tout en vous permettant de rendre votre présentation plus interactive. Si votre exposé porte sur un sujet qui vous passionne, essayez de vous laisser aller et de transmettre cet enthousiasme aux autres. Dites-vous que vous n'avez rien à perdre en partageant votre passion et en expliquant en quoi elle consiste. Pensez aussi à avoir une bouteille d'eau sous la main au cas où vous auriez la gorge sèche, et à prendre une grande respiration avant de commencer pour vous calmer un peu.

Quoi qu'il arrive, dites-vous que tout le monde doit passer par là et que même s'il s'agit d'un dur moment, votre timidité s'atténuera d'une fois à l'autre.

Sachez également que tout le monde vit des moments de grande timidité de temps à autre. Certaines personnes nous intimident plus que d'autres, que ce soit un garçon qui nous plaît, une fille qu'on redoute ou quelqu'un qu'on admire beaucoup. On peut aussi se retrouver dans une situation gênante où on a terriblement honte et où on devient toute rouge. Il faut par ailleurs apprendre à surmonter ces moments de gêne et à ne pas être trop dure envers soi-même. Je crois qu'il nous est arrivé à toutes de trébucher sans raison. C'est encore plus gênant quand nos amis ne sont pas là pour nous redonner un peu d'aplomb et quand on fait une chute devant des dizaines d'inconnus, mais mieux vaut se relever avec grâce et détermination et rire de soi-même que de se mettre à pleurer. Dites-vous que cela arrive à tout le monde.

Si toutefois vous avez de la difficulté à vaincre votre timidité et que vous sentez que cela vous complique la vie et que cela vous nuit la plupart du temps, la meilleure chose à faire, c'est d'affronter vos peurs et de prendre le taureau par les cornes. Vous pouvez vous inscrire à un cours de théâtre ou d'improvisation qui vous encourage et vous force à parler en public, ou alors à un atelier ou à une activité qui vous passionne et qui vous pousse à sortir de votre coquille. Beaucoup de gens connus sont de grands timides, et ils ont dû apprendre à maîtriser leur nervosité et à devenir plus confiants, alors dites-vous qu'avec un peu de détermination, vous pouvez vous améliorer et apprendre à vous exprimer davantage sans avoir peur du ridicule.

***Rappelez-vous : qui ne risque rien n'a rien. Ne soyez toutefois pas trop intransigeante envers vous-même.***

Il n'est pas mauvais d'avoir une certaine gêne et, parfois, mieux vaut être timide et dire des choses pertinentes que de proférer des stupidités et de crier des bêtises à tue-tête. De plus, vous constaterez peut-être que votre timidité vous donne un attrait mystérieux qui peut intriguer et donner envie de plus vous connaître. L'important, c'est qu'elle ne vous empêche pas de progresser et de fonctionner dans votre vie quotidienne. Si c'est le cas, il faut essayer de faire face à vos peurs et de ne plus craindre le regard des autres. Pour le reste, il suffit de vous accepter telle que vous êtes et d'apprendre à travailler sur vos faiblesses et à contrôler votre timidité.

Chère Catherine,
J'ai un problème. Je viens d'arriver dans une nouvelle école où je ne connais personne et je suis super gênée. Ma mère me dit que je devrais sortir de ma coquille et aller vers les autres pour me faire des amis, mais ma timidité m'en empêche. Que devrais-je faire ?

Joannie

# Tolérance

Sujets connexes :

Accommodement raisonnable p. 134
Respect p. 441
Valeurs p. 486

## Embrasser la différence

Dans tous les milieux que vous fréquentez ou que vous aurez à fréquenter au cours de votre vie, vous entrerez en contact avec des gens différents de vous. Il vous faudra apprendre à vivre avec ces différences, petites ou grandes. En faisant preuve de tolérance, vous pourrez aussi en apprendre énormément sur ces personnes pas tout à fait comme vous.

Quand on est tolérante, on admet que les gens ont droit à leur propre opinion et à leurs propres valeurs. Par exemple, vous ne pouvez pas vous insurger chaque fois qu'un camarade ne partage pas votre opinion. Personne n'est exactement comme vous et tout le monde a des habitudes qui diffèrent des vôtres. C'est pourquoi il est essentiel de savoir faire preuve de tolérance et d'accepter les autres dans leur différence. Dites-vous qu'ils font la même chose pour vous. Si votre amie raffole de la mayonnaise, mais que l'odeur vous lève le cœur, ça ne signifie pas qu'elle est folle pour autant. Elle a le droit de manger ce qui lui plaît et d'avoir ses propres goûts, au même titre qu'elle ne vous jugera pas si vous aimez les olives alors qu'elle y est allergique.

Lorsqu'on pense au sens général du mot « tolérance », on oublie parfois les petites situations anodines qui méritent tout de même de faire un effort. La cohabitation avec votre famille en est un bon exemple. Vos parents n'ont peut-être pas les mêmes goûts musicaux que vous, mais ils ont droit à leur opinion et ils peuvent écouter la musique qu'ils désirent, au même titre qu'ils doivent respecter votre penchant pour le hip-hop.

La tolérance prend aussi toute son importance dans la question des différences culturelles. Ce n'est pas parce que quelqu'un n'a pas les mêmes valeurs religieuses, les mêmes traditions ou les mêmes habitudes vestimentaires que vous qu'il vous est permis de le juger. Vous n'aimeriez pas que quelqu'un vous juge pour ces raisons et encore moins qu'il tente de vous imposer sa façon de vivre, d'agir et de penser. Il vous renvient donc de ne pas faire subir ce traitement aux autres. Vous devez vous ouvrir aux différences et apprendre à respecter l'individualité et la liberté d'expression de chacun, au même titre qu'ils doivent respecter la vôtre. C'est ainsi qu'on apprend à vivre en société, dans le respect des autres et des différences.

La tolérance ne veut toutefois pas dire que vous devez vous soumettre aux autres sans exprimer votre opinion. Il y a une différence entre la tolérance et la résignation. Si vous vous sentez mal à l'aise dans certaines situations, c'est important d'ouvrir la discussion et d'exprimer votre point de vue.

Il est même normal et sain de se montrer intolérante lorsqu'il y a injustice et irrespect. Il est bon de se révolter contre les actions qui sont contraires à nos valeurs ou à la bienséance. Si vous voyez un homme uriner dans la rue, vous avez tout à fait le droit de vous sentir choquée.

Il est également naturel de déplorer certaines injustices comme la pauvreté et la violence, et de défendre ses opinions. L'important, c'est de le faire dans le respect de ceux qui vous entourent. En d'autres mots, la discussion n'est pas une mauvaise chose. En fait, elle est toujours la bienvenue si elle est abordée de façon polie et qu'elle encadre votre propre liberté d'expression. Vouloir partager votre opinion sur un sujet qui vous touche est sain. Ce qu'il faut vous rappeler, c'est que les autres ont aussi le droit de faire entendre leur point de vue! Il est donc de votre devoir de les écouter tout en gardant l'esprit ouvert: c'est ainsi que vous imposerez le respect, que vous apprendrez à défendre vos valeurs et vos convictions profondes et que vous vous épanouirez en tant qu'individu. En société, il faut absolument respecter les autres et être tolérante en présence d'opinions divergentes, mais cela ne veut pas dire que vous devez vous montrer déloyale envers vous-même et envers vos propres valeurs. La tolérance est une question d'équilibre. Ouvrez-vous aux autres et accueillez leurs différences et leurs divergences d'opinions, tout en restant fidèle à vos valeurs et tout en respectant votre propre intégrité. Être tolérante ne veut pas dire que vous devez vous montrer trop influençable! Après tout, vous n'êtes pas tenue d'adhérer aux opinions des autres; l'essentiel, c'est de les accepter et de tenter de les comprendre.

Enfin, ne soyez pas trop dure envers les autres et ne jugez pas les gens en fonction de leurs différences. Encouragez plutôt les discussions amicales qui vous pousseront à voir au-delà de vos propres croyances tout en apprenant à défendre vos positions et à vous faire respecter des autres. Il n'y a rien de tel qu'un débat entre amis pour soulever des points de vue pertinents et pour vous ouvrir aux différences. Il ne vous reste plus qu'à vous exprimer dans le respect et la tolérance!

# Travaux scolaires

Sujets connexes :

Cafard du dimanche p. 191
Échecs scolaires p. 248
Professeur p. 426

## Souvent à la dernière minute

Évidemment, qui dit école dit travaux scolaires. Mais détrompez-vous tout de suite : les devoirs, ce n'est pas toujours aussi casse-pieds qu'on le croit.

En effet, il est normal d'avoir plus de facilité dans certaines matières, et les travaux exigés nous paraissent alors très faciles. Malheureusement, ce n'est pas le cas avec les cours dans lesquels on traîne davantage de la patte, mais dites-vous que les devoirs vous aident à faire le point sur vos connaissances et à déterminer vos forces et vos faiblesses. C'est ce qui vous permet d'apprendre des tas de choses même si, sur le coup, on se dit toutes qu'il ne sert à rien de savoir comment factoriser des nombres ou comment s'est déroulée la guerre de Troie. Sachez que les apprentissages que vous faites vous seront vraiment utiles un jour ou l'autre et qu'en plus, les travaux vous permettent de mieux vous préparer pour les examens et vous évitent de vous arracher les cheveux à la dernière minute !

### Question de méthode

Chaque fille doit établir le rythme qui lui convient le mieux : certaines préfèrent se débarrasser de leurs devoirs tout de suite après les cours pour avoir du temps libre dans la soirée, tandis que d'autres ressentent le besoin de se changer les idées et de se détendre avant de s'y remettre de plus belle. C'est vraiment une question d'équilibre, et il faut trouver la méthode qui est la plus efficace pour vous. Je vous déconseille évidemment de laisser les travaux s'accumuler sur votre bureau jusqu'à ce que vous vous sentiez complètement débordée. Dites-vous qu'à un moment donné, vous devrez inévitablement rendre les travaux qui sont exigés, alors aussi bien commencer tout de suite et les faire au fur à mesure. Évitez également d'attendre la dernière minute. Je sais que certaines croient qu'elles sont plus efficaces sous la pression, mais, en vérité, on travaille moins bien, la plupart du temps, quand on est stressée et qu'on manque de temps. Apprenez donc à gérer votre temps et vos travaux, et à les répartir de façon équilibrée et réaliste. Vous pouvez par exemple choisir de consacrer deux heures tous les soirs à vos travaux, ou alors une soirée pour chaque matière. Certaines filles sont capables de travailler durant des heures sans prendre de pause, alors que d'autres ont besoin de se détendre un peu après une période intense d'étude. Choisissez la méthode la plus efficace pour vous et organisez bien votre emploi du temps de façon à vous laisser le loisir de relaxer.

C'est aussi à vous de déterminer l'ambiance qui vous plaît le plus pour étudier. Certaines ont besoin de silence absolu, alors que d'autres travaillent très bien avec de la musique ou lorsqu'elles sont entourées de gens. Si vous croyez que le fait d'étudier avec une copine améliore votre rendement, alors n'hésitez pas à organiser des séances d'étude en groupe, mais si vous savez pertinemment que vous ne serez pas capable de vous concentrer et que vous risquez de perdre votre temps et de bavarder pendant des heures plutôt que de faire vos travaux, alors mieux vaut vous isoler pour étudier et rejoindre vos amies quand vous aurez terminé. Il se peut aussi que vos parents exigent que vous ayez terminé vos devoirs avant de faire une activité. Bien que cela vous casse les pieds, apprenez à respecter cette règle qui vous forcera à vous concentrer et à vous appliquer pour terminer vos travaux le plus rapidement et le plus efficacement possible.

Aussi, si vous éprouvez de la difficulté dans une matière, n'hésitez surtout pas à demander de l'aide à des gens qualifiés, que ce soit vos parents, vos amis, un professeur ou un tuteur. Lorsque vient le temps d'étudier, choisissez la technique qui vous plaît le plus. Certaines filles sont plus visuelles qu'auditives, et le simple fait de relire leurs notes ou de faire des résumés les aide à étudier. D'autres préfèrent se faire poser des questions oralement, ou même s'enregistrer pour étudier. Sachez donc que les travaux font partie de la vie et du cheminement scolaires, et qu'il n'y a aucune façon de s'y soustraire. Même si cela vous embête, les devoirs et les examens vous encouragent aussi à vous surpasser et à donner le meilleur de vous-même. Soyez honnête : ne vous sentez-vous pas extrêmement fière lorsque vous obtenez une bonne note et qu'elle est bien méritée ?

Je sais que cela demande de la détermination et que, parfois, vous ne demanderiez pas mieux que d'être une adulte et d'en avoir terminé avec ces travaux scolaires, mais dites-vous que vous devrez récolter le fruit de vos efforts tout au long de votre vie, alors aussi bien vous y habituer tout de suite et apprendre à vous surpasser. Les résultats en valent grandement la peine !

# Troubles alimentaires

**Sujets connexes :**

Complexes p. 204
Poids p. 405
Solitude p. 458

Les troubles alimentaires sont assez complexes, puisqu'ils prennent généralement racine dans la conception de notre image corporelle et sont déclenchés par des facteurs psychologiques, biologiques et sociaux. Ces désordres alimentaires engendrent très souvent des habitudes dangereuses pour la santé. C'est pourquoi il est très important de chercher de l'aide afin de mieux comprendre le mal qui vous affecte et pour apprendre à contrôler et à surmonter votre dérèglement alimentaire.

Il est aussi essentiel de s'attaquer aux causes de ce fléau. Malheureusement, je constate que les filles ont la fâcheuse habitude de se laisser influencer par les images qu'elles voient à la télévision, dans les magazines et sur internet. Je reçois fréquemment des témoignages de jeunes filles qui se sentent mal dans leur peau et « moins jolies » que leurs semblables ou que les mannequins auxquelles elles se comparent. Comme je le répète souvent, chaque fille est différente, et l'essentiel, c'est d'apprendre à s'aimer et à s'accepter telle que l'on est. Si ça peut vous rassurer, je crois que chaque fille dans le monde développe parfois de petits complexes. L'important, c'est de ne pas se laisser dominer par la façon de se percevoir. En effet, il vaut mieux vous concentrer sur ce qui vous plaît chez vous et apprendre à vous mettre en valeur. On dit souvent que la vraie beauté émane de l'intérieur, et je suis tout à fait de cet avis. Je dirais même que la clé, c'est de découvrir comment vous faire confiance !

## L'anorexie

« L'anorexie est un trouble alimentaire qui se caractérise surtout par des habitudes alimentaires anormales, par une peur incontrôlable de prendre du poids et par une immense préoccupation pour son image corporelle »[1].

L'anorexie est causée par des facteurs mentaux, émotionnels, psychologiques et sociaux. Par exemple, les canons de beauté et l'idéal de minceur imposés par les *stars,* dont les photos envahissent notre vie, des affiches sur les autoroutes aux fils de nouvelles sur les réseaux sociaux, nous influencent beaucoup, et nous voulons trop souvent leur ressembler. De plus, quand à l'adolescence on constate que notre corps se transforme, on accepte plus ou moins bien ces changements. C'est alors qu'apparaissent les complexes, la pudeur et une hantise de voir son corps prendre trop de formes et de devenir « grosse ». L'image corporelle tourne alors à l'obsession. Les filles qui manquent de confiance en elles sont davantage prédisposées à l'anorexie. Elles ont tendance à se comparer aux autres, à se trouver moches et à cesser de manger dans l'espoir de maigrir, voire essayer de disparaître. Quoi qu'il en soit, l'anorexie est une maladie mentale qui touche plus de 3 % des filles âgées de 15 à 25 ans au Québec[2]. Au Canada, 90 % des anorexiques sont des filles, tandis que 10 % sont des garçons, et plus de 80 % des filles admettent avoir suivi un

1 - ANEB Québec, *Les troubles alimentaires,* en ligne : <aneb-ados/html/fr/>.

2 - AQPAMM, *Les troubles alimentaires,* en ligne : <aqpamm.ca>.

## *Pour aller plus loin:*

📖 ***Parfaite,*** coll. Tabou, Carl Rocheleau

régime amaigrissant avant l'âge de 18 ans. Il est à noter que ces chiffres ne cessent d'augmenter au fil des années[3].

Dans les faits, l'anorexie résulte d'une obsession de la minceur et elle est caractérisée par un jeûne volontaire ou une baisse d'appétit qui peuvent entraîner de graves problèmes de santé, comme la sous-alimentation, et parfois même la mort.

Les anorexiques ont une image déformée de leur propre corps et sont hantées par la peur de grossir. Le jeûne volontaire, les vomissements et l'exercice physique pratiqué de façon excessive peuvent alors, entre autres, causer une importante perte de poids, des irrégularités dans le cycle menstruel, une sensation de fatigue générale et de l'insomnie. Au point de vue du comportement, une adolescente souffrant d'anorexie aura souvent tendance à s'isoler, à se renfermer sur elle-même, à se comparer sans cesse aux autres et à être obsédée par son image.

Si vous vous reconnaissez dans cette description, c'est que vous souffrez peut-être de troubles alimentaires. Vous devez absolument en parler à quelqu'un en qui vous avez confiance. L'anorexie est avant tout une maladie mentale qui déforme la perception que vous avez de votre corps et qui nuit sensiblement à votre estime de vous-même, ainsi qu'à votre santé psychologique et physique. Cela indique clairement que vous avez besoin d'aide, et vous ne devez pas avoir honte d'aller en chercher auprès de professionnels et de gens de votre entourage. Si vous remarquez que vos proches semblent inquiets à votre sujet, mais qu'ils ne savent pas trop comment se comporter, ne leur fermez pas la porte au nez. Même si vous n'en êtes pas consciente actuellement, ils agissent ainsi parce qu'ils vous aiment et qu'ils veulent votre bien. Si vous ne désirez pas parler de votre problème aux gens de votre entourage, allez consulter des professionnels de la santé, un médecin ou le psychologue de votre école, par exemple. Croyez-moi, ils en ont vu d'autres! Même si vous pensez avoir la maîtrise de votre malaise et de votre condition physique, rappelez-vous que vous ne vous percevez pas telle que vous êtes réellement et que votre jugement est faussé par un grand manque de confiance en vous. S'il s'agit d'un appel à l'aide, essayez de le faire comprendre aux autres et confiez-vous à une amie. Vous pouvez également lire pour mieux connaître ce dérèglement, car l'anorexie est de plus en plus fréquente dans notre société, et il est aujourd'hui très facile d'obtenir de l'information à ce sujet et de tenter de trouver des solutions. Sachez toutefois que le problème réside principalement dans votre tête, et qu'il est d'abord et avant tout essentiel de reprendre confiance en vous et d'apprendre à vous accepter et à vous aimer telle que vous êtes.

3 - *Idem.*

Si vous remarquez qu'une de vos amies souffre d'anorexie, ou du moins qu'elle en présente tous les symptômes, tentez de lui en parler calmement. Il se peut très bien qu'elle nie le problème et qu'elle n'accepte pas de vous écouter. Faites-lui alors percevoir qu'elle a perdu énormément de poids et que son comportement a vraiment changé depuis peu. Si elle refuse toujours d'affronter la réalité, allez voir un médecin ou un psychologue qui saura vous donner des trucs pour intervenir auprès de votre amie. Vous aurez peut-être besoin du soutien de sa famille et de ses proches pour lui faire prendre conscience de son état, mais, surtout, n'abandonnez pas, car tant et aussi longtemps qu'elle ne reconnaîtra pas qu'elle a un problème, elle ne pourra reprendre confiance en elle et se sentir mieux. Vous pouvez aussi essayer de la pousser à manger, ou alors la persuader de se confier à vous. Quels sont ses complexes, ses inquiétudes et son malaise? L'anorexie est un appel à l'aide. Gardez en tête que votre amie n'est pas bien dans son corps, alors essayez de la mettre bien à l'aise et de la réconforter.

Il est important de noter qu'on peut guérir des troubles alimentaires, même si le cheminement peut parfois être très long et ponctué de rechutes. L'anorexie, comme la boulimie, l'hyperphagie boulimique et l'orthorexie sont des maladies et peuvent être traitées comme telles. Cela nécessite une prise en charge qui doit être simultanément psychothérapeutique, comportementale et nutritionnelle.

## Statistiques[4]

- De façon générale, les anorexiques perdent entre 25 et 40 % de leur poids.
- Environ 5 % des anorexiques meurent à la suite d'une perte de poids importante.
- Lorsque l'anorexie devient chronique, l'hospitalisation est nécessaire et la personne atteinte par la maladie doit être nourrie par voie intraveineuse.
- Dans les cas graves, l'anorexie peut causer de l'épuisement, des troubles cardiaques et de sérieux troubles psychologiques comme l'anxiété et la dépression.
- Au Canada, 20 % des personnes souffrant d'anorexie meurent de complications liées à leur maladie ou commettent un suicide.

## La boulimie

La boulimie est un autre trouble alimentaire se caractérisant par des fringales incontrôlables qui obligent le sujet à ingurgiter une grande qualité de nourriture sans pouvoir s'arrêter, et qui sont accompagnées de comportements inappropriés visant à « remédier à la situation », tels que des vomissements répétés, des exercices physiques excessifs, la prise de laxatifs, etc. Il s'agit encore une fois d'un trouble causé par un manque d'estime de soi et par un rejet de son propre corps, et qui survient bien souvent en réaction à la forte pression sociale dont le corps féminin est l'objet, à la promotion de la minceur ou à un échec personnel.

4 - Statistique Canada, *Descriptions des états de santé au Canada (82-619-M), Section D - Les troubles alimentaires*, 2015, en ligne : <statcan.gc.ca>.

## L'hyperphagie boulimique

Ce trouble « se caractérise par des épisodes de compulsion alimentaire vécus dans la culpabilité et la honte, sans comportements compensatoires »[5]. En d'autres termes, la personne qui en souffre s'empiffrera sans toutefois se faire vomir ou pratiquer le jeûne pour maintenir son poids. Elle sera également obsédée par la nourriture et par les régimes amaigrissants. Il s'agit d'un trouble qui affecte particulièrement les gens dans la vingtaine, et il peut souvent mener à la dépression.

## L'orthorexie

On s'acharne à vous répéter qu'il faut prioriser une alimentation saine et équilibrée. Bien que ce concept soit tout à fait honorable, certaines personnes en font littéralement une fixation.

En effet, l'orthorexie est un trouble alimentaire qui repose sur l'obsession d'une alimentation saine. Contrairement à l'anorexie et la boulimie, qui se concentrent principalement sur la quantité de nourriture absorbée, la personne qui souffre d'orthorexie sera plutôt obnubilée par la qualité des aliments qu'elle avale. Elle lit les étiquettes et refuse systématiquement d'ingurgiter tout ce qui est impur et non bénéfique pour son corps. Le goût et le plaisir passent donc au second rang. Elle ne se permet jamais d'écart et ses restrictions ont tendance à l'isoler des gens qui l'entourent. Son mode de vie est à l'image de ses choix alimentaires : strict, rigide et très contraignant.

**LIENS UTILES**

Aneb Québec :

**<anebquebec.com>** ou **1 800 630-0907**

Jeunesse J'écoute : **1 800 668-6868**

Tel-jeunes : **1 800 263-2266**

## CONSEILS :

★ Apprenez à aimer votre corps tel qu'il est et à accepter les changements qu'il subit. C'est tout à fait normal de devenir une femme et de se développer.

★ Ne vous comparez pas aux autres filles ni aux mannequins des magazines de mode. La grande majorité des photos des magazines et des publicités sont retouchées. Les corps des femmes dans ces images ne correspondent nullement à la réalité.

★ Rappelez-vous que l'industrie de la mode et des produits de beauté n'a aucun intérêt commercial à ce que toutes les femmes se sentent bien dans leur peau. Leur raison d'être est de nous vendre des produits pour nous permettre d'atteindre cette « perfection » dépeinte par les images des publicités. Tant que nous voulons atteindre cet idéal inatteignable, nous continuons à acheter des crèmes et des vêtements censés nous aider à nous rapprocher de ce but. Si toutes les femmes acceptaient d'avoir un peu de cellulite, les vendeurs de crèmes « miracle » feraient tous faillite demain !

★ Si vous vous sentez mal dans votre peau et que vous avez des complexes, parlez-en à des gens de votre entourage ou cherchez de l'aide auprès d'un psychologue ou d'un professionnel de la santé, mais ne gardez pas tout ce que vous ressentez à l'intérieur : ça ne fera qu'empirer les choses.

5 - ANEB Québec.

# Valeurs

**Sujets connexes :**

Conscience p. 210
Croyances/Religions p. 222
Tolérance p. 478

## Moralité et intégrité

Certaines valeurs vous ont été inculquées depuis l'enfance par vos parents ou à l'école par vos professeurs. Vous avez aussi appris à raisonner par vous-même et à développer vos propres qualités morales. Vous vivez selon différents principes et l'importance que vous leur accordez détermine quelles sont vos valeurs les plus profondes.

En d'autres mots, il s'agit de l'importance que vous conférez à certaines choses ou à certains principes qui vous aideront à vous définir et à vous guider dans la vie. Les valeurs auxquelles vous accordez le plus d'importance vous aideront à bâtir votre perception du bien et du mal. En respectant celles qui vous sont chères, vous développerez votre intégrité. Par exemple, si la fidélité est une qualité morale extrêmement importante à vos yeux, elle définira non seulement qui vous êtes, mais elle influencera aussi vos actions et les relations que vous entretiendrez tout au long de votre vie.

Déterminer ce qui distingue le bien du mal, c'est facile. Par exemple, il va de soi que le fait de prôner des valeurs telles que la paix, la tolérance, l'égalité, la liberté et la justice vous aidera à vous orienter vers le bonheur et le bien-être, tandis que la violence, l'injustice, la corruption et la malhonnêteté vous entraîneront vers le mal. Cependant, tout le monde ne place pas les mêmes valeurs au même niveau.

Cela dépend parfois des valeurs familiales qui nous ont été inculquées, de la société dans laquelle nous vivons, des gens que nous fréquentons ou simplement de notre personnalité et des causes qui nous tiennent personnellement à cœur. Si vous êtes quelqu'un qui se révolte devant les injustices, il est clair que vous mettrez l'égalité, la justice et l'honnêteté au sommet de votre échelle de valeurs. Pour d'autres, il peut s'agir de la liberté de chacun d'agir à sa guise et de rechercher son propre bonheur, ou encore la paix dans le monde et la justice sociale.

Les valeurs sont donc des critères moraux qui vous aident à faire des choix et à avancer dans la vie. Ce sont non seulement des qualités qui influenceront vos actions, mais aussi des barèmes qui vous aideront à atteindre vos objectifs, et à vous comporter de façon à demeurer fidèle à vous-même et à vos convictions. Vos valeurs s'établiront peu à peu comme des lignes de conduite auxquelles vous vous référerez lorsque viendra le temps de prendre des décisions. En faisant des choix qui correspondent à vos idéaux, vous respectez votre intégrité. Vous devez cependant comprendre que vos valeurs ne font pas nécessairement autorité pour tout le monde. Gardez l'esprit ouvert ! Vous ne détenez pas la vérité absolue. Un trait moral très important pour vous peut très bien tenir une place moins considérable dans la vie de quelqu'un d'autre. Apprenez alors à défendre ce en quoi vous croyez dans le respect des idées des autres. Vous remarquerez aussi que votre propre système de valeurs changera et évoluera au fil des ans, ce qui est tout à fait normal.

L'expérience et la maturité que vous acquerrez et les erreurs que vous commettrez vous influenceront tout au long de votre vie et vous feront évoluer sans cesse. Des valeurs auxquelles vous accordez beaucoup d'importance à 16 ans n'occuperont peut-être pas autant de place lorsque vous serez devenues adulte.

L'important, c'est donc d'être fidèle à vous-même et de demeurer à l'écoute des valeurs qui vous guident et qui influencent le plus vos actions. Elles font partie intégrante de votre personnalité et vous aident à vous définir en tant qu'individu. Ce faisant, vous devez toutefois être ouverte aux autres et écouter ce qu'ils ont à dire, car leurs valeurs revêtent tout autant d'importance à leurs yeux que les vôtres.

# Végétarisme
## Véganisme

Sujets connexes :
Conscience p. 210
Écologie p. 250
Nutrition p. 378

### Plus qu'un simple choix d'alimentation

Le végétarisme est une pratique alimentaire qui exclut toute chair animale, comme la viande rouge, la volaille, le poisson et les fruits de mer.

Pour sa part, en plus d'exclure la chair animale, un régime végétalien (aussi appelé végétarien strict) rejette aussi les autres aliments d'origine animale, par exemple les œufs, les produits laitiers et le miel. Le véganisme (du terme anglo-saxon *veganism*), quant à lui, ne se limite pas à l'alimentation. Il s'agit d'un mode de vie qui étend le refus de consommer les produits d'origine animale aux autres facettes du quotidien. Les véganes sont végétaliens, mais évitent également la laine, le cuir, la fourrure, la cire d'abeille, ainsi que les produits cosmétiques et domestiques qui contiennent des substances d'origine animale ou qui ont été testés sur les animaux.

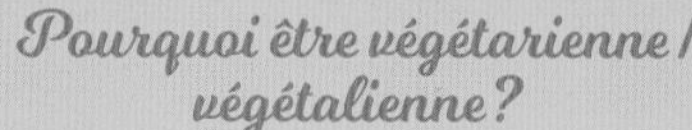

### Pourquoi être végétarienne / végétalienne?

Le régime végétarien/végétalien est de plus en plus populaire depuis quelques années dans les pays occidentaux, particulièrement chez les jeunes. Les raisons qui motivent ce choix sont diverses et dépendent de la sensibilité et des valeurs de chacun.

### Pour les animaux

Grâce à la grande diversité de produits alternatifs qui sont disponibles dans nos épiceries, la consommation de viande et d'autres produits d'origine animale n'est plus une nécessité pour la plupart des Québécois et Québécoises. Cependant, la majorité d'entre nous continuont à manger ces aliments par tradition, par habitude ou par plaisir. Mais ces raisons sont-elles suffisantes pour justifier la souffrance et la mort des animaux impliqués? En effet, la ferme moderne n'a rien à voir avec l'image idyllique que la plupart des gens s'en font : vaches broutant dans de vertes prairies, cochons s'ébattant joyeusement dans des mares de boue et poules se promenant en liberté dans la basse-cour. De nos jours, la viande, le lait et les œufs proviennent généralement de fermes industrielles, qui élèvent les animaux en grand nombre, avec pour but principal de faire le plus de profits possible. Par conséquent, le bien-être des animaux est souvent négligé. Ceux-ci passent leur vie entière entassés dans de petites cages, privés de contact avec leurs congénères, se font couper la queue ou le bout du bec sans anesthésie et ne voient la lumière du jour qu'au moment où ils sont chargés dans des camions pour être conduits à l'abattoir. Chaque année, au Canada, des centaines de millions d'animaux sont élevés dans de telles conditions avant d'aboutir dans nos assiettes, ce qui incite de nombreuses personnes à devenir végétariennes. Ce n'est cependant pas seulement la production de viande, mais la production de tout produit d'origine animale qui implique de la souffrance pour les animaux. Dans le cas

### Pour aller plus loin :

- ***Le défi végane 21 jours,*** Élise Désaulniers
- ***Voir son steak comme un animal mort,*** Martin Gibert
- ***Faut-il manger les animaux ?*** Jonathan Safran Foer
- ***Cowspiracy,*** (sur Netflix) Kip Andersen et Keegan Kuhn

de la production des œufs, par exemple, les poules pondeuses sont élevées et entassées dans des cages en batterie, et dans celui de la production du lait (et de tous les produits dérivés du lait), les veaux sont séparés de leur mère dès la naissance et isolés ; le lait qui leur est naturellement destiné est alors tiré et distribué pour satisfaire la demande humaine. Certains considèrent donc que, si c'est la compassion envers les animaux qui nous motive à changer nos habitudes alimentaires, un régime végétalien et un mode de vie végane s'imposent également.

## Pour la planète

La production de viande et de produits d'origine animale consomme énormément de ressources naturelles et d'énergie. Alors qu'il faut 15 500 litres d'eau pour produire 1 kg de viande de bœuf, 1 000 à 2 000 litres suffisent pour produire 1 kg de blé, de riz ou de soya[1].

L'élevage nécessite également des grandes étendues de terre afin de cultiver les céréales qui servent à nourrir les animaux. Ceci entraîne la déforestation de terres non développées et le « gaspillage » de terres agricoles qui pourraient être utilisées pour nourrir directement les humains. L'élevage requiert une consommation importante d'énergie fossile et produit de grandes quantités de fumier, ce qui résulte en l'émission de gaz à effet de serre. Ainsi, l'Organisation des nations unies pour l'alimentation et l'agriculture (FAO) rapporte que l'élevage d'animaux pour l'alimentation est responsable de 18 % des émissions totales de gaz à effet de serre, soit plus que l'ensemble des véhicules circulant sur la planète (automobiles, camions, avions, etc.). Selon une récente étude scientifique, la production d'un kilo de viande de bœuf émet plus de gaz à effet de serre et de pollution qu'une voiture que vous conduiriez pendant 250 kilomètres en laissant toutes les lumières allumées chez vous !

## Pour la santé

L'Association américaine de diététique et l'Association des diététistes du Canada considèrent que le régime végétarien est efficace pour la prévention de nombreux problèmes de santé. En effet, les statistiques démontrent que les végétariens/végétaliens courent moins de risques de développer de nombreuses maladies, telles que les maladies cardiovasculaires, le diabète, l'hypertension, l'obésité, l'ostéoporose, l'arthritisme et certains cancers.

## Par solidarité

Certaine personnes choisissent d'adhérer à un régime végétarien/végétalien par solidarité envers les peuples du tiers-monde. La production de viande, de lait et d'œufs demande une quantité importante de céréales, car les animaux d'élevage doivent absorber sept calories végétales pour fournir une seule calorie animale. En effet, plus du tiers des céréales produites dans le monde sert à nourrir les animaux d'élevage alors qu'elles pourraient être utilisées pour nourrir les populations qui les cultivent.

1 - M.M. Mekonnen et A.Y. Hoekstra, *The green, blue and grey water footprint of farm animals and animal products*, vol 1 : Main report, décembre 2010, en ligne : <waterfootprint.org>.

## L'alimentation végétarienne/ végétalienne

**Comment faire la transition vers un régime végétarien/végétalien ?**

Il est aujourd'hui plus facile que jamais d'adopter un régime qui limite ou exclut complètement les produits d'origine animale. En effet, des produits de remplacement, tels que le lait de soya, la fausse viande hachée, le yogourt de soya et les saucisses de tofu, sont disponibles dans la grande majorité des épiceries. Ces produits peuvent remplacer la viande, les œufs et les produits laitiers dans les plats que vous avez déjà l'habitude de manger. Si vous éprouvez de la difficulté à trouver des produits de remplacement à votre épicerie, faites un tour au magasin d'aliments naturels ; vous y trouverez une grande variété de produits spécialisés. Essayez aussi les mets végétariens/végétaliens d'autres pays, comme par exemple l'houmous (une trempette faite à base de pois chiches) et le curry aux légumes indien ou thaï. Lancez-vous dans la cuisine : d'innombrables recettes végétariennes/ végétaliennes sont disponibles sur internet, et vous découvrirez un monde de nouvelles saveurs. Quand on a l'habitude de manger de la viande et des produits animaux, il peut être difficile d'imaginer comment on pourrait s'en priver. La manière la plus simple est sans doute d'y aller graduellement, en commençant par un repas végétarien/végétalien par jour, par exemple.

**Est-ce dangereux pour la santé ?**

Comme le soutient l'Association des diététistes du Canada, les régimes végétariens/végétaliens sont en mesure de répondre à tous nos besoins nutritionnels. Cependant, comme tous les régimes, l'alimentation végétarienne/ végétalienne doit être équilibrée et inclure une variété d'aliments. Contrairement à ce que beaucoup de gens pensent, les végétariennes et végétaliennes qui se nourrissent de manière équilibrée et variée ne risquent pas de manquer de protéines, de fer, de calcium, ni d'acides gras oméga-3, car tous ces nutriments se retrouvent en quantités suffisantes dans les végétaux. Les protéines sont présentes en grandes quantités dans les légumineuses (soya, haricots, fèves, lentilles, pois chiches), les céréales à grains entiers (pain de blé entier, riz brun), les noix (amandes, noix de Grenoble, arachides) et les graines (de tournesol, de citrouille, de sésame). Le soya, qui est à la base du tofu et de la plupart des produits de remplacement, est une très bonne source de protéines. D'ailleurs, l'Association des diététistes du Canada précise que la protéine de soya peut couvrir nos besoins en protéines aussi efficacement que la viande. Les légumineuses, les légumes vert foncé (brocoli, épinards), les céréales à grains entiers, les graines et les fruits secs sont d'excellentes sources de fer. Le calcium, quant à lui, se retrouve dans les amandes, les graines de sésame, les légumes de la famille des choux (chou vert, brocoli), certaines marques de tofu et les boissons enrichies (lait de soya, jus d'orange). Enfin, les graines de lin, les noix, les algues et l'huile de canola constituent d'excellentes sources d'acides gras oméga-3. Il faut cependant porter une attention particulière à la vitamine B12, qui est plutôt rare chez les végétaux, mais qui peut être puisée dans des boissons enrichies ou dans des suppléments.

## RESSOURCES UTILES

Informations générales sur le végétarisme/végétalisme :

**<goveg.com>**
(Anglais)

**<vegetarisme.info** (France)

**<vegemontreal.org>**
(Association végétarienne de Montréal)

**<veganquebec.net>**
(Site québécois consacré au végétalisme)

**<eco-bio.info/main3.html>**
(Sélectionnez : « Guide végétarien et végétalien » pour télécharger gratuitement un livre sur le végétarisme et le végétalisme)

**<gan.ca/accueil.fr.html>**
(Site internet de Réseau action globale, association pour le droit des animaux basée à Montréal)

# Violence

Sujets connexes :

Autorité p. 172
Gang de rue p. 294
Guerre p. 307

**On la retrouve partout, sous diverses formes.**

Il existe diverses formes de violence : la violence physique, verbale, psychologique. De plus, on la retrouve partout : à l'école, à la télé, au centre des conflits et des guerres, dans les disputes entre amis ou entre conjoints, etc. La violence frappe parfois sans prévenir, et il est parfois fort difficile de la dominer.

C'est notamment le cas lorsque des catastrophes naturelles s'abattent sur une région donnée, comme les tremblements de terre, les ouragans et les tsunamis, lorsqu'une maladie se propage dans un pays et fait de nombreuses victimes, lorsqu'une région est accablée par la famine, lorsqu'une société entière est menacée par le cancer. Bref, la violence fait partie de notre vie quotidienne, et le moins qu'on puisse faire, c'est d'essayer de l'éviter lorsqu'on en a la possibilité. Cela requiert beaucoup d'efforts et de maîtrise de soi, mais il va sans dire que cela peut avoir un impact très positif sur notre quotidien et sur la société dans laquelle nous vivons.

Depuis plusieurs années déjà, nombreux sont ceux qui déplorent la violence à la télé, dans les jeux vidéo ainsi que dans les sports professionnels. Cette omniprésence de la violence en vient à la rendre banale et incite parfois les gens à y avoir recours inutilement. Je sais qu'il peut être troublant, voire choquant de constater toute la place qu'occupe la violence autour de nous, et il n'est pas mauvais de s'insurger contre l'injustice, contre les conflits armés, contre les guerres et contre les mauvais traitements infligés aux femmes et aux enfants. Mais il existe aussi de petits gestes concrets que vous pouvez faire et qui peuvent aider à désamorcer la violence, du moins autour de vous.

D'abord, sachez que, même si vous êtes en colère, le fait de crier des bêtises, de frapper les gens ou de proférer des menaces ne vous avancera à rien. Au contraire, vous risquez alors de vous sentir encore plus impuissante. Par la suite, vous devrez probablement faire face aux conséquences de vos actes de violence et vous n'aurez même pas réglé votre problème.

Optez pour la communication et les compromis plutôt que pour la violence physique et verbale. Lorsqu'une situation vous semble injuste ou révoltante, il faut la dénoncer avec des mots choisis ou avec des actions raisonnables, mais pas avec les cris et les poings. Même si vous sentez que vous n'avez pas été respectée ou que quelqu'un a abusé de votre confiance, il faut agir avec maturité et tenter de régler la situation de façon responsable sans vous laisser prendre au jeu de la violence. Vous ne vous en sentirez que mieux par la suite. Il faut prôner la maîtrise de soi, les entretiens pacifiques et la communication pour régler les problèmes. Avoir recours à l'abus, au chantage, à la corruption et à la violence ne fait que nous plonger davantage dans de sombres sentiments et nous entraîne inévitablement dans un cercle vicieux extrêmement malsain.

## Pour aller plus loin:

**Camille,** Patrick Isabelle, Leméac, 2016

## Facile à dire...

Bien que la violence soit parfois ancrée en nous et qu'elle surgisse sans qu'on puisse la gouverner, il revient tout de même à chacune de nous de faire un effort pour surmonter ses instincts violents afin de parvenir à discuter de ce qui nous bouleverse et nous ébranle. Quand vous êtes en colère et que vous avez envie de défoncer les murs, profitez-en plutôt pour décharger votre fiel sur papier et pour exprimer tout ce qui vous passe par la tête. Prenez également le temps de vous calmer et de réfléchir avant d'agir sous le coup de l'émotion. Si vous devenez violente, non seulement vous en subirez les désagréables conséquences, mais vous risquez aussi de provoquer la même réaction chez les gens qui vous entourent. Ce comportement vous entraîne inévitablement dans un cul-de-sac puisque, dans une telle situation, personne n'est prêt à agir posément et à discuter du problème. Bref, mieux vaut avoir recours aux discussions et aux compromis et, surtout, apprendre à dompter la violence qui sommeille au fond de nous.

Même s'il est parfois difficile de ne pas réagir spontanément de façon violente, rappelez-vous à quel point cela vous révolte de voir ce type d'agissements autour de vous. Vous ne souhaitez probablement pas suivre la vague et agir aussi bêtement à votre tour.

Par ailleurs, si vous êtes témoin d'actes de violence verbale ou physique à l'école, à la maison ou dans la rue, n'hésitez pas à contacter les autorités ou à en parler à un adulte pour qu'il intervienne. Personne ne mérite de se faire maltraiter, et il faut absolument dénoncer les actes de violence qui se produisent autour de nous. Prônons les ententes et les compromis pour que notre société évolue dans le respect de tous.

# Volonté

**Sujets connexes :**

Ambition p. 143

Choix de carrière p. 200

Confiance p. 206

## Nous pousse à aller plus loin

La volonté, c'est le pouvoir de déterminer ce que l'on veut et de se fixer des objectifs tout en prenant les mesures nécessaires pour les atteindre. La volonté exige de la détermination, nous force à nous secouer les puces et à faire des efforts pour atteindre nos buts.

Quand on se laisse guider par notre volonté, c'est que le désir de réussir surpasse nos peurs et nous pousse à aller plus loin. La volonté, c'est le fait de se laisser guider par son ambition et par ses convictions pour atteindre ses objectifs. C'est ainsi qu'on apprend à se surpasser et à être extrêmement fière de nous-même.

Sachez d'abord que vous êtes maîtresse de votre vie et de vos actions. Par exemple, si vous voulez vous trouver un emploi et avoir plus d'argent de poche, il n'en tient qu'à vous de prendre les moyens nécessaires pour y parvenir. Plutôt que de pleurer sur votre sort et de vous trouver nulle, préparez votre CV, demandez des lettres de recommandation à vos professeurs ou à d'anciens employeurs et allez frapper aux portes pour trouver un emploi.

Faites bouger les choses et prenez la situation en main pour atteindre votre objectif.

C'est de cette façon que vous surmonterez vos peurs et vos insécurités, puisque vous atteindrez vos objectifs par vos propres moyens. Le sentiment d'accomplissement que vous éprouverez par la suite vous procurera énormément de satisfaction et vous donnera davantage confiance en vous.

Pour avoir de la volonté, vous devez être responsable et faire preuve de persévérance. Même si des difficultés se dressent sur votre route, vous devez apprendre à les surmonter et à affronter vos peurs sans vous laisser abattre. La vie est remplie de hauts et de bas ; il ne faut pas vous laisser décourager lorsque vous faites face à un pépin. Avec un peu de persévérance et de volonté, le monde sera

à votre portée et les défis seront beaucoup plus faciles à relever.

***N'ayez donc pas peur d'affronter les obstacles et de surmonter vos insécurités, car vous en sortirez grandie et plus épanouie.***

Dans la vie, il est normal de traverser des moments un peu plus difficiles ou de se sentir un peu lasses. Vous pouvez alors prendre le temps nécessaire pour recouvrer vos forces, mais la volonté est la clé pour vous sortir de votre torpeur et pour poursuivre sur votre lancée sans vous décourager. La volonté est une aptitude qui peut se développer et se renforcer avec le temps. Dans cette optique, vous pouvez faire de petits efforts quotidiens pour prendre des décisions et affronter vos peurs. Ne vous laissez pas abattre par vos insécurités ; laissez-vous plutôt guider par votre nature ambitieuse et par vos rêves.

Toutefois, ce n'est pas parce que vous avez de la volonté que vous devez exiger des autres qu'ils répondent sans cesse à vos caprices; chacun a le droit d'être heureux et de se lancer à la poursuite de ses propres objectifs, alors plutôt que de vous montrer tyrannique et d'imposer votre rythme aux autres, apprenez à vous inspirer de leur volonté ou de leur transmettre la vôtre en vous ouvrant aux gens qui vous entourent.

La vie est trop courte pour la passer à crouler sous la paresse et l'inertie. N'ayez pas peur d'affronter vos insécurités, de relever les défis qui se présentent à vous et de chercher à vous surpasser en atteignant vos objectifs. Vous sentirez une grande satisfaction, et je vous assure que vous acquerrez davantage de confiance en vous, ce qui vous poussera à aller plus loin et à vous surprendre vous-même!

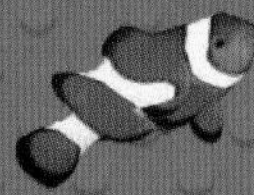

**Sujets connexes :**

Déménagement p. 228
New York p. 376
Permis de conduire p. 398

# Voyage

## Envie de découvrir le monde

Quand on est jeune, on commence peu à peu à développer le goût de l'étranger. L'envie de découvrir le monde et les endroits qu'on ne connaît pas encore se fait sentir. C'est souvent lors de nos premiers voyages en famille qu'on devient une mordue de l'aventure et de l'inconnu. Si c'est votre cas, sachez que toutes sortes de voyages se trouvent à votre portée, adaptés à votre budget, à vos accompagnateurs et au temps dont vous disposez.

À l'adolescence, on voyage la plupart du temps avec sa famille. Comme vous n'êtes pas encore majeure, il est normal que vos parents soient réticents à l'idée de vous voir voyager seule. Quoi qu'il en soit, les voyages en famille peuvent être à la fois très formateurs et très amusants, alors ne soyez pas trop découragée à l'idée de passer quelques semaines avec vos parents. Tout d'abord, ces voyages en famille vous permettront de vous faire découvrir des tas d'endroits que vous n'auriez pas pu découvrir seule. Vous pouvez ainsi apprendre à connaître la culture et les petits trésors de l'endroit que vous visitez. Ces connaissances vous permettront d'acquérir une plus grande expérience et une maturité qui vous feront grandir. De plus, voyager avec les membres de sa famille est l'occasion idéale pour passer du temps de qualité avec eux et pour faire toutes sortes d'activités enrichissantes. Profitez-en pour discuter avec eux et pour vous informer de leur vie. On dispose souvent de peu de temps pour passer des moments de qualité dans notre vie quotidienne ; les voyages constituent de belles occasions pour rire ensemble et se faire plaisir en famille.

Au secondaire, vous pouvez aussi participer à des voyages scolaires, à des expéditions avec votre classe ou à des séjours linguistiques à l'étranger. Ça fait parfois peur de quitter la maison et de partir seule vers l'inconnu, mais c'est très formateur pour votre personnalité et pour votre caractère ; vous apprendrez à affronter vos peurs, à vous ouvrir aux autres cultures et à acquérir une plus grande maturité et une plus grande indépendance. Après tout, les voyages forment bel et bien la jeunesse ! Si vous voyagez avec votre classe, profitez-en pour parler avec des gens que vous connaissez moins et pour apprendre à les connaître davantage. C'est souvent durant ces séjours hors de l'école qu'on fait de belles rencontres et qu'on partage avec certaines personnes des moments inoubliables. On installe alors avec elles une complicité à laquelle on ne s'attendait pas. On apprend du coup à être plus sociable et plus confiante dans ses rapports avec les autres. Assurez-vous cependant de respecter les règles et d'écouter votre professeur pour que le voyage ne tourne pas au vinaigre. Lorsqu'on sort du quotidien et qu'on découvre une autre ville, un autre pays ou une autre culture, on perd parfois nos points de repère et on se sent un peu égarée. Les gens avec qui vous voyagez, les responsables et les adultes qui vous accompagnent sont là pour vous guider dans votre aventure et pour s'assurer que vous puissiez vivre une expérience enrichissante en vous sentant à la fois encadrée et protégée.

Une photo de moi lors de mon voyage en Corée du Sud.

## Pour aller plus loin :

- ***Chroniques birmanes,*** Guy Delisle
- ***Pyonyang,*** Guy Delisle
- ***Chroniques de Jérusalem,*** Guy Delisle
- ***Schenzen,*** Guy Delisle

Si vous avez l'âme plus aventureuse et que vous avez envie d'aider les gens dans le besoin, il se peut que vous envisagiez d'effectuer une mission humanitaire dans une région ou un pays en difficulté. Comme vous êtes encore très jeune, vos parents se montreront probablement réticents à l'idée de vous voir partir seule à l'étranger, courir des risques et mettre votre vie en danger. Vous pouvez donc commencer par vous engager au sein d'un organisme humanitaire local et par vous informer auprès des centres d'aide de votre région pour rester au courant de ce que vous pouvez faire pour vous sentir utile. Ces organismes planifient parfois des expéditions sécuritaires durant lesquelles vous êtes encadrée et ne courez aucun danger. Je vous conseille toutefois de prendre votre temps avant de vous lancer dans une telle aventure. Rien ne vous empêche d'agir ici pour commencer et de planifier un voyage dans quelques années.

Si vous n'avez pas beaucoup d'argent, il existe toutes sortes de façons de bouger et de vivre des aventures sans devoir aller très loin ni débourser de fortes sommes. Vous pouvez organiser un voyage de camping ou de randonnée pédestre, ou encore passer quelques jours au chalet d'une amie. Vous pouvez partir en expédition dans un village que vous ne connaissez pas ou faire une longue randonnée à vélo et explorer la nature qui vous entoure. Le Québec est immense et il est rempli de trésors et de lieux pittoresques qui valent la peine d'être découverts. Que ce soit au Saguenay, en Mauricie, en Estrie, en Gaspésie ou dans Charlevoix, il y a des centaines de monuments, d'attraits touristiques et de paysages à découvrir, alors n'hésitez pas à explorer votre propre province et toutes les beautés naturelles qui la rendent si unique.

Si vous passez quelques semaines au chalet avec votre famille, que vous allez en voyage aux États-Unis ou à la plage avec vos parents et que vous avez peur de vous ennuyer, demandez-leur si une amie peut se joindre à vous. Si vos parents acceptent et que ceux de votre copine donnent aussi leur accord, vous pourrez profiter de ces journées pour vous amuser ensemble tout en passant du bon temps en famille.

Quoi qu'il en soit, sachez que les voyages et les aventures forment le caractère et vous ouvrent davantage aux différences culturelles. Ils vous permettent d'apprendre des tas de choses sur des endroits que vous ne connaissiez pas et, aussi, d'en apprendre plus sur vous-même. Vous découvrirez que vous êtes plus aventureuse et plus téméraire que vous ne le croyiez. Bref, n'hésitez pas à foncer et à partir à l'aventure, car un monde d'expériences excitantes vous attend, alors aussi bien en profiter!

**10 SUGGESTIONS DE VOYAGE**

- Le tour de la Gaspésie (Québec)
- Aix-en-Provence (France)
- Cape Cod (États-Unis)
- New York (États-Unis)
- West Palm Beach (États-Unis)
- Vancouver (Canada)
- Barcelone (Espagne)
- Prague (République tchèque)
- Cancún (Mexique)
- Nouvelle-Orléans (États-Unis)

# Vulgarité

**Sujets connexes :**
Autorité p. 172
Maturité p. 344
Pornographie p. 415

?@#&$%*!

À l'adolescence, on a parfois envie de se rebeller et de défier l'autorité. On apprend certains termes vulgaires et il arrive que l'on prenne l'habitude de les utiliser lorsqu'on est entre amis ou carrément pour choquer notre entourage.

Même si on sait que les grossièretés ne sont pas très appréciées par les parents, les profs et la société en général, il nous arrive d'avoir envie de choquer un peu. Les personnes qui adoptent un comportement vulgaire le font souvent par manque de confiance en soi ; ne sachant comment attirer l'attention, ils choisissent l'option facile en essayant de provoquer les gens autour d'eux. Il s'agit toutefois d'une façon désagréable d'attirer sur soi le mauvais genre d'attention.

Sachez tout d'abord que la grossièreté n'a rien d'attirant. Il s'agit généralement d'un manque de savoir-vivre et d'une impolitesse qui peuvent blesser les autres. Par ailleurs, la vulgarité n'est pas seulement liée aux insultes et aux sacres ; manquer aux règles de base de la bienséance, c'est aussi faire preuve de grossièreté. Ce faisant, vous laissez comprendre aux gens qui vous entourent qu'ils ne méritent pas que vous fassiez des efforts pour bien vous comporter en leur présence, par exemple en parlant la bouche pleine, en criant à tue-tête, en tutoyant les adultes que vous ne connaissez pas ou en bousculant les gens dans la rue. La vulgarité peut aussi se manifester dans votre apparence : si vous portez une minijupe et que vous vous assoyez sans fermer vos jambes, c'est un signe de vulgarité (et, entre vous et moi, ce n'est pas très féminin !). Ce manque de considération montre que vous n'avez pas de respect pour votre entourage, mais surtout pour vous-même. Si vous êtes incapable de vous respecter, comment espérer que les autres vous respecteront à leur tour ? La vulgarité est aussi une façon de désobéir aux profs, de jouer les dures, de se rebeller contre l'autorité parentale et de choquer les autres en agissant de façon inappropriée.

Il existe de meilleures façons de s'exprimer et de se démarquer que de faire preuve de vulgarité. En choquant volontairement les gens, vos opinions seront moins bien reçues et on ne vous prendra pas au sérieux. Il est important que vous puissiez vous exprimer et que vous vous sentiez libre de partager vos émotions, mais vous devez apprendre à le faire sans manquer de respect aux autres. Vous vous rendrez vite compte qu'il est beaucoup plus facile d'arriver à vos fins lorsque vous vous comportez avec civilité. Les adultes seront plus enclins à vous écouter et à vous accorder ce que vous désirez.

La vulgarité n'apporte généralement rien de bon. Les gens de votre entourage risquent plutôt de grimacer en vous voyant agir ainsi ou en vous entendant dire des grossièretés, et ils auront tendance à vous traiter avec froideur ou à vous répondre impoliment.

## Les sacres québécois

Au Québec, nous avons nos propres jurons qui sont généralement des termes d'Église. Notre société est de plus en plus laïque, mais il fut un temps où les jurons à caractère religieux choquaient l'ensemble de la population, puisqu'ils allaient à l'encontre des valeurs québécoises et constituaient un manque de respect envers la puissance religieuse qui régissait la province. Même si l'Église a perdu beaucoup de pouvoir au sein de notre société, ces jurons sont tout aussi grossiers à notre époque : n'allez pas croire qu'il s'agisse d'une façon normale de s'exprimer. Quelle que soit la grossièreté utilisée, ce n'est pas une façon de s'adresser aux gens de votre entourage. Si vous êtes en colère ou que vous jugez qu'on vous a traitée de façon irrespectueuse, la solution n'est pas d'être impolie à votre tour. Prêchez plutôt par l'exemple et optez pour la discussion et le savoir-vivre. Vous aurez ainsi de bien meilleures chances de faire comprendre votre message !

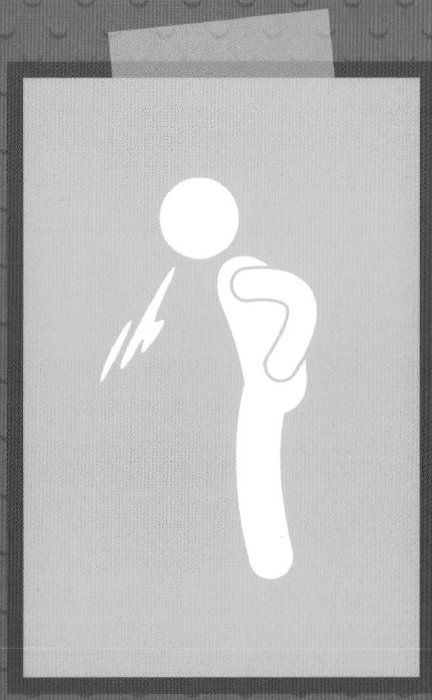

# Table des matières

# Numéros utiles

Urgences : police, pompiers et ambulance : **911**

Centre antipoison du Québec :
**1 800 463-5060**

Centre d'aide aux victimes d'actes criminels :
**1 866 532-2822**

Drogue : aide et référence :
**1 800 265-2626**

Gai Écoute : **1 888 505-1010**

Échec au crime : **1 800 711-1800**

Info-Santé : **811**

Jeunesse J'écoute : **1 800 668-6868**

Prévention Suicide :
**1-866 APPELLE (1 866 277-3553)**

Protection de la jeunesse :
**1 800 463-9009**

Association canadienne pour la liberté de choix (ACLC) : **1 888 642-2725**

Anorexie et boulimie Québec :
**1 800 630-0907**

# Ressources utiles

## AVORTEMENT ET CONTRACEPTION ORALE D'URGENCE

Pour trouver plus de ressources dans votre région, consultez le répertoire des ressources sur le site du gouvernement : <santé.gouv.qc.ca>

Les services généralement offerts sont les suivants :
- Contraception
- Contraception orale d'urgence
- Échographie
- Prélèvements
- Avortement

### Grande région de Montréal

**Centre de santé des femmes de Montréal**
3401, avenue de Lorimier
Montréal (Québec) H2K 3X5
Site web : <csfmontreal.qc.ca>
Accueil et références en santé gynécologique : 514 270-6110
Rendez-vous pour avortement : 514 270-6114
Pilule du lendemain : 514 270-6110 poste 2

**Clinique médicale de l'Alternative**
2034, rue Saint-Hubert
Montréal (Québec) H2L 3Z5
Site web : <cliniquedelalternative.com>
Général : 514 281-9848
Rendez-vous pour avortement : 514 281-6476

**Clinique Morgentaler**
1259, rue Berri, bureau 900
Montréal (Québec) H2L 4C7
Site web : <morgentalermontreal.ca>
Général : 514 844-4844
Rendez-vous pour avortement (sans frais) : 1 888 401-4844
Rendez-vous pour avortement : 514 844-4844 poste 1

**Hôpital CHU Sainte-Justice**
3175, chemin de la Côte-Sainte-Catherine
Montréal (Québec) H3T 1C5
Médecine de l'adolescence : 514 345-4721

### Région de Québec

**Clinique de planification des naissances**
(Centre hospitalier de l'université Laval)
2705, boulevard Laurier
Québec (Québec) G1V 4G2
Général : 418 654-2167
Centrale de rendez-vous : 418 654-2167

### Bas Saint-Laurent

**Centre hospitalier régional du Grand-Portage**
75, rue Saint-Henri
Rivière-du-Loup (Québec) G5R 2A4
Accueil-information : 418 868-1000
Rendez-vous avortement : 418 867-2642 poste 140
Note : Avortement de 7 semaines jusqu'à 14 semaines sous anesthésie locale

### Saguenay-Lac-Saint-Jean

**CLSC de Chicoutimi**
411, Rue de l'Hôtel-Dieu
Chicoutimi (Québec) G7H 7Z5
Général : 418 543-2221
Rendez-vous pour avortement : 418 543-2221 poste 3763

### Mauricie

**Centre de santé des femmes de la Mauricie**
889, rue du Haut-Boc
Trois-Rivières (Québec) G9A 4W7
Général : 819 378-1661
Rendez-vous pour avortement : 819 378-1661 poste 2

### Estrie

**Clinique de planning, santé sexuelle et planification familiale**
213, 13e avenue Nord
Sherbrooke (Québec) J1E 2X8
Général : 819 565-0767
Centrale de rendez-vous : 819 565-0767

### Outaouais

**Clinique des femmes de l'Outaouais**
228, boulevard Saint-Joseph, local 201
Gatineau (Québec) J8Y 3X4
Site web : <cliniquedesfemmes.com>
Rendez-vous avortement : 819 778-2055
Note : services d'avortement jusqu'à 15 semaines

### Abitibi-Témiscamingue

**Clinique de chirurgie et des gynécologie** (CISSS de l'Abitibi-Témiscamingue)
726, 6e Rue, Pavillon Marc Fillion
Val-d'Or (Québec) J9P 3Y1
Général : 819 825-5858 poste 2804
Général : 819 825-5858 poste 2490
Ligne sans frais : 1 877 360-5858

### Côte-Nord

**CLSC Lionel Charest**
340, rue Clément-Lavoie
Baie-Comeau (Québec) G4Z 3B8
Réception: 418 296-2572
Clientèle sans médecin (guichet d'accès): 418 296-2572 poste 31520
Rendez-vous pour avortement: 418 296-2572 poste 5153

### Nord-du-Québec

**Centre de santé de Chibougamau** (CLSC)
51, 3e Rue
Chibougamau (Québec) G8P 1N1
Général: 418 748-6435 poste 4209
Clientèle sans médecin (guichet d'accès): 1 866 748-2676 poste 2706
Infirmière pivot: 418 748-2676 poste 2117
Prise de rendez-vous IVG: 418 748-7658 poste 4214

### Gaspésie - Îles de la Madeleine

**Hôpital Hôtel-Dieu de Gaspé**
215, boulevard de York Ouest
Gaspé (Québec) G4X 2W2
Général: 418 368-3301
Clinique de planning pour IVG, accompagnement, soutien: 418 368-1716

### Lanaudière

**CLSC de Joliette**
380, boulevard Base-de-Roc
Joliette (Québec) J6E 9J6
Général: 450 755-2111
Clientèle sans médecin (guichet d'accès): 450 756-5076
Rendez-vous pour avortement: 450 755-2111 poste 2318

### Laurentides

**Centre de services de Rivière-Rouge**
1525, rue de l'Annonciation Nord
Rivière-Rouge (Québec) J0T 1T0
Général: 819 275-2118
Rendez-vous pour avortement- Mont-Laurier: 819 623-2118
Rendez-vous pour avortement - Rivière-Rouge: 819 275-2118 poste 3100

### Montérégie

**CLSC Saint-Hubert**
6800, boulevard Cousineau
Saint-Hubert (Québec) J3Y 8Z4
Général: 450 443-7400
Clientèle sans médecin (guichet d'accès): 450 443-7414
Rendez-vous pour avortement: 450 443-7455

### Nunavik

**Centre de santé Tulattavik de l'Ungava**
CASE POSTALE 149
Kuujjuaq (Québec) J0M 1C0
Général : 819 964-2905
Rendez-vous pour avortement : 819 964-2905 poste 265

## DÉPENDANCES

**Drogues : aide et référence**

Drogues : aide et référence est un service téléphonique qui s'adresse aux personnes qui se préoccupent de leur consommation et à leur entourage.
Il offre des services d'information, de référence et d'écoute.
Disponible 24 heures par jour, 7 jours par semaine.
Ses services sont bilingues, confidentiels, anonymes et gratuits.
Site web : <drogue-aidereference.qc.ca>
Téléphone (région de Montréal) : 514 527-2626
Partout au Québec : 1 800 265-2626

## SANTÉ MENTALE

### Partout au Québec

**Avant de craquer**
Association qui vient en aide aux proches et aux personnes atteintes de maladie mentale
Site web : <avantdecraquer.com>
Téléphone (gratuit) : 1 855 CRAQUER (1 855 272-7837)

### Région de Québec

**Entraide Jeunesse Québec**
571, 3e avenue
Québec (Québec) G1L 2W4
Site web : <entraidejeunesse.qc.ca>
Téléphone : 418 649-9705 ou 1-877-649-9705
Ligne d'intervention : 1 866 APPELLE (1 866 277-3553)
Leur mission : Offrir du soutien et des activités de prévention aux jeunes de 12 à 25 ans, afin qu'ils développent des habiletés personnelles leur permettant d'accroître leur autonomie.

## SUICIDE

Si vous êtes inquiète pour un proche, si vous vous demandez ce qu'il faut faire ou comment agir, vous pouvez obtenir de l'information et de l'aide en tout temps à ce numéro : 1 866 APPELLE ou 1 866 277-3553.

Vous pouvez également communiquer avec un des centres de prévention du suicide et centres de crise, des organismes partenaires du réseau de la santé et des services sociaux de votre région.

### Partout au Québec

**Centre de prévention du suicide**
Site web : <cpsquebec.ca>
Ligne de soutien : 1 866 APPELLE (1 866 277-3553)
Ouverte 24 heures par jour, 7 jours par semaine

### Grande région de Montréal

**Suicide action Montréal**
Site web : <suicideactionmontreal.org>
Ligne régionale à Montréal : 514 723-4000
Ligne d'intervention : 1 866 APPELLE (1 866 277-3553)

### Saguenay Lac-Saint Jean

**Centre de prévention du suicide 02**
Ligne d'intervention : 418 545-1919

### Mauricie

**Centre de prévention du suicide Centre-de-la-Mauricie/ Mékinac**
2553, ave. Georges
Shawinigan (Québec) G9N 2P4
Site web : <preventionsuicideshawinigan.ca>
Ligne d'intervention : 819 539-3232

### Montérégie

**Le Tournant**
Une ressource alternative qui accueille et accompagne, dans leur démarche vers un mieux-être, les personnes dont la santé mentale est perturbée et qui souffrent de détresse émotionnelle afin de les aider à donner un sens à leur vie.
Site web : <letournant.org>
Ligne d'intervention : 450 371-4090
24 heures par jour, 7 jours par semaine.

### Région de Québec

**Centre de prévention du suicide de Québec**
1310, 1ère avenue
Québec (Québec) G1L 3L1
Ligne d'intervention: 418 683-4588

### Centre du Québec

**Centre d'écoute et de prévention suicid**e (CEPS) **Drummond**
Site web : <cepsd.ca>
Ligne d'intervention : 1 866 APPELLE (1 866 277-3553)

### Abitibi-Témiscamingue

**Centre de prévention du suicide de Rouyn-Noranda**
C.P. 1023
Rouyn-Noranda (Québec) J9X 5C8
Téléphone : 819-764-5099
Télécopieur : 819-764-4111
Ligne d'intervention : 1 866 APPELLE (1 866 277-3553)

### Estrie

**JEVI Centre de prévention du suicide – Estrie**
120, 11e Avenue Nord
Sherbooke (Québec) J1E 2T8
Site web : <jevi.qc.ca>
Ligne d'intervention : 1 866 APPELLE (1 866 277-3553)

### Outaouais

**Centre d'aide 24/7**
19, rue Caron
Gatineau (Québec) J8Y 1Y8
Site web : <centredaide247.com>
Numéro administratif : 819 595-3476
Ligne d'intervention : 1 866 APPELLE (1 866 277-3553)

### Côte-Nord

**Centre de prévention du suicide Côte-Nord**
C.P. 2591 Baie-Comeau (Québec) G5C 2T3
Site web : <preventionsuicidecotenord.ca>
Ligne d'intervention: 1 866 APPELLE (277-3553)

### Chaudière-Appalaches

**Centre d'écoute et de prévention du suicide Beauce-Etchemins**
12 220, 2e Avenue
St-Georges-de-Beauce (Québec) G5Y1X4
Ligne d'intervention : 418 228-0001
Un service gratuit, confidentiel et anonyme
Tous les jours de 18 h à 3h du matin

### Laurentides

**Centre de prévention du suicide le Faubourg**
C.P. 1 St-Jérôme (Québec) J7Z 5T7
Site web : <cps-le-faubourg.org>
Ligne d'intervention régionale : 450 569-0101

## TROUBLES ALIMENTAIRES

### Partout au Québec

**Anorexie et boulimie Québec (ANEB)**
Site web : <anebquebec.com>
Téléphone (région de Montréal) : 514-630-0907
Téléphone (sans frais) : 1 800 630-0907

# SALONS DU LIVRE

**Certaines d'entre vous sont sûrement déjà venues me voir dans les Salons du livre de votre région. Pour moi, ce sont des événements vraiment importants parce qu'ils me permettent de prendre un peu de temps avec vous, mes lectrices!**

**Connaissez-vous tous les salons du livre de la province? Voici la liste complète et les dates auxquelles ils se tiennent! Pour plus d'informations, vous pouvez aller visiter le site de l'Association québécoise des salons du livre (AQSL) à l'adresse <aqsl.org>.**

**Au plaisir de vous y voir bientôt!**